DIALOGUES

SOURCES CHRÉTIENNES

Fondateurs : H. de Lubac, s. j., et † J. Daniélou, s. j.
Directeur : C. Mondésert, s. j.
N° 260

GRÉGOIRE LE GRAND

DIALOGUES

TOME II

(Livres I-III)

TEXTE CRITIQUE ET NOTES

PAR

Adalbert de VOGÜÉ

MOINE DE LA PIERRE-QUI-VIRE

TRADUCTION

PAR

Paul ANTIN

MOINE DE LIGUGÉ

Cet ouvrage est publié avec le concours
du Centre National des Lettres

LES ÉDITIONS DU CERF, 29, BD DE LATOUR-MAUBOURG, PARIS
1979

La publication de cet ouvrage a été préparée avec le concours de l'Institut des Sources Chrétiennes (E. R. A. 645 du Centre National de la Recherche Scientifique)

ISBN 2-204-01451-6

CONSPECTVS SIGLORVM

Editiones :

b Benedictinorum ed., Parisiis 1705.

*b*ᵗ Tituli capitulorum medio textui inserti in *b*.

m U. Moricca ed., Romae 1924.

*m*ᵒ Codicum in *m* adhibitorum lectiones ab editore omissae.

r R. Mittermüller ed., Ratisbonae 1880 (Liber II).

w G. Waitz ed., Hanovriae 1878 (Excerpta).

z Zachariae uersio graeca, saec. VIII, a Benedictinis edita.

(*z*) Zachariae testimonia incompleta aut incerta.

*b*ᵛ *m*ᵛ *r*ᵛ *w*ᵛ *z*ᵛ Variae lectiones in notis seu apparatu critico ab editoribus positae.

Codices :

G Sangallensis 213, saec. VIII med.

H Augustodunensis 20, saec. VIII².

L'astérisque qui suit certaines notes renvoie aux *Notes complémentaires*.

Incipivnt Capitvla Libri Primi Dialogorvm beati Gregorii papae

I. De Honorato abbate monasterii Fundensis.
II. De Libertino praeposito monasterii Fundensis.
III. De monacho hortolano monasterii cuius supra.
IIII. De Equitio abbate prouinciae Valeriae.
V. De Constantio mansionario ecclesiae sancti Stephani iuxta Anchonitanam ciuitatem.
VI. De Marcellino Anchonitanae ciuitatis episcopo.
VII. De Nonnoso praeposito monasterii in monte qui Soractis dicitur.
VIII. De Anastasio abbate monasterii quod Subpentoma uocatur.
VIIII. De Bonifatio Ferentis ciuitatis episcopo.
X. De Fortunato Tudertinae ciuitatis episcopo.
XI. De Martyrio monacho prouinciae Valeriae.
XII. De Seuero presbitero prouinciae cuius supra.

Explicit Capitvla Libri Primi

I Cap bmz Incipiunt — papae *m* : libri primi capita *b* ‖ primi $bm^{v}(z)$: *om. m* ‖ I monasterii $bm^{v}z$: -rio *m* ‖ Fundensis bmm^{o} : flundensis m^{v} ‖ II monasterii m^{v} : monasterio *m* eiusdem monasterii *bz* *om.* m^{v} ‖ Fundensis mm^{o} : Flundensis m^{v} *om.* $bm^{v}z$ ‖ III monacho *bmz* : *post* hortolano *transp.* b^{t} ‖ hortolano *m* : hortul- bm^{v} ‖ cuius supra *m* : eiusdem *bz* ‖ IIII Equitio *bm(z)* : Aequitio m^{v} ‖ prouinciae Valeriae $b^{t}mz$: Val. prou. *b* ‖ V mansionario $bm^{v}z$: monacho *m* monasterio m^{v} ‖ iuxta Anchonitanam ciuitatem *mz* : *om. b* ‖ Anchonitanam ciuitatem m^{v} : Anchonitana ciuitate *m* ‖ VII monasterii $bm^{v}z$: -rio *m* ‖ qui Soractis dicitur *bm* : Soractis b^{t} Saraphthen *z* ‖ VIII monasterii *bz* : -rio *m* ‖ quod bm^{o} : qui *m* ‖ Subpentoma *m* : Subpenthoma m^{v} Suppentonia *b* Supetanea m^{v} ‖ VIIII Bonifacio *bmz* : Bonef- m^{v} ‖ Ferentis *m* : Ferentinae *b* ‖ XII prouinciae cuius supra *m* : eiusdem prouinciae *bz* *om.* m^{v} ‖ Explicit — primi *m* : *om. bz*

Table des chapitres du Livre Premier des Dialogues du pape saint Grégoire

Fin de la Table des chapitres du Livre Premier

Table des chapitres. Voir *Introduction*, p. 188-189.

V. Plusieurs mss italiens donnent à Constance le titre de *monachus*. En réalité, Grégoire le présente comme un *mansionarius* (sacristain), titre que lui donnent ici-même d'autres mss.

XI. Unanimement les mss donnent à Martyrius le titre de *monachus*. Celui-ci manque dans le récit de Grégoire, mais la mention de « frères » peut y être interprétée comme indiquant une communauté monastique.

DIALOGORVM GREGORII PAPAE
LIBRI QVATVOR
DE MIRACVLIS PATRVM ITALICORVM

INCIPIT LIBER PRIMVS

Quadam die, nimiis quorumdam saecularium tumultibus depressus, quibus in suis negotiis plerumque cogimur soluere etiam quod nos certum est non debere, secretum locum petii amicum moerori, ubi omne quod de mea
5 mihi occupatione displicebat se patenter ostenderet et cuncta quae infligere dolorem consueuerant congesta ante oculos licenter uenirent.

2. Ibi itaque cum adflictus ualde et diu tacitus sederem, dilectissimus filius meus Petrus diaconus adfuit, mihi a
10 primaeuo iuuentutis flore in amicitiis familiariter obstrictus atque ad sacri uerbi indagationem socius. Qui graui excoqui cordis languore me intuens, ait : numquidnam noui aliquid accidit, quod plus te solito moeror tenet ?

Prol bmz GH *Tit. deperd. ap. H* ‖ Dialogorum — papae : urbis Romae *add. m* sancti Greg. papae dial. *b* *om. G* ‖ libri *b* : numero *add. m* *om. G* ‖ quatuor de *m* : uita et *add. b* *om. G* ‖ miraculis patrum italicorum *m* : et de aeternitate animarum *add. b* *om. G* ‖ Incipit *m G* : *om. bz* ‖ primi *bmz* : de aliquorum sancti Gregorii pape *add. G* dialogorum beati Gr. papae *add. m*[v]

4 amicum *bm*[v]*z GH* : amico *m* ‖ moerori *b*[v]*m G* : moeroris *bm*[v] *H* moerori meo *b*[v] ‖ 6 dolorem *bm*[v]*z G* : dolore *m* *deperd. ap. H* ‖ 10 in *mz GH* : *om. bm*[v] ‖ 13 accidit *bm*[v]*z G* : accedit *m H*

Prologue. Cette page autobiographique est à rapprocher de plusieurs autres, notamment *Reg.* 1, 5-7 = *Ep.* 1, 5-7 ; *Hom. Ez.* I, 11, 5-6 ; *Reg.* 5, 53[a] (Lettre-Préface des *Morales* : voir *SC* 32, p. 114-116).

1. Évêque accablé par les affaires des séculiers : plainte fréquente chez Augustin (par exemple *Conf.* 6, 3, 3, à propos d'Ambroise) comme chez Grégoire (*Reg.* 1, 5 = *Ep.* 1, 5 [449 c] : *pressum... in*

DIALOGUES DU PAPE GRÉGOIRE EN QUATRE LIVRES SUR LES MIRACLES DES PÈRES ITALIENS

LIVRE PREMIER

Un jour, déprimé par les tumultes excessifs de quelques séculiers, aux affaires desquels nous sommes trop souvent obligés de payer un tribut que nous ne leur devons certainement pas, je gagnai un endroit solitaire, favorable à la mélancolie, où tout le déplaisir de mes occupations se montrerait à moi sans déguisement, et tout ce qui m'inflige habituellement de la douleur se rassemblerait sous mes yeux librement.

2. Comme je restais là assis, très affligé, dans un long silence, voici que se présenta mon fils bien-aimé le diacre Pierre, qui m'est lié d'amitié familière depuis la première fleur de sa jeunesse, mon collaborateur dans mes investigations sur la parole sacrée. D'un coup d'œil, il vit que je cuisais dans le découragement, et il me dit : « Est-il arrivé quelque chose de nouveau, pour que la mélancolie vous tienne plus que d'habitude ? »

hoc honore tumultu saecularium negotiorum) ; *Reg.* 1, 24 = *Ep.* 1, 25 [476 d - 477 a] ; *Hom. Ez.* I, 11, 6). Certains tentent même d'impliquer les ecclésiastiques dans les poursuites dont ils sont l'objet pour leurs malversations (*Reg.* 9, 77 = *Ep.* 9, 27). — Isolement propice aux larmes : voir AUGUSTIN, *Conf.* 8, 12, 28. Grégoire parle déjà de *moeror* au sujet de ses fonctions épiscopales dans *Reg.* 1, 6 = *Ep.* 1, 6. *

2. Sur le diacre Pierre, voir *Introduction*, p. 44-45 et 79-80. Dans *Reg.* 5, 28 = *Ep.* 5, 34, Grégoire l'appelle comme ici *dilectissimus filius.* « Familiers » de Grégoire : voir *Reg.* 3, 50 = *Ep.* 3, 51. Certains d'entre eux se passionnaient pour la parole sacrée (*Hom. Eu.* I, *Praef.*). D'après *Reg.* 8, 18 = *Ep.* 8, 16, l'abbé Claude collaborera comme Pierre aux recherches exégétiques de Grégoire (*magnum nobis... erat in uerbo Dei solatium*). *

3. Cui inquam : moerorem, Petre, quem cotidie patior
15 et semper mihi per usum uetus est et semper per augmentum nouus. Infelix quippe animus meus occupationis suae pulsatus uulnere meminit qualis aliquando in monasterio fuit, quomodo ei labentia cuncta subter erant, quantum rebus omnibus quae uoluuntur eminebat, quod nulla nisi
20 caelestia cogitare consueuerat, quod etiam retentus corpore ipsa iam carnis claustra contemplatione transiebat, quod mortem quoque, quae paene cunctis poena est, uidelicet ut ingressum uitae et laboris sui praemium amabat.
25 4. At nunc ex occasione curae pastoralis saecularium hominum negotia patitur, et post tam pulchram quietis suae speciem terreni actus puluere foedatur. Cumque se pro condescensione multorum ad exteriora sparserit, etiam cum interiora appetit, ad haec proculdubio minor redit.
30 Perpendo itaque quid tolero, perpendo quid amisi, dumque intueor illud quod perdidi, fit hoc grauius quod porto.

5. Ecce etenim nunc magni maris fluctibus quatior atque in naui mentis tempestatis ualidae procellis inlidor,
35 et cum prioris uitae recolo, quasi post tergum ductis oculis uiso litore suspiro. Quodque adhuc est grauius, dum inmensis fluctibus turbatus feror, uix iam portum ualeo uidere quem reliqui. Quia et ita sunt casus mentis, ut

14 mœrorem *m GH* : moeror *bm*ᵛ*z* ‖ 17 monasterio *bm*ᵛ*z* : -ium *m GH* ‖ 21 transiebat *m H* : transibat *bm*ᵛ *G* ‖ 26 et *bm*ᵒ*z GH* : ut *m* ‖ 35 post tergum *bm* : postergum *m*ᵛ *GH* ‖ 36 est grauius *m GH* : grauius est *bm*ᵛ ‖ 37 ualeo uidere *m GH* : uidere ualeo *bz*

3. Cf. Sulpice Sévère, *Dial.* 3, 1 : *per gestorum admirationem semper mihi noua sunt* (les hauts faits de Martin). Dans *Reg.* 1, 5 = *Ep.* 1, 5 (448 b - 449 a), Grégoire décrit de même les hauteurs contemplatives où il se tenait avant son pontificat. Impression de dominer tout ce qui passe : voir II, 35, 6-7 ; *Mor.* 31, 94.

4. Plaintes renouvelées en III, 15, 14-17, où Grégoire parle aussi de « condescendance ». « Beauté » du « repos » contemplatif : écho de l'exégèse de « Rachel » dans *Reg.* 1, 5 = *Ep.* 1, 5 (449 b) ;

3. Je répondis : « La mélancolie, Pierre, que j'éprouve chaque jour, m'est toujours vieille par l'accoutumance, et toujours nouvelle par le recommencement. En effet, mon malheureux esprit, lanciné par mes occupations, se rappelle sa situation jadis au monastère, comment toutes les choses caduques étaient au-dessous de lui, combien il dominait de haut tout ce qui passe ; qu'il n'avait en tête habituellement que les choses célestes ; que, même retenu dans le corps, il passait par la contemplation les frontières de la chair ; qu'il aimait la mort, comme entrée dans la vie et récompense du travail, alors qu'elle est pour presque tous un châtiment.

4. Mais maintenant, la charge pastorale lui occasionne ces affaires de séculiers qui le font souffrir. Après toute la beauté de son repos, il est sali par la poussière de l'action terrestre. Quand il s'est dispersé au dehors par condescendance pour la multitude, même quand il recherche les biens intérieurs, il revient à eux sans nul doute bien diminué. Je soupèse d'une part ce que j'ai à supporter, d'autre part ce que j'ai perdu ; et quand je réalise l'étendue de cette perte, je sens s'appesantir ce que j'endure.

5. Voici maintenant que je suis ballotté sur les flots de la vaste mer, et dans la nef de mon esprit je suis secoué par les houles d'une violente tempête. Quand je me rappelle ma vie antérieure, comme si je regardais en arrière et voyais le littoral, je soupire. Plus grave encore, roulé sur les flots immenses, c'est à peine si je peux voir à présent le port que j'ai quitté. Car telles sont les chutes

Mor. 6, 6 (cf. AUGUSTIN, *Contra Faustum* 22, 52-56). « Dispersion à l'extérieur » entraînant une « diminution » (*Hom. Ez.* II, *Praef.*) quand on « revient au dedans » (*Mor.* 15, 52 ; 26, 20) : voir P. CATRY, « Amour du monde et amour de Dieu chez S. Grégoire le Grand », dans *SM* 15 (1973), p. 257-258. Cf. *Reg.* 1, 5 = *Ep.* 1, 5 (449 b), qui cite Is 46, 8 (*redite... ad cor*). *

5. La « tempête » de la charge pastorale est évoquée en termes presque identiques dans *Reg.* 1, 5 = *Ep.* 1, 5 (449 a) ; *Reg.* 1, 7 = *Ep.* 1, 7. Cf. *Past.* 1, 9 ; *Reg.* 5, 53^{a} = *Mor.*, *Praef.* 1 (*SC* 32, p. 114-116). Dans *Hom. Eu.* 24, 2, « mer » et « rivage » sont le temps et l'éternité. Chute progressive dans le laisser-aller : III, 15, 16 ; *Hom. Ez.* I, 11, 5-6. *

prius quidem perdat bonum quod tenet, sed tamen se
40 perdidisse meminerit, cumque longius recesserit, etiam
ipsius boni quod perdiderit obliuiscitur, fitque ut post
neque per memoriam uideat, quod prius per actionem
tenebat. Vnde hoc agitur quod praemisi, quia cum naui-
gamus longius, iam nec portum quietis quem reliquimus
45 uidemus.

6. Nonnumquam uero ad augmentum mei doloris ad-
iungitur, quod quorumdam uita, qui praesens saeculum
tota mente reliquerunt, mihi ad memoriam reuocatur,
quorum dum culmen aspicio, quantum ipse in infimis
50 iaceam agnosco. Quorum plurimi conditori suo in secretiori uita placuerunt, qui ne per humanos actus a noui-
tate mentis ueterescerent, eos omnipotens Deus huius
mundi laboribus noluit occupari.

7. Sed iam quae prolata sunt melius insinuo, si ea quae
55 per inquisitionem ac responsionem dicta sunt sola nomi-
num praenotatione distinguo.

PETRVS. Non ualde in Italia aliquorum uitam uirtutibus fulsisse cognoui. Ex quorum igitur conparatione
accenderis ignoro. Et quidem bonos uiros in hac terra
60 fuisse non dubito, signa tamen atque uirtutes aut ab eis
nequaquam factas existimo, aut ita sunt hactenus silentio suppressa, ut utrumne sint facta nesciamus.

8. GREGORIVS. Si sola, Petre, referam quae de perfec-
tis probatisque uiris unus ego homuncio uel bonis ac fide-

39 sed *GH* : si *bm* ‖ se bm^{v} *GH* : *om. m* ‖ 41 ipsius boni *m GH* : boni ipsius *b* ‖ perdiderit *m GH* : perdiderat *b* ‖ 42 actionem bm^{v} *GH* : actione *m* ‖ 46 ad *m GH* : in $bm^{v}z$ ‖ 52 ueterescerent *m* : ueteriscerent [-rint *H*] *GH* ueterascerent *b* increscerent m^{v} ‖ 53 occupari $bm^{v}z$: occupare *m GH* ‖ 58 fulssise $bm^{v}m^{o}z$ *GH* : fuisse *m* ‖ 61 factas *m GH* : facta bm^{v} ‖ existimo bm^{v} *H* : exaestimo [exest- *G*] *m G*

---

6. En regardant les saints, le pécheur prend conscience de son propre état : *Mor.* 24, 15-18. « Beaucoup » ont plu à Dieu dans la vie monastique, non pas tous, car il y a aussi de saints évêques (I, 5

de l'esprit : d'abord on perd le bien qu'on tient, mais on se rappelle encore sa perte ; puis, en s'éloignant, on en vient même à oublier le bien qu'on a perdu ; et il arrive ainsi qu'on ne voit même plus par la mémoire ce qu'on tenait jadis en acte. Voilà comment se produit ce que je viens de dire : naviguant au loin, nous ne voyons même plus à présent le port de repos que nous avons quitté.

6. Parfois, en surcroît de douleur, vient s'ajouter le souvenir qui me revient de la vie de certains qui ont abandonné de tout cœur le siècle présent. Quand je les vois dans les hauteurs, je connais combien moi-même je croupis dans les bas-fonds. Beaucoup d'entre eux, par une vie retirée, ont plu à leur Créateur : de peur qu'ils ne perdent leur jeunesse de cœur dans les affaires humaines qui font vieillir, Dieu tout-puissant n'a pas voulu qu'ils s'occupent des travaux de ce monde. »

7. Mais je présenterai mieux ces propos si je me contente de distinguer demandes et réponses en notant simplement les noms des interlocuteurs.

Pierre. Je ne sais pas s'il y a eu en Italie des hommes dont la vie fut très marquée de miracles. J'ignore donc ceux dont la comparaison vous embrase. Bien entendu, je ne doute pas qu'il y ait eu en ce pays des hommes de bien, mais je pense qu'ils n'ont pas fait de prodiges ou de miracles. Ou bien jusqu'à présent ceux-ci ont été passés sous silence, au point que nous ignorons s'ils ont été accomplis.

8. Grégoire. Si je me borne, Pierre, à ce que j'ai appris sur des hommes parfaits et éprouvés, moi tout seul, pauvre misérable, soit grâce au témoignage d'hommes bons et

et 9-10 ; III, 1-13 ; IV, 13), prêtres (I, 12 ; III, 22 ; IV, 12), laïcs (IV, 15 et 28). *

7. Pierre passe de la vie sainte aux miracles qui en sont le signe. Dans *Mor.* 27, 36-37 et *Hom. Eu.* 29, 4, Grégoire reconnaît qu'ils sont rares de son temps, en comparaison de l'âge apostolique. Ici le contraste est entre leur absence en Italie et leur fréquence en d'autres régions.

8. Informations directes et indirectes : voir Théodoret, *Hist. Rel., Prol.* 1291 c (cf. 1293 a). *Dies... cessabit* : de fait, le seul Livre I remplira la première journée (I, 12, 7).

65 libus uiris adtestantibus agnoui uel per memetipsum didici, dies, ut opinor, antequam sermo cessabit.

9. PETRVS. Vellem quaerenti mihi de eis aliqua narrares, neque hac pro re interrumpere expositionis studium graue uideatur, quia non dispar aedificatio oritur
70 ex memoria uirtutum. In expositione quippe qualiter inuenienda atque tenenda sit uirtus agnoscitur, in narratione uero signorum cognoscimus inuenta ac retenta qualiter declaratur. Et sunt nonnulli quos ad amorem patriae caelestis plus exempla quam praedicamenta succendunt.
75 Fit uero plerumque in audientis animo duplex adiutorium in exemplis patrum, quia et ad amorem uenturae uitae ex praecedentium conparatione accenditur, et iam si se esse aliquid aestimat, dum de aliis meliora cognouerit, humiliatur.

80 10. GREGORIVS. Ea quae mihi sunt uirorum uenerabilium narratione conperta incunctanter narro sacrae auctoritatis exemplo, cum mihi luce clarius constet quia Marcus et Lucas euangelium quod scripserunt, non uisu sed auditu didicerunt. Sed ut dubitationis occasionem
85 legentibus subtraham, per singula quae describo, quibus mihi haec auctoribus sint conperta manifesto. Hoc uero scire te cupio quia in quibusdam sensum solummodo, in

66 antequam *bm* : anteaquam *m*v *H* anteamquam *G* ‖ 67 Vellem *bm*v *G* : uellim *m H* uelim *m*v ‖ narrares [-ris *H*] *bm H* : narreris *m*v narres *m*v narris *G* ‖ 73 declaratur *m G* : declaretur *b* declarantur *H* declarentur *m*v ‖ 75 in audientis *mz H* : audientis *bm*v *G* ‖ 76 quia et *mz G* : quia si *bm*v *H* ‖ 77 et iam *m* : etiam *bm*v *GH* ‖ 78 aestimat *m GH* : existimat *b* ‖ de aliis meliora *mz GH* : mel. de aliis *b* ‖ 81 sacrae *bz GH* : sacro *m* sacre scripture *m*v ‖ 83 scripserunt *bm*v *GH* : descripserunt *m*v discr- *m* ‖ 84 didicerunt *bm*v : ded- *m H* didicerint [ded- *G*] *m*v *G* ‖ 86 mihi haec auctoribus [auditoribus *G*] *m GH* : haec auct. mihi *b* ‖ sint [sunt *G*] conperta *m GH* : comp. sint *b*

---

9. Pierre, l'associé de Grégoire dans ses recherches sur l'Écriture (ci-dessus, 2) plaide pour leur interruption. Les *uirtutes* (pluriel : miracles) manifestent la *uirtus* (singulier : vertu). Sur beaucoup

fidèles, soit par moi-même, le jour finira, je pense, avant mon discours.

9. Pierre. Je voudrais qu'à ma demande vous me racontiez quelques histoires les concernant. Ne tenez pas pour fâcheuse l'interruption de vos commentaires scripturaires, car le rappel de miracles ne s'avère pas moins édifiant. Dans les commentaires sur l'Écriture, on reconnaît comment la vertu doit être acquise et gardée ; dans le récit de miracles, nous connaissons comment, une fois acquise et gardée, elle est mise en lumière. Certains sont plus embrasés d'amour pour la patrie céleste par des exemples vivants que par des énoncés. Très souvent, en tout cas, l'esprit de l'auditeur trouve un double avantage dans les exemples des Pères, car il se sent embrasé d'amour pour la vie future par la comparaison de ses devanciers, et s'il estime être quelque chose, il s'humilie en apprenant que d'autres ont agi mieux que lui.

10. Grégoire. Ce que j'ai appris par le récit d'hommes vénérables, je vais le conter sans hésiter, en suivant l'exemple sacré de l'Écriture : pour moi il est plus clair que le jour, en effet, que l'évangile écrit par Marc et par Luc, ils l'ont appris non par la vue, mais par l'ouïe. Cependant, pour enlever toute occasion de doute à mes lecteurs, j'indiquerai mes sources. Je désire d'ailleurs que vous sachiez ceci : en certains cas, je donnerai seulement

d'esprits, l'exemple des pères produit plus d'effet que l'énoncé des préceptes : *Mor.* 30, 37 ; *Hom. Eu.* 38, 15 et 39, 10 ; *Hom. Ez.* II, 7, 3 (cf. *Mor.* 31, 2 : force persuasive des miracles). Les miracles attestent la présence divine en ceux qui les opèrent et conduisent à voir Dieu en ses serviteurs : *Hom. Eu.* 30, 10.

10. Marc et Luc, témoins indirects : *Hom. Ez.* II, 9, 6. Théodoret, *Hist. Rel., Prol.* 1291 d - 1293 a, s'autorise pareillement de leur exemple pour raconter ce qu'il n'a pas vu. En parlant de « lecteurs » pour lesquels il « écrit », Grégoire semble oublier la fiction du dialogue (cf. III, 7, 1 ; *legentibus* ; III, 38, 5 : *subsequenti... uolumine*). Mais Sulpice Sévère, *Dial.* 3, 5, avoue ce caractère fictif plus ingénument encore. — Impossibilité d'écrire certains tours rustiques : voir *Introduction*, p. 34-36. L'auteur du *De mirac. S. Stephani, Prol., PL* 41, 833, déclare qu'il ne rougira pas de reproduire tels quels les propos des personnages, même incorrects. — « Récits d'anciens » : *Hom. Eu.* 23, 2 ; 32, 7. Cf. III, *Prol.* et note.

quibusdam uero et uerba cum sensu teneo, quia si de personis omnibus ipsa specialiter et uerba tenere uoluissem,
90 haec rusticano usu prolata stilus scribentis non apte susciperet.

Seniorum ualde uenerabilium didici relatione quod narro.

I. Venantii quondam patricii in Samniae partibus uilla fuit, in qua colonus eius filium Honoratum nomine habuit, qui ab annis puerilibus ad amorem caelestis patriae per abstinentiam exarsit. Cumque tam magna conuersatione
5 polleret seseque iam ab otioso quoque sermone restringeret multumque, ut praefatus sum, per abstinentiam carnem domaret, die quadam parentes illius uicinis suis conuiuium fecerunt, in quo ad uescendum carnes paratae sunt. Quas dum ille ad esum contingere pro abstinentiae
10 amore recusaret, coeperunt ei parentes eius inridere ac dicere : « Comede. Numquid piscem tibi in his montibus allaturi sumus ? » Illo uero in loco audiri piscis consueuerat, non uideri.

2. Sed cum his sermonibus Honoratus inrideretur,
15 repente in conuiuio aqua ad ministerium defuit. Cum situla lignea, sicut illic moris est, mancipium ad fontem perrexit, dumque hauriret aquam, piscis situlam intrauit, reuersumque mancipium ante ora discumbentium piscem cum

90 susciperet *bm*v : susciperit *m G* susceperit *m*v *H*

I, 1 Venantii *bm*v : Venanti *m H dub. ap. G* ‖ Samniae *b*v*mz H* : Samnii *bm*v *G* ‖ 4 tam *mz GH* : *om. b* ‖ 7 illius *m H* : eius *b G* ‖ 11 tibi in his montibus *mz GH* : in his mont. tibi *b* ‖ 12 illo *mz GH* : illa *bm*v ‖ audiri *m* : *post* pisc. *transp. b*(*z*) audire *GH* ‖ piscis *m*v*z* : pisces *bm GH* ‖ consueuerat *m GH* : -rant *bm*v *om. z* ‖ 13 uideri *bm*(*z*) : uidere *GH* ‖ 15 defuit *m GH* : et *add. bz* tunc *add. m*v ‖ situla *bmz GH* : itaque *add. m*v

---

I, 1. otioso — sermone : cf. Mt 12, 36 ‖ 7. Ex 3, 2 (VL) - 4, 17.

I, 1. Un *patricius Venantius* est mentionné par Cassiodore, *Var.* 3, 36 (années 507-511), à propos d'un procès, et *Var.* 9, 23

le sens, en d'autres, les expressions propres avec le sens. Car si j'avais voulu pour tous les personnages conserver les expressions mêmes, le style de l'écrivain n'aurait pu adopter ces tournures rustiques.

Je tiens d'anciens fort vénérables ce que je vais raconter.

I. Le patrice Venance avait jadis un domaine dans le Samnium. Son fermier avait un fils nommé Honorat, qui, dès sa prime jeunesse, s'enflamma d'amour pour la patrie céleste, en prenant pour moyen la pratique de l'abstinence. Son comportement religieux était remarquable ; il s'interdisait toute parole oiseuse, et il domptait sa chair puissamment, comme je l'ai dit, en pratiquant l'abstinence. Un jour, ses parents offrirent un banquet à leurs voisins, où l'on avait préparé de la viande à manger. Comme il se refusait à y toucher par amour de l'abstinence, ses parents se mirent à le railler en disant : « Mange donc ! Est-ce que nous allons t'apporter un poisson sur ces montagnes ? » En ce lieu, on avait souvent entendu parler de poisson, mais on n'en avait jamais vu.

2. Tandis qu'on se moquait ainsi d'Honorat, tout à coup l'eau vint à manquer pour le service du banquet. Un serviteur partit pour la source avec le seau de bois en usage au pays. Tandis qu'il puisait de l'eau, un poisson entra dans le seau, et au retour, le serviteur versa le pois-

(fin 533), où Athalaric le félicite d'être « père de tant de consuls ». Ces fils illustres sont Paulin, nommé consul pour 534 (*Var.* 9, 22), et Decius iunior, qui l'a été en 529. Venance appartient à l'antique et glorieuse famille des Decii. On sait par ailleurs qu'il fut consul en 508 et se nommait Decius Marius Venantius Basilius. Ce personnage peut s'identifier avec celui dont Grégoire parle ici. Voir W. Ensslin, art. « Venantius » (6), dans *PW* 15 (1955), col. 675, qui le distingue de son homonyme (8), fils de Liberius (II, 35, 1), *comes domesticorum* et consul en 507. Corriger à cet égard J. Chapman, *St. Benedict and the Sixth Century*, Londres 1929, p. 157, qui confond les deux hommes à la suite de Th. Mommsen (Index des *Variae*, dans *MGH*, *Auct. Antiq.* XII, p. 501). — Sur les *coloni*, paysans théoriquement libres, mais attachés à la glèbe, voir J. Chapman, *op. cit.*, p. 154-158.

2. Ce *colonus* est assez riche pour avoir un esclave (*mancipium*)

aqua fudit, qui ad totius diei uictum potuisset Honorato sufficere. Mirati omnes, totaque illa parentum inrisio cessauit. Coepere namque in Honorato uenerari abstinentiam, quam ante deridebant, sicque a Dei homine inrisionis detersit obprobria piscis de monte.

3. Qui cum magnis uirtutibus cresceret, a praedicto domino suo libertate donatus est, atque in eo loco qui Fundis dicitur monasterium construxit, in quo ducentorum ferme monachorum pater extitit, ibique uita illius circumquaque exempla eximiae conuersationis dedit.

4. Nam quadam die ex eo monte qui eius monasterio in excelsum prominet ingentis saxi moles erupta est, quae, per deuexum montis latus ueniens, totius ruinam cellae omniumque fratrum interitum minabatur. Quam cum uenientem desuper uir sanctus uidisset, frequenti uoce Christi nomen inuocans, extensa mox dextera, signum ei crucis obposuit, eamque in ipso deuexi montis latere cadentem fixit, sicut religiosus uir Laurentius perhibet. Et quia locus non fuerit quo inhaerere potuisset aspicitur, ita ut nunc usque montem cernentibus casura pendere uideatur.

5. Petrvs. Putamus hic tam egregius uir, ut post magister discipulorum fieret, prius habuit magistrum ?

20 mirati *bm GH* : sunt *add.* m^{v} ‖ totaque *bm H* : tota m^{v}*(z) G* ‖ 26 Fundis *bmz* : Flundis $b^{v}m^{v}$ *GH* ‖ 27 ferme *bm* GH^{ac} : fere m^{v} H^{pc} ‖ 29 qui *bm* : quod m^{v} *GH* quo m^{v}*(z)* ‖ 30 excelsum *m G* : -so *bz H* ‖ moles bm^{v} *G* : molis *m H* ‖ 34 Christi nomen *m GH* : nomen Christi *b* ‖ 37 locus *m GH* : ei *add. b* ‖ fuerit *m H* : fuit *G* fuerat bm^{v} ‖38 nunc usque *m GH* : hucusque *b* ‖ 41 fieret [-rit *G*] bm^{v} *GH* : fuerit *m*

3. Colon devenu moine : ainsi Malch d'après Jérôme, *V. Malchi* 3. — *Fundis* est-il à identifier avec la *Fundana ciuitas* (III, 7, 1), c'est-à-dire Fondi, entre Terracine et Gaète, sur la Voie Appienne ? En tout cas, la tradition locale revendique Honoratus et identifie son monastère avec celui de San Magno, dont on voit les ruines à 2 km au N.-O. de la ville, vers les Monts Ausoni. Voir G. Conte-Colino, *Storia di Fondi*, Naples 1901, p. 201-205 ; B. Amante-

son avec l'eau sous le nez des convives. Il était suffisant pour nourrir Honorat toute la journée. Tout le monde fut ébahi et la risée des parents cessa net. On se mit à vénérer en Honorat l'abstinence dont on faisait naguère des gorges chaudes. C'est ainsi qu'un poisson montagnard lava l'homme de Dieu de l'opprobre des plaisanteries.

3. Comme Honorat croissait en grandes vertus, son maître lui octroya la liberté. Alors, au lieu appelé Fondi, il construisit un monastère et devint père de quelque deux cents moines. Sa vie donna à toute la contrée des exemples de conduite sublime.

4. Un jour, du haut d'une montagne qui dominait de très haut son monastère, se détacha un rocher colossal qui, glissant sur la pente du flanc de la montagne, menaçait de ruiner tout le monastère et de tuer tous les frères. Le saint le vit venir d'en haut ; invoquant à plusieurs reprises le nom du Christ et étendant la main droite, il lui opposa le signe de la croix et le stabilisa dans sa chute sur la pente du flanc de la montagne : c'est ce que raconte un pieux laïc, Laurent. L'emplacement ne comportait rien où il pût se fixer, on le voit bien, en sorte que pour ceux qui regardent vers la montagne, aujourd'hui encore, il semble suspendu et prêt à tomber.

5. Pierre. Devons-nous penser qu'un homme si distingué, avant d'être maître de disciples, eut lui-même un maître ?

R. Bianchi, *Memorie storiche e statutarie... di Fondi*, Rome 1903, p. 13 (carte), 276, 281-283. Fondi était alors en Campanie (cf. 2, 4), province limitrophe du Samnium (cf. 1, 1 ; 2, 2). — Deux cents moines : le même chiffre fut atteint, du vivant des fondatrices, par les moniales d'Arles (*V. Caesarii* II, 47) et de Poitiers (Grégoire de Tours, *Glor. conf.* 106).

4. Monastère sauvé par miracle de la chute d'un rocher : III, 16, 7-8. — Le « religieux » Laurent n'est pas un moine (Moricca, *Pref.*, p. xxviii-xxx), mais un laïc, comme l'a bien vu F. Antonelli, « De re monastica in Dialogis S. Gregorii Magni », dans *Antonianum* 2 (1927), p. 406, n. 2. Bien que *religiosus* puisse qualifier moines et clercs (II, 31, 1), le terme employé seul n'indique rien de plus qu'un séculier pieux (II, 1, 3. 3, 13. 12, 1. 35, 4 ; IV, 38, 1). — Roche en surplomb : I, 8, 2.

6. Gregorivs. Nequaquam hunc fuisse cuiusquam discipulum audiui, sed lege non stringitur sancti Spiritus donum. Vsus quidem rectae conuersationis est, ut prae-
45 esse non audeat qui subesse non didicerit, nec oboedientiam subiectis imperet, quam praelatis non nouit exhibere. Sed tamen sunt nonnumquam qui ita per magisterium Spiritus intrinsecus docentur, ut, etsi eis exterius humani magisterii disciplina desit, magistri intimi censura non
50 desit. Quorum tamen libertas uitae ab infirmis in exemplum non est trahenda, ne, dum se quisque similiter sancto Spiritu impletum praesumit, discipulus hominis esse despiciat et magister erroris fiat. Mens autem quae diuino Spiritu impletur habet euidentissime signa sua,
55 uirtutes scilicet et humilitatem, quae, si utraque in una mente perfecte conueniunt, liquet quod de praesentia sancti Spiritus testimonium ferunt.

7. Sic quippe etiam Iohannes Baptista magistrum habuisse non legitur, neque ipsa ueritas, quae praesentia
60 corporali apostolos docuit, eum corporaliter inter discipulos adgregauit, sed quem intrinsecus docebat, extrinsecus quasi in sua libertate reliquerat. Sic Moyses in heremo edoctus ab angelo mandatum didicit, quod per hominem non cognouit. Sed haec, ut praediximus, infir-
65 mis ueneranda sunt, non imitanda.

8. Petrvs. Placet quod dicis. Sed peto ut mihi dicas si tantus hic pater aliquem imitatorem sui discipulum reliquit.

43 stringitur *m GH* : constringitur *bm*ᵛ distringitur *m*ᵛ ‖ 47 nonnumquam *m GH* : nonnulli *bm*ᵛ*z* ‖ 54 euidentissime *bm H* : -ma *b*ᵛ*m*ᵛ*z G* ‖ 55-56 in una mente [-tem *G*] perfecte *m GH* : perf. in una mente *b* ‖ 59-60 praesentia corporali *m GH* : corp. praes. *b* ‖ 63 edoctus *bm G* : doctus *m*ᵛ eductus *H* ductus *b*ᵛ*m*ᵛ ‖ ab angelo mandatum *m GH* : mand. ab ang. *b* ‖ 66 peto *bm G* : quaeso *H* ‖ 67 imitatorem sui *mz GH* : sui im. *b*

6. L'Esprit fond parfois sur l'homme à l'improviste : *In I Reg.*

6. GRÉGOIRE. Je n'ai nullement entendu dire qu'il fût disciple de quelqu'un, mais aucune loi ne peut lier un don du Saint Esprit. Normalement un saint qui se respecte n'ose pas « être à la tête de », s'il n'a pas appris à « être sous les ordres de », ni commander à des sujets une obéissance qu'il n'a pas su pratiquer envers des supérieurs. Mais cependant il y a des gens si bien instruits intérieurement par le magistère de l'Esprit que, même si extérieurement le magistère humain leur fait défaut, le jugement provenant d'un maître intime ne leur manque pas. Toutefois leur liberté de vie ne doit pas être prise en modèle par les faibles, de peur que, si chacun se croit semblablement rempli du Saint Esprit, on dédaigne d'être le disciple d'un homme et l'on devienne maître d'erreur. Une âme qui est remplie de l'Esprit divin a très évidemment ses signes, les miracles et l'humilité. Si ces deux signes se rencontrent parfaitement dans une âme, il est clair qu'ils portent témoignage sur la présence du Saint Esprit.

7. Tenez : on ne lit pas que Jean le Baptiste ait eu un maître ; la Vérité même, qui par sa présence corporelle instruisit les apôtres, ne l'agrégea pas officiellement aux disciples, mais elle l'enseigna intérieurement, et extérieurement le laissa en apparence à sa liberté. De même, Moïse instruit au désert connut par un ange la mission que lui confiait Dieu, et non par un homme. Mais cela, comme nous l'avons dit, doit être vénéré par les faibles, et non pris pour modèle.

8. PIERRE. J'aime ce que vous dites. Mais dites-moi, je vous prie, si un Père aussi grand laissa quelque imitateur parmi ses disciples.

4, 180 (cf. ci-dessous, I, 4, 8-18). Normalement on ne commande pas avant d'avoir obéi : phrase presque identique dans *In I Reg.* 4, 183 (cf. CASSIEN, *Inst.* 2, 3, 1-4 ; *V. Caesarii* I, 25 ; *RM* 92, 28-32). Magistère intérieur du Christ et de son Esprit : AUGUSTIN, *In I Ioh.* III, 13 (cf. *De magistro* 36-46). Le signe de l'Esprit est l'humilité : *In I Reg.* 4, 183.

7. Jean-Baptiste n'a pas eu de maître visible, mais a été instruit intérieurement : voir *In I Reg.* 2, 76.

II. Gregorivs. Vir reuerentissimus Libertinus, qui regis Totilae tempore eiusdem Fundensis monasterii praepositus fuit, in discipulatu illius conuersus atque eruditus est. De quo quamuis uirtutes multas plurimorum
5 narratio certa uulgauerit, praedictus tamen Laurentius religiosus uir, qui nunc superest et ei ipso in tempore familiarissimus fuit, multa mihi de illo dicere consueuit. Ex quibus ea quae recolo pauca narrabo.

2. In eadem prouincia Samniae, quam supra memo-
10 raui, isdem uir pro utilitate monasterii carpebat iter. Dumque Darida Gothorum comes cum exercitu in eodem loco uenisset, Dei seruus ex caballo in quo sedebat ab hominibus eius proiectus est. Qui iumenti perditi damnum libenter ferens, etiam flagellum quod tenebat diripien-
15 tibus obtulit, dicens : « Tollite, ut habeatis qualiter hoc iumentum minare. » Quibus dictis protinus se in orationem dedit. Cursu autem rapido praedicti ducis exercitus peruenit ad fluuium nomine Vulturnum. Ibi equos suos coeperunt singuli hastis tundere, calcaribus cruentare.
20 Sed tamen equi uerberibus caesi, calcaribus cruentati, fatigari poterant, moueri non poterant, sicque aquam fluminis tangere quasi mortale praecipitium pertimescebant.

3. Cumque diu caedendo sessores singuli fatigarentur,
25 unus eorum intulit quia ex culpa quam seruo Dei in uia

II 1-4 bmwz GH 1 qui *bm*^{o}*w GH* : *om.* *mw*^{v}*z* ‖ 2 regis Totilae tempore *mw GH* : temp. Tot. reg. *b*^{v} temp. Tot. reg. Gothorum *b* ‖ Fundensis *bmwz* : Flundensis *m*^{v}*w*^{v} *GH* ‖ 3 conuersus *mw*^{v} *GH* : consuersatus *bm*^{v}*w* ‖ 7 de illo dicere *mw GH* : dicere de illo *b* ‖ 8 ea *mw GH* : *om.* *bm*^{v} ‖ 9 Samniae *b*^{v}*m*^{v}*w*^{v}*z* : Samnii *bmw GH* ‖ 10 isdem *m*^{v}*w GH* : hisdem *m* idem *bm*^{v} ‖ 11 comes [-is *G*] *b*^{v}*mwz GH* : dux *b* rex *b*^{v} ‖ 11-12 in eodem loco *mw* : in eo loco *H* in loco eodem *bm*^{v}*w*^{v} *G* ‖ 16 iumentum *bm*^{v}*w*^{v} *GH* : -to *mw* ‖ minare [menari *G*] *mwz GH* : possitis *add.* *bm*^{v} ualeatis *add.* *m*^{v}*w*^{v} ‖ 18 ibi *mw H* : ibique *bw*^{v} *G* ‖ 19 tundere *mw GH* : et *add.* *bz* ‖ calcaribus *bm*^{v}*w GH* : calcibus *m*

II, 1. *Praepositus* (« prieur ») : le second dans le monastère, selon

II. Grégoire. Le très révérend Libertinus, au temps du roi Totila, fut prieur du monastère de Fondi. Il était entré dans la vie religieuse sous la direction d'Honorat et fut formé par lui. Plusieurs, par des récits dignes de foi, ont fait connaître nombre de ses miracles. Mais le pieux Laurent, qui vit encore et qui en son temps fut très lié avec lui, aimait me conter beaucoup de souvenirs sur lui. En voici un petit choix, ce que je me rappelle.

2. Dans cette province de Samnium, déjà nommée, le saint faisait route pour le bien du monastère. Survint Darida, comte des Goths, avec une armée. Ses hommes jetèrent Libertinus à bas de son cheval. Une bête volée, c'était une perte : il la prit de bonne grâce, et il offrit même aux voleurs le fouet qu'il tenait, en criant : « Tenez ! Vous aurez comment mener cette bête ! » Cela dit, il se mit aussitôt à prier. Par un mouvement rapide, l'armée du susdit général atteignit le fleuve Vulturne. Là ils se mirent à frapper leurs chevaux de leurs lances, à les ensanglanter à coups d'éperons : malgré tout, les chevaux, battus à coups de hampes, ensanglantés à coups d'éperons, se laissèrent harceler sans remuer. Ils semblaient redouter l'eau du fleuve comme un gouffre mortel.

3. A taper indéfiniment, chaque cavalier se fatiguait. L'un d'eux eut cette idée que c'était de leur faute, après

la terminologie de *RB* 65. Comme Laurent, le laïc Theopropus est « religieux » (II, 35, 4) et « familier » d'un supérieur monastique (II, 17, 1). — *Multa... pauca* : voir A. J. Festugière, « Lieux communs littéraires et thèmes de folklore dans l'hagiographie primitive », dans *WS* 73 (1960), p. 132 (*pauca de pluribus*).

2-3. Darida : ce général goth est inconnu par ailleurs, mais l'épisode peut être rattaché au passage de Totila dans le Samnium en allant de la Toscane à Naples (Procope, *BG* III, 6 : deuxième moitié de 542). *Caballus* ne revient qu'une fois (I, 9, 11) dans les Dialogues, qui emploient *equus* et parfois *iumentum*. Le terme est réservé à la monture de Libertinus. Au reste, voyager à cheval est un luxe pour des moines (*V. Patrum Iurensium* 113 ; *Reg. cui.* 21). — Le thème des « coupables cloués au sol » est un lieu commun (Festugière, *art. cit.*, p. 146-147), mais s'agissant de chevaux, l'épisode ressemble singulièrement à un miracle de Martin (Sulpice Sévère, *Dial.* 2, 3). Voir *Introduction*, ch. IV, n. 76-77 et 90-91. *

fecerant, illa sui itineris dispendia tolerabant. Qui statim reuersi post se Libertinum repperiunt in oratione prostratum. Cui cum dicerent : « Surge, tolle caballum tuum », ille respondit : « Ite cum bono, ego opus caballi
30 non habeo. » Descendentes uero inuitum eum in caballum de quo deposuerant leuauerunt et protinus abscesserunt. Quorum equi tanto cursu illum quem prius transire non poterant fluuium transierunt, ac si ille fluminis alueus aquam minime haberet. Sicque factum est ut, dum seruo
35 Dei unus suus caballus redditur, omnes a singulis reciperentur.

4. Eodem quoque tempore in Campaniae partibus Buccellinus cum Francis uenit. De monasterio uero praefati Dei famuli rumor exierat quod multas pecunias
40 haberet. Ingressi oratorium Franci coeperunt saeuientes Libertinum quaerere, Libertinum clamare, ubi ille in oratione prostratus iacebat. Mira ualde res : quaerentes saeuientesque Franci in ipso ingredientes inpingebant, et ipsum uidere non poterant. Sicque sua caecitate frus-
45 trati a monasterio uacui sunt reuersi.

5. Alio quoque tempore pro causa monasterii abbatis iussu, qui Honorato eius magistro successerat, Rauen-

29 opus caballi *mw* : opus caballum m^{v} *H* opus caballo [cau- *G*] $m^{v}w^{v}$ *G* caballo opus *b* ‖ 30 in caballum [cau- *G*] $bm^{v}w^{v}z$ *G* : in caballo *mw* de caballo *H* ‖ 32-33 illum quem... fluuium *mw GH* : illud quod... flumen *b* ‖ transire non poterant *mwz GH* : non pot. trans. *b* ‖ 34 dum *mw GH* : cum *b* ‖ 35 suus caballus *mw G* : caballus suus *b* ‖ 39 Dei famuli *mw GH* : famuli Dei *b* ‖ multas pecunias *mwz GH* : pecunias multas bw^{v} ‖ 41 ille in oratione $m^{v}w^{v}z$ *H* : ille in orationem *mw G* in oratione ille *b* ‖ 43 in ipso [ipsum m^{v}] ingredientes *mw GH* : ingred. in ipso [ipsum *z*] $bw^{v}z$ ‖ 45 uacui sunt *mw GH* : sunt uacui *b* ‖ reuersi *mw H* : regressi $bm^{v}w^{v}$ *G*

---

4. Sur les invasions de l'Italie par Buccellinus et ses Francs, voir Grégoire de Tours, *Hist. Franc.* 3, 32 et 4, 9. Il s'agit ici de sa marche d'aller à travers la Campanie au printemps de 554 (Agathias, *Hist.* II, 1), non de son retour à l'automne de la même année (Agathias, *Hist.* II, 4 s., cité par Moricca, p. 20, n. 2), au

ce qu'ils avaient fait sur la route au serviteur de Dieu : voilà, ils avaient maintenant ces ennuis sur leur chemin. Ils font demi-tour, et trouvent derrière eux Libertinus prosterné en prière. Ils lui crient : « Debout ! Prends ton cheval ! » Mais lui répond : « Allez en paix ! Je n'ai pas besoin de cheval. » Ils mettent pied à terre, et de force l'élèvent sur le cheval dont ils l'avaient précipité. Puis ils s'éclipsent. Alors leurs bêtes traversèrent le fleuve d'un élan prodigieux, elles qui refusaient il y a quelques instants de le franchir : on eût dit que le lit du fleuve était asséché. Il arriva ainsi qu'en rendant au serviteur de Dieu son unique cheval, ils récupérèrent toute leur cavalerie.

4. En ce même temps, Bucelinus vint dans ce pays de Campanie avec ses Francs. Le bruit courait que le monastère du serviteur de Dieu possédait de grandes richesses. Entrés dans l'oratoire, les Francs furibonds se mirent à chercher Libertinus, à appeler Libertinus : il était là prosterné, couché, en prière. O merveille ! Les Francs furieux à sa recherche étaient tombés sur lui dès l'entrée et ils ne pouvaient le voir. Frustrés par leur berlue, ils revinrent du monastère bredouilles.

5. Une autre fois, pour une affaire du monastère et par ordre de l'abbé qui avait succédé à son maître Hono-

cours duquel il périt avec toute son armée près de Capoue, bien avant d'atteindre Fondi. MARIUS D'AVENCHES, *Chron.*, 555, § 4, signale ce désastre avec un an de retard, comme d'ordinaire. D'après AGATHIAS, *Hist.* II, 1, les Francs catholiques respectaient les églises, à la différence des Alamans hétérodoxes. Le récit de Grégoire infirme cet éloge. — Aveuglement miraculeux : on songe à l'histoire de Loth (Gn 19, 11), et surtout à celle d'Élisée (2 R 6, 18). Cf. CASSIODORE, *Hist. trip.* 9, 47 = SOZOMÈNE, *Hist. eccl.* 7, 25.

5-6. Résurrection d'enfant semblable à celle de II, 32. Cf. SULPICE SÉVÈRE, *Dial.* 2, 4 : au cours d'un voyage de Martin, une femme lui tend le corps de son fils, en le suppliant de le ressusciter ; il prie à genoux sur place et rend l'enfant vivant à sa mère. — Au début, Grégoire tait charitablement (cf. ci-dessous, § 8-11) le nom du successeur d'Honorat, comme il le fera pour le redoutable abbé du Soracte (I, 7, 1). Même silence sur le nom du successeur des saints fondateurs du Jura (*V. Patrum Iurensium* 132-138). — Conflit intérieur de Libertinus : comparer celui du paysan (I, 5, 4). *

nam pergebat. Pro amore uero eiusdem uenerabilis Honorati, quocumque Libertinus ibat, eius semper caligulam in sinu portare consueuerat. Itaque dum pergeret, accidit ut quaedam mulier extincti filii corpusculum ferret. Quae dum seruum Dei esset intuita, amore filii succensa iumentum eius per frenum tenuit atque cum iuramento dixit : « Nullatenus recedis, nisi filium meum suscitaueris. »

6. At ille inusitatum habens tale miraculum, expauit petitionis illius iuramentum. Declinare mulierem uoluit, sed nequaquam praeualens haesit animo. Considerare libet quale quantumque in eius pectore certamen fuerit. Ibi quippe pugnabat inter se humilitas conuersationis et pietas matris, timor ne inusitata praesumeret, dolor ne orbatae mulieri non subueniret. Sed ad maiorem Dei gloriam uicit pietas illud pectus uirtutis, quod ideo fuit ualidum quia deuictum. Virtutis enim pectus non esset, si hoc pietas non uicisset. Itaque descendit, genu flexit, ad caelum manus tetendit, caligulam de sinu protulit, super extincti pueri pectus posuit. Quo orante anima pueri ad corpus rediit. Quem manu conprehendit et flenti matri uiuentem reddidit atque iter quod coeperat peregit.

7. Petrvs. Quidnam hoc esse dicimus ? Virtutem tanti miraculi Honorati egit meritum an petitio Libertini ?

Gregorivs. In ostensione tam admirabilis signi cum fide feminae uirtus conuenit utrorumque, atque ideo

5 bmz GH 49 caligulam *bm*^{v} : calliculam *b*^{v}*m* G^{pc} galliculam [-colam *H*] *b*^{v}*m*^{v} $G^{ac}H$ caligam *b*^{v} ‖ 50 sinu [-no *H*] *bm*^{v} *H* : sinu suo *z G* sinum *m* ‖ accidit *bm*^{v} : accedit *m H* *legi non potest ap. G* ‖ 52 seruum *bm*^{v} *GH* : seruo *m* ‖ esset *m GH* : fuisset *b* ‖ 54 recedis *m*^{v} *H* : -des *bmz G* ‖ 57 haesit animo *mz GH* : an. haes. *b* ‖ 59-60 et pietas *m GH* : ac pietas *b* ‖ 62 pietas *bm GH* : matris *add. b*^{v} ‖ 64 genu *mz H* : genua *b* genus *G* ‖ 65 caligulam *bm*^{v} : calliculam [-gulam G^{pc}] *m* G^{pc} galliculam [-gulam G^{ac} -colam *H*] *m*^{v} $G^{ac}H$ caliculam *m*^{v} ‖ 66 super *m GH* : et *praem. b* ‖ 67 et flenti *m GH* : ac flenti *b* ‖ 68 peregit *bm GH* : pergit *b*^{v}(*z*) ‖ 71 tam admirabilis signi *bmz GH* : tanti miraculi *m*^{v}

II, 7. 2 R 2, 13-14.

rat, il se rendit à Ravenne. Pour l'amour de ce vénérable Honorat, Libertinus avait pris l'habitude d'emporter toujours avec lui sa chaussure dans un pli de la ceinture. Comme il cheminait, il rencontra une femme portant le petit corps de son fils qui était mort. Quand elle vit le serviteur de Dieu, poussée par l'amour brûlant qu'elle portait à son enfant, elle saisit la bride du cheval et s'exclama avec un serment : « Vous ne vous en irez pas avant d'avoir ressuscité mon fils ! »

6. Mais lui, qui n'avait pas de précédents pour un tel miracle, frémit devant le serment de cette demande. Il aurait voulu esquiver la femme, mais il n'en trouva pas le moyen et demeura hésitant. J'aime à considérer quel grand combat se livrait dans son cœur. Là se heurtaient l'humilité de la vie religieuse et la pitié pour une mère, la crainte d'oser l'extraordinaire, la douleur de ne pas venir en aide à une femme privée de son fils. Mais pour la plus grande gloire de Dieu, la pitié vainquit ce cœur vertueux, qui fut vaillant parce que vaincu. Ce cœur n'eût pas été vertueux, si la bonté ne l'avait pas vaincu. C'est pourquoi il mit pied à terre, fléchit les genoux, tendit les mains au ciel, sortit la chaussure de sa ceinture et la posa sur la poitrine de l'enfant mort. Tandis qu'il priait, l'âme de cet enfant revint dans son corps, il le prit par la main, le rendit vivant à sa mère qui pleurait et reprit son voyage interrompu.

7. Pierre. Qu'en dites-vous ? Est-ce le mérite d'Honorat ou la prière de Libertinus qui a déclenché un tel miracle ?

Grégoire. Pour réaliser un prodige aussi étonnant, il a fallu la foi de cette femme et la puissance des deux. A mon

7. Cette discussion sur la paternité du miracle fait penser à II, 7, 3, où toutefois la vertu du disciple est moins l'humilité que l'obéissance. — En commentant le miracle d'Élisée, Grégoire suit la version latine, où le prophète frappe une première fois en vain (trait manquant dans l'hébreu). Cependant il omet de noter que ce premier coup fut donné, comme le second, avec le manteau d'Élie. — Insistance sur l'humilité du disciple : cf. 1, 6.

Libertinum existimo ista potuisse, quia plus didicerat de magistri quam de sua uirtute confidere. Cuius enim cali-
75 gulam in pectore extincti corpusculi posuit, eius nimirum animam obtinere quod petebat aestimauit. Nam Heliseus quoque magistri pallium ferens atque ad Iordanem ueniens, percussit semel et aquas minime diuisit. Sed cum repente diceret : « Vbi est Deus Heliae etiam
80 nunc ? », percussit fluuium magistri pallio et iter inter aquas fecit. Perpendis, Petre, quantum in exhibendis uirtutibus humilitas ualet ? Tunc exhibere magistri uirtutem potuit, quando magistri nomen ad memoriam reduxit. Quia enim ad humilitatem sub magistro rediit,
85 quod magister fecerat et ipse fecit.

8. PETRVS. Libet quod dicis. Sed quaeso te, estne aliquid aliud quod adhuc de ipso ad nostram aedificationem narres ?

GREGORIVS. Est plane, sed si sit qui uelit imitari. Ego
90 enim uirtutem patientiae signis et miraculis maiorem credo. Quadam namque die is qui post uenerabilis Honorati exitum monasterii regimen tenebat, contra eundem uenerabilem Libertinum in graui iracundia exarsit, ita ut in eum manibus excederet. Et quia uirgam qua eum
95 ferire posset minime inuenit, comprehenso scabello subpedaneo ei caput ac faciem tutundit totumque illius uultum tumentem ac liuidum reddidit. Qui uehementer caesus ad stratum proprium tacitus recessit.

73 existimo *b*m^{v} *GH* : exaest- *m* || 74 caligulam *b*m^{v} : calliculam [gall- G^{ac}] *mG* caliculam m^{v} *legi non potest ap. H* || 80 et iter *m GH* : ac iter *b* || 82 ualet *b*m^{v} *GH* : ualeat *m* || 89 uelit *b*m^{v} : uellit *m GH* || imitari [-re *GH*] *bm GH* : ignoro *add.* b^{v} || 93 in graui *m GH* : graui *bz* || 94 in eum b^{v}*mz* : in eo m^{v} *G* eum *b*m^{o} *H* || excederet $b^{v}m^{v}$: -rit *m* exciderit *GH* excesserit b^{v} caederet [ced- m^{v}] *b*m^{v} || 96 tutundit *m* : totundit m^{v} *GH* tutudit *b*m^{v}

---

8. *Est plane, sed si sit...* : même type de phrase dans *Hom. Eu.*

sens, Libertinus a pu obtenir cela parce qu'il avait appris à mettre sa confiance plutôt dans la puissance de son maître que dans la sienne propre. Lorsqu'il plaça la chaussure d'Honorat sur la poitrine du petit corps inanimé, il estima que l'âme de ce saint obtiendrait ce qu'il demandait. C'est Élisée qui vient en parallèle. Il portait le manteau de son maître, et arrivant au Jourdain il frappa les eaux une première fois, mais sans les diviser. Dès qu'il eut crié : « Où est le Dieu d'Élie, maintenant encore ? », il frappa le fleuve du manteau de son maître et créa un chemin entre les eaux. Vous voyez, Pierre, combien, pour produire des miracles, l'humilité est importante. Il ne put produire le miracle de son maître qu'après s'être rappelé le nom du maître. Parce qu'il était revenu à l'humilité sous l'égide de son maître, il fit lui-même ce qu'avait fait le maître.

8. Pierre. Voilà qui me plaît. Mais dites-moi, y a-t-il quelque autre chose que vous puissiez nous raconter sur lui pour notre profit spirituel ?

Grégoire. Oui, certes, mais s'il y a quelqu'un qui soit d'humeur à l'imiter. Pour ma part, je crois que la vertu de patience est plus grande que les prodiges et les miracles. Un jour, celui qui dirigeait le monastère après la mort du vénérable Honorat, s'emporta violemment contre ce vénérable Libertinus, à ce point qu'il le frappa de ses mains. Et comme il ne trouvait pas de canne pour le battre, il empoigna un escabeau et l'en frappa à la tête et à la face, ce qui rendit sa figure toute tuméfiée et bleuâtre. Ainsi durement blessé, Libertinus gagna silencieusement son lit.

26, 9 (*Nos signati sumus, sed si fidem nostram operibus sequimur*) ; *Hom. Ez.* II, 5, 14 (*Magna est patientia... sed si dolorem in corde non habeat*). Voir aussi *RM* Ths 39 = *RB* Prol 39. Cf. *La Règle de saint Benoît*, t. IV (*SC* 184), p. 65-66, n. 109. — La patience est supérieure aux miracles : même idée, à propos de l'humilité, en I, 5, 6. — Anonymat du successeur d'Honorat : voir 2, 5 et note. Colère d'abbé comme en I, 7, 1 et 3 ; *RM* 9, 16 et 21, 6. Sur les difficultés qui surviennent entre abbés et prieurs, voir *RB* 65, 7. L'abbé corrige ses moines avec un bâton : II, 4, 3. *

9. Die uero altera erat pro utilitate monasterii causa
100 constituta. Expletis igitur hymnis matutinalibus, Libertinus ad lectum abbatis uenit, orationem sibi humiliter petiit. Sciens uero ille quantum a cunctis honoraretur quantumque diligeretur, pro iniuria quam ingesserat recedere eum uelle ex monasterio putabat, atque requi-
105 siuit dicens : « Vbi uis ire ? ». Cui ille respondit : « Monasterii causa constituta est, pater, quam declinare nequeo, quia hesterno die me hodie iturum promisi ; ibi ire disposui. »

10. Tunc ille a fundo cordis considerans asperitatem
110 et duritiam suam, humilitatem ac mansuetudinem Libertini, ex lecto prosiliuit, pedes Libertini tenuit, se peccasse, se reum esse testatus est, qui tanto talique uiro tam crudelem facere contumeliam praesumpsisset. At contra Libertinus sese in terram prosternens eiusque pedibus
115 prouolutus, suae culpae, non illius saeuitiae fuisse referebat quod pertulerat. Sicque actum est ut ad magnam mansuetudinem perduceretur pater, et humilitas discipuli magistra fieret magistri.

11. Cumque pro utilitate monasterii ad constitutionem
120 causae egressus fuisset, multi uiri noti ac nobiles, qui eum ualde semper honorabant, uehementer admirati sollicite requirebant quidnam hoc esset, quod tam tumentem ac liuidam faciem haberet. Quibus ille dicebat : « Hesterno die sero, peccatis meis facientibus, in scabello sub-
125 pedaneo inpegi atque hoc pertuli. » Sicque uir sanctus seruans in pectore honorem ueritatis et magistri, nec patris prodebat uitium, nec falsitatis incurrebat peccatum.

100 constituta *bm GH* : exiturus *add.* *b*^{v} ‖ 103 quam *m GH* : ei *add.* *bm*^{v} *z* ‖ 104 uelle ex monasterio *m GH* : a mon. uelle *b* ‖ 107 ibi *m GH* : illuc *bz* *om.* *m*^{v} ‖ 107-108 ire disposui *bm GH* : *om.* *m*^{v}*z* ‖ 111 prosiliuit *m GH* : prosiliit *b* ‖ 112 se *m GH* : seque *bz* ‖ 113 praesumpsisset *bm*^{v} *GH* : praesumpsit *m* ‖ 114 terram *bm*^{v}*z H* : terra *m G* ‖ 121 semper *m GH* : *om.* *b* ‖ 123 faciem haberet *m GH* : hab. fac. *b* ‖ 124 die *bm* : *om.* *m*^{v} *GH* ‖ sero *bm*^{v} *H* : sera *m G*

9. Le jour suivant, il avait une affaire intéressant le monastère. S'étant acquitté des hymnes de Matines, Libertinus s'en vint au lit de l'abbé et lui demanda humblement sa bénédiction. Sachant combien il était honoré et aimé de tous, l'abbé pensa qu'après le traitement qu'il lui avait infligé, Libertinus voudrait s'en aller. Il lui demanda : « Où voulez-vous aller ? » Le prieur répondit : « Le monastère a une affaire, mon Père, à laquelle je ne puis me dérober. Hier j'ai promis d'y aller aujourd'hui. C'est là que je pensais aller. »

10. Alors, l'abbé rentra en lui-même. Il vit sa brutalité, sa dureté ; l'humilité, la douceur de Libertinus. Il sauta de son lit, embrassa les pieds de Libertinus, confessa qu'il avait péché, qu'il était coupable, lui qui avait injurié aussi cruellement un homme si grand et si distingué. Là-dessus Libertinus se prosterna par terre, se jeta à ses pieds, attribuant ce qu'il avait supporté à sa propre faute, non à la rigueur abbatiale. Tel fut le dénouement : le père fut amené à une grande douceur, l'humilité du disciple enseigna le maître.

11. Il était donc sorti pour les besoins du monastère afin de régler une affaire. Plusieurs notables, des nobles qui l'honoraient toujours grandement, étaient très intrigués et lui demandaient avec sollicitude comment il pouvait avoir une figure aussi tuméfiée et bleuâtre. Il disait : « Hier soir — mes péchés en sont la cause — j'ai donné de la tête sur un escabeau et j'en subis la conséquence. » De la sorte, le saint gardait en son cœur l'honneur de la vérité et de son maître ; il ne trahissait pas le vice d'un père, et n'encourait pas le péché de falsification.

9. Moine demandant la bénédiction de l'abbé avant de sortir : II, 7, 2. Sur ce rite de la bénédiction, voir *La Règle du Maître*, t. I (*SC* 105), p. 82-84. On notera que l'abbé ne semble pas s'être levé pour l'office du matin.

10. Maître et disciple font assaut d'humilité comme en II, 7, 3. Abbé adouci par son prieur : I, 7, 1. *

11. *Pro utilitate monasterii* comme ci-dessus (§ 2 et 9). Cf. *RM* 2, 41-42 ; 20, 10, etc. Il s'agit des intérêts matériels du monastère.

12. PETRVS. Putamusne uir iste uenerabilis Libertinus, de quo tot signa et miracula retulisti, in tam
130 amplam congregationem imitatores suos in uirtutibus non reliquit ?

III. GREGORIVS. Felix qui appellabatur Curuus, quem ipse bene cognouisti, qui eiusdem monasterii nuper praepositus fuit, multa mihi de fratribus eius monasterii admiranda narrabat. Ex quibus aliqua quae ad memo-
5 riam ueniunt subprimo, quia ad alia festino, sed unum dicam, quod ab eo narratum praetereundum nullo modo aestimo.

2. In eodem monasterio quidam magnae uitae monachus erat hortolanus. Fur uero uenire consueuerat, per sepem
10 ascendere, et occulte holera auferre. Cumque ille multa plantaret quae minus inueniret, et alia pedibus conculcata, alia direpta conspiceret, totum hortum circuiens inuenit iter unde fur uenire consueuerat. Qui in eundem hortum deambulans repperit etiam serpentem, cui prae-
15 cipiens dixit : « Sequere me. » Atque ad aditum furis perueniens, imperauit serpenti, dicens : « In nomine Iesu praecipio tibi ut aditum istum custodias, ac furem huc ingredi non permittas. » Protinus serpens totum se in itinere in transuersum tetendit. Ad cellam monachus
20 rediit.

128 putamusne *m G* : putasne *bm*^{v} *H* || 130 amplam congregationem *m GH* : ampla congregatione *bm*^{v}(*z*)

III, 1 appellabatur *m H* : appellatur *bm*^{v} *G* || curuus *bmz GH* : coruus *b*^{v} corbus *m*^{v} || 2 cognouisti *m GH* : nosti *b* || 3 eius *m GH* : eiusdem *b* || 9 hortolanus *m GH* : hortul- *bm*^{v} || 12 circuiens *m H* : circumiens *bm*^{v} circumens *G ut uid.* || 13-14 eundem hortum *m GH* : eodem horto *bm*^{v} || 19 tetendit *m GH* : et *add. b* || Ad cellam *bm GH* : uero *add. m*^{v}

---

12. Même question que ci-dessus (2, 8) Elle souligne l'unité de cette trilogie de moines de Fondi.

12. Pierre. Devons-nous penser que ce vénérable Libertinus, dont vous avez rapporté tant de merveilles et de miracles, n'a pas laissé, dans une si grande communauté, quelques imitateurs de ses vertus ?

III. Grégoire. Félix, surnommé Curvus, que vous avez bien connu, naguère prieur de ce monastère, me racontait beaucoup de choses admirables des frères du monastère. Je retrancherai quelques-unes de celles qui me reviennent, car j'ai hâte de passer à d'autres sujets. Mais il y a une histoire que je tiens à dire, car de ses récits j'estime que je ne puis décemment passer celui-ci par prétérition.

2. En ce monastère vivait un moine qui avait une conduite remarquable. Il était jardinier. Or un voleur avait pris l'habitude de venir. Il passait par-dessus la haie, et secrètemeut il raflait les légumes. Le jardinier en plantait beaucoup qui manquaient à l'appel ; il constatait que certains avaient été foulés aux pieds, d'autres arrachés. En faisant une ronde dans tout le jardin, il trouva la voie d'accès empruntée d'habitude par le voleur. Au cours de ses allées et venues dans le jardin, il trouva encore un serpent, à qui il ordonna : « Suis-moi ! » Arrivé à l'entrée du voleur, il donna cette consigne au serpent : « Au nom de Jésus, je te commande de monter la garde à cette entrée ; interdis au voleur d'entrer ici. » Aussitôt le serpent, de toute sa longueur, se mit en travers du chemin. Le moine rentra au monastère.

III, 1. Formules de transition semblables en II, 36 ; III, 38, 4.

2. Cette histoire de voleur arrêté (cf. III, 14, 6-7) ressemble fort à des miracles du moine égyptien Ammon (Rufin, *Hist. mon.* 8, *PL* 21, 421 ab = 9, 6-7 Festugière) et de l'abbé auvergnat Martius (Grégoire de Tours, *V. Patrum* 14, 2). Voir aussi celui de l'évêque chypriote Spiridion chez Rufin, *Hist. eccl.* 10 (1), 5, *PL* 21, 471 b, reproduit par Socrate, *Hist. eccl.* 1, 12. Le vol de légumes dans un jardin de moines rappelle particulièrement Grégoire de Tours, tandis que le serpent mobilisé pour monter la garde se retrouve dans l'*Historia monachorum* (deux dragons). *

3. Cumque meridiano tempore cuncti quiescerent, more solito fur aduenit, ascendit sepem, et dum in hortum pedem deponeret, uidit subito quia tensus serpens clausisset uiam, et tremefactus post semetipsum concidit
25 eiusque pes per calciamentum in sude sepis inhaesit, sicque usque dum hortolanus rediret, deorsum capite pependit.

4. Consueta hora uenit hortolanus, pendentem in sepe furem repperit. Serpenti autem dixit : « Gratias Deo.
30 Implesti quod iussi. Recede modo. » Qui ilico abscessit. Ad furem uero perueniens, ait : « Quid est, frater ? Tradidit te mihi Deus. Quare in labore monachorum furtum totiens facere praesumpsisti ? » Qui haec dicens, pedem illius a sepe in qua inhaeserat soluit, eumque sine laesione
35 deposuit. Cui dixit : « Sequere me. » Quem sequentem duxit ad horti aditum, et holera quae furto adpetebat auferre, ei cum magna dulcedine praebuit, dicens : « Vade, et post haec furtum non facias, sed cum necesse habes, hinc ad me ingredere, et quae tu cum peccato laboras
40 tollere, ego tibi deuotus dabo. »

5. PETRVS. Nunc usque, ut inuenio, incassum ego non fuisse patres in Italia qui signa facerent aestimabam.

GREGORIVS. Fortunati uiri uenerabilis, abbatis monasterii quod appellatur Balneum Ciceronis, aliorumque
45 etiam uirorum uenerabilium didici relatione quod narro.

21 cuncti *m GH* : fratres *add. b* ‖ 22 dum *m GH* : cum *b* ‖ hortum *bmz H* : -to *m*^{v} *G* ‖ 23 deponeret *bm*^{v}*z H* : poneret *m G* ‖ 25 calciamentum *m GH* : calceam. *b* calcaneum *b*^{v} ‖ 26 usque *bm*^{v} *G*^{pc} *H* : *om. m G*^{ac} ‖ hortolanus *m GH* : hortulanus *bm*^{v} ‖ 28 hortolanus *m GH* : hortul- *bm*^{v} ‖ 30 ilico *m GH* : statim *b* ‖ 33 totiens *m GH* : toties *bm*^{v} ‖ qui haec *m GH* : et haec *b* qui et haec *m*^{v} ‖ 34 inhaeserat [inhes- *m G*] *bm GH* : heserat *m*^{v} ‖ 39 hinc *mz* : hic *m*^{v} *GH* huc *bm*^{v} ‖ 43 Gregorius : *num. cap.* IIII *praem. bm*^{v}*z*

---

3. Voleur atterré par la vue du serpent comme dans l'*Historia monachorum*. La « pendaison » fait penser à l'Histoire ecclésiastique. Dans ces deux récits, il y a plus d'un voleur, tandis que Grégoire de Tours et nos Dialogues en ont un seul.

3. Tandis que tous les frères faisaient la sieste méridienne, fidèle à ses habitudes, le voleur se présenta, escalada la haie, mais au moment où il allait prendre pied dans le jardin, il vit tout à coup le serpent étiré qui lui barrait la route. Fou de terreur, il tomba à la renverse, et son pied demeura pris par la chaussure à un piquet de la haie. En attendant le retour du jardinier, il resta pendu la tête en bas.

4. A l'heure réglée, le jardinier arriva. Il trouva le voleur pendu à la haie. Il dit au serpent : « Rends grâce à Dieu : mission accomplie. Tu as quartier libre. » Aussitôt le serpent s'éclipsa. Venant au voleur, il lui dit : « Eh bien, frère ! Te voilà livré à moi par Dieu. Pourquoi as-tu osé si souvent voler le travail des moines ? » Tout en parlant, il libéra son pied accroché à la haie et le déposa sain et sauf. Puis il lui dit : « Suis-moi. » Il mena son suivant à l'entrée du jardin, et ces légumes qu'il désirait emporter, il les lui donna avec une grande douceur en disant : « Va, et après cela ne vole plus. Mais quand tu en auras besoin, viens-t'en me trouver par ici, et ce que tu emportes à grand peine et avec péché, je te le donnerai pour l'amour de Dieu. »

5. Pierre. Pour le coup, je vois que j'avais bien tort de penser qu'il n'y avait pas de Pères en Italie capables de faire des miracles.

Grégoire. Je tiens du vénérable Fortunat, abbé du monastère de Balneum Ciceronis, et d'autres personnages vénérables ce que je vais raconter.

4. Comparer la semonce au voleur dans les trois récits parallèles. Il est conduit à la porte du jardin par le moine, qui lui donne des légumes gracieusement : de même chez Grégoire de Tours (dans l'Histoire ecclésiastique, Spiridion offre aux voleurs un bélier). L'invitation à revenir et à demander des légumes rappelle III, 14, 7. *

5. Pierre revient sur son propos initial (*Prol.* 7). — Fortunat, abbé de *Balneum Ciceronis*, s'identifie-t-il avec Fortunat, abbé de S. Demetrius (ou Symmetrius) à Rome près de S. Sixte sur la Voie Appienne (cf. *Reg.* 9, 191 = *Ep.* 12, 36) ? L. Hartmann le suggère (*MGH*, *Ep.*, II, 180, 40), J. Chapman l'affirme (*St. Benedict*, p. 168), G. Ferrari, *Early Roman Monasteries*, Rome 1957, p. 97, n. 1, le nie. *Balneum Ciceronis* semble être une localité hors de Rome correspondant à une des villas de Cicéron. Celles-ci étaient au nombre

IIII. Vir sanctissimus Equitius nomine in Valeriae partibus pro uitae suae merito apud omnes illic magnae admirationis habebatur, cui Fortunatus isdem familiariter notus fuit. Qui nimirum Equitius pro suae magnitudine sanctitatis multorum in eadem prouincia monasteriorum pater extitit. Hunc cum iuuentutis suae tempore acri certamine carnis incentiua fatigarent, ipsae suae temptationis angustiae ad orationis studium sollertiorem fecerunt. Cumque hac in re ab omnipotente Deo remedium continuis precibus quaereret, nocte quadam adsistente angelo eunuchizari se uidit, eiusque uisioni apparuit quod omnem motum ex genitalibus membris eius abscideret, atque ex eo tempore ita alienus extitit a temptatione, ac si sexum non haberet in corpore.

2. Qua uirtute fretus ex Dei omnipotentis auxilio, ut uiris ante praeerat, ita coepit postmodum etiam feminis praeesse, nec tamen discipulos suos admonere cessabat, ne se exemplo eius in hac re facile crederent, et casuri temptarent donum quod non accepissent.

3. Eo autem tempore quo malefici in hac sunt Romana urbe deprehensi, Basilius, qui in magicis operibus primus

IIII, 1 *num. cap.* IIII *om.* $bm^{v}z$ ‖ Equitius [-cius *G*] bm^{v} *G* : Aequitius *H* Aequitus *m* ‖ Valeriae *m GH* : prouinciae *add. bz* ‖ 2 pro uitae *bmz GH* : prouinciae m^{v} ‖ 3 isdem *m* G^{pc}*H* : idem bm^{v} G^{ac} ‖ 4 Equitius bm^{v} *G* : Aequitius *m H* (*sicque deinceps*) ‖ 9 omnipotente *m GH* : -ti *b* ‖ 12 membris eius *m GH* : eius membris *b* ‖ 15 Dei omnipotentis *m GH* : omn. Dei *b* ‖ 18 exemplo eius *m GH* : eius ex. *b* ‖ 20 malefici *b GH* : malifici *m*

---

de huit, sans compter les neuf *diuersoria* sur les routes qui les reliaient (J. Carcopino, *Les secrets de la correspondance de Cicéron*, t. I, Paris 1947, p. 73-92). Les fréquentes visites de Fortunat à Rome (I, 10, 20) invitent à écarter les plus éloignées (Cumes, Pouzzoles, Pompéi). Ses rapports avec la Valérie, à laquelle se réfèrent tous ses récits, suggèrent de préférer aux villas côtières (Formies, Antium, entre Antium et Circeo), celles qui sont proches de cette

IIII. Le très saint Equitius, dans la région de Valérie, était fort admiré de tous pour le mérite de sa vie. Fortunat fut très lié avec lui. Sa grande sainteté valut à Equitius de devenir le père de nombreux monastères dans cette province. Lorsqu'il était jeune, l'ardeur du sang excita en lui une guerre harassante. Mais les angoisses mêmes de sa tentation rendirent plus pressante et active sa prière. Comme sur ce point il cherchait un remède auprès de Dieu tout-puissant par de continuelles prières, une nuit, il se vit châtrer par un ange ; dans cette vision il lui apparut que l'ange avait retranché tout mouvement du membre viril, et dès lors il se trouva libéré de la tentation comme si son corps était asexué.

2. Fort de ce miracle dû au secours de Dieu tout-puissant, il se mit à diriger aussi des femmes, comme il avait dirigé jusque-là des hommes. Toutefois, il conseillait sans cesse à ses disciples de ne pas s'autoriser facilement de son exemple. Ils risquaient de tomber, s'ils prétendaient à un don qu'ils n'avaient pas reçu.

3. Au temps où l'on appréhenda les magiciens de cette ville de Rome, Basile, qui fut le premier dans les œuvres

province : Arpinum (Isola del Liri) et Tusculum. Finalement cette dernière reste la plus indiquée par sa proximité maxima de Rome et des sites valériens.

IIII, 1. La Valérie est mentionnée une seule fois dans les Lettres de Grégoire, à propos d'un monastère détruit (*Reg.* 10, 1 = *Ep.* 10, 1). Le nom d'Equitius rappelle peut-être les *Equi* de cette région. Cf. C. RIVERA, « Per la storia dei precursori di san Benedetto nella Provincia Valeria », dans *BISI* 47 (1932), p. 45. Il est abbé de plusieurs monastères, comme Benoît à Subiaco (II, 3, 13) et Spes à Nursie (IV, 11, 1), deux localités de la même province. L'histoire de sa castration par un ange ressemble à celles d'Élie (PALLADE, *Hist. Laus.* 29, 2-5 = HÉRACLIDE, *Parad.* 17, 294 bc) et surtout de Serenus (CASSIEN, *Conl.* 7, 2, 1-2). Cf. JEAN MOSCHUS, *Pré spir.* 3. Absence complète de tentations : II, 2, 3. *

2. Cette direction donnée à des moniales rappelle particulièrement l'histoire d'Élie chez Pallade. Mise en garde contre un exemple périlleux : 1, 6-7.

3. Basile et Prétextat, accusés à Rome de *magicis artibus*, sont connus par CASSIODORE, *Var.* 4, 22-23. L'affaire se place en 510-

fuit, in monachico habitu Valeriam fugiens petiit. Qui ad uirum reuerentissimum Castorium Amiterninae ciuitatis episcopum pergens, sperauit ab eo ut eum Equitio abbati
25 conmitteret, ac sanandum monasterio illius conmendaret. Tunc ad monasterium uenit episcopus, secumque Basilium monachum deduxit, et Equitium Dei famulum ut eundem monachum in congregationem susciperet rogauit. Quem statim uir sanctus intuens, ait : « Hunc quem mihi
30 conmendas, pater, ego non uideo monachum esse, sed diabolum. » Cui ille respondit : « Occasionem quaeris, ne debeas praestare quod peteris. » Ad quem mox Dei famulus dixit : « Ego quidem hoc eum denuntio esse quod uideo. Ne tamen nolle me oboedire existimes, facio quod
35 iubes. » Susceptus itaque in monasterio est.

4. Cum non post multos dies isdem Dei famulus pro exhortandis ad desideria superna fidelibus paulo longius a cella digressus est. Quo discedente, contigit ut in monasterio uirginum, in quo eiusdem patris cura uigi-
40 labat, una earum, quae iuxta carnis huius putredinem speciosa uidebatur, febrire inciperet et uehementer anxiari magnisque non iam uocibus sed stridoribus clamare : « Modo moritura sum, nisi Basilius monachus ueniat, et ipse mihi per suae curationis studium salutem reddat. »
45 Sed in tanti patris absentia accedere quisquam monachorum in congregationem uirginum minime audebat ; quanto

22 monachico *bmz* G^{ac} *ut uid.* *H* : monachi m^{v} G^{pc} monastico m^{v} ‖ 24 sperauit [-bit *G*] m^{v} *G* : petiit [-uit m^{v}] bm^{v} et petiuit *H* postulauit *m* ‖ 27 famulum *m GH* : rogauit *add.* *bz* ‖ 28 congregationem bm^{v} *G* : congregatione *mz H* ‖ rogauit *m GH* : *om.* *bz* ‖ 32 peteris *m G ut uid.* *H* : peto bm^{v} ‖ 33 denuntio esse *m GH* : esse den. bm^{v} ‖ 34 nolle me bm^{v} *GH* : me nolle *m* ‖ 36 Cum *m GH* : *om.* $bm^{v}z$ ‖ isdem *m GH* : idem bm^{v} ‖ 38 discedente $bm^{v}z$ *G* : discendente *m* H^{ac} descendente b^{v} H^{pc} ‖ 41 febrire *m GH* : febricitare *b* ‖ 42 non iam *m GH* : iam non *b* ‖ 45 quispiam *m GH* : quisquam *b* ‖ 46 congregationem bm^{v} *G* : congregatione *m H* ‖ minime *m GH* : non *b*

magiques, s'enfuit sous un habit monastique et gagna la Valérie. Il alla trouver le très révérend Castorius, évêque d'Amiternum, pour qu'il le confiât à l'abbé Equitius et le remît au monastère en vue d'une cure spirituelle. Alors l'évêque vint au monastère, conduisant avec lui Basile en moine, et il pria le serviteur de Dieu de le recevoir dans la communauté. Aussitôt le saint regarda Basile et dit : « Celui que vous me recommandez, mon Père, moi je ne vois pas que ce soit un moine ; c'est un diable. » Le prélat répondit : « Vous faites des manières pour ne pas exécuter ce qui vous est demandé. » — « Non, reprit le serviteur de Dieu, je le dénonce pour ce que je vois. Cependant, afin que vous n'alliez pas penser que je me refuse à obéir, je ferai ce que vous ordonnez. » Basile fut donc admis au monastère.

4. Quelques jours après, le serviteur de Dieu s'en alla assez loin de la maison pour exhorter des fidèles au désir du ciel. Durant son absence, il arriva que, dans un monastère de vierges dont ce Père avait la responsabilité, une d'entre elles qui était jolie selon la chair, cette pourriture, fut prise de fièvre avec un fort délire. Elle criait, ou plutôt elle hurlait : « Je suis à la mort, si le moine Basile ne vient pas me rendre la santé par les savants remèdes de sa composition ! » Mais en l'absence d'un tel père, aucun des moines n'osait entrer dans la clôture des vierges ;

511. La seconde lettre royale signale leur fuite, qui pourrait être celle dont parle Grégoire. — Amiterne : ville ruinée à quelque 8 km au N.-O. de L'Aquila. L'évêque Castorius se place entre Valentin (502 : concile romain) et Marcellin (559 : Pélage Ier, *Ep.* 63). Le pape invite ce dernier à instruire, avec son collègue de Rieti (cf. I, 4, 9), le procès d'une moniale échappée de son monastère. Cette communauté féminine serait-elle celle que dirigeait Equitius ? — Moine étranger recommandé à l'abbé : *RB* 61, 13. Don de discerner vrais et faux moines : *S. Pachomii Vitae Graecae*, p. 73, 14-15 (*G*[1] 112). *

4. Première mention de la prédication d'Equitius (ci-dessous, 8-10). La chair est pourriture : *Mor.* 16, 83. Vierge affolée par des incantations magiques et appelant son amant à cris stridents : voir Jérôme, *V. Hil.* 21 (cf. Lucien, *Philops.* 14). Les moines ne visitent les moniales qu'avec grande précaution : Denys, *V. Pach.* 29.

minus ille qui nouus aduenerat, eiusque adhuc uitam fratrum congregatio nesciebat.

5. Missum repente est, et Dei famulo Equitio nuntia-
50 tum, quod sanctimonialis illa inmensis febribus aestuaret, et Basilii monachi uisitationem anxie quaereret. Quo audito, uir sanctus dedignando subrisit atque ait : « Numquid non dixi quod diabolus esset iste, non monachus ? Ite, et eum de cella expellite. De ancilla autem Dei, quae
55 anxietate febrium urguetur, nolite esse solliciti, quia ex hac hora neque febribus laboratura est, neque Basilium quaesitura. »

6. Regressus est monachus, et ea hora saluti restitutam Dei uirginem agnouit, qua eandem salutem illius Dei
60 famulus Equitius longe positus dixit. In uirtute scilicet miraculi exemplum tenens magistri, qui inuitatus ad filium reguli eum solo uerbo restituit saluti, ut reuertens pater ea hora filium restitutum uitae cognosceret, qua uitam illius ex ore ueritatis audisset. Omnes autem mona-
65 chi iussionem sui patris inplentes, eundem Basilium ex monasterii habitatione repulerunt. Qui repulsus dixit frequenter se cellam Equitii magicis artibus in aera suspendisse, nec tamen eius quempiam laedere potuisse. Qui non post longum tempus in hac Romana urbe, exardes-
70 cente zelo Christiani populi, igne crematus est.

7. Quadam uero die una Dei famula ex eodem monasterio uirginum hortum ingressa est. Quae lactucam conspiciens concupiuit, eamque signo crucis benedicere oblita,

47 eiusque *m GH* : cuiusque *bz* ‖ 47-48 fratrum congregatio *m GH* : cong. frat. *b* ‖ 52 subrisit *bm G* : subridens *m*ᵛ*z* risit *H* ‖ 58 regressus *bm H* : reuersus *G* ‖ est *m GH* : autem *add. bz* ‖ 59 salutem illius *bm GH* : saluatam *b*ᵛ ‖ 65 sui patris *m GH* : patris sui *b* ‖ 67 cellam *m G* : cellulam *bm*ᵛ *H* ‖ 70 igne *bm*ᵛ *H* : igni *m legi non potest ap. G*

IIII, 6. Jn 4, 46-53

6. Première imitation d'un miracle biblique. « Suspension dans les airs » par magie : on songe au vol de Simon le magicien (*Acta*

encore moins était-il question d'envoyer ce nouveau venu, les frères ne connaissant pas encore son genre de vie.

5. D'urgence, on envoya annoncer au serviteur de Dieu Equitius que cette moniale avait une grosse fièvre, qu'elle délirait en réclamant la visite du moine Basile. A cette nouvelle, le saint sourit avec mépris : « J'avais bien dit que c'était un diable et non un moine. Allez, chassez-le de la maison. Quant à la servante de Dieu qui a la fièvre et le délire, ne vous inquiétez pas ! Désormais elle n'aura plus la fièvre et elle ne demandera plus Basile. »

6. Le moine messager revint, et reconnut que la vierge consacrée à Dieu avait recouvré la santé à l'heure dite par le serviteur de Dieu Equitius, pourtant éloigné. Celui-ci, pour cet acte de puissance, avait suivi l'exemple du Maître, qui, invité à aller voir le fils d'un officier royal, lui rendit la santé par un seul mot, en sorte que ce père, rentrant chez lui, reconnut que son fils avait été rendu à la vie au moment où il avait appris qu'il vivait de la bouche de la Vérité. Tous les moines, exécutant l'ordre de leur abbé, expulsèrent Basile de son logis au monastère. Une fois expulsé, il disait qu'il avait souvent suspendu en l'air par ses arts magiques la maison d'Equitius, mais qu'il n'avait pu y blesser personne. Quelque temps après, le zèle du peuple chrétien s'échauffant, il fut brûlé dans cette ville de Rome.

7. Un jour, une servante de Dieu appartenant à ce monastère de vierges entra dans le jardin. Voyant une laitue qui lui faisait envie, elle la mordit avidement, oubliant de la bénir par un signe de croix ; mais aussitôt

Petri cum Simone 32). Ce « zèle du peuple chrétien » est-il pleinement approuvé par Grégoire ? D'après IV, 42, 1, où *inardescente zelo fidelium* se rapporte à la compétition entre Symmaque et Laurent, on peut en douter. *

7. Ce diable assis sur une laitue fait penser à l'esprit de gourmandise assis sur le figuier de Monchôsis d'après *S. Pachomii Vitae Graecae*, p. 156, 1-2 (*Paral.* 28). Bénédiction de tout aliment : *RM* 23, 3.17-19, etc. Le démon s'empare du mangeur d'aliments interdits : ORIGÈNE, *C. Cels.* 8, 36 ; CYPRIEN, *De laps.* 24 (cf. 25-26). Exorciste indigné : III, 21, 3. Le diable s'en va pour ne plus revenir comme en II, 30, 1 ; III, 33, 5.

auide momordit, sed arrepta a diabolo protinus cecidit. Cumque uexaretur, eidem patri Equitio sub celeritate nuntiatum est, ut ueniret concitus et orando concurreret. Moxque hortum isdem pater ingressus est, coepit ex eius ore quasi satisfaciens ipse qui hanc arripuerat diabolus clamare, dicens : « Ego quid feci ? Ego quid feci ? Sedebam mihi super lactucam. Venit illa et momordit me. » Cui cum graui indignatione uir Dei praecepit ut abscederet, et locum in omnipotentis Dei famula non haberet. Qui protinus abscessit, nec eam contingere ultra praeualuit.

8. Quidam uero Felix nomine, Nursinae prouinciae nobilis, pater huius Castorii qui nunc nobiscum in Romana urbe demoratur, cum eundem uenerabilem uirum Equitium sacrum ordinem non habere conspiceret et per singula loca discurrere atque studiose praedicare, eum quadam die familiaritatis ausu adiit, dicens : « Qui sacrum ordinem non habes, atque a Romano pontifice, sub quo degis, praedicationis licentiam non accepisti, praedicare quomodo praesumis ? » Qua eius inquisitione conpulsus, uir sanctus indicauit praedicationis licentiam qualiter accepit, dicens : « Ea quae mihi loqueris, ego quoque mecum ipse pertracto. Sed nocte quadam speciosus mihi per uisionem iuuenis adstitit, atque in lingua mea medicinale ferramentum, id est flebotomum, posuit, dicens : ‘ Ecce posui uerba mea in ore tuo. Egredere ad praedicandum ’. Atque ex illo die, etiam cum uoluero, de Deo tacere non possum. »

76 concurreret b^v*m GH* : succurreret *b* protegeret b^v || 77 moxque *bm G* : moxque ut H^v mox ut m^v et mox m^v || hortum *bmz GH* : portam b^v || isdem *m GH* : hisdem *m* idem bm^v || ingressus est m^v *GH* : ingressus *m* ut ingressus est *b* || 80 mihi *bm GH* : ibi b^v ego m^v *om.* m^v || lactucam *bm H* : meam *add.* b^v et *add.* *G* || 81 abscederet *m GH* : discederet *b* || 82 famula bm^v *G* : -am *m H* || 83 contingere ultra *m GH* : ultra cont. *bz* || 84 Quidam uero *bmz G* : quadam uero die m^v *H* || Nursinae *m H* : Nursiae bm^v *G* || 86 Equitium *bz H* : *om.* *m G* || 95 nocte quadam *m GH* : quadam nocte *b* || 96 medicinale bm^v : -lem *m GH*

le diable saisit la religieuse et la renversa. Comme il la tourmentait, on l'annonça d'urgence à l'abbé Equitius pour qu'il vienne vite et combatte par la prière. Dès que l'abbé arriva dans le jardin, le diable qui avait saisi la religieuse se mit à crier par sa bouche, comme une excuse : « Qu'ai-je fait, moi ? Qu'ai-je fait, moi ? Je m'étais assis sur une laitue. La voilà qui arrive, elle m'a mordu ! » Fortement indigné, l'homme de Dieu lui enjoignit de déguerpir, de ne plus se loger dans une servante de Dieu tout-puissant. Il s'en alla sur-le-champ, et désormais n'eut plus le pouvoir de la toucher.

8. Un noble nommé Félix, de la province de Nursie, père de ce Castorius qui habite maintenant avec nous dans cette ville de Rome, voyait que le vénérable Equitius allait de localité en localité pour y prêcher avec zèle, sans avoir reçu l'ordination sacerdotale. Un jour il l'aborda et lui dit comme à une vieille connaissance : « Vous qui n'avez pas l'ordre sacré et qui n'avez pas reçu licence de prêcher du pontife romain votre supérieur, comment osez-vous faire des prédications ? » Pressé par cette demande, le saint indiqua comment il avait reçu licence de prêcher, en disant : « Ce que vous me dites, moi tout le premier, je me le demande. Mais une nuit, en vision, un beau jeune homme s'approcha de moi et posa sur ma langue un instrument médicinal, une lancette, en disant : ' Voilà que j'ai mis mes paroles dans ta bouche. Sors pour prêcher. ' Depuis ce jour, même si je le voulais, je ne pourrais pas me taire sur Dieu. »

8. Ecce — tuo : Is 51, 16 ; Jr 1, 9

---

8. Nursie, qualifiée ici de « province » (cf. II, *Prol.* 1 ; III, 15, 2 et 37, 1 ; IV, 12, 1), est aussi une « ville » (IV, 11, 1) à l'extrémité septentrionale de la Valérie. — Equitius n'est qu'un abbé laïc (cf. *RM* 83, 9). Or le pape LÉON Ier, *Ep.* 119, 6 et 120, 6, réserve la prédication aux prêtres : *praeter eos qui sunt Domini sacerdotes, nullus sibi docendi et praedicandi ius audeat uindicare, siue ille monachus siue sit laicus* (cf. *Ep.* 118, 2). L'envoi d'Equitius en mission ressemble à sa mutilation miraculeuse (ci-dessus, 1), mais aussi à la vocation de Jérémie (Jr 1, 9).

9. Petrvs. Vellem patris huius etiam opus agnoscere, qui fertur talia dona percepisse.

Gregorivs. Opus, Petre, ex dono est, *non* donum *ex opere* ; *alioquin gratia iam non est gratia.* Omne quippe
105 opus dona praeueniunt, quamuis ex subsequenti opere ipsa etiam dona succrescunt. Ne tamen uitae eius cognitione frauderis, bene hanc reuerentissimus uir Albinus Reatinae antistes ecclesiae agnouit, et adhuc supersunt multi qui scire potuerunt. Sed quid plus quaeris operis,
110 quando concordabat uitae munditia cum studio praedicationis ?

10. Tantus quippe illum ad collegendas Deo animas feruor accenderat, ut sic monasteriis praeesset, quatenus per ecclesias, per castra, per uicos, per singulorum quoque
115 fidelium domos circumquaque discurreret, et corda audientium ad amorem patriae caelestis excitaret. Erat uero ualde uilis in uestibus, atque ita despectus, ut si quis illum fortasse nesciret, salutatus etiam resalutare despiceret. Et quotiens ad alia tendebat loca, iumentum
120 sedere consueuerat, quod esse despicabilius iumentis omnibus in cella potuisset ; in quo etiam capistro pro freno et ueruecum pellibus pro sella utebatur. Super semetipsum sacros codices in pelliciis sacculis missos dextro laeuoque latere portabat, et quocumque peruenisset,
125 scripturarum aperiebat fontem et rigabat prata mentium.

101 Vellem *bm*ᵛ *G ut uid.* *H* : uellim *m* ‖ 107 hanc *m*ᵛ*z GH* : hunc *bm*ᵛ hac *m*ᵒ hoc *m* ‖ 108 agnouit *m H* : cognouit *bm*ᵛ *G* ‖ ‖ 112 collegendas *m H* : collig- *b G* ‖ 113 feruor *m GH* : *ante* ad (l. 112) *transp. bz* ‖ 119 quotiens *m GH* : quoties *b* ‖ ad alia tendebat *m GH* : alia tendebat ad *b* ‖ iumentum *bm GH* : -to *b*ᵛ ‖ 120 esse *m GH* : essit *m*ᵛ *om. bm*ᵛ ‖ 120-121 iumentis omnibus *m GH* : omn. ium. *b* ‖ 121 potuisset *m*ᵛ *G* : reperiri *add. bm*ᵛ repperire *add. m H* ‖ 122 ueruecum *bm*ᵛ : ueruicum *m* berbicum *m*ᵛ *G* uerbibicum *m*ᵛ *H* ‖ Super *bm H* : per *b*ᵛ*m*ᵛ *G* ‖ 123 pelliciis *m GH* : pelliceis *b* ‖ 124 latere portabat *m GH* : port. lat. *b*

9. Rm 11, 6

9. Pierre. Je voudrais aussi connaître l'œuvre de cet abbé qu'on me dit avoir reçu de tels dons.

Grégoire. L'œuvre, Pierre, vient d'un don divin, et non pas le don divin de l'œuvre. Autrement la grâce ne serait plus la grâce. Les dons précèdent toute œuvre, mais l'œuvre subséquente peut faire grandir aussi les dons. Cependant, pour que vous ne soyez pas frustré de la connaissance de sa vie, le très révérend Albin, évêque de l'Église de Rieti, en fut un bon connaisseur, et plusieurs qui ont pu se renseigner sont encore en vie. Mais pourquoi voulez-vous encore d'autres œuvres, quand la pureté de sa vie égalait son zèle pour prêcher ?

10. Si grande était la flamme qui le brûlait pour cueillir les âmes à Dieu que, non content d'être responsable de monastères, il allait par les Églises, les bourgs, les villages, et même les maisons de chaque fidèle, partout, exciter les cœurs de ses auditeurs à l'amour de la patrie céleste. Il était fort vulgaire dans ses vêtements et de si pauvre mine que quelqu'un qui ne l'aurait pas connu aurait même dédaigné de lui rendre son salut. Pour ses voyages, il prenait le plus médiocre qu'il pouvait trouver de tous les chevaux du monastère, avec pour mors une muselière et pour selle une peau de mouton. Il avait sur lui les livres saints qui pendaient dans des sacoches de peau à droite et à gauche. Partout où il allait, il ouvrait la source des Écritures et irriguait les prairies des âmes.

9. Selon L. Duchesne, « Les évêchés d'Italie et l'invasion lombarde », dans *MEFR* 23 (1903), p. 98, cet appel au témoignage de l'évêque de Rieti suggère que celui-ci est encore en vie et présent à Rome, où il se serait réfugié pour fuir les Lombards. Au contraire, pour C. Rivera, *art. cit.*, p. 41, n. 1, Grégoire oppose cet évêque défunt aux témoins vivants dont il parle ensuite. En tout cas, Albinus ne figure pas au concile de 595, et d'après *Reg.* 9, 49 = *Ep.* 9, 15, il semble que l'église de Rieti soit sans évêque en 598 (sur ce dernier point, voir cependant les réserves de F. Lanzoni, *Le diocesi d'Italia dalle origini al secolo VII*, Faenza 1927, p. 358). Si Albinus était encore vivant en 593, il aura eu pour prédécesseurs Ursus (concile de 502), Catellus (Pélage Ier, *Ep.* 63, cf. ci-dessus, note sous 4, 3) et Probus (IV, 13).

10. Cette négligence vestimentaire contraste avec la prescription bénédictine de porter des habits « un peu meilleurs » quand on sort

11. Huius quoque opinio praedicationis ad Romanae urbis notitiam peruenit, atque, ut est lingua adulantium auditoris sui animam amplectendo necans, eo tempore clerici huius apostolicae sedis antistiti adulando questi
130 sunt, dicentes : « Quis est iste uir rusticus, qui auctoritatem sibi praedicationis arripuit, et officium apostolici nostri domini sibimet usurpare indoctus praesumit ? Mittatur igitur, si placet, qui huc eum exhibeat, ut quis sit ecclesiasticus uigor agnoscat. » Sicut autem moris est,
135 ut occupato in multis animo adulatio ualde subripiat, si ab ipso cordis ostio nequaquam fuerit citius repulsa, suadentibus se clericis consensum pontifex praebuit, ut ad Romanam urbem deduci debuisset, et quaenam sua esset mensura cognosceret.
140 12. Iulianum tamen tunc defensorem mittens, qui Sabinensi ecclesiae postmodum in episcopatu praefuit, hoc praecepit, ut cum magno eum honore deduceret, ne quicquam Dei famulus ex conuentione eadem iniuriae sentiret. Qui parere de eo clericorum uotis concitus uolens,
145 festine ad eius monasterium cucurrit, ibique, absente illo, antiquarios scribentes repperit, ubi abbas esset inqui-

128 eo *mz GH* : eodem *bm*ᵛ ‖ 131 arripuit *bm(z) H* : arripit *m*ᵛ accepit *G* ‖ 132 usurpare indoctus *m GH* : ind. us. *b* ‖ praesumit *bm*ᵛ *GH* : praesumpsit *m* ‖ 133 igitur *m GH* : ergo *b* ‖ 135 subripiat *m GH* : subrepat *b* ‖ 142 cum magno eum honore *m GH* : magno cum honore eum *b* ‖ ne *mz H* : nec *bm*ᵛ *G*

(*RB* 55, 14 ; cf. *RM* 81, 7). Mais Equitius s'attire ainsi le mépris, ce dont Grégoire lui fera un mérite (4, 18). — Moine en voyage portant sur lui un livre : voir *RM* 57, 4 (cf. 57, 7 et 10).

11. Méfaits de l'adulation : *Hom. Eu.* 12, 3 ; *Reg.* 5, 44 = *Ep.* 5, 18, etc. Le *rector ecclesiae* ne doit pas se réserver le droit de prêcher, en le refusant par jalousie à ses coopérateurs : voir *Mor.* 22, 54, qui cite en exemple la magnanimité de Moïse (Nb 11, 29). Cependant Equitius n'avait pas de titre officiel à collaborer au ministère de la parole (note sous 4, 8). — Qui est ce pontife dont Grégoire tait le nom charitablement (cf. 2, 5 et note) ? A. Dufourcq, *Étude sur les « Gesta martyrum » romains*, t. III, Paris 1907, p. 73, propose Jean III (561-574), mais si Equitius était déjà abbé et directeur de moniales en 510-511 (4, 3), il ne peut guère être en pleine acti-

11. Le bruit que faisait cet apostolat parvint jusqu'à Rome, et comme la langue des flatteurs tue par ses caresses l'âme de qui veut bien les écouter, des clercs à ce moment se plaignirent par flatterie à l'évêque de ce siège apostolique en disant : « Quel est ce rustre qui s'est arrogé le pouvoir de prêcher et qui a osé usurper, n'étant qu'un ignorant, l'office de notre Seigneur apostolique ? Qu'on envoie donc, s'il vous plaît, quelqu'un qui le fasse comparaître ici ; il apprendra quelle est la portée des canons de l'Église. » Il arrive souvent que, dans un esprit préoccupé de mille tracas, la flatterie s'insinue très bien, si elle n'est pas repoussée rapidement à la porte du cœur. Le pontife accorda son consentement aux suggestions de ses clercs : Equitius devrait être conduit à la ville de Rome afin d'apprendre quelles étaient exactement ses attributions.

12. Toutefois, en députant *ad hoc* le défenseur Julien, par la suite évêque de Sabine, il lui recommanda d'amener Equitius avec de grands honneurs, pour que le serviteur de Dieu ne souffrît aucune injure du fait de cette citation. Julien, voulant obéir avec empressement aux désirs des clercs sur lui, courut en hâte à son monastère. Il était absent. Trouvant des copistes en train d'écrire,

vité, comme nous le voyons ici, cinquante ans plus tard. Il s'agit donc d'un pape antérieur. *

12. Ce défenseur Julien ne doit pas être confondu avec celui de I, 10, 1 (mort à Rome récemment) et IV, 31, 1 (mort sept ans plus tôt : 586), dont Grégoire avait entendu les récits et qui n'accéda jamais, semble-t-il, à l'épiscopat. Le présent personnage est devenu évêque. C'est comme acteur, non comme narrateur, que Grégoire le mentionne. Peut-être ne l'a-t-il pas connu. Si ce Julien se distingue de son collègue et homonyme des Livres I et IV, comme l'a bien vu Moricca, on ne voit pas pourquoi ce dernier, à la suite de Duchesne, *art. cit.*, p. 97, le fait mourir à Rome en 586. En réalité, nous ne savons rien de précis sur les dates de son épiscopat. Entre les conciles symmachiens et janvier 593, date à laquelle Grégoire rattache l'Église de Sabine au siège de Nomentum (*Reg.* 3, 20 = *Ep.* 3, 20), le présent passage des Dialogues est l'unique renseignement que nous ayons sur cette Église, une fois éliminée la lettre de Pélage Ier, *Ep.* 36, qui s'adresse à l'évêque de Gabies, non à celui de *Cures Sabinorum*, d'après l'éditeur. — « Copistes » : voir *RM* 54, 1 (*scribtores*).

siuit. Qui dixerunt : « In ualle hac, quae monasterio subiacet, faenum secat. »

13. Isdem uero Iulianus superbum ualde atque contu-
150 macem puerum habuit, cui uix poterat uel ipse dominari. Hunc ergo misit, ut eum ad se sub celeritate perduceret. Perrexit puer, et proteruo spiritu pratum uelociter ingressus, omnesque illic intuens faenum secantes, requisiuit quisnam esset Equitius. Moxque ut audiuit quis
155 esset, eum adhuc longe positus aspexit, et inmenso timore correptus est, coepit timere, lassescere, seque ipsum nutanti gressu uix posse portare. Qui tremens ad Dei hominem peruenit, atque ulnis humiliter eius genua deosculans strinxit, suumque dominum ei occurrisse nun-
160 tiauit. Cui resalutato Dei famulus praecepit, dicens : « Leua faenum uiride, porta pabulum iumentis in quibus uenistis. Ecce ego, quia parum superest, opere expleto, te subsequor. »

14. Is autem qui missus fuerat Iulianus defensor mira-
165 batur ualde quidnam esset quod redire moraretur puer, cum ecce reuertentem puerum conspicit, atque in collo faenum ex prato deferentem. Qui uehementer iratus coepit clamare, dicens : « Quid est hoc ? Ego te misi hominem deducere, non faenum portare. » Cui respondit puer :
170 « Quem quaeris, ecce subsequitur. » Cum ecce uir Dei, clauatis calciatus caligis, falcem faenariam in collo deferens, ueniebat. Quem adhuc longe positum puer suo domino quia ipse esset quem quaereret indicauit. Isdem uero Iulianus, repente ut uidit Dei famulum, ex ipso
175 habitu despexit, eumque qualiter deberet alloqui proterua

149 Isdem *m GH* : idem *bm*^{v} ‖ 156 correptus est *m GH* : correptus *bm*^{v}*z* correptus est et *m*^{v} ‖ timere *m GH* : tremere *bm*^{v}*z* ‖ 158 eius genua *bm*^{v} *GH* : eiusque genua *m*^{v} genua eius *m* ‖ 169 respondit puer *m GH* : puer resp. *b* ‖ 170 cum *m GH* : tunc *b* ‖ 173 Isdem *m GH* : idem *bm*^{v}

13. Moines travaillant aux champs : voir II, 32, 1-2 ; *RB* 48, 7-9 (*RM* 86 est opposé à cette pratique) ; *V. Patrum Iurensium* 73.

Julien demanda où était l'abbé. Ils répondirent : « Dans cette vallée sous le monastère, il fauche le foin. »

13. Julien avait un valet arrogant et insubordonné, dont il pouvait à peine se faire obéir. Il l'envoya pour qu'il lui amenât promptement Equitius. Le garçon partit, s'élança dans le pré avec toute l'impétuosité de son esprit, jeta un coup d'œil sur tous les faucheurs qui étaient là, demanda qui était Equitius. Dès qu'il eut entendu qui c'était, il l'aperçut, encore à bonne distance, et se sentit pris d'une immense timidité, de crainte, de lassitude ; ses genoux tremblants se dérobaient sous lui dans sa marche. Il atteignit tout frissonnant l'homme de Dieu. De ses bras, humblement, il serra ses genoux en les baisant, et lui annonça que son maître était venu lui rendre visite. Le serviteur de Dieu lui rendit son salut et lui commanda : « Prenez ce foin vert et portez ce fourrage aux bêtes sur lesquelles vous êtes venus. Pour moi, il reste peu de chose à faire, je termine le travail et je vous suis. »

14. Cependant le chargé de mission, le défenseur Julien, se demandait avec une grande surprise ce qui pouvait retarder ainsi le retour de son valet. Et voilà qu'il aperçoit son garçon qui revient trimbalant sur l'épaule une botte de foin prise dans le pré. Très contrarié, il crie : « Qu'est-ce que ça signifie ! Je t'ai envoyé amener un homme, non porter du foin ! » Le garçon répond : « Celui que vous cherchez, le voilà qui me suit. » Et voilà : l'homme de Dieu, avec ses souliers cloutés et sa faux sur l'épaule, arrivait. Il était encore loin quand le garçon indiqua à son maître quel était celui qu'il cherchait. Dès qu'il voit le serviteur de Dieu, Julien le méprise pour son accoutrement et se prépare à l'apostropher avec hauteur.

Baiser des genoux comme dans *RM* 19, 6 ; 50, 67 ; 93, 34 et 38-39. Terreur en présence du saint : EUGIPPE, *V. Seu.* 19, 2.

14. « Souliers cloutés » comme dans *RM* 81, 27 (*gallicas... clauatas*) ; cf. *RM* 81, 25 (*caligas... ferratas*). « Aller aux genoux » de l'abbé pour l'honorer fait penser à *RM* 13, 61 et 67 ; 14, 21, etc. On demande une prière à l'abbé qu'on visite : II, 13, 3 et 15, 2 (cf. IV, 31, 2).

mente praeparabat. Mox uero ut seruus Dei cominus adfuit, eiusdem Iuliani animum intolerabilis pauor inuasit, ita ut tremeret, atque ad insinuandum hoc ipsum quod uenerat uix sufficere lingua potuisset. Qui humi-
180 liato mox spiritu ad eius genua cucurrit, orationem pro se fieri petiit, et quia pater eius apostolicus pontifex eum uidere uellet indicauit.

15. Vir autem uenerandus Equitius coepit inmensas gratias omnipotenti Deo agere, asserens quod se per sum-
185 mum pontificem gratia superna uisitasset. Ilico uocauit fratres, praecepit hora eadem iumenta praeparari, atque executorem suum coepit uehementissime urguere, ut statim exire debuissent. Cui Iulianus ait : « Hoc fieri nullatenus potest, quia lassatus ex itinere hodie non ualeo
190 exire. » Tunc ille respondit : « Contristas me, fili, quia si hodierna die non egredimur, iam crastina non eximus. » Dei itaque famulus, executoris sui lassitudine coactus, in monasterio suo eadem nocte demoratus est.

16. Cum ecce sequenti die sub ipso lucis crepusculo,
195 uehementer equo in cursu fatigato, ad Iulianum cum epistola puer uenit, in qua ei praeceptum est, ne seruum Dei contingere uel mouere de monasterio auderet. Quem cum ille requireret cur sententia esset mutata, cognouit quia nocte eadem, qua ipse illuc executor missus est, per uisum
200 pontifex fuerat uehementer exterritus, cur ad exhibendum Dei hominem mittere praesumpsisset.

179 quod *bm GH* : ad quod *b*ᵛ propter quod *m*ᵛ ‖ 182 uellet *bm*ᵛ : uellit *m GH* uelit *m*ᵛ ‖ 191 eximus *mz GH* : exibimus *bm*ᵛ exiemus *m*ᵛ ‖ 195-196 cum epistola puer *m GH* : puer cum ep. *bm*ᵛ ‖ 196 uenit *m GH* : peruenit *b* ‖ ei praeceptum est *m GH* : praec. est ei *b* ‖ 199 qua *m G* : quia *H* in qua *bz* ‖ illuc executor *m GH* : exec. illuc *b*

---

15. Equitius reçoit le message pontifical comme une visite de Dieu. Comparer la façon dont *RM* 76 prescrit de recevoir les eulogies de l'évêque. Celui-ci est appelé par le Maître *pontifex summus*,

Mais à mesure que le serviteur de Dieu approche, une insurmontable panique envahit l'âme de Julien ; il en est tout tremblant et il bégaie pour insinuer le but de sa mission. Humilié en esprit, il court à ses genoux, lui demande de prier pour lui, explique que son Père le pontife apostolique voudrait le voir.

15. Le vénérable Equitius commence à rendre à Dieu d'immenses actions de grâces, assurant que la grâce divine le visite par le pontife suprême. Aussitôt il appelle les frères, leur prescrit de préparer sur l'heure des chevaux et commence à presser très vivement celui qui le recherchait : il faut partir immédiatement. Julien réplique : « Impossible. Je suis exténué par le voyage. Aujourd'hui je ne puis sortir. » Le saint répond : « Vous me peinez, mon fils, car si nous ne partons pas aujourd'hui, demain il sera trop tard. » Ainsi contraint par la fatigue de celui qui le recherchait, le serviteur de Dieu demeure cette nuit-là dans son monastère.

16. Le lendemain, aux premières lueurs de l'aube, sur un cheval tout crevé d'une course rapide, arrive à Julien un valet porteur d'une lettre : ordre de ne pas toucher au serviteur de Dieu, qu'on ne se permette pas de le déplacer du monastère. Julien demande pourquoi la décision a été changée. Il apprend que la nuit même où on l'avait envoyé rechercher Equitius, le pontife avait été extrêmement effrayé par une vision : pourquoi avait-il envoyé quelqu'un pour faire comparaître l'homme de Dieu ?

comme ici le pape. Une seule fois Grégoire emploie *pontifex* en parlant d'un simple évêque (III, 19, 2). D'ordinaire le terme désigne le pontife romain (I, 4, 11.14.16.19 ; III, 2, 1 ; 3, 1 ; 36, 1). L'épithète *summus* ne lui est donnée qu'ici. Sans doute Grégoire marque-t-il ainsi le respect particulier d'Equitius pour l'évêque de Rome. Cependant on trouve *summi pontificis* désignant, comme chez le Maître, tout évêque, dans *In I Reg.* 5, 25. — « Mon fils » est aussi le vocable dont Benoît use avec Riggo (II, 14, 2) et Exhilaratus (II, 18).

16. Songe avertissant de ménager l'homme de Dieu : SULPICE SÉVÈRE, *Dial.* 3, 4 (cf. Mt 27, 19). *

17. Qui protinus surrexit, seque uenerandi uiri orationibus conmendans, ait : « Rogat pater uester ne fatigari debeatis. » Cumque hoc Dei famulus audisset, con-
205 tristatus ait : « Numquid non die hesterno dixi tibi quia si non statim pergeremus, iam pergere minime liceret ? » Tunc pro caritatis exhibitione aliquantulum executorem suum in cella detinuit, eique laboris sui conmodum coacto renitentique dedit.

210 18. Cognosce igitur, Petre, in quanta Dei custodia sunt, qui in hac uita seipsos despicere nouerunt ; cum quibus intus ciuibus in honore numerantur, qui despecti foris hominibus esse non erubescunt ; quia e contra in Dei oculis iacent, qui apud suos et proximorum oculos per
215 inanis gloriae appetitum tument. Vnde et quibusdam ueritas dicit : *Vos estis qui iustificatis uos coram hominibus. Deus autem nouit corda uestra, quia quod hominibus altum est, abominabile est ante Deum.*

19. PETRVS. Miror ualde quod de tali uiro subripi pon-
220 tifici tanto potuerit.

GREGORIVS. Quid miraris, Petre, quia fallimur, qui homines sumus ? An menti excidit quod Dauid, qui prophetiae spiritum habere consueuerat, contra innocentem Ionathae filium sententiam dedit, cum uerba pueri men-
225 tientis audiuit ? Quod tamen quia per Dauid factum est, et occulto Dei iudicio iustum credimus, et tamen humana

202-203 orationibus conmendans *m GH* : comm. or. *b* ‖ 203 uester *b*^{v}*m GH* : noster *bz* ‖ 205 tibi *bz* : *om. m GH* ‖ 206 pergeremus *bm*^{v} *GH* : pergimus *m* ‖ 208 detinuit *bm*^{v} : retinuit *m GH* ‖ 213 quia *bm*^{o} *G*^{ac} *ut uid. H* : quid *m* qui *G*^{pc} ‖ e *bm*^{v} *G* : et *m G* ‖ 216 hominibus *bm G* : ab hom. *m*^{v} *H* ‖ 218 ante *bm G* : apud *m*^{v} *H* ‖ 222 menti *m G* : mente *bm*^{v} *H* ‖ excidit *bm*^{v} *H* : excedit *m G* ‖ 226 occulto... iudicio *bmz GH* : occultum... iudicium *b*^{v}

18. Lc 16, 15 ‖ 19. 2 S 16, 1-4 (cf. 19, 24-30).

17. Le visiteur se recommande aux prières de l'abbé : II, 31, 3 ; IV, 31, 2. Ici, c'est une façon de prendre congé. — Le *commodum* (« dédommagement ») est une gratification pécuniaire : Voir *Reg.* 1, 42 = *Ep.* 1, 44 (501 b - 502 c) ; *Reg.* 1, 59 = *Ep.* 1, 61.

17. Julien se lève, va se recommander aux prières de cet homme vénérable et ajoute : « Votre Père vous en prie, vous ne devez pas vous fatiguer à venir. » A ces mots, le serviteur de Dieu, peiné, se prend à dire : « Ne vous avais-je pas déclaré hier que si nous ne partions pas tout de suite, nous ne pourrions jamais plus partir ? » Puis, pour témoigner sa charité à celui qui le recherchait, il le retint quelque temps dans sa maison, et lui fit accepter, bien malgré lui, un dédommagement pour sa peine.

18. Apprenez donc, Pierre, avec quelle attention Dieu veille sur ceux qui savent se mépriser eux-mêmes en cette vie ; au spirituel, ils comptent parmi les citoyens d'honneur, ceux qui au temporel n'ont pas peur d'être méprisés des hommes. Au contraire, aux yeux de Dieu ils sont bien bas, ceux qui s'enflent par l'appétit de la vaine gloire à leurs propres yeux et aux yeux de leurs proches. C'est pourquoi la Vérité dit à certains : « Vous êtes des gens qui vous justifiez vous-mêmes devant les hommes. Mais Dieu connaît vos cœurs, car ce qui est élevé pour les hommes est abominable devant Dieu. »

19. Pierre. Je suis très surpris qu'on ait pu abuser un aussi haut pontife sur un homme de cette valeur.

Grégoire. Vous vous étonnez, Pierre, que nous nous trompions, nous qui sommes des humains ? Avez-vous oublié que David, qui pourtant avait en général un esprit prophétique, rendit sentence contre le fils innocent de Jonathan après avoir entendu un serviteur menteur ? Cependant parce que c'est un David qui fit cela, nous le croyons juste par un secret jugement de Dieu, mais nous

18. *Intus... foris* : opposition déjà rencontrée (*Prol.* 4) et des plus fréquente chez Grégoire. Voir P. Aubin, « Intériorité et extériorité dans les *Moralia in Job* de Grégoire le Grand », dans *Rech. Sc. Rel.* 62 (1974), p. 117-166.

19. Erreur de David : voir *Hom. Ez.* I, 1, 13. — *Multum ... est quod* : même tournure, au même sens de fréquence, dans *Hom. Eu.* 37, 3. Cf. *Mor.* 21, 4 (*ualde est quod*) ; *Dial.* I, 5, 3 (*multum ualde est quod*). Dans *Hom. Eu.* 32, 1, on trouve *ualde multum est* opposé à *minus est* (grandeur). — Cette « diminution » résultant de la « division dans le multiple » fait penser à celle qui résulte, selon *Prol.* 4, de la « dispersion à l'extérieur ». Cf. *InI Reg.* 5, 180 ; *Hom. Ez.* II, *Praef.* *

ratione qualiter iustum fuerit non uidemus. Quid ergo mirum, si ore mentientium aliquando in aliud ducimur, qui prophetae non sumus ? Multum uero est quod unius-
230 cuiusque praesulis mentem curarum densitas deuastat. Cumque animus diuiditur ad multa, fit minor ad singula, tantoque ei in una qualibet re subripitur, quanto latius in multis occupatur.

Petrvs. Vera sunt ualde quae dicis.

235 20. Gregorivs. Silere non debeo quod de hoc uiro, abbate quondam meo reuerentissimo Valentione narrante, cognoui. Aiebat namque quia corpus eius dum in beati Laurentii martyris oratorio esset humatum, super sepulcrum illius rusticus quidam arcam cum frumento
240 posuit, nec quantus qualisque uir illic iaceret perpendere ac uereri curauit. Cum repente turbo caelitus factus, rebus illic omnibus in sua stabilitate manentibus, arcam, quae superposita sepulcro eius fuerat, extulit longeque proiecit, ut palam cuncti cognoscerent quanti esset meriti is
245 cuius illic corpus iaceret.

21. Ea etiam quae subiungo, praedicti uenerabilis uiri Fortunati, qui ualde mihi aetate, opere et simplicitate placet, relatione cognoui. Eandem Valeriae prouinciam Langobardis intrantibus, ex monasterio reuerentissimi
250 uiri Equitii in praedicto oratorio ad sepulcrum eius mona-

232 subripitur *b GH* : subrepitur *m* surripitur *m*^{v} ‖ 236 Valentione *b*^{v}*m GH* : Valentio *b*^{v} Valentino *bm*^{v}*z* ‖ 237 cognoui *m GH* : agnoui *b* ‖ Aiebat *bmz* : agebat *m*^{v} *H* augebat *G* ‖ 241 Cum *m GH* : tunc *b* cumque *m*^{v}

21 bmwz GH 246 Ea etiam *mw*^{v} *H* : etiam ea *bm*^{v}*w* etiam *m*^{v}*w*^{v} *G* ‖ 248 prouinciam *bm*^{v}*w G* : prouinciae *mw*^{v} *H*

---

20. Valentio, le seul abbé du *Cliuus Scauri* dont Grégoire dise qu'il fut « son » abbé, a d'abord gouverné un monastère en Valérie (IV, 22, 1). Il n'est plus de ce monde (III, 22, 1). Tous ses récits se rapportent à sa province d'origine. — L'oratoire où Equitius fut inhumé serait celui de San Lorenzo in Pizzoli (localité à 5 km au N. d'Amiterne, soit une douzaine de kilomètres N.-O. de L'Aquila),

ne voyons pas, d'après la raison humaine, comment cela peut être juste. Pas étonnant, si quelquefois nous sommes abusés par la bouche des menteurs, nous qui ne sommes pas prophètes ! Tant il est vrai que pour l'âme de tout prélat, l'abondance des tracas est ruineuse : lorsque l'esprit se divise entre une foule de sujets, il s'amenuise sur chacun d'eux, et il peut être abusé d'autant plus aisément sur un point qu'il est occupé plus largement sur une foule de points.

PIERRE. C'est vrai, c'est bien vrai, ce que vous dites.

20. GRÉGOIRE. Je ne saurais omettre ce que j'ai appris sur ce saint par mon ancien abbé, le très révérend Valentio. Il disait que le corps d'Equitius ayant été enterré dans la chapelle Saint-Laurent-Martyr, un paysan avait posé sur son tombeau un coffre plein de froment, sans considérer quel homme grand reposait là, et sans nul souci de le vénérer. Soudain éclate un orage et, toutes choses demeurant là dans leur stabilité, il emporte et envoie promener au loin le coffre qui avait été placé sur le tombeau. Ainsi de toute évidence tout le monde put connaître le grand mérite de celui dont le corps reposait à cet endroit.

21. Ce que j'ajoute, je le tiens du vénérable Fortunat, que j'aime beaucoup pour son âge, sa conduite, sa simplicité. Quand les Lombards envahirent la province de Valérie, les moines quittèrent le monastère du très révérend Equitius pour se réfugier dans la chapelle Saint-

où l'on aurait retrouvé ses os en 1461. Voir C. RIVERA, *art. cit.*, p. 44, n. 3, qui signale leurs transferts successifs dans deux églises de L'Aquila : San Lorenzo in Pizzoli *intra moenia* et Santa Margherita da Forcella *intra moenia*.

21. Retour aux récits de Fortunat (I, 3, 5). Son « âge » doit être avancé, car Grégoire aime les vieillards (I, 10, 11). Première apparition des féroces Lombards. Elle se place sans doute à l'époque où ceux-ci envahissent la *Tuscia* et les provinces voisines, c'est-à-dire entre 571 et 574 (PAUL DIACRE, *Hist. Lang.* 2, 26). Exclamation *E* introduisant une plainte adressée à un défunt : voir III, 23, 3. Les profanateurs du lieu sacré sont immédiatement envahis par un démon comme chez GRÉGOIRE DE TOURS, *Hist. Franc.* 7, 35 (cf. 8, 12).

chi fugerunt. Cumque Langobardi saeuientes oratorium intrassent, coeperunt eosdem monachos foras trahere, ut eos aut per tormenta discuterent, aut gladiis necarent. Quorum unus ingemuit, atque acri dolore commotus cla-
255 mauit : « E, sancte Equiti, placet tibi ut trahamur et non nos defendas ? » Ad cuius uocem protinus saeuientes Langobardos inmundus spiritus inuasit. Qui corruentes in terram tandiu uexati sunt, quousque hoc cuncti etiam qui foris erant Langobardi cognoscerent, quatenus locum
260 sacrum temerare ultra non auderent. Sicque uir sanctus, dum discipulos defendit, etiam multis post remedium illuc fugientibus praestitit.

V. Cuiusdam coepiscopi mei didici relatione quod narro, qui in Anchonitana urbe per annos multos in monachico habitu deguit, ibique uitam non mediocriter religiosam duxit ; cui etiam quidam nostri iam prouectioris
5 aetatis, qui ex eisdem sunt partibus, adtestantur.

2. Iuxta eam namque ciuitatem ecclesia beati martyris Stephani sita est, in qua uir uitae uenerabilis Constantius nomine mansionarii functus officio deseruiebat. Cuius sanctitatis opinio sese ad notitiam hominum longe lateque
10 tetenderat, quia isdem uir, funditus terrena despiciens, toto adnisu mentis ad sola caelestia flagrabat. Quadam uero die, dum in eadem ecclesia oleum deesset, et praedictus Dei famulus unde lampades accenderet omnimodo non haberet, omnes candelas ecclesiae inpleuit aqua,

251 fugerunt $bm^{v}w^{v}$: fugierunt *mw G* fugirent *H* ‖ 255 E *mw H* : he $m^{v}w^{v}$ ae $m^{v}w^{v}z$ heu heu *b* *om.* m^{v} *G* ‖ ut *mw G* : quod bm^{v} *H* ‖ trahamur *mw GH* : trahimur *b* ‖ 255-256 non nos *mw GH* : nos non *b* ‖ 256 defendas *mw GH* : -is bm^{v} ‖ 258 terram $bm^{v}w$ *G* : terra *m H*

V bmz GH 2 Anchonitana m^{v} : Anconitana *b* G^{pc} Anchonitanam [anco- *G*] *m* $G^{ac}H$ ‖ urbe bm^{v} G^{pc} : urbem m^{v} $G^{ac}H$ orbem *m* ‖ monachico : monachi G^{pc} ‖ 10 isdem *m G* : hisdem *H* idem bm^{v} ‖ 13 omnimodo *m* $G^{pc}H$: omnino *b* G^{ac} ‖ 14 candelas $b^{v}mz$ *G* : lampades bm^{v} cyathos b^{v} lucernas *H*

Laurent auprès de son tombeau. Les Lombards furibonds font irruption dans la chapelle, ils se mettent en devoir de tirer dehors les moines pour les torturer ou les égorger. L'un d'eux gémit et dans sa douleur s'écrie « Ah ! Saint Equitius, vous supportez qu'on nous entraîne, et vous ne nous défendez pas ? » A ce cri, aussitôt les Lombards furibonds sont envahis par l'esprit immonde. Ils tombent par terre, et ils sont tourmentés si longtemps que même ceux qui se trouvent dans les environs ont le temps d'apprendre qu'il ne faut pas se permettre à l'avenir de violer un lieu sacré. Ainsi le saint défendit ses disciples, et de plus procura une protection à beaucoup qui se réfugièrent là par la suite.

V. J'ai appris par un de mes frères dans l'épiscopat ce que je vais raconter. Il vécut plusieurs années dans la cité d'Ancône sous l'habit monastique, et sa vie religieuse n'avait rien de médiocre. Quelques anciens qui vivent avec nous et qui viennent de ce pays sont là pour confirmer mes dires.

2. Près de cette ville se trouve l'église Saint-Étienne-Martyr, au service de laquelle le vénérable Constance exerçait la fonction de sacristain. Sa réputation de sainteté s'était répandue partout au loin, car il était foncièrement détaché des choses terrestres, et de toute la force de son âme il ne brûlait que pour le ciel. Un jour, dans cette église, l'huile vint à manquer, et le serviteur de Dieu n'avait absolument rien pour allumer les lampes. Alors il emplit d'eau tous les luminaires de l'église ;

V, 1. Moine devenu évêque comme Herculanus de Pérouse (III, 13) ou Trajan de Malte (*Reg.* 10, 1 = *Ep.* 10, 1).

2. Sur Saint-Étienne d'Ancône, voir Augustin, *Serm.* 322-324, surtout 323, où est racontée l'origine de ce sanctuaire, ainsi que le commentaire de F. Lanzoni, *op. cit.*, p. 382-383. — Constance est sacristain comme Théodore et Acontius (III, 24-25). Son « mépris complet du terrestre » fait penser à Benoît (II, *Prol.* 1). La pénurie d'huile est chronique en Italie : voir Augustin, *De Ord.* I, 3, 6 ; *RM* 29, 6, ainsi que les histoires de Nonnosus (I, 7, 5), de Benoît (II, 28-29) et de Sanctulus (III, 37, 2-3). Eau changée en huile : même miracle en III, 37, 3 (cf. Jn 2, 1-10). *

15 atque ex more in medio papyrum posuit ; quas, allato igne, succendit, sicque aqua arsit in lampadibus ac si oleum fuisset. Perpende igitur, Petre, cuius meriti iste uir fuerit, qui, necessitate conpulsus, elementi naturam mutauit.

20 3. PETRVS. Mirum est ualde quod audio, sed uelim nosse cuius humilitatis apud se intus esse potuit iste, qui tantae excellentiae foris fuit.

GREGORIVS. Inter uirtutes animum congrue requiris, quia multum ualde est quod temptatione sua intus men-25 tem lacessiunt mira quae foris fiunt. Sed si huius Constantii uenerabilis unum quod fecit audis, cuius humilitatis fuerit citius agnoscis.

PETRVS. Postquam facti illius tale miraculum dixisti, superest ut me etiam de humilitate mentis eius aedifices.

30 4. GREGORIVS. Quia ualde opinio sanctitatis eius excreuerat, multi hunc ex diuersis prouinciis anxie uidere sitiebant. Quadam uero die ex longinquo loco ad uidendum eum quidam rusticus uenit. Eadem uero hora casu contigerat ut sanctus uir, stans in ligneis gradibus, reficiendis 35 lampadibus deseruiret. Erat autem pusillus ualde, exili forma atque despecta. Cumque is qui ad uidendum eum uenerat quisnam esset inquireret, atque obnixe peteret ut sibi debuisset ostendi, hii qui illum nouerant monstrauerunt quis esset. Sed sicut stultae mentes hominis 40 meritum ex qualitate corporis metiuntur, eum paruulum atque despectum uidens, ipsum hunc esse coepit omnino

17-18 iste uir *m GH* : uir iste *bm*^{v} ‖ 20 uelim *bm*^{v} : uellim *m H* uellem *m*^{v} *G* ‖ 20-21 uelim nosse *mz GH* : nosse uelim *b* ‖ 21 intus esse *mz H* : esse intus *b* esse *G* ‖ 25 lacessiunt *m GH*^{ac} *ut uid.* : lacessunt *bm*^{v} *H*^{pc} ‖ Constantii *bm*^{v} *H*^{ac} *ut uid.* : Constanti *m GH*^{pc} ‖ 27 agnoscis *m*^{v} *H*^{pc} : agnuscis *m GH*^{ac} agnosces *bz* ‖ 29 ut me etiam *mz GH* : etiam ut me *b* ‖ 33 contigerat *bm*^{v} *GH* : conting- *m* ‖ 35 lampadibus deseruiret *mz GH* : deseruiret lamp. *b* ‖ 36 is *bm*^{v} *G*^{pc} : his *m G*^{ac}*H* ‖ 38 hii *mG* : hi *b H* ‖ monstrauerunt *m GH* : monstrarunt *b* ‖ 39 mentes *b*^{v}*m*^{v}*z* : mentis *bm GH* ‖ hominis *b*^{v}*mz H* : homines *bm*^{v} *G* hominum *b*^{v} ‖ 40 meritum *mz GH* : -ta *b* -to *m*^{v} ‖ metiuntur *bm G*^{pc}*H* : mentiuntur m^{v} *G*^{ac}

comme d'habitude il plaça au milieu une mèche de papyrus qu'il alluma, et l'eau brûla dans les lampes comme de l'huile. Jugez donc, Pierre, quel pouvait être le mérite de cet homme qui, poussé par la nécessité, changea la nature d'un élément.

3. PIERRE. Ce que j'entends est tout à fait merveilleux. Mais je voudrais savoir quelle humilité il garda à ses propres yeux, au dedans, lui qui au dehors se montra si exceptionnel.

GRÉGOIRE. Quand l'âme vit parmi les miracles, vous faites bien de vous en inquiéter, car il arrive très souvent que par leurs tentations les merveilles qui s'opèrent au dehors blessent intérieurement l'esprit. Mais il vous suffira d'entendre un trait de ce vénérable Constance pour connaître rapidement quelle fut son humilité.

PIERRE. Après m'avoir dit ce miracle si éclatant, vous n'avez plus qu'à m'édifier maintenant sur l'humilité de son âme.

4. GRÉGOIRE. Comme sa réputation de sainteté avait beaucoup grandi, de nombreuses personnes de diverses provinces cherchaient anxieusement à le voir. Un jour, un paysan arriva de loin pour le voir. A ce moment, il se trouvait par hasard que le saint, debout sur un marchepied de bois, s'occupait à ranimer les lampes. C'était un tout petit bout d'homme, de chétive apparence, méprisable. Comme le rustre venu pour le voir demandait qui c'était, et réclamait avec importunité qu'on le lui montrât, ceux qui le connaissaient le lui désignèrent. Mais les nigauds jugent le mérite d'un homme d'après son extérieur : en le voyant petit et sans apparence, il ne voulut jamais admettre que c'était Constance. Dans cet

3. *Intus... foris* : voir 4, 18 et note. L'expression *multum ualde est quod* a déjà été rencontrée (4, 19). Elle fait aussi penser à *Mor.* 5, 61 : *magnum ualde est si...* (avec le subjonctif). *

4. Sacristain monté sur un escabeau et arrangeant les lampes : la scène est décrite presque dans les mêmes termes en III, 24, 1. Les campagnards sont facilement considérés comme sots : voir II, 8, 10 (*stulto rusticorum populo*). Conflit intérieur comme en I, 2, 6, où il est appelé non *rixa* (cf. AUGUSTIN, *Conf.* 8, 19), mais *certamen*.

non credere. In mente etenim rustica inter hoc quod audierat et uidebat quasi facta fuerat quaedam rixa, et aestimabat tam breuem per uisionem esse non posse,
45 quem tam ingentem habuerat per opinionem. Cui ipsum esse dum a pluribus fuisset adstructum, despexit et inrisit, dicens : « Ego grandem hominem credidi, iste autem de homine nihil habet. »

5. Quod ut uir Dei Constantius audiuit, lampades quas
50 reficiebat protinus laetus relinquens, concitus descendit, atque in eiusdem rustici amplexum ruit, eumque ex amore nimio constringere coepit brachiis et osculari, magnasque gratias agere quod de se talia iudicasset, dicens : « Tu solus es qui in me oculos apertos habuisti. »

55 6. Ex qua re pensandum est cuius apud se humilitatis fuit, qui despicientem se rusticum amplius amauit. Qualis enim quisque apud se lateat, contumelia inlata probat. Nam sicut superbi honoribus, sic plerumque humiles sua despectione gratulantur. Cumque se et in alienis oculis
60 uiles aspiciunt, idcirco gaudent, quia hoc iudicium confirmari intellegunt, quod de se et ipsi apud semetipsos habuerunt.

Petrvs. Vt agnosco, uir iste magnus foris fuit in miraculis, sed maior intus in humilitate.

VI. Gregorivs. Eiusdem quoque Anchonitanae antistes ecclesiae uir uitae uenerabilis Marcellinus fuit,

46 adstructum *m GH* : abstructum *m*v assertum *b* ‖ inrisit *m GH* : coepit irridere *bz* ‖ 49 audiuit *bm*v *GH* : audit *m* ‖ 53 quod *mz H* : is [in *G*] *add. b G* ‖ 54 es qui *m H* : qui *G* *om. bm*v*z* ‖ oculos apertos *m GH* : apertos oculos *b* ‖ 55 Ex qua re *m GH* : qua ex re *b* ‖ 56 fuit *m GH* : fuerit *b* ‖ 59 gratulantur *bmz GH* : gloriantur *b*v ‖ 64 in humilitate *mz GH* : cordis *add. b* mentis *add. m*v
VI, 1 Anchonitanae *m GH* : Anconitanae *b*

---

5. Constance remercie pour l'injure comme l'abbé Étienne de Rieti (*Hom. Eu.* 35, 8 ; le détail manque en IV, 20, 1).

6. Aimer ceux qui vous insultent : voir *Hom. Eu.* 35, 7-8, où Gré-

esprit rustique, il y avait une véritable rixe entre ce qu'il avait entendu dire et ce qu'il voyait : impossible que ce nain qu'il avait sous les yeux fût le grand homme qu'il tenait de la renommée. Plusieurs lui certifièrent que c'était bien Constance. Alors il fit la grimace, et en ricanant : « J'avais cru que c'était un grand homme, mais celui-là n'est pas un homme ! »

5. Quand l'homme de Dieu l'entendit, il laissa tout joyeux les lampes qu'il ranimait, descendit bien vite, se jeta au cou du villageois, se mit à l'embrasser avec un grand amour et à le baiser avec de grands remerciements pour l'avoir ainsi jaugé : « Vous êtes le seul à avoir les yeux ouverts sur moi ! »

6. A ce trait, on peut tester l'humilité intérieure de Constance, qui aima d'autant plus ce rustre qu'il s'était gaussé de lui. Ce qu'on est secrètement en conscience, une injure décochée le révèle. Car comme les orgueilleux se congratulent des honneurs, ainsi plus d'une fois les humbles de leur abjection. Quand ils apparaissent vils aux yeux d'autrui, ils se réjouissent, car ils comprennent que ce jugement corrobore celui qu'ils portaient en conscience sur eux-mêmes.

PIERRE. A ce que je vois, cet homme fut grand au-dehors par ses miracles, mais plus grand au-dedans en humilité.

VI. GRÉGOIRE. Cette Église d'Ancône eut un évêque de vie vénérable, Marcellin. La goutte avait paralysé sa

goire présente ce comportement comme un martyre caché. L'humilité vraie se montre quand on subit de mauvais procédés (*Reg.* 2, 31 = *Ep.* 2, 36) ou des reproches (*Mor.* 22, 33 ; 26, 1). Toute cette insistance sur l'humilité rappelle les commentaires sur Honoratus (1, 6) et Libertinus (2, 7). Comme la patience (2, 8), l'humilité est plus grande que les miracles.

VI, 1. On ne sait rien de cet évêque Marcellin, sinon qu'il eut pour successeur, au temps de Grégoire, un certain Serenus (*Reg.* 9, 51 et 99-100 = *Ep.* 9, 16 et 89-90), mort en 603 (*Reg.* 14, 11 = *Ep.* 14, 11). Un *pontifex anconitanus* est mentionné en 496 par GÉLASE Ier, *Ep.* 38 (*PL* 59, 140 b), mais on en ignore le nom. Cf. F. LANZONI, *op. cit.*, p. 385.

cuius gressum dolore nimio podagra contraxerat, eumque familiares sui, sicubi necesse esset, in manibus ferebant.
5 Quadam uero die per culpam incuriae eadem ciuitas Anchonitana succensa est. Cumque uehementer arderet, concurrerunt omnes ut ignem extinguerent. Sed illis aquam certatim proicientibus, ita crescebat flamma, ut iam totius urbis interitum minari uideretur. Cumque
10 propinquiora sibi quaeque loca ignis inuaderet iamque urbis partem non modicam consumpsisset et obsistere nullus ualeret, deductus in manibus uenit episcopus, et tanta periculi necessitate conpulsus familiaribus suis se portantibus praecepit, dicens : « Contra ignem me ponite. »
15 2. Quod ita factum est, atque in eo loco est positus, ubi tota uis flammae uidebatur incumbere. Coepit autem miro modo in semetipsum incendium retorqueri, ac si reflexione sui impetus exclamaret se episcopum transire non posse. Sicque factum est ut flamma incendii, illo ter-
20 mino refrenata, in semetipsa frigesceret et contingere ulterius quicquam aedificii non auderet. Perpendis, Petre, cuius sanctitatis fuerit aegrum hominem sedere et exorando flammas premere.

Petrvs. Et perpendo et obstupesco.

VII. Gregorivs. De uicino nunc loco tibi aliquid narrabo, quod et uiri uenerabilis Maximiani episcopi et Lau-

3 dolore nimio podagra *bm GH* : nimius dolor *b*v ‖ 4 esset *m G* : est *m*v erat *b H* ‖ 6 Anchonitana *m H* : Anc- *b* Anchoritana *G* ‖ 17 semetipsum *bm*v *GH* : -so *m* ‖ 18 impetus *bm*v *G* : impetu *m* imperii *H* ‖ 20 frigesceret *m GH* : refrigesceret *bm*v

2. Grégoire paraît se souvenir du miracle de Martin, tel que le décrit Sulpice Sévère, *V. Mart.* 14, 2 : ... *obuiam se aduenientibus flammis inferens. Tum uero mirum in modum cerneres contra uim uenti ignem retorqueri...* D'autres évêques arrêtent l'incendie par l'oraison (*V. Caesarii* I, 17 et II, 21), le signe de croix (*ibid.*, II, 22), l'ostension de reliques (Grégoire de Tours, *Mir. S. Mart.* 4, 32 ; cf. 4, 47 : prière du peuple). — Grégoire fait admirer le miracle dans les mêmes termes que ci-dessus (5, 2 : *Perpende... Petre cuius meriti... fuerit*). *

marche de façon extrêmement douloureuse, en sorte que ses familiers devaient le porter en cas de nécessité. Un jour, par suite d'une négligence, la ville d'Ancône se trouva livrée à l'incendie. Comme le feu faisait rage, tout le monde courut l'éteindre, mais on avait beau jeter de l'eau à qui mieux mieux, la flamme grandissait, si bien que toute la ville semblait menacée de destruction. Le feu gagnait de proche en proche, il avait déjà consumé une bonne partie de la ville, personne ne pouvait l'enrayer. Arrive l'évêque, se faisant porter : poussé par la nécessité du péril, il ordonne aux familiers qui le transportent : « Tout contre le feu, posez-moi. »

2. On s'exécute, on le pose où toute la force de la flamme semblait s'acharner. Alors, merveille ! l'incendie se met à se retourner sur lui-même, comme si, par cette volte-face dans son élan, il criait qu'il ne peut enjamber un évêque. Il arriva ainsi que la flamme de l'incendie, arrêtée par cette limite, fut prise d'un froid mortel, et qu'elle n'osa plus désormais toucher aucun autre édifice. Vous pouvez peser, Pierre, tout ce qu'il y a là de sainteté : un homme impotent reste assis, et d'une prière il étouffe les flammes.

Pierre. Oui, et j'en reste rêveur.

VII. Grégoire. Je vous parlerai un peu maintenant d'un lieu voisin. Mes sources sont les dires du véné-

VII, 1. D'Ancône, on revient près de Rome : voir *Introd.*, p. 57. — Maximien, prêtre et abbé du *Cliuus Scauri*, est devenu évêque de Syracuse au début du pontificat de Grégoire (*Hom. Eu.* 34, 18 ; cf. III, 36 et IV, 33). La première lettre que Grégoire lui adresse en cette qualité est *Reg.* 2, 8 = *Ep.* 2, 7 (octobre 591). De nombreux messages lui sont envoyés ensuite jusqu'à sa mort en novembre 594 (*Reg.* 5, 20 = *Ep.* 5, 17). Dans *Reg.* 3, 50 = *Ep.* 3, 51, Grégoire prie Maximien de lui rappeler ce qu'il lui a raconté jadis *de domno Nonnoso abbate qui iuxta domnum Anastasium de Pentumis fuit.* Nonnosus, ici simple prieur, serait-il donc devenu abbé ? Ou bien Grégoire, dans cette lettre, en a-t-il fait un abbé par erreur ? En tout cas, rien n'indique que Nonnosus ait été abbé de Subpentoma après Anastase, comme le veut Moricca. Le *iuxta* de la lettre fait allusion à la *propinquitas loci* dont Grégoire parle ici, non à une succession dans la charge abbatiale. — Nonnosus : nom porté par un laïc

rionis quem nosti ueterani monachi, qui uterque nunc
usque superest, relatione cognoui. Qui scilicet Laurio in eo
5 monasterio, quod iuxta Nepesinam urbem Subpentoma
uocatur, ab Anastasio sanctissimo uiro nutritus est. Qui
nimirum Anastasius uitae uenerabilis uiro Nonnoso,
praeposito monasterii quod in Soractis monte situm est,
et propinquitate loci et morum magnitudine et uirtutum
10 studiis adsidue iungebatur. Isdem uero Nonnosus sub
asperrimo sui monasterii degebat patre, sed eius mores
mira semper aequanimitate tolerabat, sicque fratribus
in mansuetudine praeerat, sicut crebro patris iracundiam
ex humilitate mitigabat.

15 2. Quia uero eius monasterium in summo montis cacumine
situm est, ad quamlibet paruum hortum fratribus
excolendum nulla planities patebat : unus autem breuissimus
locus in latere montis excreuerat, quem ingentis
saxi naturaliter egrediens moles occupabat. Quadam die
20 dum Nonnosus uir uenerabilis cogitaret, quod saltem ad
condimenta holerum nutrienda locus isdem aptus potuisset
existere, si hunc moles saxi illius non teneret, occurrit
animo quia eandem molem quinquaginta boum paria
mouere non possent. Cumque de humano labore esset
25 facta desperatio, ad diuinum se solacium contulit, seque
illic nocturno silentio in orationem dedit. Cum mane
facto ad eundem locum fratres uenerunt atque inuenerunt
molem tantae magnitudinis ab eodem loco longius

VII, 5 Nepesinam *b*m^{v} *G* : Nepisenam *m* Nepestinam m^{v} Nepersinam *H* ‖ Subpentoma *m GH* : Supp- m^{v} Subpentuma m^{v} Suppentonia *b* ‖ 6 sanctissimo uiro *m H* : uiro sanct. *bz G* monacho sanct. m^{v} ‖ 7 uiro *b*m^{o} *GH* : uir *m* ‖ 10 Isdem *m GH* : idem *b*m^{v} ‖ 13 in mansuetudine praeerat *m GH* : praeerat in mans. *b* ‖ 16 quamlibet *m GH* : quemlibet *b*m^{v} ‖ 17 planities patebat *m GH* : patebat plan. *b* ‖ 19 moles *b*m^{v} *H* : molis *m G* ‖ 21 isdem *m GH* : idem *b*m^{v} ‖ 22 moles *b*m^{v} : molis *m G* molem *H* ‖ 23 quia *m H* : quod *b* qui *G* ‖ boum *b*m^{v} *G* : bouum *m H* ‖ 24-25 esset facta *m GH* : facta esset *b*m^{v} ‖ 26-27 Cum... uenerunt atque *m*(*z*) *GH* : cumque... uenirent *b* cumque... uenissent m^{v}

rable évêque Maximien et de Laurion — vous savez, ce moine blanchi sous le harnois —, qui vivent encore tous deux aujourd'hui. Laurion fut élevé par le très saint Anastase dans ce monastère de Subpentoma qui est près de Nepi. Le vénérable Anastase était très lié avec Nonnosus, prieur du monastère situé sur le Mont Soracte, en raison de leur proche voisinage, de leur conduite exemplaire, de leur zèle pour les vertus. Ce Nonnosus vivait sous un abbé très dur, mais il supportait ses manières avec une merveilleuse égalité d'humeur : il commandait aux frères avec mansuétude, et souvent par son humilité il désamorçait la colère de son abbé.

2. Son monastère est situé au plus haut de la montagne, et l'on n'y trouvait pas un plateau pour y cultiver le moindre petit jardin. Tout au plus une brève corniche s'était formée au flanc de la montagne, mais elle était occupée par un rocher énorme. Un jour, l'idée vint au vénérable Nonnosus que ce terrain pourrait être aménagé au moins en jardin potager, si ce rocher énorme ne tenait tant de place ; mais il calcula qu'une pareille masse, cinquante paires de bœufs ne pourraient l'émouvoir. Ainsi du labeur humain on pouvait faire son deuil ; alors il recourut au secours divin et là, dans le silence nocturne, il se mit en prière. Au matin, lorsque les frères arrivèrent à cet endroit, ils virent que la masse d'une si prodigieuse gran-

d'après *Reg.* 1, 21 = *Ep.* 1, 22. Sur le monastère du Soracte, voir la note de Moricca. Son couple de supérieurs — abbé irritable et prévôt patient — fait penser à celui du monastère de Fondi (2, 8-11).

2. Le Soracte, célébré par Virgile et Horace, est une montagne peu élevée (691 m), mais imposante par sa masse isolée. Un siècle environ avant les Dialogues, la *Vita Siluestri* (B. Mombritius, *Sanctuarium*, Paris 1910, p. 508-531) en avait fait le refuge de ce pape avant le baptême de Constantin (cf. *Lib. Pont.* I, 170). — Roche déplacée comme chez Rufin, *Hist. eccl.* 7, 28, 2 (cf. Grégoire de Nysse, *V. Gregorii*, *PG* 46, 917 b) : empêché de construire une église en un lieu resserré, Grégoire le Thaumaturge passe la nuit en prière. Au matin, le peuple constate que le roc s'est retiré.

recessisse, suoque recessu largum fratribus spatium
30 dedisse.

3. Alio quoque tempore cum isdem uenerabilis uir lampades uitreas in oratorio lauaret, una ex eius manibus cecidit, quae per innumeras partes fracta desiluit. Qui uehementissimum patris monasterii furorem timens, lam-
35 padis protinus omnia fragmenta collegit atque ante altare posuit, seque cum graui gemitu in orationem dedit. Cumque ab oratione caput leuasset, sanam lampadem repperit, quam timens per fragmenta collegerat. Sicque in duobus miraculis duorum patrum est uirtutes imita-
40 tus : in mole scilicet saxi factum Gregorii, qui montem mouit, in reparatione uero lampadis uirtutem Donati, qui fractum calicem pristinae incolumitati restituit.

4. PETRVS. Habemus, ut uideo, de exemplis ueteribus noua miracula.

45 GREGORIVS. Visne aliquid in operatione Nonnosi de imitatione quoque Helisei cognoscere ?

PETRVS. Volo atque inhianter cupio.

5. GREGORIVS. Dum quadam die in monasterio uetus oleum deesset, iamque collegendae oliuae tempus incum-
50 beret, sed fructus in oliuis nullus appareret, uisum patri monasterii fuerat ut circumquaque fratres in collegendis oliuis ad exhibenda extraneis opera pergerent, quatenus

29 recessu *m GH* : secessu *bm*ᵛ || 31 isdem *m GH* : idem *bm*ᵛ || uenerabilis [-es *G*] uir *m G* : uir uenerabilis [-es *H*] *b H* || 32 lampades *bm GH* : -as *m*ᵛ || 33 desiluit *m H* : dissiluit [-liit G] *bm*ᵛ *G* || 34 uehementissimum [uehentis- *G*] *bmz GH* : -me *b*ᵛ*m*ᵛ || 37 lampadem *bm*ᵛ *G* : -am *m H* || 39 est uirtutes imitatus *m GH* : uirt. im. est *b* || 45-47 Gregorius — cupio *bmz H* : *om.* *m*ᵛ *G* || 49 collegendae *m H* : collig- *bm*ᵛ colligendo *G* || 51 collegendis *m H* : collig- *bm*ᵛ *G*

VII, 4. 2 R 4, 1-7

3. Objet réparé par la prière comme en II, 1, 2. Ici Grégoire se réfère à la *Passio Donati* (MOMBRITIUS, *op. cit.*, p. 416-418) : au cours de sa première messe, cet évêque d'Arezzo obtient par l'oraison la réparation d'un calice tombé des mains du diacre Anthime.

deur s'était écartée plus loin, et que par cet écart elle avait livré un large espace aux frères.

3. Une autre fois, cet homme vénérable nettoyait des lampes de verre dans l'oratoire ; l'une d'elles lui tomba des mains et se brisa par terre en mille morceaux. Redoutant un éclat très violent de l'abbé, il ramassa vite tous les fragments de la lampe, les plaça devant l'autel et se mit en prière avec de profonds gémissements. Lorsqu'il releva la tête de sa prière, il trouva intacte la lampe qu'il avait ramassée en morceaux, tout plein de crainte. Ainsi en deux miracles, il renouvela les merveilles de deux Pères : pour la masse rocheuse, le fait de Grégoire qui remua une montagne ; pour la lampe réparée, le prodige de Donat qui rendit un calice brisé à son intégrité première.

4. PIERRE. Nous avons, à ce que je vois, des miracles nouveaux faits sur des prototypes antiques.

GRÉGOIRE. Dans l'œuvre de Nonnosus, voulez-vous connaître quelque chose qui est à l'instar, cette fois, d'Elisée ?

PIERRE. Oui, je le désire vivement.

5. GRÉGOIRE. Un jour, il ne restait plus de vieille huile au monastère ; on approchait de la récolte des olives, mais les fruits n'apparaissaient pas dans les oliviers. L'abbé décida que les frères sortiraient dans les environs pour aider les paysans dans leur cueillette, et ainsi comme

Un diacre de Milan opère le même miracle d'après GRÉGOIRE DE TOURS, *Glor. conf.* 46.

4. Développement d'un procédé inauguré plus haut (4, 6). Après les deux saints chrétiens (7, 3), voici Élisée qui sert de modèle, en attendant le Christ lui-même (7, 6). Il y a là une sorte de crescendo.

5. Pénurie d'huile comme en 5, 2. En Italie centrale, on cueille les olives vers la fin de décembre. Moines sortant pour travailler et rapporter de quoi manger : l'usage est quasi universel en Égypte d'après *Hist. mon.* 18. Mais Benoît s'oppose aux sorties des moines, parce qu'elles sont préjudiciables à leurs âmes (*RB* 66, 7 ; cf. *RM* 95, 18-21). En Égypte même, d'ailleurs, on trouve ce souci d'empêcher les moines de sortir (*Hist. mon.* 17). — Le prieur s'oppose à la décision de l'abbé : sur cet épisode significatif, voir nos remarques dans *La communauté et l'abbé dans la Règle de Saint Benoît*, Paris 1961, p. 419-421. *

ex mercede sui operis aliquantulum monasterio oleum deportarent. Quod uir Domini Nonnosus fieri cum magna
55 humilitate prohibuit, ne exeuntes fratres ex monasterio, dum lucra olei quaererent, animarum damna paterentur. Sed quia in monasterii arboribus oliuae paucae inesse uidebantur, eas collegi praecepit, in praelo mitti, et quamlibet parum oleum exire potuisset sibimet
60 deferri.

6. Factumque est, et susceptum in paruulo uasculo oleum fratres Nonnoso Dei famulo detulerunt. Quod ipse protinus ante altare posuit, cunctisque egredientibus orauit, atque accitis postmodum fratribus praecepit ut
65 hoc quod detulerant oleum leuarent et per cuncta uasa monasterii exigue fundendo diuiderent, quatenus benedictione eiusdem olei omnia infusa uiderentur. Quae protinus, ut erant uacua, claudi fecit. Die uero alio aperta omnia plena reperta sunt.

70 PETRVS. Probamus cotidie inpleri uerba ueritatis, quae ait : *Pater meus usque modo operatur, et ego operor.*

VIII. GREGORIVS. Eodem quoque tempore uenerandus uir Anastasius, cuius superius memoriam feci, sanctae Romanae ecclesiae, cui Deo auctore deseruio, notarius fuit. Qui soli Deo uacare desiderans, scrinium deseruit, monas-
5 terium elegit, atque in eo loco quem praefatus sum, qui

54 Domini *bm* $G^{ac}H$: dei $m^{v}z$ G^{pc} *ut uid.* ‖ 57 monasterii $bm^{v}z$ *GH* : -rio *m* ‖ 58 collegi *m H* : colligi bm^{v} *G* ‖ praecepit [praecipit *GH*] *m GH* : et *add.* $bm^{v}z$ ‖ 59 quamlibet *bm H* : quamuis *G* ‖ parum oleum $b^{v}m$ *GH* : parum olei bm^{v} paruum oleum b^{v} ‖ 61 et *bmz H* : ut m^{v} *G* ‖ 64 accitis *m* : ascitis [adsc- *H*] m^{v} *H* accersitis bm^{v} arcessitis *G* ‖ 66 benedictione bm^{v} $G^{pc}H^{pc}$: benedictionem *m* $G^{ac}H^{ac}$ ‖ 68 alio *m GH* : alia m^{v} altera *b*

6. Jn 5, 17.

6. C'est devant l'autel que l'objet est posé et que Nonnosus prie : il en était de même plus haut (7, 3). L'huile versée dans tous les

salaire de leur travail ils rapporteraient un peu d'huile au monastère. L'homme de Dieu Nonnosus s'y opposa en toute humilité : ces sorties lucratives des frères pour de l'huile risquaient de coûter cher aux âmes. Mais comme au monastère on apercevait aux arbres quelques rares olives, il ordonna leur cueillette, leur mise au pressoir, et qu'on lui apportât le peu d'huile qui en pourrait sortir.

6. Ainsi fut fait. Les frères apportèrent à Nonnosus le serviteur de Dieu l'huile recueillie dans un petit vase. Vite, celui-ci le plaça devant l'autel, fit sortir tout le monde, pria, puis rappela les frères, leur commanda d'emporter cette huile et d'en verser un peu dans tous les récipients du monastère, de sorte que tous reçoivent quelques gouttes de cette huile bénite. Ces vases vides, il les fit boucher. Le lendemain, on les ouvrit, et tous étaient pleins.

PIERRE. Nous éprouvons chaque jour la réalisation de ces paroles de la Vérité : « Mon Père travaille toujours, et moi aussi je travaille. »

VIII. GRÉGOIRE. A cette époque, le vénérable Anastase, dont j'ai déjà parlé, fut notaire de cette sainte Église romaine que je sers par la volonté de Dieu. Désirant n'être plus qu'à Dieu seul, il laissa là ses archives, choisit le monastère, et à Subpentoma, que j'ai déjà

vases rappelle le miracle d'Élisée (2 R 4, 1-7), mais plus précisément le procédé de Boniface pour la multiplication du vin (I, 9, 3). Résultat final comme en II, 29, 1 ; III, 37, 3. Même usage de Jn 5, 17 dans *Reg.* 11, 36 = *Ep.* 11, 28 (1139 a).

VIII, 1. Ample formule désignant la fonction de notaire comme dans *Reg.* 1, 63 = *Ep.* 1, 65 : *Petronii notarii sanctae Romanae ecclesiae cui Deo auctore praesidemus.* Les archives (*scrinium*) de l'Église romaine sont mentionnées dans *Reg.* 3, 40 = *Ep.* 3, 56. Au reste, toute Église a les siennes (*Reg.* 3, 30 = *Ep.* 3, 50). — *Soli Deo uacare* : voir (*Hom. Ez.* I, 7, 21 ; GRÉGOIRE DE TOURS, *V. Patrum* 19, 1 (une moniale). On songe à Benoît (II, *Prol.* 1 : *soli Deo placere desiderans*). — *Subpentoma* est le moderne Castel Sant' Elia, à quelque 2 km de Nepi et 12 km du Soracte (cf. 7, 1). Dans *Reg.* 3, 50 = *Ep.* 3, 51, Grégoire l'appelle simplement *Pentumis*, nom porté par d'autres lieux dans le *Regesto Sublacense*, éd. L. ALLODI - G. LEVI, Rome 1885, p. 29, 35, etc.

Subpentoma uocatur, per annos multos in sanctis actibus uitam duxit, eique monasterio sollerti custodia praefuit.

2. Quo uidelicet in loco ingens desuper rupis eminet, et profundum subter praecipitium patet. Quadam uero 10 nocte, cum iam omnipotens Deus eius uenerabilis Anastasii labores remunerare decreuisset, ab alta rupe uox facta est, quae producto sonitu clamaret, dicens : « Anastasi, ueni. » Quo uocato, alii quoque septem fratres ex nomine sunt uocati. Paruo autem momento ea quae fuerat 15 emissa uox siluit, et octauum fratrem uocauit. Quas dum aperte uoces congregatio audisset, dubium non fuit quia eorum qui uocati fuerant obitus propinquasset.

3. Intra paucos igitur dies primus uenerandus uir Anastasius, ceteri autem in eo ordine ex carne educti sunt, 20 quo de rupis uertice fuerant uocati. Frater uero ille ad quem uocandum uox parum siluit atque eum ita nominauit, morientibus aliis paucis diebus uixit et tunc uitam finiuit, ut aperte monstraretur quia interiectum uocis silentium paruum spatium uiuendi signauerit.

25 4. Sed mira res contigit, quia, dum uenerabilis uir Anastasius de corpore exiret, erat quidam frater in monasterio qui super eum uiuere nolebat. Prouolutus uero eius pedibus, coepit ab eo cum lacrimis postulare, dicens : « Per illum ad quem uadis, ne septem dies super te in hoc 30 mundo faciam. » Ante cuius septimum diem etiam ipse defunctus est, qui tamen in illa nocte inter ceteros non fuerat uocatus, ut aperte claresceret quia eius obitum sola uenerabilis Anastasii intercessio obtinere potuisset.

VIII, 6 Subpentoma *m GH* : Sup- *m*^{v} Subpentuma *m*^{v} Subpenthoma *m*^{v} Suppentonia *b* ‖ 8 Quo *bm H* : quod *m*^{v} *G* ‖ rupis *m G* : rupes *bm*^{v} *H* ‖ 10 eius *m G* : eiusdem *bm*^{v}*z H* ‖ 13-14 ex nomine sunt uocati *m GH* : sunt uoc. ex nom. *m*^{v} uoc. sunt ex nom. *b* ‖ 16 quia *m GH* : quin *b* ‖ 17 fuerant *bm GH* : fuerint *m*^{v} ‖ propinquasset *m GH* : appropinquasset *bm*^{v} ‖ 24 spatium uiuendi *m GH* : uiu. spat. *b* ‖ 25 dum *m GH* : *post* Anastasius *transp.* *b* ‖ 27 uero *bm*^{v}*z GH* : *om.* *m* ‖ 28 ab eo cum lacrimis *m G*^{pc}*H* : cum lacr. ab eo *b* ab eo *G*^{ac} ‖ 29 uadis *mz GH* : te adiuro *add.* *b*

nommé, il vécut plusieurs années dans les choses de la religion ; il présida à ce monastère en gardien vigilant.

2. Ce lieu est dominé par un immense rocher et en bas s'ouvre béant un profond précipice. Une nuit, comme Dieu tout-puissant avait décidé de récompenser les travaux du vénérable Anastase, une voix se fit entendre du sommet du rocher ; elle criait avec lenteur : « Anastase, viens ! » Cet appel fut suivi par l'appel nominal de sept autres frères. Puis il y eut un petit silence, et la voix appela un huitième frère. Toute la communauté avait clairement entendu : pas de doute, les appelés devaient mourir prochainement.

3. Peu de jours après, le vénérable Anastase mourut le premier, et les autres sortirent de leur chair dans l'ordre où ils avaient été appelés du haut du rocher. Quant au frère pour lequel la voix marqua une pause avant de le nommer, il vécut quelques jours de plus, puis lui aussi mourut, et ainsi il fut clair que le temps de silence laissé par la voix signifiait qu'il aurait un petit délai pour vivre.

4. Mais une chose merveilleuse se produisit : car lorsque le vénérable Anastase sortit de son corps, il y avait un frère au monastère qui ne voulait pas lui survivre. Prosterné à ses pieds, il lui demanda en pleurant : « Au nom de celui à qui vous allez, ne me laissez pas survivre plus de sept jours. » Avant le septième jour, il mourut lui aussi. Dans la fameuse nuit, cependant, il n'avait pas été appelé avec les autres, de sorte qu'il apparut clairement que la seule intercession du vénérable Anastase avait pu obtenir sa mort.

2. Rocher en surplomb comme à Fondi (I, 1, 4). Cet appel nominal de moines destinés à mourir fait penser à la vision de Gerontius (IV, 27, 4 ; cf. IV, 27, 7).

3. Les morts se succèdent en bon ordre comme dans IV, 27, 5 (cf. IV, 27, 8).

4. D'après Cyrille de Scythopolis, *V. Theod.* 5, Théodose mourant console son disciple en lui annonçant qu'il « le prendra dans sept jours », ce qui se réalise (cf. Jean Climaque, *Scala* 4, 689 c). Ici l'initiative vient du disciple (cf. Jonas, *V. Columb.* 29). Cette volonté de ne pas être séparés par la mort se retrouve dans le cas de Galla et de Benedicta (IV, 14, 4-5), mais là aussi c'est la mourante qui demande et obtient d'être accompagnée par celle qu'elle aime.

5. Petrvs. Dum isdem frater et uocatus inter ceteros non est, et tamen sancti uiri intercessionibus ex hac luce subtractus est, quid aliud datur intellegi, nisi quod hii qui apud Dominum magni sunt meriti, obtinere aliquando possunt ea etiam quae non sunt praedestinata ?

Gregorivs. Obtineri nequaquam possunt quae praedestinata non fuerint, sed ea quae sancti uiri orando efficiunt, ita praedestinata sunt ut precibus obtineantur. Nam ipsa quoque perennis regni praedestinatio ita est ab omnipotente Deo disposita, ut ad hoc electi ex labore perueniant, quatenus postulando mereantur accipere, quod eis omnipotens Deus ante saecula disposuit donare.

6. Petrvs. Probari mihi apertius uelim, si potest praedestinatio precibus iuuari.

Gregorivs. Hoc quod ego, Petre, intuli, concite ualet probari. Certe etenim nosti quia ad Abraham Dominus dixit : *In Isaac uocabitur tibi semen.* Cui etiam dixerat : *Patrem multarum gentium constitui te.* Cui rursum promisit, dicens : *Benedicam tibi, et multiplicabo semen tuum sicut stellas caeli et uelut arenam quae est in litore maris.* Ex qua re aperte constat quia omnipotens Deus semen Abrahae multiplicare per Isaac praedestinauerat. Et tamen scriptum est : *Deprecatus est Isaac Dominum pro uxore sua, eo quod esset sterilis. Qui exaudiuit eum, et dedit conceptum Rebeccae.* Si ergo multiplicatio generis Abrahae per Isaac praedestinata fuit, cur coniugem sterilem accepit ? Sed nimirum constat quia praedestinatio precibus inpletur, quando is, in quo Deus multiplicari semen Abrahae praedestinauerat, oratione obtinuit ut filios habere potuisset.

34 Dum *m GH* : cum *b* || isdem *m GH* : idem bm^v || 36 hii *m G* : hi bm^v *H* || 39 obtineri *bm* : obtinere $b^v m^v$ *H* obtere *G* || 42 omnipotente *m GH* : -ti bm^v || 46 uelim bm^v : uellim *m H* uellem m^v uelle *G* || 53 uelut *m GH* : sicut *b* || 62 filios [-us *H*] *bm GH* : filium $b^v m^v$

VIII, 6. Gn 21, 12 ; 17, 5 ; 22, 17 ; 25, 21.

5. PIERRE. Du moment que ce frère appelé lui aussi n'était pas sur la liste et cependant a été enlevé à la lumière d'ici-bas par les intercessions du saint, ne faut-il pas comprendre que ceux qui ont un grand mérite devant le Seigneur obtiennent parfois des choses qui ne sont pas prédestinées ?

GRÉGOIRE. On ne peut certainement pas obtenir ce qui n'aurait pas été prédestiné, mais ce que les saints réalisent en priant est prédestiné à être obtenu par les prières. Car même la prédestination du royaume éternel est disposée par Dieu tout-puissant en sorte que les élus y parviennent laborieusement et méritent d'obtenir par leurs demandes ce que Dieu tout-puissant avant les siècles a disposé de leur donner.

6. PIERRE. Je voudrais que vous me prouviez plus clairement que la prédestination peut être aidée par les prières.

GRÉGOIRE. Mon assertion, Pierre, peut être prouvée rapidement. Vous savez certainement ce que le Seigneur dit à Abraham : « En Isaac te sera appelée une race. » Il lui avait dit aussi : « Je t'ai constitué le père de maintes nations. » Il lui promit de nouveau : « Je te bénirai, je multiplierai ta race comme les étoiles du ciel et comme le sable sur le rivage de la mer. » De ces textes il apparaît avec évidence que Dieu tout-puissant avait prédestiné de multiplier par Isaac la race d'Abraham. Et cependant il est écrit : « Isaac pria le Seigneur pour sa femme qui était stérile. Il l'exauça et donna à Rébecca de concevoir. » Si donc la multiplication de la race d'Abraham par Isaac était prédestinée, pourquoi reçut-il une épouse stérile ? Mais il apparaît — c'est trop clair ! — que la prédestination est accomplie par les supplications, quand l'homme prédestiné à multiplier la race d'Abraham obtint par la prière qu'il pût avoir des fils.

5-6. Conciliation de la prière humaine avec la prédestination divine : voir AUGUSTIN, *Ciu.* 5, 10.

7. Petrvs. Quia secretum ratio aperuit, nihil mihi
65 dubietatis remansit.

Gregorivs. Vis tibi aliquid de Tusciae partibus narrem, ut cognoscas quales in ea uiri fuerint et omnipotentis Dei notitiae quantum propinqui ?

Petrvs. Volo atque hoc omnimodo exposco.

VIIII. Gregorivs. Fuit uir uitae uenerabilis Bonifatius nomine, qui in ea ciuitate quae Ferentis dicitur, episcopatum officio tenuit, moribus inpleuit. Huius multa miracula is qui adhuc superest Gaudentius presbiter
5 narrat. Qui in eius obsequio nutritus, tanto ualet de illo quaeque ueracius dicere, quanto eis hunc contigit et interesse.

2. Huius ecclesiae grauis ualde paupertas inerat, quae bonis mentibus esse solet custos humilitatis, nihilque aliud
10 ad omne stipendium nisi unam tantummodo uineam habebat. Quae quodam die ita grandine irruente uastata est, ut in ea in paucis uitibus uix parui rarique racimi remanerent. Quam cum praedictus uir reuerentissimus Bonifatius episcopus fuisset ingressus, magnas omnipo-
15 tenti Deo gratias retulit, quia in ipsa sua adhuc inopia sese angustari cognouit. Sed cum iam tempus exigeret, ut ipsi quoque racimi qui remanserant maturescere potuissent, custodem uineae ex more posuit, eamque sollerti uigilantia seruari praecepit.

69 hoc *bmz H* : *om. G* || omnimodo *bmz GH* : omnino m^{v}

VIIII, 1 Bonifatius *bm GH* : Bonef- $b^{v}m^{v}$ || 3 episcopatum officio *bm* : episcopatus officium $b^{v}m^{v}$ *H* episcopatus officio *G* || 5 in eius obsequio nutritus *mz GH* : nutr. in eius obs. *b* || 6 eis *bm*^{v} G^{ac} : ei $b^{v}m$ G^{pc} *H* || et *mz GH* : *om. bm*^{v} || 12 in paucis uitibus *m GH* : paucis in uit. *b* || 13 praedictus *mz GH* : Dei *praem. b* || 14 Bonifatius *bm GH* : Bonef- m^{v} || 16 angustari [-re *GH*] *m* $G^{pc}H$: angustiari [-re *G*] *bm*^{v} G^{ac} || exigeret [exeg- *H*] *bm*^{v} *H* : exigerit m^{v} *G* exegerit *m*

7. La raison a ouvert le secret. Je ne garde aucun doute.

Grégoire. Voulez-vous que je vous conte quelque chose de Tuscia, pour que vous sachiez quels hommes il y eut là, combien avancés dans la connaissance de Dieu tout-puissant ?

Pierre. Oui, je vous le demande vivement.

VIIII. Grégoire. Il y eut un homme de vie vénérable nommé Boniface, qui occupa dans la cité de Ferentis le poste d'évêque et qui s'en montra digne effectivement. Le prêtre Gaudence, qui vit encore, raconte sur lui beaucoup de miracles. Il avait été élevé à son service ; son témoignage est d'autant plus véridique qu'il fut témoin et acteur.

2. Cette Église de Ferentis était dans une très grande pauvreté, condition favorable pour maintenir les bons esprits dans l'humilité. La seule source de revenus était une vigne, qui un jour fut tellement dévastée par la grêle que sur un petit nombre de pieds seulement restaient des grappes, petites et rares. Quand le très révérend évêque Boniface y fut entré, il rendit de grandes actions de grâces à Dieu tout-puissant en voyant que maintenant il se trouvait gêné dans sa pauvreté même. Mais comme c'était le moment de mûrir pour les grappes rescapées, Boniface plaça selon son habitude un gardien à la vigne et lui demanda de la surveiller avec vigilance et sollicitude.

VIIII, 1. Exorde rappelant Grégoire de Tours, *Glor. conf.* 110 : *Fuit uitae uenerabilis Paulinus...* La cité romaine de Ferentis se trouvait à 8 km au nord de Viterbe, qui l'a supplantée au moyen âge. Il en reste un beau théâtre antique. Un des successeurs de Boniface fut Redemptus, mort en 586-587 (III, 38, 1). Au siècle suivant, l'évêque se transféra à Polimartium (Bomarzo), situé à une dizaine de kilomètres plus à l'Est, pour échapper aux Lombards. Voir L. Duchesne, « Le sedi episcopali nell'antico Ducato di Roma », dans *Arch. Soc. Rom. di Stor. Patr.* 15 (1892), p. 489-490. — Harmonie entre *officium* et *mores* : comparer III, 17, 1 (*specie... moribus*).

2. Boniface rend grâce pour une perte matérielle comme l'abbé Étienne de Rieti (*Hom. Eu.* 35, 8). Comparer l'attitude de Constantius (5, 6).

20 3. Quadam uero die iussit Constantio presbitero nepoti suo, ut cuncta uini uascula in episcopio omniaque dolea, ita ut ante consueuerat, superfusa pice praepararet. Quod cum nepos illius presbiter audiret, admiratus ualde est quod quasi insana praeciperet, ut uini uascula praeparari 25 faceret, qui uinum minime haberet. Nec tamen praesumpsit inquirere cur talia iuberet, sed, iussis obtemperans, omnia ex more praeparauit. Tunc uir Dei uineam ingressus racimos collegit, ad calcatorium detulit, omnesque exinde egredi praecepit, solusque ibi cum uno paruo 30 puerulo remansit. Quem in eodem calcatorio deposuit et calcare ipsos paucissimos racimos fecit. Cumque ex eisdem racimis parum aliquid uini deflueret, coepit hoc uir Dei suis manibus in paruulo uase suscipere, et per cuncta dolea omniaque uasa quae parata fuerant pro benedic- 35 tione diuidere, ut ex eodem uino omnia uascula uix infusa uiderentur.

4. Cum uero ex liquore uini parum aliquid in uasis omnibus misisset, uocato presbitero protinus iussit pauperes adesse. Tunc coepit uinum in calcatorio crescere, 40 ita ut omnia quae allata fuerant pauperum uascula inpleret. Quibus cum se idonee satisfecisse conspiceret, ex calcatorio puerum iussit ascendere, apothecam clausit, atque inpresso sigillo proprio munitam reliquit, moxque ad ecclesiam rediit. Tertio uero die praedictum Constantium 45 presbiterum uocauit et, oratione facta, apothecam aperuit, et uasa in quibus tenuissimum liquorem fuderat ubertim uinum fundentia inuenit, ita ut pauimentum omne excres-

20 iussit *m GH* : mandauit *b* ‖ 21 dolea *m GH* : dolia *bm*^{v} ‖ 22 superfusa pice *m GH* : pice sup. *b* ‖ 23 admiratus ualde *m GH* : ualde adm. *b* ‖ 29 paruo *m H* : paruulo *b G* ‖ 31 calcare *bm*^{v} *H* : calcari *m G* ‖ 33 paruulo *m H* : paruo *b G* ‖ 34 dolea *m GH* : dolia *bm*^{v} ‖ 38 presbitero protinus *mz GH* : protinus presbytero *b* ‖ 42 puerum iussit *m GH* : iussit puerum *b* ‖ ascendere *b*^{v}*mz GH* : descendere *bm*^{v} discedere *b*^{v} ‖ 43 inpresso *bmz GH* : *om.* *b*^{v} ‖ munitam *bmz G* : monitam *m*^{v} *H* ‖ 44 rediit *bm*^{v}*z GH* : redit *m* ‖ Tertio uero die *m GH* : die uero tertia *b* ‖ 46 fuderat *m GH* : infuderat *b*

3. Un beau jour, il ordonna au prêtre Constance, son neveu, de mobiliser toutes les bouteilles de l'évêché et d'enduire de poix tous les tonneaux comme les années précédentes. Quand le prêtre neveu entendit cela, il fut tout ébahi de cet ordre presque insensé : préparer des bouteilles quand il n'y avait pas de vin. Cependant il n'osa pas demander la raison de cette mesure. Il obéit, et prépara tout comme de coutume. Alors l'homme de Dieu entra dans la vigne, cueillit les grappes, les porta au pressoir, fit sortir tout le monde et resta là seul avec un petit garçon. Il le plaça dans la cuve et lui fit fouler ces quelques malheureuses grappes. Le peu de vin qui coula, le saint en personne le recueillit dans un petit vase et le répartit par manière d'eulogie dans tous les tonneaux et toutes les bouteilles préparées. Ce filet de vin suffisait à peine à verser un soupçon de liqueur dans tous les récipients.

4. Quand il eut ainsi transvasé partout une goutte de vin nouveau, il convoqua son prêtre et ordonna de faire venir les pauvres. Alors le vin se mit à monter dans la cuve, en sorte qu'il put en remplir tous les vases apportés par les pauvres. Quand il les vit largement satisfaits, il fit sortir le garçonnet de la cuve, ferma le cellier, le laissa sous scellé muni de son propre sceau, puis revint à l'église. Trois jours après, il appela le prêtre Constance, et après avoir prié, il ouvrit le cellier. Il trouva les récipients dans lesquels il avait versé une infime quantité de liquide regorgeant de vin abondamment, si bien qu'en débordant il

3. L'évêque travaille à la vendange et au pressoir : on songe au prêtre qui taille sa vigne (I, 12, 1), au sous-diacre paissant ses moutons (III, 17, 1), aux clercs qui possèdent une bergerie (III, 22, 1). — Le saint prend un enfant pour seul témoin des préparatifs du miracle, tel Benoît et le petit Placide (II, 5, 2 ; cf. IV, 3, 2-4). Cette façon de préparer la multiplication du liquide, en mettant quelques gouttes dans chaque vase, rappelle 7, 5-6 (cf. *De mir. S. Stephani* II, 3, *PL* 41, 849).

4. Le liquide multiplié déborde : voir II, 29, 1.

centia uina inuaderent, si adhuc episcopus tardius intrasset.

50 5. Tunc terribiliter presbitero praecepit, ne, quousque ipse in corpore uiueret, hoc miraculum cuilibet indicaret, uidelicet pertimescens ne in uirtute facti humano fauore pulsatus, inde intus inanesceret, unde foris hominibus magnus appareret ; exemplum etiam magistri sequens, 55 qui, ut nos ad uiam humilitatis instrueret, de semetipso discipulis praecepit dicens, ut ea quae uidissent nemini dicerent, quousque filius hominis a mortuis resurrexisset.

6. Petrvs. Quia occasio apta se praebuit, libet inquirere quidnam sit quod redemptor noster, cum duobus 60 caecis lumen reddidit, iussit ut nemini dicerent, et *illi abeuntes diffamauerunt eum in totam terram illam.* Numquidnam unigenitus Filius, Patri et sancto Spiritui coaeternus, hac in re uelle habuit, quod non potuit inplere, ut miraculum quod taceri uoluit, minime potuisset 65 abscondi ?

7. Gregorivs. Redemptor noster per mortale corpus omne quod egit, hoc nobis in exemplum actionis praebuit, ut pro nostrarum uirium modulo eius uestigia sequentes, inoffenso pede operis praesentis uitae carpamus uiam. 70 Miraculum namque faciens, et taceri iussit, et tamen taceri non potuit, ut uidelicet et electi eius, exempla doc-

52 uidelicet pertimescens [pertimisc- *mGH*] *mGH* : pertim. uidel. *b* ‖ humano fauore *m GH* : fauore hum. *b* ‖ 55 instrueret *bm G* : introduceret $b^{v}m^{v}$ *H* ‖ 56 nemini *b*m^{v}*z H* : minime b^{v}*m G* ‖ 57 resurrexisset *m GH* : resurgeret *b* ‖ 61 terram *bmz GH* : regionem b^{v} ‖ 64 taceri *bmz* : tacere m^{v} *GH* ‖ 67 exemplum *b*m^{v} *G* : exemplo *m H* ‖ 70 taceri *bm* : tacere m^{v}*z GH* ‖ 71 taceri *bmz* : tacere m^{v} *GH* ‖ et electi *bmz* : electi m^{v} *GH* ‖ exempla *bm GH* : exemplum m^{v}(*z*) exemplo m^{v}

VIIII, 5. Mt 17, 9 ‖ 6. Mt 9, 27-31

---

5. De même, après avoir passé un fleuve à pied sec, Amoun de Nitrie *exegit... ab illo* (son disciple Théodore) *ut nulli hoc ante suam*

aurait envahi le sol, pour peu que l'évêque eût tardé un instant de plus à entrer.

5. Alors avec menace il ordonna au prêtre de ne jamais parler à personne de ce miracle tant qu'il vivrait ; il craignait une poussée de vanité intérieure due à la popularité que lui aurait value ce fait merveilleux, capable de le magnifier au-dehors devant les hommes. Au surplus, il suivait l'exemple du Maître, qui pour nous instruire à suivre l'humilité, recommanda pour son compte à ses disciples de ne point parler de ce qu'ils avaient vu, jusqu'à ce que le Fils de l'homme ressuscitât d'entre les morts.

6. PIERRE. Puisqu'une occasion favorable se présente, je voudrais demander pourquoi notre Rédempteur, ayant rendu la vue à deux aveugles, leur ordonna de n'en parler à personne, « et eux s'en allèrent en lui faisant de la publicité dans tout le pays ». Est-ce que le Fils unique, coéternel au Père et au Saint Esprit, voulut quelque chose qu'il ne put réaliser, autrement dit ce miracle qu'il voulait garder secret, il ne put le tenir caché ?

7. GRÉGOIRE. Notre Rédempteur, tout ce qu'il a fait dans son corps mortel, il nous l'a livré en exemple d'actions pour que, selon nos petites forces, suivant ses traces sans achopper dans nos actions terrestres, nous avancions sur la route de la vie. Accomplissant un miracle, il ordonna de n'en point parler, et malgré tout on en parla, pour que ses élus, suivant les exemples de sa doctrine, aient la

mortem indicaret (*V. Antonii* 60, d'après Évagre ; l'ancienne version latine est moins proche). Séverin agit pareillement après une résurrection (*V. Seu.* 16, 6). — Crainte de la « faveur » humaine résultant du miracle : voir II, 1, 3. La même parole du Christ (Mt 17, 9) est citée en exemple d'humilité dans *In I Reg.* 5, 145.

6-7. Le même problème théologique est posé, à propos du même texte (Mt 9, 30-31), dans *Mor.* 19, 36, et il y reçoit une solution identique. Les deux passages sont rédigés différemment.

7. *Praesentis* peut se rapporter à *uitae*, mais nous le rattachons à *operis*, avec lequel il forme une expression parallèle à *per mortale corpus quod egit*, tandis que *uitae* (*uiam*) paraît désigner la vie éternelle comme dans III, 21, 1 (*uiam uitae*) ; cf. *RM* Ths 16 = *RB* Prol 20. — Le contraste *humilitatis... utilitatis* s'accompagne d'une assonance. On le retrouve dans *Mor.* 19, 37 (122 a) à propos de saint Paul, qui se montre à la fois humble et soucieux d'édifier. *

trinae illius sequentes, in magnis quae faciunt latere quidem in uoluntate habeant, sed ut prosint aliis prodantur inuiti, quatenus et magnae humilitatis sit quod sua opera
75 taceri appetunt, et magnae utilitatis sit quod eorum opera taceri non possunt. Non ergo Dominus uoluit quicquam fieri et minime potuit, sed quid uelle eius membra debeant quidue de eis etiam nolentibus fiat, doctrinae magisterio exemplum dedit.

80 PETRVS. Placet quod dicis.

8. GREGORIVS. Adhuc pauca aliqua, quae de Bonifatii episcopi opere supersunt, quia eius memoriam fecimus, exequamur. Alio namque tempore beati Proculi martyris natalicius propinquabat dies. Quo in loco uir nobilis For-
85 tunatus nomine manebat. Qui magnis precibus ab eodem uenerabili uiro postulauit, ut, cum apud beatum martyrem missarum sollemnia ageret, ad benedictionem dandam in sua domo declinaret. Vir autem Dei negare non potuit quod ab eo ex Fortunati mente caritas poposcit.
90 Peractis igitur missarum sollemniis, cum ad praedicti Fortunati mensam uenisset, priusquam Deo hymnum diceret, sicut quidam ludendi arte solent uictum quaerere, repente ante ianuam uir cum simia adstitit et cymbala percussit. Quem sanctus uir sonitum dedignatus, dixit :
95 « Heu, heu, mortuus est miser iste, mortuus est miser iste. Ego ad mensam refectionis ueni, os adhuc ad laudem Dei non aperui, et ille cum simia ueniens cymbala per-

72 sequentes *bz G* : -tis *m H* ‖ 75 taceri *bmz* : tacere m^{v} *GH* ‖ utilitatis *bmz* G^{pc} *ut uid.* : hutilitatis *H* humilitatis m^{v} aedificationis b^{v} ‖ 76 taceri *bmz* : tacere m^{v} *GH* ‖ Dominus uoluit *m GH* : uol. Dom. bm^{v} ‖ 81 Bonifatii : -cii *b* -ti *m* Bonefacii m^{v} *GH* Bonefati m^{v} ‖ 83 namque *bmz H* : quoque m^{v} *G* ‖ 87 benedictionem dandam *bmz GH* : benedicendum b^{v} ‖ 88 in sua domo *mz GH* : in suam domum *b* ad suam domum m^{v} ‖ 91 mensam uenisset *mz GH* : uen. mens. *b* ‖ 92 solent uictum *m GH* : uict. sol. *b* ‖ 93 uir cum simia *mz GH* : cum simia uir *b* ‖ 94 sonitum $b^{v}mz$ *G* : sonitus *H* audiens *add.* bm^{v} ‖ 96 ueni *bmz* : uenio *GH* ‖ 96-97 laudem Dei *bmz GH* : laudandum Deum b^{v} ‖ 97 cymbala percussit *mz GH* : perc. cymb. *b*

volonté de cacher les grandes œuvres qu'ils font, mais que pour l'utilité d'autrui elles soient claironnées malgré eux. Ainsi trouvent leur compte une grande humilité, puisqu'ils tiennent à ce que leurs œuvres restent ignorées, et une grande utilité, puisque leurs œuvres sont diffusées. Donc le Seigneur n'a pas voulu une chose sans succès, mais il a donné un exemple de sa doctrine pour nous enseigner ce que doivent vouloir ses membres, et ce qui leur arrive, même contre leur gré.

PIERRE. Ce que vous dites me plaît.

8. GRÉGOIRE. Encore quelques mots, quelques souvenirs, sur l'œuvre de l'évêque Boniface. Puisque nous le commémorons, voyons la suite. Une autre fois, la fête de saint Proculus, martyr, approchait. En ce lieu habitait un notable nommé Fortunat, qui demanda avec une grande insistance au vénérable évêque de passer chez lui pour donner une bénédiction lorsqu'il aurait célébré la messe solennelle chez le bienheureux martyr. L'homme de Dieu ne put refuser ce que la charité demandait par l'entremise de Fortunat. Donc après avoir célébré la messe solennelle, il vient à la table de Fortunat, mais avant qu'il ait dit un hymne à Dieu, voici que se présenta à la porte un homme avec un singe, qui donna aussitôt un coup de cymbales : un de ces baladins habitués à quêter leur pitance. Le saint, se hérissant à ce bruit, s'écrie : « Ah ! Ah ! Il est mort, ce malheureux, il est mort, ce malheureux ! Je suis venu à table pour manger, je n'ai pas encore ouvert la bouche pour louer Dieu, et lui avec son singe il arrive, et il donne un coup de cymbales ! » Il

8. Proculus : s'agit-il d'un martyr du diocèse de Ferentis comme Eutychius (III, 38, 1) ? Ou du martyr de Terni (*BHL* 6955-6957), ville sise à une cinquantaine de kilomètres vers l'Est ? Selon H. DELEHAYE, *Les origines du culte des martyrs*, Bruxelles 1933, p. 316, il se pourrait que Boniface se soit rendu, pour fêter celui-ci, dans le diocèse voisin. Peut-être aussi le *natalitius dies* dont parle Grégoire est-il la fête, en Ombrie, de S. Proculus de Bologne (*BHL* 6954). — Un chrétien ne mange pas sans avoir prié : voir TERTULLIEN, *Or.* 25, 6 ; JÉRÔME, *Ep.* 22, 37 ; CASSIEN, *Inst.* 3, 12, etc. L'« hymne » est sans doute le « psaume habituel » dont parle Cassien (cf. *RM* 38 et 43).

cussit. » Subiunxit tamen atque ait : « Ite, et pro caritate ei cibum potumque tribuite. Scitote tamen quia mortuus
100 est. »

9. Qui infelix uir, dum panem ac uinum ex eadem domo percepisset, egredi ianuam uoluit, sed saxum ingens subito de tecto cecidit, eique in uerticem uenit. Ex qua percussione prostratus, in manibus iam semiuiuus leuatus est.
105 Die uero altero secundum uiri Dei sententiam funditus finiuit uitam. Qua in re, Petre, pensandum est, quantus sit sanctis uiris timor exhibendus ; templa enim Dei sunt. Et cum ad iracundiam sanctus uir trahitur, quis alius ad irascendum nisi eius templi inhabitator excitatur ? Tanto
110 ergo metuenda est ira iustorum, quanto et constat quia in eorum cordibus ille praesens est, qui ad inferendam ultionem quam uoluerit inualidus non est.

10. Alio quoque tempore praedictus Constantius presbiter nepos eius equum suum duodecim aureis uendidit, quos
115 in propriam arcam ponens, ad exercendum aliquod opus discessit. Cum subito ad episcopium pauperes uenerunt, qui inportune precabantur, ut eis sanctus uir Bonifatius episcopus ad consolationem suae inopiae aliquid largire debuisset. Sed uir Dei, quia quod tribueret non habebat,
120 aestuare coepit in cogitatione, ne ab eo pauperes uacui exirent. Cui repente ad memoriam rediit, quia Constantius presbiter nepos eius equum quem sedere consueuerat uendidisset, atque hoc ipsum pretium in arca sua haberet. Absente igitur eodem nepote suo, accessit ad arcam, et pie
125 uiolentus claustra arcae comminuit, duodecim aureos tulit, eosque indigentibus ut placuit diuisit.

98 atque *m GH* : et *b* || 105 altero *m GH* : -ra *bm*^{v} || 107 sanctis uiris *m GH* : uiris sanctis *b* || 109 eius *m* : eiusdem *bm*^{v} *GH* || 109-110 tanto ergo metuenda *m GH* : met. ergo tanto *b* || 113 Constantius *bm*^{o}*z GH* : Constantinus *m* || 115 aliquod opus *m GH* : opus al. *b* || 116 episcopium *bm*^{v}*z G* : episcopum *m H* || 117 Bonifatius *m* : -cius *b G* Bonefatius *m*^{v} Bonefacius *m*^{v} *H* || 118 largire *m GH* : -ri *bm*^{v} || 119 quod *m GH* : quid *b* || 123 pretium in arca

ajoute cependant : « Allez, par charité donnez-lui à manger et à boire. Mais je vous annonce qu'il est mort. »

9. Cet infortuné, après avoir reçu pain et vin des gens de la maison, s'apprête à sortir, quand soudain une pierre énorme tombe du toit sur son crâne. Écrasé du choc, on le relève presque mort. Le lendemain, selon la parole de l'homme de Dieu, il acheva de vivre bel et bien. En cette occasion, Pierre, il faut considérer quel respect on doit témoigner aux saints : ils sont les temples de Dieu. Et quand un saint est provoqué à la colère, qui donc est excité au courroux, sinon celui qui habite ce temple ? Il faut d'autant plus redouter l'indignation des justes que dans leur cœur est certainement présent celui qui a le pouvoir de porter la sanction qu'il juge bonne.

10. Une autre fois, Constance, son prêtre et neveu, vendit son cheval douze sous d'or. Il les mit dans son coffre-fort, et partit pour quelque affaire. Soudain arrivent à l'évêché des pauvres qui demandent sur tous les tons que l'évêque saint Boniface secoure leur indigence en leur donnant quelque chose. L'homme de Dieu n'a rien sous la main. Il est très ennuyé : les pauvres ne doivent pas sortir bredouilles de chez lui. Soudain il lui revient que Constance son prêtre et neveu a vendu son cheval de selle et qu'il doit en avoir le prix dans son coffre. En l'absence du neveu, il va au coffre, et, pieusement violent, en force la serrure, prend les douze pièces d'or et les répartit entre les pauvres selon son bon plaisir.

sua *m H* : in arca sua pretium *bm*ᵛ *G* ‖ 126 diuisit *bm*ᵛ*z* : diuidit *m GH*

---

9. templa — sunt : cf. 1 Co 3, 16 ; 2 Co 6, 16.

---

9. L'homme de Dieu est un être redoutable : comparer 2 R 2, 23-24. *

10. D'après Sulpice Sévère, *Dial.* 3, 15, Martin reprochait au prêtre Brice d'élever des chevaux. — « Pieuse violence » : comparer les « pieux larcins » du moine Romain (II, 1, 5). Cet innocent cambriolage fait penser à *Reg.* 5, 27 = *Ep.* 5, 44 : l'évêque Festus de Capoue a soustrait dix « sous » à son archidiacre. *

11. Itaque Constantius presbiter reuersus ex opere arcam fractam repperit, et caballi sui pretium quod illic posuerat non inuenit. Coepit magna uoce perstrepere et
130 cum furore nimio clamare : « Omnes hic uiuunt ; solus ego in hac domo uiuere non possum. » Ad cuius nimirum uoces aduenit episcopus omnesque qui in eodem episcopio aderant. Cumque eum uir Dei locutione blanda temperare uoluisset, coepit ille cum iurgio respondere, dicens :
135 « Omnes tecum uiuunt ; ego solus hic ante te uiuere non possum. Redde mihi solidos meos. »

12. Quibus uocibus conmotus episcopus beatae Mariae semper uirginis ecclesiam ingressus est, et eleuatis manibus, extenso uestimento, stando coepit exorare, ut ei
140 redderet unde presbiteri furentis insaniam mitigare potuisset. Cumque subito oculos ad uestimentum suum inter extensa brachia reduxisset, repente in sinu suo duodecim aureos inuenit, ita fulgentes tamquam si ex igne producti hora eadem fuissent.

145 13. Qui mox de ecclesia egressus, eos in sinum furentis presbiteri proiecit, dicens : « Ecce habes solidos quos quaesisti. Sed hoc tibi notum sit, quia post mortem meam tu huic ecclesiae episcopus non eris propter auaritiam tuam. » Ex qua sententiae ueritate collegitur quia eosdem
150 solidos presbiter pro adipiscendo episcopatu praeparabat.

128 illic *m GH* : in eam *b* || 129 posuerat *bm*ᵛ *H* : posuit *m deperd. ap. G* || Coepit *m GH* : itaque *add. b* || magna uoce *m GH* : uoce magna *b* || 131 hac domo *m GH* : domo hac || 132 aduenit *m*(*z*) *GH* : uenit *b* || 133 uir Dei locutione blanda *m GH* : loc. blanda uir Dei *b* || 135 omnes [oms *G*] *bm*ᵒ*z GH* : omnis *m* || ego solus *m H* : solus ego *bm*ᵛ *G* || 144 hora eadem *m GH* : eadem hora *b* || 145 sinum *bm*ᵛ*z* : sinu *m H* sino *G* || 148 huic *m GH* : huius *bm*ᵛ hic *m*ᵛ || 149 collegitur *m GH* : collig- *bm*ᵛ

---

11. On songe de nouveau au prêtre Brice insultant son évêque. Voir Sulpice Sévère, *Dial.* 3, 15 ; Grégoire de Tours, *Hist. Franc.* 2, 1. Dans le récit de Sulpice, Martin essaie de l'apaiser par de douces paroles (*mitia uerba*), mais il redouble de fureur et d'insultes.

12. Église dédiée à la Vierge comme en I, 12, 1 (cf. III, 14, 1).

11. Là-dessus, le prêtre Constance revient de son affaire, trouve son coffre fracturé, et le prix du cheval qu'il avait placé là, il ne le voit plus. Il commence à crier avec un grand tapage, à hurler tout furibond : « Tout le monde, ici, peut vivre ; il n'y a que moi, dans cette maison, qui n'ai pas les moyens de vivre ! » A ce ramage arrivent l'évêque et tout le personnel de l'évêché. L'homme de Dieu tente d'apaiser son neveu par de douces paroles, mais lui, sur le ton de la querelle : « Tous vivent à vos crochets ; il n'y a que moi, ici, qui ne peux pas vivre avec vous ! Rendez-moi mes sous ! »

12. Excédé par ces criailleries, l'évêque entre dans l'église de la Bienheureuse Marie toujours Vierge, tend son manteau à deux mains, et demande debout à recevoir de quoi calmer la folie du prêtre furibond. Abaissant les yeux sur le manteau qu'il tient étendu entre ses bras, il voit au creux de l'étoffe douze pièces d'or étincelantes comme si elles sortaient de la frappe flamboyante à l'instant même.

13. Il quitte l'église, déverse ces pièces dans le pli de la ceinture du prêtre qui ne décolérait pas, et lui dit : « Tiens ! tu les as, les sous que tu cherchais ! Mais sache bien qu'après ma mort tu ne seras pas évêque de cette Église, à cause de ton avarice. » Cette sentence lourde de vérité donne à penser que le prêtre destinait ces sous à payer

Ce doit être la cathédrale de Ferentis. La colère de Constance est qualifiée d'*insania*, comme celle de Brice était appelée par Sulpice *amentia*. — Douze sous accordés par miracle à des fins charitables : de même dans II, 27, 2, où Benoît en obtient même treize, mais seulement après deux jours de supplication. Les pièces d'or sont luisantes et comme neuves : comparer la « blancheur insolite » du pain miraculeux en III, 37, 5.

13. L'évêque prédit à son prêtre coupable qu'il ne lui succédera pas : même scène entre Sabin et son archidiacre (III, 5, 3 : *sed tu episcopus non eris*). Au contraire, Martin annonce à Brice qu'il a obtenu de Dieu de l'avoir pour successeur, mais il lui prédit aussi (*noueris te...*) de grandes tribulations dans l'épiscopat (Grégoire de Tours, *loc. cit.*). — La simonie est une plaie de l'Église contemporaine : voir *Liber Pontificalis* I, 303 et *Hom. Eu.* 17, 13 (Italie) ; *Reg.* 9, 218 = *Ep.* 9, 106 (Gaule) ; *Reg.* 6, 26 = *Ep.* 6, 26 (Illyricum), etc. Cf. L. Duchesne, « La succession du pape Félix IV », dans *Mél. d'arch. et d'hist.* 3 (1883), p. 251, n. 1.

Sed uiri Dei sermo praeualuit ; nam isdem Constantius
in presbiteratus officio uitam finiuit.
14. Alio item tempore duo ad eum Gothi hospitalitatis
gratia uenerunt, qui Rauennam se festinare professi sunt.
155 Quibus ipse paruum uas ligneum uino plenum manu sua
praebuit, quod fortasse in prandio itineris habere potuissent. Ex quo illi quoadusque Rauennam peruenerunt
biberunt ut Gothi. Aliquantis autem diebus in eadem
ciuitate morati sunt, et uinum quod a sancto uiro acce-
160 perant cotidie in usum habuerunt. Sicque usque ad eundem uenerabilem patrem Ferentis reuersi sunt, ut nullo
die cessarent bibere, et tamen eis uinum ex illo uasculo
numquam deesset, ac si in illo uase ligneo quod episcopus
dederat, uinum non augeretur, sed nasceretur.
165 15. Nuper quoque de eiusdem loci partibus senex quidam clericus aduenit, qui ea quae de illo narrat silentio non
sunt premenda. Nam dicit quod quodam die ingressus
hortum, magna hunc erucae multitudine inuenit esse
coopertum. Qui omne holus deperire conspiciens, ad eas-
170 dem erucas conuersus, dixit : « Adiuro uos in nomine
Domini Dei nostri Iesu Christi, recedite hinc, atque haec
holera comedere nolite. » Quae statim ad uiri Dei uerbum
ita omnes egressae sunt, ut ne una quidem intra spatium
horti remaneret.
175 16. Sed quid mirum quod haec de episcopatus eius tem-

151 isdem *m GH* : idem bm^v ‖ 153 item m^v : idem *m GH* quoque *b* ‖ 157 peruenerunt *m* : peruenerint *H* peruenirent bm^v uenirent *G* ‖ 158 biberunt *bm GH* : biberent b^v beuirent m^v ‖ ut Gothi *m GH* : Gothi bm^v ‖ 160 usum *m GH* : usu bm^v ‖ 161 Ferentis bm^v *GH* : ferentes b^v *mz* deferentes b^v ‖ 162 eis uinum *m H* : uinum eis *b G* ‖ 166 qui *bmz H* : quia m^v *G* ‖ quae *m* : que *GH* *om. bz* ‖ narrat *m GH* : quae *add.* bm^vz ‖ 168 erucae *bm GH* : erucarum b^vm

14. Ces voyageurs se rendent à la capitale comme Libertinus (I, 2, 5). Ravenne semble être encore aux mains des Goths. L'épisode se place donc avant 540. — Le miracle rappelle Cyrille de Scythopolis, *V. Sabae* 46 : à Jéricho, Sabas change en vin une gourde de vinaigre. « Il y eut une telle profusion que pendant trois jours tous en burent abondamment... Thomas prit (la gourde) et s'en

sa promotion. Mais la parole de l'homme de Dieu prévalut ; ce Constance termina sa vie dans l'office de prêtre.

14. Une autre fois, deux Goths vinrent demander l'hospitalité à Boniface, disant qu'ils allaient à Ravenne. Il leur donna lui-même un petit vase de bois rempli de vin, qui pourrait peut-être leur servir pour un déjeuner en chemin. Ils s'en servirent jusqu'à Ravenne et en burent comme de bons Goths. Les quelques jours qu'ils passèrent dans la ville, ils se servirent du présent du saint pour leur vin quotidien. Quand ils revinrent à Ferentis auprès du vénérable Père, aucun jour ils n'avaient manqué d'en boire. Cependant le vin de ce petit vase ne leur fit jamais défaut, comme si, dans ce récipient de bois, don épiscopal, le vin avait non pas une crue passagère, mais une renaissance perpétuelle.

15. Et voici que récemment nous vient de cette région un vieux clerc qui nous conte sur lui des choses à ne pas passer sous silence. Il dit qu'un beau jour Boniface entre dans un jardin qu'il trouve couvert d'une foule de chenilles. Voyant que tous les légumes se meurent, il s'adresse aux chenilles : « Je vous adjure au nom de notre Seigneur Dieu Jésus-Christ, sortez d'ici et ne mangez pas ces légumes ! » Aussitôt, à la parole de l'homme de Dieu, elles sortent toutes. Pas une ne reste dans toute l'étendue du jardin.

16. Il n'y a du reste rien d'étonnant à ces merveilles

alla, et il put boire encore du reste même du vin, lui et ses compagnons, jusqu'à Médaba. » Cf. 1 R 17, 16.

15. Récits complémentaires apportés par un vieillard : voir I, 10, 11. Au nom du Christ, Boniface adjure les chenilles, comme Sabinus commande au Pô (III, 10, 3). Le prototype semble être Athanase, *V. Ant.* 50 : Antoine, « au nom du Seigneur », interdit son jardin aux bêtes qui le dévastent (cf. Jérôme, *V. Hil.* 31). Voir aussi *V. Caesarii* I, 36 : par une prière, Césaire chasse les sangliers (cf. Eugippe, *V. Seu.* 12 : sauterelles).

16. *Ordine et moribus* comme plus haut (9, 1 : *officio... moribus*). Après l'épiscopat, l'enfance : cette marche à reculons confirme le caractère adventice des récits du vieux clerc. Comme le petit Boniface, Césaire, à l'âge de sept ans, donnait ses vêtements aux pauvres, revenait « demi-nu » à la maison et essuyait les reproches de ses parents (*V. Caes.* I, 3). La *linea* est un vêtement de dessous (*Acta Cypriani* 5, 3), porté à même la peau (Ferréol, *Reg.* 31). *

pore narramus, quando iam apud omnipotentem Deum ordine simul et moribus creuerat, dum illa magis miranda sint, quae eum hic senex clericus adhuc puerulum fecisse testatur ? Nam ait quod eo tempore quo cum matre sua
180 puer habitabat, egressus hospitio nonnumquam sine linea, crebro etiam sine tunica reuertebatur, quia mox nudum quempiam repperisset, uestiebat hunc, se expolians, ut se ante Dei oculos illius mercede uestiret. Quem mater sua frequenter increpare consueuerat, dicens
185 quod iustum non esset ut ipse inops pauperibus uestimenta largiretur.

17. Quae die quadam horreum ingressa, paene omne triticum, quod sibi in stipendio totius anni parauerat, inuenit a filio suo pauperibus expensum. Cumque semetip-
190 sam alapis pugnisque tunderet, quod quasi anni subsidia perdidisset, superuenit Bonifatius puer Dei, eamque uerbis qualibus ualuit consolari coepit. Quae cum nihil consolationis admitteret, hanc rogauit ut ab horreo exire debuisset, in quo ex omni eorum tritico parum quid in-
195 uentum est remansisse. Puer autem Dei sese illic protinus in orationem dedit. Qui post paululum egressus, ad horreum matrem reduxit, quod ita tritico plenum inuentum est, sicut plenum ante non fuerat, cum mater illius totius anni sumptus se congregasse gaudebat. Quo uiso mira-
200 culo, conpuncta mater ipsa iam coepit agere ut daret, qui sic celeriter posset quae petisset accipere.

18. Haec itaque in hospitii sui uestibulo gallinas nutrire consueuerat, sed eas ex uicinitate uulpes ueniens

178 puerulum *bm*ᵛ *GH* : puerum *m* || 180 hospitio *m G* -ium *bm*ᵛ *H* || 181 mox *m G* : ut *add.* *bm*ᵛ *H* || 183 mercede *bm GH* : obtentu mercede *b*ᵛ obtentu mercedis *b*ᵛ operatione mercedis *b*ᵛ || 188 stipendio *bm H* : -ium *m*ᵛ*z G* || 191 Bonifatius *m* : -cius *b* Bonefatius *m*ᵛ Bonefacius *H* *deperd. ap.* *G* || 192 qualibus *m* : quibus *bm*ᵛ *GH* || 196-197 ad horreum matrem reduxit *bm*ᵛ *GH* : red. matrem ad hor. *m* || 200 agere *bm GH* : rogare *b*ᵛ cogere *b*ᵛ || 202 Haec *bm*ᵛ*m*ᵒ*z GH* : hic *m* || itaque *bm*ᵛ*z GH* : Bonifatius *add.* *m*

que nous rapportons : elles datent de son épiscopat, quand il avait grandi par sa dignité et par son ascèse. Mais ce qui serait plus admirable, c'est ce que ce vieux clerc atteste pour la jeunesse de Boniface. En effet, dit-il, au temps où le jeune homme habitait avec sa mère, il sortait de la maison et revenait parfois sans chemise, souvent même sans tunique, car dès qu'il trouvait quelqu'un de nu, il l'habillait en se dépouillant lui-même, afin d'être revêtu, aux yeux du Seigneur, de ce bon mérite. Sa mère le grondait souvent, disant qu'il n'était pas raisonnable, lui, pauvre, de donner en cadeaux ses vêtements aux pauvres.

17. Un jour, elle entre dans le grenier et trouve presque tout le blé qu'elle s'était préparé comme provision pour l'année entière, dépensé par son fils pour les pauvres. Elle se meurtrit elle-même, et de soufflets et de coups de poing, d'avoir ainsi perdu ses ressources pour l'année. Survient Boniface, l'enfant de Dieu. Il entreprend de la consoler par ses paroles les plus efficaces. Comme elle n'admet pas de consolation, il la prie de sortir du grenier où de tout leur blé un petit peu se trouve subsister. L'enfant de Dieu se met en prière ; il sort au bout d'un petit moment, ramène sa mère au grenier, qu'elle trouve si regorgeant de blé qu'il n'y en avait pas autant quand elle se réjouissait d'avoir amassé de quoi se nourrir toute une année. En voyant ce miracle, piquée par le remords, elle fit en sorte qu'il pût donner, puisqu'il pouvait si rapidement recevoir ce qu'il demandait.

18. Elle élevait des poules dans la cour devant sa maison, mais un renard venant du voisinage les emportait.

|| 203 uicinitate *m H* : uicino rure *bm*^v^*z G* uicina rupe *m*^v^ uicino *m*^v^ || uulpes *bm*^v^ *G* : -pis *m H*

---

17. Perte de la provision de blé pour toute l'année (*ad totius anni stipendium*) : IV, 20, 2. Le petit Boniface console sa mère, comme le jeune Benoît sa nourrice (II, 1, 2). — Miracle compensant surabondamment les largesses de la charité : II, 29, 2. L'effet de componction produit sur les témoins est à peu près le même de part et d'autre (voir aussi II, 21, 2). *

18. La prière de Boniface (*Placet tibi... ut*) ressemble à celle du moine de Valérie s'adressant à saint Equitius (I, 4, 21).

auferebat. Quadam uero die, dum in eodem uestibulo puer
205 Bonifatius staret, uulpes ex more uenit et gallinam abstulit. Ipse autem concitus ecclesiam intrauit, et se in orationem prosternens, apertis uocibus dixit : « Placet tibi, Domine, ut de nutrimento matris meae manducare non possim ? Ecce enim gallinas, quas nutrit, uulpes come-
210 dit. » Qui ab oratione surgens, ecclesiam egressus est. Mox autem uulpes rediit, gallinam quam ore tenebat dimisit, atque ipsa moriens ante eius oculos in terram cecidit.

19. Petrvs. Valde mirum quod exaudire preces in se sperantium etiam in rebus uilibus dignatur Deus.

215 Gregorivs. Hoc, Petre, ex magna conditoris nostri dispensatione agitur, ut per minima quae percipimus, sperare maiora debeamus. Exauditus namque est in rebus uilibus puer sanctus et simplex, ut in paruis disceret, quantum de Deo praesumere in magnis petitionibus
220 deberet.

Petrvs. Placet quod dicis.

X. Gregorivs. Alius quoque uir uitae uenerabilis in eisdem partibus fuit Fortunatus nomine, Tudertinae ecclesiae antistes, qui in exfugandis spiritibus inmensae uirtutis gratia pollebat, ita ut nonnumquam ab obsessis
5 corporibus legiones daemonum pelleret, et continuae orationis studio intentus obiectas contra se eorum multitudines superaret. Huius uiri familiarissimus fuit Iulianus

205 Bonifatius *m* : -cius *b G* Bonefacius *m*ᵛ *H* Benefatius *m*ᵛ ‖ uulpes *bm*ᵛ *G* : -pis *m H* ‖ 208 nutrimento *m GH* : -tis *b*(*z*) ‖ 209 uulpes *bm*ᵛ *G* : -pis *m H* ‖ 210 egressus est *m H* : est egr. *b* egressus *G* ‖ 211 uulpes *bm*ᵛ : -pis *m GH* ‖ 212 ipsa *bm GH* : ipsa hora *b*ᵛ ipse *b*ᵛ *om. m*ᵛ

X, 3 ecclesiae antistes : eccl. antestis *m GH* antistes eccl. *b* ‖ spiritibus *bm GH* : immundis *add. b*ᵛz malignis *add. b*ᵛ

19. Même doctrine exposée, avec beaucoup plus d'ampleur, dans *Hom. Eu.* 32, 6 : la pédagogie divine (*dispensatio*) conduit des petites choses aux grandes. Grégoire ne fait ici que se résumer. —

Un jour que le jeune Boniface se trouvait dans cette cour, le renard vint selon sa coutume et emporta une poule. Boniface entra vite dans l'église, se prosterna en prière et dit tout haut : « Cela ne te fait rien, Seigneur, que je ne puisse manger de l'élevage de ma mère ? Voilà que les poules qu'elle nourrit, le renard les mange. » Il se releva de sa prière et sortit de l'église. Peu après, le renard revint, lâcha la poule qu'il tenait entre les dents, et tomba mort lui-même sous les yeux de Boniface.

19. PIERRE. Il est très admirable que Dieu daigne écouter les prières de ceux qui espèrent en lui, même pour des choses de peu d'importance.

GRÉGOIRE. Pierre, cela vient d'une profonde économie de notre Créateur. Par les petites choses que nous recevons, nous devons espérer de plus grandes. L'enfant saint et simple fut exaucé pour des choses minimes, afin qu'il apprît dans des demandes modestes combien il pouvait compter sur Dieu dans de grandes demandes.

PIERRE. Ce que vous me dites me plaît.

X. Un autre homme de vie vénérable dans ce pays fut Fortunat, évêque de l'Église de Todi, qui était par grâce fort d'une immense puissance pour mettre en fuite les esprits. Parfois il chassait des légions de démons hors des possédés, et absorbé par le zèle d'une prière perpétuelle il triomphait de leur multitude qui s'opposait à lui. Cet homme eut comme très grand ami Julien, défen-

Simplex et *simplicitas* qualifient plus d'un personnage des Dialogues : Fortunat (I, 4, 21), Florent, Éleuthère, Amant, Sanctulus et les prêtres de Nursie (III, 15.33.35.37), Spes, Galla, Mellitus et Armentarius (IV, 11.14.27). Sur la simplicité, voir entre autres *Mor.* 2, 49 : les simples, ou *tardiores*, sont symbolisés par les ânesses.

X, 1. Après les conciles sous Symmaque, cette mention de Fortunat est le seul renseignement qu'on ait au VIe siècle sur l'Église de Todi, sans représentant au concile de 595. *Continuae orationis studio intentus* : éloge décerné aux moniales Romula et Tarsilla (IV, 16-17) et à l'abbé Étienne (IV, 20). Cf. IV, 15, 3 (Servulus) et 49, 4 (Merulus) : psalmodie continuelle. — Sur ce défenseur Julien (cf. IV, 31, 1), voir la note sous I, 4, 12. *Ausu familiaritatis* : même association en III, 37, 1, où il est aussi question de « douceur ».

nostrae ecclesiae defensor, qui ante non longum tempus in hac urbe defunctus est. Cuius ego quoque hoc didici
10 relatione quod narro, quia saepe gestis illius ausu familiaritatis intererat, eiusque post memoriam ad instructionem nostram quasi faui dulcedinem in ore retinebat.

2. Matrona quaedam nobilis in uicinis Tusciae partibus habebat nurum, quae intra breue tempus quo filium eius
15 acceperat, cum eadem socru sua ad dedicationem oratorii beati Sebastiani martyris fuerat inuitata. Nocte uero eadem, qua subsequente die ad dedicationem praedicti oratorii fuerat processura, uoluptate carnis deuicta, a uiro suo sese abstinere non potuit. Cumque, mane facto,
20 conscientiam deterreret perpetrata carnis delectatio, processionem uero imperaret uerecundia, plus erubescens uultum hominum quam Dei iudicium metuens, cum socru sua ad dedicandum oratorium processit. Mox uero reliquiae beati Sebastiani martyris oratorium sunt ingressae,
25 eandem praedictae matronae nurum spiritus malignus arripuit et coram omni populo uexare coepit.

3. Eiusdem uero oratorii presbiter, dum eam uehementissime uexari conspiceret, ex altari protinus sindonem tulit eamque cooperuit, sed hunc repente simul diabolus
30 inuasit, et quia ultra uires uoluit quicquam praesumere, conpulsus est cognoscere in sua uexatione quid esset. Hii uero qui aderant, puellam in manibus ex oratorio sublatam ad domum propriam deportauerunt.

10 ausu *bmz G* : usu *b*^{v}*m*^{v} *H* || 12 retinebat [retenib- *H*] *bm G*^{pc}*H* : tenebat *m*^{v} *G*^{ac} || 13 Tusciae partibus *m GH* : part. Tusc. *b* || 14 habebat nurum *m GH* : nurum hab. *b* || 23 dedicandum oratorium *b*^{v}*m G* : dedicationem oratorii *bm*^{v}*z H* || uero *m GH* : ut *add.* *bm*^{v} || 24 sunt ingressae *m GH* : ingr. sunt *b* || 25 spiritus malignus *mz H* : mal. spir. *b* spir. inmundus *G* || 29 cooperuit *m GH* : operuit *b* || repente simul *m GH* : simul rep. *b* || 31 Hii *m GH* : hi *bm*^{v}

---

2. D'après I, 8, 7 (cf. I, 10, 1), Todi est en Tuscia aussi bien que Ferentis, mais la ville se trouve plus précisément en Ombrie, aux confins de la Tuscia proprement dite, de sorte que Grégoire pense

seur de notre Église, qui mourut il n'y a pas longtemps dans cette ville. Je tiens de lui ce que je raconte. Souvent il fut mêlé intimement à sa vie quotidienne, et par la suite il avait à la bouche des souvenirs de lui, doux comme le miel, qui nous instruisaient.

2. Une dame de grande famille, dans les parages voisins de la Tuscia, avait une belle-fille. Peu après le mariage de celle-ci, elle fut invitée avec sa bru à la dédicace de la chapelle Saint-Sébastien-Martyr. La nuit qui précéda la dédicace de cette chapelle où elle devait se rendre, la jeune épouse, vaincue par la volupté charnelle, ne put se défendre à l'égard de son mari. Au matin, la délectation consommée dans sa chair épouvanta sa conscience ; mais les convenances demandaient de paraître à la chapelle ; le respect humain fut plus fort que la crainte du jugement de Dieu. Elle partit avec sa belle-mère pour la dédicace de la chapelle. Mais dès que les reliques de saint Sébastien firent leur entrée dans la chapelle, l'esprit méchant se saisit de la bru de cette dame et devant tout le monde se mit à la tourmenter.

3. Le prêtre de la chapelle, voyant cette femme violemment tourmentée, prit une nappe de l'autel et l'en couvrit ; mais lui-même le diable l'envahit, et parce qu'il avait voulu forcer son talent, il dut reconnaître ce qu'il valait en se voyant ainsi maltraité. Des gens de l'assistance emportèrent la jeune femme hors de la chapelle et la rapportèrent chez elle.

peut-être à cette dernière comme à une région différente, « voisine » de Todi. Tuscia et Ombrie étant réunies administrativement en une seule province (*Tuscia et Vmbria*, en bref *Tuscia*), on peut soit les distinguer, soit les confondre (cf. *De term. prou. Ital.* 6 et 10, *CC* 175, 353 et 356). — Les relations conjugales empêchent d'aller à l'église le jour suivant, sinon de communier à domicile : voir Jérôme, *Ep.* 48, 15. Cf. IV, 33, 2 et note. — Introduction des reliques de saint Sébastien au début du rite de la dédicace : III, 30, 2. L'outrage au lieu sacré est puni par la possession comme en I, 4, 21.

3. Selon Grégoire de Tours, *Mir. S. Iul.* 42, on guérit souvent les possédés en les couvrant de l'*opertorium* ou *palla* posé sur les reliques de saint Julien, à son autel. — Présomption attirant un châtiment qui fait connaître ce qu'on est : voir I, 4, 11.

4. Cumque hanc antiquus hostis uexatione continua
35 uehementer adtereret, propinqui sui eam carnaliter amantes atque amando persequentes, ad obtinendum salutis remedium maleficis tradiderunt, ut eius animam funditus extinguerent, cuius carni magicis artibus ad tempus prodesse conarentur. Ducta itaque est ad fluuium
40 atque in aquam mersa, ibique diutinis incantationibus agere malefici moliebantur, ut is qui eam inuaserat diabolus exiret. Sed miro omnipotentis Dei iudicio, dum peruersa arte ab ea unus repellitur, in eam subito legio intrauit. Coepit ex hoc illa tot motibus agitari, tot uoci-
45 bus clamoribusque perstrepere, quot spiritibus tenebatur.

5. Tunc, inito consilio, parentes eius, suae perfidiae culpam fatentes, hanc ad uirum uenerabilem Fortunatum episcopum duxerunt eique reliquerunt. Qua ille suscepta, multis se diebus ac noctibus in orationem dedit, tantoque
50 adnisu precibus incubuit, quanto et in uno corpore contra se adsistere legionis aciem inuenit. Cum non post multos dies ita sanam atque incolumem reddidit, ac si in eam ius proprium diabolus numquam habuisset.

6. Alio quoque tempore isdem uir omnipotentis Dei
55 famulus ex obsesso quodam homine inmundum spiritum excussit. Qui malignus spiritus, cum uesperescente iam

37 maleficis *bm*^{v} *GH* : malificis *m* ‖ 38 carni *bm*^{v} *H* : carnis *m* carnibus *G* ‖ 39 conarentur *bm*^{v} *GH* : conaretur *m* ‖ Ducta itaque est *m GH* : ducta est itaque *b* ‖ 41 malefici *bm*^{v} *GH* : malif- *m* ‖ 43 peruersa arte *m GH* : arte peru. *b* ‖ ab ea unus *m GH* : unus ab ea *bm*^{v}*z* ‖ repellitur *bm*^{v} *GH* : pellitur *m* ‖ 47 uirum uenerabilem *m GH* : uen. uir. *b* ‖ 51 Cum *bm GH* : quam *m*^{v} ‖ 52 eam *m G*^{ac} : ea *bm*^{v}*z G*^{pc} ‖ 54 isdem *m GH* : idem *bm*^{v} ‖ 56 uesperescente *m*^{v} *H*: uesperiscente [-ti *m*] *m G* uesperascente *bm*^{v} aduesperascente *m*^{v}

X, 4-5. legio : cf. Mc 5, 9 ; Lc 8, 30

4. Aimer charnellement, aux dépens de l'âme de celui qu'on aime : voir IV, 19, 2-4. Magiciens malfaisants comme en I, 4, 3. Le « fleuve » peut être le Tibre, qui traverse la région. Les incantations et autres maléfices ne guérissent pas et parfois même font mourir : Grégoire de Tours, *Mir. S. Jul.* 45 ; *Mir. S. Mart.* I,

4. Le vieil adversaire poursuivit sur elle ses harcèlements continuels. Il la réduisit à rien. Sa famille, qui n'avait pour elle qu'un amour charnel, la persécuta au nom de cet amour, et pour obtenir sa guérison ils la livrèrent aux magiciens, au risque de tuer complètement son âme sous prétexte d'améliorer pour un temps sa santé charnelle par les arts occultes. Elle fut menée au fleuve, immergée, et là les sorciers travaillaient par leurs longues incantations à faire sortir le diable qui l'avait envahie. Mais par un admirable jugement de Dieu tout-puissant, quand un démon unique fut chassé d'elle par des artifices pervers, aussitôt une légion fit irruption en elle. Dès lors elle sursauta par autant de mouvements, elle vociféra autant de paroles et de cris qu'il y avait d'esprits pour la posséder.

5. A ce moment, après s'être consultés, ses parents reconnurent leur faute contre la foi, la conduisirent au vénérable évêque Fortunat et la lui confièrent. Il l'hospitalisa, se mit en prière plusieurs jours et plusieurs nuits. Il s'appliqua à prier avec d'autant plus de soin qu'il trouvait contre lui dans un seul corps le front de bataille de toute une légion. Après quelques jours, il la rendit aussi saine et sauve que si le diable n'avait jamais exercé sur elle un droit de propriété.

6. Une autre fois, le saint serviteur de Dieu tout-puissant chassa d'un homme l'esprit immonde. Cet esprit mauvais, au soir tombant, choisit l'heure désertée des

26-27 et IV, 36. L'évêque de Tours leur oppose la « vertu » des saints. Même compétition entre magie et sainteté dans la *Passio Iuliani et Basilissae* 46. — « Légion de démons » : bonne description du cas chez Jérôme, *V. Hil.* 18. Cf. Héraclide, *Parad.* 6, 269 c ; Grégoire de Tours, *Mir. S. Mart.* I, 38. *

5. Contradiction entre *multis diebus* et *non post multos dies* : Grégoire ne se surveille pas. Le miracle dissipe le mal « comme si » celui-ci n'avait jamais existé : II, 9 et 38, 1 (cf. II, 11, 2).

6. Voir *Mor.* 15, 57 : les enfants sont parfois punis dans leur chair pour les fautes de leurs parents. Ainsi s'explique le fait fréquent de petits enfants possédés du démon. Dieu punit ainsi le père, quand celui-ci méprise le châtiment qui l'atteint personnellement. *

die secretam ab hominibus horam cerneret, peregrinum quempiam esse se simulans, circuire coepit ciuitatis plateas et clamare : « O uirum sanctum Fortunatum episcopum ! Ecce quid fecit ? Peregrinum hominem de hospitio suo expulit. Quaero ubi requiescere debeam, et in ciuitate eius non inuenio. » Tunc quidam in hospitio cum uxore sua et paruulo filio ad prunas sedebat, qui, uocem eius audiens et quid ei episcopus fecerit requirens, hunc inuitauit hospitio, sedere secum iuxta prunas fecit. Cumque uicissim aliqua confabularentur, paruulum eius filium isdem malignus spiritus inuasit atque in eisdem prunis proiecit, ibique mox eius animam excussit. Qui orbatus miser uel quem ipse susceperit, uel quem episcopus expulisset, agnouit.

7. PETRVS. Quidnam hoc esse dicimus, ut occidendi ausum in eius hospitio antiquus hostis acceperit, qui hunc, peregrinum aestimans, ad se hospitalitatis gratia uocasset ?

GREGORIVS. Multa, Petre, uidentur bona, sed non sunt, quia bono animo non fiunt. Vnde et in euangelio ueritas dicit : *Si oculus tuus nequam fuerit, totum corpus tuum tenebrosum erit*, quia cum peruersa est intentio quae praecedit, prauum est omne opus quod sequitur, quamuis rectum esse uideatur. Ego namque hunc uirum qui, dum quasi hospitalitatem exhiberet, orbatus est, non pietatis opere delectatum aestimo, sed episcopi derogatione. Nam poena subsequens innotuit, quia praecedens illa susceptio sine culpa non fuit. Sunt namque nonnulli qui idcirco bona facere student, ut gratiam alienae operationis obnubilent, nec pascuntur bono quod faciunt, sed laude boni

64 ei episcopus *m GH* : ep. ei *b* || 67 isdem *m G ut uid. H* : idem *b* || 67-68 in eisdem prunis *mz GH* : in easdem prunas *bm*ᵛ cum eisdem prunis *m*ᵛ || 72 acceperit *m*ᵛ *GH* : acciperit *m* acciperet *bm*ᵛ || 80 rectum esse *m GH* : esse rectum *b*

7. Mt 6, 23

hommes, et, déguisé en voyageur, se mit à déambuler par les rues de la ville en criant : « Ohé le saint évêque Fortunat ! Voilà ce qu'il a fait : il a chassé de chez lui un pèlerin. Je cherche où me reposer, et dans sa ville je ne trouve rien. » Alors quelqu'un qui se chauffait chez lui avec sa femme et son petit enfant entendit la complainte, et pour savoir ce que l'évêque avait bien pu lui faire, invita l'homme dans sa maison et le fit asseoir à son côté devant le feu. Comme on bavardait, l'esprit méchant envahit le jeune enfant et le jeta sur les braises, où il le fit mourir tout de suite. A cette perte, le malheureux père put reconnaître qui il avait reçu et quel était celui que l'évêque avait chassé.

7. Pierre. Comment juger cela ? Le vieil adversaire se permet de tuer dans la maison de quelqu'un qui l'a pris pour un pèlerin et l'a invité chez lui en vertu de l'hospitalité ?

Grégoire. Bien des choses, Pierre, semblent bonnes mais ne le sont pas, parce qu'elles ne sont pas faites dans un bon esprit. A ce sujet, dans l'Évangile la Vérité déclare : « Si ton œil est mauvais, tout ton corps sera ténébreux. » Car lorsque l'intention initiale est perverse, dépravé est tout ce qui s'en suit, malgré une apparence de rectitude. Quant à moi, j'estime que cet homme qui, paraissant exercer l'hospitalité, a été privé de son fils, n'avait pas mis son plaisir dans une œuvre de bonté, mais dans une irrévérence à son évêque. Le châtiment qui suivit met en lumière que l'accueil précédent n'était pas exempt de faute. Il y en a qui s'étudient à faire le bien avec le dessein arrêté de ternir la grâce des actions d'autrui : ils ne se nourrissent pas du bien qu'ils font, mais de cette louange de leur bien par laquelle ils écrasent les

7. L'intention mauvaise corrompt l'acte bon : Cassien, *Conl.* 16, 18, 1 ; 16, 22, 1 (cf. *RM* 7, 70-74 = *RB* 5, 16-18 : *bono animo*). De la sanction finale donnée par Dieu au comportement des hommes, on peut conclure à la qualité, bonne ou mauvaise, de celui-ci : ce raisonnement dicte constamment à Grégoire, dans les *Morales*, l'appréciation des paroles de Job et de ses amis.

qua ceteros premunt. Qua de re existimo hunc uirum, qui malignum spiritum in hospitalitate suscepit, ostentationi potius intendisse quam operi, ut meliora quam
90 episcopus fecisse uideretur, quatenus ipse susciperet eum quem uir Domini Fortunatus expulisset.

PETRVS. Vt dicitur ita est. Nam finis operis probat quod munda intentio in operatione non fuerit.

8. GREGORIVS. Alio autem tempore, dum oculorum
95 quidam lumen amisisset, ad hunc deductus intercessionis eius opem petiit et impetrauit. Nam cum uir Dei, oratione facta, eius oculis signum crucis inprimeret, ab eis protinus, luce reddita, nox caecitatis abscessit.

9. Praeterea equus cuiusdam militis in rabiem fuerat
100 uersus, ita ut a multis uix teneri posset, sed quoscumque potuisset inuadere, eorum membra morsibus dilaniaret. Tunc, utcumque a multis ligatus, ad uirum Dei deductus est. Qui mox eius capiti extensa manu signum crucis edidit, cunctam eius rabiem in mansuetudinem mutauit,
105 ita ut mitior post existeret, quam ante illam uesaniam fuisset.

10. Tunc isdem miles equum suum, quem celerrimo miraculi imperio a sua uesania uidit inmutatum, eidem sancto uiro decreuit offerendum. Quem cum suscipere
110 ille renueret, ipse uero in precibus, ne despiceretur eius oblatio, perseueraret, sanctus uir, mediam duarum partium uiam tenens, et petitionem militis audiuit, et munus

87 ceteros premunt *bm GH* : caeteris praeeminent *b*[v] ‖ existimo *bm*[v] *H* : exaest- *m G* ‖ 88 hospitalitate *m GH* : -tem *bm*[v] ‖ ostentationi *bm*[v] *G* : -ne *m H* ‖ 89 operi *bm* : -re *m*[v] *GH* ‖ 90 susciperet *bm*[v] : -rit *m*[v] *GH* susceperit *m* suscepisset *m*[v] ‖ 92 Vt dicitur ita est *m GH* : ita est ut dicis *b* ut dicis ita est *z ut uid.* ‖ probat *m GH* : probabat *b* ‖ 93 intentio *bm GH* : susceptio *b*[v]*m*[v] ‖ 94 autem *mz GH* : quoque *bm*[v] ‖ dum *m GH* : cum *b* ‖ 97 eius oculis *m GH* : oc. eius *b* ‖ 100 uix teneri *m H* : teneri uix *bm*[v] *G* ‖ posset *bm*[v] : possit *m G* potuisset *H* ‖ sed *m GH* : et *add.* *bm*[v] ‖ 103 mox *bmz GH* : ut *add.* *b*[v] ‖ 104 edidit *bm*[v] *G* : ededit *m H* dedit *b*[v] ‖ 105 mitior post *m GH* : mitior postea *m*[v] postea mitior *bm*[v] ‖ uesaniam *m GH* : insaniam *b* ‖ 107 isdem *m GH* : idem *bm*[v] ‖ 109 suscipere

autres. Pour notre cas, j'estime que cet homme qui reçut en hospitalité le méchant esprit pensa plus à la gloriole qu'à la charité : il paraissait faire mieux que l'évêque, puisqu'il avait reçu celui que l'homme du Seigneur, Fortunat, avait chassé.

PIERRE. Oui, c'est comme vous dites. Car le résultat de l'affaire prouve qu'une intention pure faisait défaut dans la conduite de cette affaire.

8. GRÉGOIRE. Une autre fois, un homme avait perdu la lumière de ses yeux. On le conduisit à Fortunat. Il demanda et obtint le bienfait de son intercession. En effet, l'homme de Dieu, après avoir prié, lui fit un signe de croix sur les yeux, et aussitôt la lumière revint, la nuit de la cécité disparut.

9. Autre histoire : le cheval d'un soldat était devenu enragé, d'une rage telle que plusieurs hommes pouvaient à grand peine le maîtriser. Ceux qu'il pouvait assaillir, il les déchirait par ses morsures. Enfin, lié tant bien que mal par plusieurs, il est mené à l'homme de Dieu. Celui-ci trace un signe de croix, main étendue, sur sa tête, et aussitôt change toute sa rage en douceur. Le voilà bien plus doux qu'au temps qui précéda sa folie furieuse.

10. Alors le soldat, voyant son cheval métamorphosé de sa folie instantanément sous l'empire d'un miracle, se met en tête de l'offrir à ce saint, lequel refuse de l'accepter. Le soldat persiste, insiste pour que son cadeau ne soit pas dédaigné. Le saint s'arrête à une voie moyenne : il écoute favorablement l'instance du soldat, mais refuse

GH : suscepere *m* recipere *b* || 110 renueret *bm*ᵛ *H* : -rit *m G* || 111 perseueraret *bm*ᵛ *GH* : -rit *m*

---

8. Cf. GRÉGOIRE DE TOURS, *Hist. Franc.* 2, 3 (195 b) : l'évêque Eugène fait le signe de croix sur les yeux d'un aveugle et le guérit.

9. *Miles* : sans doute un Byzantin, pendant ou après la guerre des Goths. Le signe de croix fait avec la « main étendue » est décrit dans les mêmes termes en II, 3, 4. Guérison d'animaux furieux : voir JÉRÔME, *V. Hil.* 23 (chameau) ; SULPICE SÉVÈRE, *Dial.* 2, 9 (vache).

10. Une guérison miraculeuse ne se paie pas : voir JÉRÔME, *V. Hil.* 18, citant Giézi (2 R 5, 22-27) et Simon (Ac 8, 18-24) ; 22 ; 37 (Mt 10, 8). *

suscipere pro exhibita uirtute recusauit. Prius namque dignum pretium praebuit, et post equum, qui sibi offere-
115 batur, accepit. Quia enim, si non susciperet, eum contristari conspexerat, caritate cogente, emit quod necessarium non habebat.

11. Neque hoc silere de huius uirtutibus debeo, quod ante dies fere duodecim agnoui. Quidam namque ad me
120 deductus est senex pauper, atque, ut mihi senum conlocutio esse semper amabilis solet, studiose hunc unde esset inquisiui. Qui se de Tudertina ciuitate esse respondit. Cui inquam : « Quaeso te, pater, Fortunatum episcopum nosti ? » Qui ait : « Noui, et bene noui. » Tunc ipse sub-
125 iunxi : « Dic, rogo, si qua illius miracula cognouisti, et desideranti mihi, qualis uir fuerit, innotesce. »

12. Qui ait : « Homo ille longe fuit ab istis hominibus, quos uidemus modo. Nam quicquid ab omnipotente Deo petiit, ita dum peteret impetrauit. Cuius hoc unum narro
130 miraculum, quod ad praesens animo occurrit. Quadam namque die Gothi iuxta Tudertinam ciuitatem uenerunt, qui ad partes Ravennae properabant, sed duos paruos puerulos de possessione abstulerant, quae possessio praefatae Tudertinae ciuitati subiacebat. »

114 post *m GH* : postea *b* ‖ 115 accepit *bm*^{v} *GH* : suscepit *m* ‖ susciperet [-rit *G*] *bm*^{v} *G* : susceperet *m*^{v} susceperit *m H* ‖ 122 de Tudertina ciuitate esse *m H* : de Tud. esse ciu. *m*^{v} *G* esse de Tud. ciu. *b* ‖ 123 pater *mz GH* : num *add. b* ‖ 125 cognouisti *m G* : nosti *bm*^{v} ‖ 128 omnipotente *m GH* : -ti *bm*^{v} ‖ (130-134 Quadam — subiacebat *w*) 130 Quadam *bmw G* : quodam *m*^{v} *H* ‖ 132 sed *mw*^{v} *GH* : et *bw* ‖ paruos *bm*^{v}*w GH* : paruulos *m* ‖ 134 ciuitati [-te *H*] *bmw H* : -tis *m*^{v}*w*^{v} *G*

11. Vieillard survenant pour compléter la notice sur le saint évêque : cf. 9, 15. Grégoire aime la conversation des vieux : I, 4, 21 et note. Il appelle ce pauvre séculier *pater*, titre qu'on donne aux évêques (I, 4, 3.4.17), aux abbés (I, 2, 9 ; cf. 4, 15), aux prêtres (I, 12, 1).

d'accepter une rétribution pour un miracle. Au préalable, il donne un prix convenable, puis accepte le cheval qui lui est offert. S'il n'avait pas accepté, il aurait vexé le soldat. Poussé par sa délicatesse, il acheta ce cheval qui ne lui était pas nécessaire.

11. Sur ces miracles, je ne dois pas taire ce que j'ai appris il y a une douzaine de jours. On m'a présenté en effet un pauvre vieillard, et j'ai toujours eu un faible pour la conversation des vieillards. Je lui ai demandé avec intérêt d'où il était, et il me répondit qu'il était de la ville de Todi. « Je vous prie, père, lui dis-je, avez-vous connu l'évêque Fortunat ? — Oui, je l'ai bien connu. — Dites-moi, s'il vous plaît, repris-je, si vous savez quelques miracles de lui. Donnez satisfaction à mon désir : faites-moi connaître quel homme il fut. »

12. « Cet homme, dit le vieillard, tranchait sur ces hommes que nous voyons maintenant, car tout ce qu'il demandait à Dieu tout-puissant, il l'obtenait sur-le-champ. Je vais raconter ce seul miracle de lui, parce qu'il me revient présentement à l'esprit. Un jour, des Goths vinrent près de la ville de Todi. Ils se hâtaient vers la région de Ravenne, mais ils avaient enlevé deux petits enfants dans une propriété qui dépendait de la ville de Todi.

12. Ce propos pessimiste du vieillard correspond à l'opinion de Pierre : voir I, 12, 4, où Grégoire le nuance sans le contredire (cf. I, *Prol.* 7). Goths allant à Ravenne comme en I, 9, 14. L'enlèvement des deux enfants fait penser à celui des 300 fils de familles romaines pris comme otages par Totila dans les cités qu'il traversait en marchant contre Narsès (juin 552). Voir Procope, *Bell. Goth.* 4, 34 (cf. 4, 29). Proposé par G. Ceci, *Todi nel medio evo*, Todi 1887, p. 9, ce rapprochement expliquerait le refus du commandant goth de rendre les enfants, même contre paiement. De plus, Todi se trouvait bien sur le chemin des Goths dans leur marche de Rome vers le Nord. Cependant Procope dit que les otages furent pris dans les familles notables des villes, tandis que Grégoire parle d'enfants pris dans un domaine rural. En outre, Procope note que Totila présentait cette prise d'otages sous des dehors rassurants, qu'on ne retrouve pas ici. Il reste que les deux épisodes peuvent bien se correspondre.

135 13. « Hoc cum uiro sanctissimo Fortunato nuntiatum fuisset, protinus misit atque eosdem Gothos ad se fecit uocari. Quos blando sermone adloquens, eorum prius studuit asperitatem placare et post intulit, dicens : ' Quale uultis pretium dabo, et puerulos quos abstulistis reddite,
140 mihique hoc uestrae gratiae munus praebete '. Tunc is qui prior eorum esse uidebatur, respondit dicens : ' Quicquid aliud praecipis facere parati sumus, nam istos pueros nullatenus reddemus. ' Cui uenerandus uir blande minatus est, dicens : ' Contristas me, et non audis patrem tuum.
145 Noli me contristare, ne non expediat. ' Sed isdem Gothus, in cordis sui feritate permanens, negando discessit. »

14. « Die uero altera digressurus rursus ad episcopum uenit, quem eisdem uerbis pro praedictis puerulis iterum episcopus rogauit. Cumque ad reddendum nullo modo con-
150 sentire uoluisset, contristatus episcopus dixit : ' Scio quia tibi non expedit, quod me contristato discedis. ' Quae Gothus uerba despexit, atque ad hospitium reuersus, eosdem pueros de quibus agebatur equis superinpositos cum suis hominibus praemisit. Ipse uero statim ascen-
155 dens equum subsecutus est. Cumque in eadem ciuitate ante beati Petri apostoli ecclesiam uenisset, equo eius pes lapsus est. Qui cum eo corruit, et eius mox coxa confracta est, ita ut in duabus partibus os esset diuisum. Tunc leuatus in manibus, reductus ad hospitium est. Qui
160 festinus misit et pueros quos praemiserat reduxit, et uiro uenerabili Fortunato mandauit, dicens : ' Rogo te, pater, mitte ad me diaconem tuum. ' »

136-137 fecit uocari *m G* : fecit euocari [-re *H*] m^v *H* euocari fecit *b* uocari m^v ‖ 138 et post *m H* : ac post *b* at post *G* ‖ 140 mihique *bm* : mihi quoque *G* mihi atque m^v *H* ‖ uestrae gratiae *m GH* : grat. u. *b* ‖ 142 praecipis bm^v *G* : praecepis *H* praeceperis *mz* ‖ 143 reddemus bm^v *H* : reddimus *m* redimus *G* ‖ 144 me b^vm *GH* : fili *add. bz* ‖ 145 expediat *m GH* : tibi *add. bz* ‖ isdem *m GH* : idem bm^v ‖ 148 eisdem *bm* : isdem m^v *GH* ‖ 149 Cumque bm^o *GH* : dumque *m* ‖ 155 ciuitate *bm* : -tem m^v *GH* ‖ 156 equo *bm* *GH* : equi b^vm^vz ‖ 157 mox coxa *m GH* : coxa mox *b* ‖ confracta

13. La chose fut annoncée au très saint Fortunat. Aussitôt il dépêche quelqu'un et fait convoquer ces Goths chez lui. Il les salue gentiment, cherchant d'abord à les apprivoiser, puis il aborde son sujet : ' Je vous donnerai le prix que vous voudrez, mais rendez les enfants que vous avez enlevés. Que votre faveur m'offre ce présent. ' Alors celui qui paraissait le chef répondit : ' Demandez autre chose, n'importe quoi, nous sommes prêts à le faire. Mais ces enfants, nous ne les rendrons certainement pas. ' L'homme vénérable le menace gentiment : ' Vous me contrariez, en n'écoutant pas votre Père ; ne me contrariez pas, il pourrait vous en arriver malheur. ' Le Goth reste buté dans sa décision brutale, il refuse et part.

14. Le lendemain, il revient chez l'évêque pour prendre congé définitivement. Dans les mêmes termes, Fortunat le prie de nouveau pour ces enfants. Les rendre, pas moyen ! Il ne peut pas y consentir. Peiné, l'évêque répond : ' Je sais que cela ne vous sera pas avantageux de me laisser contrarié. ' Le Goth ne tient nul compte de ces paroles, revient à son cantonnement, fait jucher sur des chevaux ces enfants pour qui Fortunat avait plaidé et les envoie devant lui avec ses hommes. Il monte en selle et suit aussitôt. Dans Todi, arrivé devant l'église du Bienheureux Apôtre Pierre, son cheval glisse, il tombe avec lui, sa cuisse se casse, l'os est brisé en deux. On le relève, on le ramène au cantonnement. Vite il fait revenir les enfants qu'il a expédiés devant, et il fait dire au vénérable Fortunat : ' Je vous prie, Père, envoyez-moi votre diacre. '

m H : fracta *b G* || 159 ad hospitium est *m GH* : est ad hosp. *b* || 162 diaconem *m G* : -num *bm*^{v} *H*

13-14. L'homme de Dieu reprend et menace l'oppresseur, qui s'obstine et subit le châtiment annoncé : Athanase, *V. Ant.* 86 (l'arien Balakios est mordu à la cuisse par un cheval) ; Eugippe, *V. Seu.* 8 (la reine barbare Giso obligée de libérer ses prisonniers romains) ; Grégoire de Tours, *Glor. mart.* 79 (l'évêque d'Agde réclame, *ne tibi sit noxium*, des biens usurpés par l'arien Gomacharius, qui tombe malade) ; *V. Patrum* 4, 3 (l'évêque de Clermont, n'ayant pas obtenu la libération d'un prisonnier, maudit la maison du comte Hortensius, où tous tombent malades), etc. *

15. « Cuius diaconus dum ad iacentem uenisset, pueros, quos redditurum se episcopo omnino negauerat, ad
165 medium deduxit, eosque diacono illius reddidit, dicens : ' Vade, et dic domino meo episcopo : quia maledixisti mihi, ecce percussus sum ; sed pueros quos quaesisti recipe, et pro me, rogo, intercede. ' Susceptos itaque puerulos ad episcopum diaconus reduxit, cui benedictam aquam uene-
170 rabilis Fortunatus statim dedit, dicens : ' Vade citius, et eam super iacentis corpus proice. ' Perrexit itaque diaconus, atque ad Gothum introgressus, benedictam aquam super membra illius aspersit. Res mira et uehementer stupenda ! Mox ut aqua benedicta Gothi coxam contigit,
175 ita omnis fractura solidata est et saluti pristinae coxa restituta, ut hora eadem de lecto surgeret et ascenso equo ita coeptum iter ageret, ac si nullam umquam laesionem corporis pertulisset. Factumque est ut qui sancto uiro Fortunato pueros cum pretio reddere oboedientia subiec-
180 tus noluit, eos sine pretio poena subactus daret. »

16. His igitur expletis, studebat adhuc senex de eo et alia narrare. Sed quia nonnulli aderant, ad quos exhortandos occupabar, iamque diei tardior hora incubuerat, facta uenerabilis Fortunati diu mihi audire non licuit,
185 quae audire, si liceat, semper uolo.

17. Sed die alio isdem senex rem de illo magis adhuc mirabilem narrauit, dicens : « In eadem Tudertina urbe Marcellus quidam bonae actionis uir cum duabus sororibus suis habitabat. Qui, eueniente molestia corporis,

163 dum *bm GH* : cum *m*v ‖ 168 Susceptos *bm*v : -tus *m GH* ‖ puerulos [-rolos *m*] *bmz* : puerolus *m*v *GH* ‖ 168-169 ad episcopum diaconus *m GH* : diac. ad ep. *b* ‖ 174 contigit *bm G* : contegit *m*v *H* tetigit *m*v ‖ 179 oboedientia *m GH* : -tiae *bm*v ‖ 180 subactus *bm GH* : coactus *b*v*m*v ‖ 184 facta uenerabilis Fortunati *m GH* : uen. Fort. facta *b* ‖ 186 alio *m GH* : alia *b* ‖ isdem *m GH* : idem *bm*v ‖ 189 eueniente *bm*v *GH* : ueniente *m*

15. L'évêque, à la prière du coupable, envoie de l'eau bénite

15. Le diacre arrive près du blessé couché. Celui-ci fait venir les enfants qu'il a refusé catégoriquement de rendre à l'évêque, et les confie au diacre en disant : ' Allez dire à monsieur l'évêque : Parce que vous m'avez maudit, j'ai été frappé ; mais recevez ces enfants que vous avez réclamés, et intercédez pour moi, s'il vous plaît. ' Le diacre prend les enfants, les ramène à l'évêque. Le vénérable Fortunat lui donne aussitôt de l'eau bénite : ' Va vite asperger le blessé. ' Le diacre part, entre chez le Goth, lui asperge la cuisse. Merveille tout à fait étonnante ! Dès que l'eau bénite atteint la cuisse du Goth, l'os fracturé se ressoude, la cuisse revient à sa santé antérieure. L'homme se lève, saute à cheval, reprend sa route comme s'il n'avait eu aucun accident. Ainsi l'affaire s'arrangea : celui qui n'avait pas voulu se plier à l'obéissance et rendre les enfants à saint Fortunat contre de l'argent, les donna gratuitement, subjugué par le châtiment. »

16. Là-dessus, le vieillard grillait d'envie de conter d'autres histoires sur Fortunat. Mais quelques personnes étaient là ; j'étais pris par leur direction spirituelle ; c'était la fin du jour. Je ne pus entendre plus longuement les faits et gestes du vénérable Fortunat, moi qui suis toujours disposé à les écouter si je le peux.

17. Mais le lendemain ce vieillard me conta sur lui une chose encore plus admirable. « Il y avait à Todi, me dit-il, un homme de bien, Marcel, qui vivait avec ses deux sœurs. Il tomba malade et décéda dans la très sainte

pour chasser le mal attiré par sa malédiction : voir GRÉGOIRE DE TOURS, *V. Patrum* 4, 3. Guérison complète, « comme si » rien ne s'était produit : 10, 5 et note. *

17. Ce défunt dont les sœurs demandent et obtiennent la résurrection ressemble étrangement à Lazare, frère de Marthe et de Marie (Jn 11, 1-44). Fortunat, qui pleure sur le mort avant de la ressusciter, joue ici le rôle du Christ. Le jour du décès et celui de la résurrection — samedi saint et dimanche de Pâques — accentuent l'impression qu'on a de lire un récit inspiré directement par l'Évangile. — La résurrection est un miracle « apostolique » (Ac 9, 36-42 ; 20, 7-12) : voir SULPICE SÉVÈRE, *V. Mart.* 7, 7. Cf. II, 32, 2 (*haec... apostolorum sunt*), où Benoît, pressé dans les mêmes termes (*ueni resuscita eum*), se récuse pareillement en disant : *Recedite...* *

190 ipso sacratissimo uesperescente iam sabbato paschali defunctus est. Cuius corpus, cum longius esset efferendum, die eodem sepeliri non potuit. Cumque mora esset temporis ad explendum debitum sepulturae, sorores eius, morte illius adflictae, cucurrerunt flentes ad uenera-
195 bilem Fortunatum, eique magnis uocibus clamare coeperunt : ‘ Scimus quia apostolorum uitam tenes, leprosos mundas, caecos inluminas. Veni et ressuscita mortuum nostrum. ’ Qui mox ut earum fratrem cognouit defunctum, flere ipse etiam de morte illius coepit eisque respon-
200 dit, dicens : ‘Recedite et haec dicere nolite, quia iussio omnipotentis Dei est, cui contrarie nullus hominum potest. ’ Illis itaque discedentibus, tristis ex morte eius mansit episcopus. »

18. « Subsequente autem die dominico ante exurgentis
205 lucis crepusculum, uocatis duobus diaconibus suis, perrexit ad domum defuncti, accessit ad locum ubi iacebat corpus exanime, ibique se in orationem dedit. Expleta autem prece, surrexit et iuxta corpus defuncti sedit, non autem grandi uoce defunctum per nomen uocauit, dicens :
210 ‘ Frater Marcelle ’. Ille autem ac si leuiter dormiens ad uicinam uocem quamuis modicam fuisset excitatus, statim oculos aperuit, atque ad episcopum respiciens, dixit : ‘ O quid fecisti ? O quid fecisti ? ’ Cui episcopus respondit, dicens : ‘ Quid feci ? ’ At ille ait : ‘ Duo hesterno die uene-
215 runt, qui me eicientes ex corpore in bonum locum duxerunt. Hodie autem unus missus est, qui dixit : Reducite eum, quia Fortunatus episcopus in domum illius uenit. ’

190 uesperescente *G* : uesperascente bm^{v} uespere ascendente $b^{v}m$ *H* ‖ 191 corpus $bm^{v}m^{o}$ *GH* : corpusculum *m* ‖ 194 illius *m GH* : eius bm^{v} ‖ uenerabilem *m GH* : uirum *add.* *bz* ‖ 198 earum fratrem cognouit *m GH* : cogn. ear. frat. *b* ‖ 199 flere *bm H* : et *add.* m^{v} *G* ‖ illius *m GH* : eius *b* ‖ 204 Subsequente bm^{v} *H* : -ti *m G* ‖ 206 accessit *m GH* : accedensque *bz* ‖ 206-207 iacebat corpus *m GH* : corp. iac. *b* ‖ 207 ibique *m GH* : ibi *bz* ‖ 209 grandi $bm^{v}z$ *GH* : e grandi *m* ‖ 211 modicam *bm GH* : -ca $b^{v}m^{v}$ ‖ 214 At bm^{v} *H* : ad *m G* ‖ ait *mz GH* : *om.* *b* ‖ 217 illius *m GH* : eius *b*

soirée du samedi pascal. Son corps, qui devait être porté assez loin, ne put être enterré le jour même. Devant ce retard pour la sépulture, ses sœurs, navrées de sa mort, accoururent en larmes chez le vénérable Fortunat en criant : ‘ Nous savons que vous suivez la vie des Apôtres, vous purifiez les lépreux, vous illuminez les aveugles : venez ressusciter notre mort ! ’ Dès qu'il eut appris le décès de leur frère, il se mit à pleurer aussi sur sa mort et leur répondit : ‘ Retirez-vous, ne parlez pas ainsi. C'est la volonté de Dieu tout-puissant, et aucun mortel ne peut aller là-contre ! ’ Elles partirent et l'évêque demeura tout triste de sa mort.

18. Le jour suivant, le dimanche, avant l'aube, il appela ses deux diacres, se rendit à la maison du défunt, vint à l'endroit où gisait le cadavre et là se mit en prière. Sa prière achevée, il se leva, puis s'assit près du corps. A mi-voix, il appela le mort par son nom : ‘ Mon frère Marcel ! ’ Et lui, comme dormant d'un léger sommeil, éveillé par cette voix proche mais faible, ouvrit aussitôt les yeux et regardant vers l'évêque : ‘ Oh ! Qu'avez-vous fait ? Oh ! Qu'avez-vous fait ? ’ A quoi l'évêque répondit : ‘ Qu'est-ce que j'ai fait ? ’ Marcel reprit : ‘ Hier, deux sont venus qui me tirèrent de mon corps et me conduisirent en un bel endroit. Et aujourd'hui un a été envoyé dire : Ramenez-le, car l'évêque Fortunat est venu chez

17. leprosos — inluminas : cf. Mt 10, 8 ; 11, 5.

18. L'homme de Dieu, ayant prié auprès du défunt, apostrophe celui-ci, qui ouvre les yeux et se plaint d'être tiré de son repos : toute cette scène fait penser à EUGIPPE, *V. Seu.* 16, 4-5 (résurrection du prêtre Silvain). — Contrairement au Christ (Jn 11, 43 : *uoce magna*), Fortunat appelle le mort à mi-voix. Il lui donne le titre de *frater*, comme l'évêque Eugène parlant au laïc Félix, d'après VICTOR DE VITE, *De persec. uandal.* 2, 17. *O quid fecisti ?* : même plainte, mais adressée à Dieu, dans la bouche de Salvius revenant à lui après un séjour dans l'au-delà (GRÉGOIRE DE TOURS, *Hist. Franc.* 7, 1). D'après *Les Vies coptes de S. Pachôme*, p. 142-144 (*Bo* 82), l'âme est tirée du corps par trois anges. Marcel, ici, n'en mentionne que deux. Cf. le récit du catéchumène ressuscité, d'après SULPICE SÉVÈRE, *V. Mart.* 7, 6 : deux anges, ayant représenté au juge que Martin prie pour le défunt, obtiennent qu'il soit ramené par eux (*reduci*) ; baptisé, il vit encore plusieurs années (7, 5).

Quibus expletis uerbis, mox ex infirmitate conualuit, et in hac uita diutius mansit. »

220 19. Nec tamen credendum est quia locum quem acceperat perdidit, quia dubium non est quod intercessoris sui precibus potuit post mortem melius uiuere, qui et ante mortem studuit omnipotenti Domino placere. Sed cur multa de eius uita dicimus, cum nunc usque ad corpus 225 illius tot uirtutum documenta teneamus ? Daemoniacos quippe absoluere, aegros curare, quotiens ex fide petitur, ut uiuens consueuerat, hoc indesinenter facere et apud mortua ossa sua perseuerat.

20. Sed libet, Petre, adhuc ad Valeriae prouinciae 230 partes narrationis meae uerba reducere, de quibus me eximia ualde miracula ex ore uenerabilis Fortunati, cuius longe superius memoriam feci, contigit audisse. Qui crebro ad me nunc usque ueniens, dum facta mihi ueterum narrat, noua refectione me satiat.

XI. Quidam namque in eadem prouincia, Martyrius nomine, deuotus ualde omnipotenti Deo famulus fuit, qui hoc de uirtutis suae testimonio signum dedit. Dum quadam die fratres illius subcinericium panem fecissent, 5 eique obliti essent crucis signum inprimere, sicut in hac prouincia crudi panes ligno signari solent, ut per quadras

218 expletis uerbis *m GH* : uerb. expl. *b* ‖ mox *bm G* : et *add.* *m*ᵛ*z H* ‖ 227 uiuens *m H* : uiuus *b* uiuos *G* ‖ 230 partes *bm* : -tis *m*ᵛ *GH* ‖ 232 contigit *bm*ᵛ *H* : contegit *m G*

XI, 2 omnipotenti [-te *H*] Deo *m(z) H* : omnipotentis Dei *b G* ‖ fuit *m GH* : exstitit *b* ‖ 3 testimonio *bm H* : -nium *m*ᵛ *G* ‖ 4 subcinericium panem *m(z) GH* : pan. sub. *b* ‖ 6 panes *bm*ᵛ *G* : panis *m H*

---

19. Le juste défunt ramené à la vie ne perd pas l'espoir de retrouver sa bonne place dans l'au-delà : GRÉGOIRE DE TOURS, *Hist. Franc.* 7, 1 (417 c). — Les miracles accomplis au tombeau des saints ou par leurs reliques sont rares dans les Dialogues. Voir I,

lui. ' Ces paroles prononcées, il eut une convalescence instantanée, et il demeura longtemps dans cette vie. »

19. N'allons pas croire, du reste, qu'il perdit le bel endroit qu'il avait obtenu. Nul doute que, grâce aux prières de son intercesseur, il put mieux vivre après la mort, celui qui avant la mort s'était étudié à plaire au Seigneur tout-puissant. Mais pourquoi nous étendre sur la vie de Fortunat, puisque actuellement nous avons une documentation sur tant de miracles à son tombeau ? Il délivre les démoniaques, il guérit les malades, chaque fois qu'on le lui demande avec foi ; comme il faisait de son vivant, il continue d'agir sans cesse là où se trouvent ses os morts.

20. Mais j'ai envie, Pierre, de ramener mon récit à la province de Valérie, car j'ai pu entendre à son sujet de très beaux miracles de la bouche du vénérable Fortunat, dont j'ai parlé beaucoup plus haut. Il vient me voir souvent, et maintenant encore, quand il me conte les actions des anciens, c'est chaque fois un festin qui me comble.

XI. Il y eut dans cette province un nommé Martyrius, serviteur très dévoué de Dieu tout-puissant, qui donna ce signe en témoignage de sa puissance. Un jour, ses frères faisaient cuire un pain sous la cendre, et ils avaient oublié d'y graver le signe de la croix — car c'est la coutume dans cette province de signer les pains pétris avec un morceau de bois en sorte qu'ils paraissent divisés en

4, 20-21 ; III, 15, 18 ; III, 22-23 ; IV, 42, 2, et surtout II, 38, 1 (*nunc usque si fides petentium exigat*), avec le commentaire subséquent (38, 2-4). Cf. IV, 6, 1-2.

20. Sur Fortunat, voir 3, 5 et note. Ces deux nouveaux chapitres sur la Valérie sont peut-être additionnels (*Introduction*, p. 57).

XI. Martyrius : nom porté par un saint moine de Lycaonie, d'après *Hom. Eu.* 39, 10. Ici, l'homme est sans doute moine aussi, comme le suggère *Dei famulus* et comme l'entendent les *Capitula*. La mention des « frères » peut être interprétée en ce sens, bien que *fratres* se rencontre aussi à propos des collègues d'un *custos ecclesiae* en IV, 53, 2. — La tranche (*quadra*) représente un quart du pain, conformément à l'étymologie. Au contraire, le Maître parle de demi-pains coupés en trois tranches (*RM* 26, 3 ; cf. 53, 1).

quattuor partiti uideantur, isdem Dei famulus adfuit, eisque referentibus, signatum non fuisse cognouit. Cumque iam panis ille prunis esset et cineribus coopertus,
10 dixit : « Quare hunc minime signastis ? » Qui haec dicens, signum crucis digito contra prunas fecit. Quo signante, protinus inmensum crepitum panis dedit, ac si ingens in ignibus olla crepuisset. Qui dum coctus postmodum fuisset ab igne subtractus, ea cruce signatus inuentus est,
15 quam non contactus, sed fides fecerat.

XII. In eo etiam loco Interorina uallis dicitur, quae a multis uerbo rustico Interocrina nominatur, in qua erat quidam uir uitae ualde admirabilis, nomine Seuerus, ecclesiae beatae Mariae Dei genitricis et semper uirginis
5 sacerdos. Hunc cum quidam paterfamilias ad extremum uenisset diem, missis concite nuntiis, rogauit ut ad se quantocius ueniret, suisque orationibus pro peccatis eius intercederet, ut acta de malis suis paenitentia, solutus culpa ex corpore exiret. Qui uidelicet sacerdos inopinate
10 contigit ut ad putandam uineam esset occupatus, atque ad se uenientibus diceret : « Antecedite, ecce ego uos subsequor. » Cumque uideret sibi in eodem opere aliquid superesse, paululum moram fecit, ut opus, quod minimum restabat, expleret. Quo expleto, coepit ad
15 aegrum pergere. Eunti uero in itinere occurrentes hii qui

7 partiti *bm G* : parti *m*ᵛ partis *H* parti esse *m*ᵛ ‖ isdem *m* : hisdem *H* idem *bm*ᵛ *G* ‖ 10 haec *m GH* : hoc *bz* ‖ 15 fecerat *m GH* : fecit *b*

XII, 4 genitricis *bm* : genet- *m*ᵛ *GH* ‖ et *mz GH* : *om.* *bm*ᵛ ‖ 10 contigit *bm GH* : contegit *m*ᵛ ‖ putandam *bm*ᵛ*z* : pot- *m GH* ‖ 15 hii *m G* : hi *bm*ᵛ *H*

XII, 1. *Locus* : ici une province entière (cf. IV, 53, 1). Le langage

quatre parties. Le serviteur de Dieu arriva et apprit des frères qu'il n'avait pas été signé. Ce pain était déjà sous les braises, couvert de cendres. « Pourquoi ne l'avez-vous pas signé ? », demanda Martyrius, et tout en parlant, il traça du doigt un signe de croix vers les braises. A ce signe, aussitôt le pain fit entendre un grand craquement comme celui d'un grand vase qui éclaterait dans les flammes. Lorsque, une fois cuit, on le soutira du feu, on le trouva signé d'une croix tracée non par contact, mais par la foi.

XII. Dans cette région il y a une vallée qu'on appelle Interorina (beaucoup disent en patois Interocrina). Là vivait un prêtre d'une vie très admirable, nommé Sévère, à l'église de la Bienheureuse Marie Mère de Dieu et toujours Vierge. Un père de famille arrivé à son dernier jour lui fit demander, par des messagers accourus en hâte, de venir le voir au plus tôt. Ses prières intercéderaient pour ses péchés, il ferait pénitence pour ses mauvaises actions, et il pourrait sortir de son corps délié de ses fautes. Il se trouva que le prêtre était affairé à tailler sa vigne. Il répondit aux arrivants : « Partez devant, voilà que je vous suis. » Il voyait qu'il ne restait que peu de chose à faire dans son travail. Il tarda un peu à achever ce rien qui restait. Dès qu'il eut fini, il partit voir le malade. En chemin, il trouva les gens qui étaient venus tout à l'heure

« rustique » est en principe exclu des Dialogues (*Prol.* 10), mais il s'agit ici d'un nom de lieu. Cf. III, 14, 3 (*impostorem*) et *Hom. Eu.* 12, 7, où Grégoire cite un autre nom propre déformé par la *lingua rustica*, en Valérie justement (*Chryserium*). — *Interocrium* est l'actuel Antrodoco, petite ville sise à 510 m d'altitude entre Amiterne (L'Aquila) et Rieti, sur la Via Salaria, entre des montagnes abruptes et des gorges. On y voit une église romane dédiée à Sainte Marie, qui peut avoir succédé à celle que desservait Sévère. Celui-ci est appelé deux fois *sacerdos* et une fois *presbiter*, les fidèles lui donnant le titre de *pater* (cf. 10, 11 et note). Ce prêtre travaillant à sa vigne rappelle l'évêque Boniface (9, 3 et note). — La pénitence à l'article de la mort est ce qui subsiste communément alors de l'ancienne discipline pénitentielle. Voir C. Vogel, *La discipline pénitentielle en Gaule des origines à la fin du VIIe siècle*, Paris 1952. *

prius uenerant, obuiam facti sunt, dicentes : « Quare tardasti, pater ? Noli fatigari, quia iam defunctus est. » Quo audito, ille contremuit, magnisque uocibus se interfectorem illius clamare coepit.

20 2. Flens itaque peruenit ad corpus defuncti, seque coram lecto illius cum lacrimis in terram dedit. Cumque uehementer fleret, in terram caput tunderet, se reum mortis illius clamaret, repente is qui defunctus fuerat animam recepit. Quod dum multi qui circumstabant aspi-
25 cerent, admirationis uocibus emissis, coeperunt amplius prae gaudio flere. Cumque eum requirerent, ubi fuerit uel quomodo redisset, ait : « Taetri ualde erant homines qui me ducebant, ex quorum ore ac naribus ignis exiebat, quem tolerare non poteram. Cumque per obscura loca me
30 ducerent, subito pulchrae uisionis iuuenis cum aliis nobis euntibus obuiam factus est, qui me trahentibus dixit : « Reducite illum, quia Seuerus presbiter plangit. Eius enim eum lacrimis Dominus donauit. »

3. Qui scilicet Seuerus protinus de terra surrexit, eique
35 poenitentiam agenti opem suae intercessionis praebuit. Et dum per dies septem de perpetratis culpis paenitentiam aeger rediuiuus ageret, octauo die laetus de corpore exiuit. Perpende, quaeso, hunc de quo loquimur Seuerum quam dilectum Dominus adtendit, quem contristari nec
40 ad modicum pertulit.

16-17 Quare tardasti pater *m GH* : pater quare tard. *b* || 17 fatigari *bm*ᵛ *G* : -re *m H* || 21 terram [-ra *G*] *bmz GH* : in orationem *add. b*ᵛ || 22 se *m H* : seque *bz G* || 23 is *bm* : his *m*ᵛ *GH* || 26 prae gaudio [-ium *GH*] flere *m*ᵛ*z GH* : flere prae gaudio *b* per gaudium fl. *m* || 27 redisset *m*ᵛ *G* : redissit *m H* rediisset *b* || 28 ac *m GH* : et *bm*ᵛ || exiebat *m G ut uid.* *H* : exibat *bm*ᵛ || 30 iuuenis *bmz GH* : apparuit *add. b*ᵛ || aliis *b m*ᵛ*z GH* : alis *m* || 31 euntibus *bm H* : *om. z G* || 33 eum lacrimis Dominus *m GH* : lacr. Dom. eum *bz* lacr. eum Dom. *m*ᵛ || 38 Perpende *mz GH* : Petre *add. b*

---

2. Sévère accourt sanglotant (*flens*) et criant comme Martin (Sulpice Sévère, *V. Mart.* 7, 2). Ce miracle ressemble beaucoup à la résurrection du catéchumène de Ligugé : comme le *paterfamilias*

chez lui. Ils venaient à sa rencontre en disant : « Pourquoi avez-vous tardé, Père ? Ne vous pressez plus. Maintenant il est mort. » A ces mots, il tressaillit, et à grands cris il se mit à proclamer qu'il était son assassin.

2. Il arriva sanglotant au corps du défunt, et devant son lit il se prosterna tout en larmes. Il pleurait avec véhémence, se frappait la tête contre le sol, criait qu'il était coupable de sa mort. Alors soudain celui qui était mort recouvra son âme. Voyant cela, la nombreuse assistance cria de stupeur, puis ils se mirent à pleurer plus fort — de joie. On demanda au ressuscité où il s'était trouvé, comment il était revenu. Il dit : « Des hommes affreux, épouvantables, me conduisaient. De leur bouche, de leurs narines sortait un feu que je ne pouvais supporter. Ils me conduisaient par des couloirs obscurs. Soudain nous barre la route, tandis que nous marchions avec d'autres, un jeune homme bien beau à voir, qui dit à ceux qui m'entraînaient : « Ramenez-le, car le prêtre Sévère pleure. Le Seigneur l'a donné à ses larmes. »

3. Sévère bondit de sa prostration, et l'aida par son intercession à faire pénitence. Pendant sept jours le malade revenu à la vie fit pénitence pour les fautes qu'il avait commises. Le huitième jour, tout joyeux, il sortit de son corps. Appréciez la chose, je vous prie : ce Sévère dont nous parlons, comme le Seigneur fit attention à lui ! Il ne souffrit pas qu'il demeurât même peu de temps dans l'angoisse.

d'Antrodoco, celui-ci est mort en état de péché, en l'absence de l'homme de Dieu, qui doit obtenir son retour à la vie pour qu'il soit purifié de ses fautes ; « conduit » dans l'au-delà et destiné aux « lieux obscurs », il en est « ramené » à cause de la prière du saint (*V. Mart.* 7, 1-6). Cependant les démons crachant le feu par la bouche et le nez (cf. II, 8, 12) font penser à ATHANASE, *V. Ant.* 24, 1, qui cite Jb 41, 9-11, et l'apparition « subite » d'un ange qui arrête la descente aux enfers se reproduit en IV, 37, 4.

3. Le prêtre n'absout pas le pénitent, mais « intercède » pour lui (cf. 12, 1). Le délai obtenu pour la pénitence est seulement de sept jours : dans *Hist. mon.* 9 (425 a), Patermutius obtient trois ans pour un mourant, mais sans avoir à le ressusciter. *Perpende quaeso...* : voir I, 6, 2 et note.

4. Petrvs. Admiranda sunt ualde haec, quae me inuenio nunc usque latuisse. Sed quid esse dicimus, quod tales uiri modo nequeunt inueniri ?

Gregorivs. Ego, Petre, multos tales in hoc saeculo nec modo deesse existimo. Neque enim si talia signa non faciunt, ideo tales non sunt. Vitae namque uera aestimatio in uirtute est operum, non in ostensione signorum. Nam sunt plerique, qui etsi signa non faciunt, signa tamen facientibus dispares non sunt.

5. Petrvs. Vnde mihi, rogo, hoc ostendi potest, quod sint quidam, qui signa non faciunt, et tamen facientibus dissimiles non sunt ?

Gregorivs. Numquidnam nescis quoniam Paulus apostolus Petro apostolorum primo in principatu apostolico frater est ?

Petrvs. Scio plane nec dubium est, quia, etsi minimus omnium apostolorum, tamen plus omnibus laborauit.

Gregorivs. Quod bene ipse reminisceris, Petrus in mare pedibus ambulauit, Paulus in mari naufragium pertulit. En in uno eodemque elemento, ibi Paulus ire cum naui non potuit, ubi Petrus pedibus iter fecit. Aperte igitur constat quia cum utriusque uirtus fuerit dispar in miraculo, utriusque tamen meritum dispar non est in caelo.

41 inuenio *m GH* : uenio *b* || 42-43 tales uiri modo *mz G* : modo tales uiri *b* sancti uiri modo *H* || 46 tales *bm*^{o} *GH* : talis *m* || 47 ostensione *bm*^{v} *GH* : ostentatione *m* || 48 etsi *bm H* : et *m*^{v} *G* || 50 hoc *mz G*^{pc}*H* : *om. b G*^{ac} || 51 tamen *m GH* : signa *add. bz* || 57 tamen plus *m GH* : plus tamen *b* || 58-59 in mare *b*^{v}*m GH* : in mari *b*^{v}*m*^{v}*z* super mare *b* || 59 mari *bmz G* : mare *m*^{v} *H* || 60 En *b*^{v}*mz GH* : et *b* || ibi *bm GH* : ubi *b*^{v}*z* || 61 ubi *bm GH* : ibi *b*^{v} *H*

XII, 5. minimus — laborauit : 1 Co 15, 9-10 — Mt 14, 28-29 — 2 Co 11, 25 ; cf. Ac 27, 14-38.

4. Ignorance de Pierre : *Prol.* 7 (cf. 3, 5). « A présent, on ne trouve plus de ces hommes » : 10, 12. De fait, Grégoire a présenté Martyrius et Sévère, aussi bien que Fortunat, comme des « anciens » (10, 20). — Les vrais critères de sainteté ne sont pas les miracles, mais les œuvres : *Hom. Eu.* 4, 3 (1091 a : contraste entre autrefois

4. Pierre. Tout à fait admirables, ces choses qui, je le constate, m'avaient échappé jusqu'à maintenant. Mais d'où vient que de tels hommes, actuellement, sont introuvables ?

Grégoire. Pour moi, Pierre, j'estime qu'il y en a beaucoup de cette valeur en notre siècle et maintenant encore ; on ne peut dire qu'ils ne sont pas de cette valeur sous prétexte qu'ils ne font pas de miracles. Car le véritable critère d'une vie est dans une vertu opérante, non dans une ostentation de miracles. Il y en a beaucoup qui ne font pas de miracles, et qui cependant ne sont pas inférieurs à ceux qui en font.

5. Pierre. Comment, s'il vous plaît, peut-on montrer qu'il y en a qui ne font pas de miracles et qui pourtant ne diffèrent pas des thaumaturges ?

Grégoire. Ignorez-vous que l'Apôtre Paul est frère de Pierre, le premier des Apôtres, dans la primauté apostolique ?

Pierre. Je le sais très bien, ce n'est pas douteux, car s'il est le plus petit de tous les Apôtres, il a pourtant travaillé plus que tous.

Grégoire. Vous vous le rappelez bien : Pierre put marcher sur la mer, tandis que Paul, en mer, fit naufrage. Voici que sur un seul et même élément, là où Paul ne put aller avec un navire, Pierre chemina sur ses pieds. Il en résulte donc clairement que le pouvoir des deux fut différent en matière de miracle, mais que le mérite des deux n'est pas inégal au ciel.

et aujourd'hui) ; Cassien, *Conl.* 15, 2.6.9. Cf. Augustin, *Serm.* 69, 2. Voir aussi I, 2, 8 et 5, 6 : supériorité des vertus sur les miracles.

5. Sulpice Sévère, *Ep.* 1, 6, fait le même rapprochement entre Pierre marchant sur les eaux (Mt 14, 29) et Paul naufragé (2 Co 11, 25 ; cf. Ac 27, 14-38), mais il en tire une leçon différente : « vivant dans l'abîme », Paul n'a pas été l'objet d'un moindre miracle que Pierre. — *Virtus... in miraculo* : au contraire, on avait plus haut *in uirtute operum* opposé à *in ostentatione signorum* (12, 4). Ce jeu sur *uirtus* rappelle *Prol.* 7-9.

6. PETRVS. Placet, fateor, omnino quod dicis. Ecce
65 aperte cognoui quia uita et non signa quaerenda sunt.
Sed quoniam ipsa signa quae fiunt, bonae uitae testimonium ferunt, quaeso adhuc, si qua sunt, referas, ut esurientem me per exempla bonorum pascas.

7. GREGORIVS. Vellem tibi in laudibus redemptoris de
70 uiri uenerabilis Benedicti miraculis aliqua narrare, sed ad haec explenda hodiernum tempus uideo non posse sufficere. Liberius itaque haec loquimur, si aliud exordium sumamus.

EXPLICIT LIBER PRIMVS

64 Ecce *m GH* : enim *add. bz* ‖ 65 cognoui *m GH* : noui *b* ‖ 67 quaeso *mz H* : te *add. b G* ‖ qua *bm*° *GH* : quae *m* ‖ 69 Vellem *bm*ᵛ*z G* : uellim *m H* uelim *m*ᵛ ‖ 71 explenda *bm G* : exempla *b*ᵛ *H* ‖ 72 loquimur *mz GH* : loquemur *b*

6. PIERRE. C'est extrêmement juste, je le reconnais, ce que vous dites. Voici que je saisis avec évidence que c'est la vie, et non les miracles, qu'il faut rechercher. Mais comme ces miracles qui se produisent témoignent en faveur d'une vie bonne, je vous demande encore de m'en rapporter, s'il y en a, pour nourrir ma faim par des exemples d'hommes de bien.

7. GRÉGOIRE. Je voudrais, à la louange du Rédempteur, vous conter quelque chose des miracles du vénérable Benoît. Mais, pour réaliser ce projet, je vois que le temps dont nous disposons aujourd'hui ne peut suffire. Nous serons donc plus libres pour raconter ces choses, si nous prenons une autre séance.

FIN DU LIVRE PREMIER

6. Les miracles attestent la vie sainte : Pierre a déjà énoncé cette loi en *Prol.* 9, où il parlait aussi d'« exemples ». Ceux-ci « nourrissent » son âme comme celle de Grégoire (10, 20).

7. La prédiction de *Prol.* 8 se réalise : le jour ne suffit pas aux récits de Grégoire. Esquisse d'une division des Dialogues en « journées », qui ne sera pas poursuivie (*Introduction*, p. 77).

INCIPIVNT CAPITVLA LIBRI SECVNDI DE VITA ET MIRACVLA VENERABILIS BENEDICTI ABBATIS

II Cap bmrz Incipiunt *mr* : *om. bz* ‖ Capitula — abbatis : libri secundi capita *b* capitula *r* monasterio quod appellatur arcis prouintiae Campaniae *add. m* ‖ Benedicti : conditoris uel *add.* m^v ‖ I capisterio — solidato *mrz* : capisterii fracti reparatione *b* ‖ solidato *m* : consol- $m^v r$ ‖ III ampulla uitrea *mr* : uase uitreo bm^v ‖ signo crucis *mr* : crucis signo bm^v ‖ rupta *mr* : -to bm^v ‖ V quam *mr* : uiri Dei oratione *b*(*z*) *om.* m^v ‖ montis uertice *bm* : uert. mont. *r* *om. z* ‖ produxit *mr* : producta $bm^v z$ ‖ VII De *mr* : Mauro *add. bz* ‖ VIII infecto — pane *mr* : pane ueneno inf. *b* ‖ VIIII eius *mrz* : uiri Dei *b* ‖ leuigato *mrz* : leuato bm^v ‖ XI seruo Dei puerulo *m* : seruo Dei paruulo $m^v r$ seuero paruulo m^v puerulo monacho *b* ‖

Table des chapitres du Livre Second
Vie et Miracles du vénérable abbé Benoît

ruina *mz* : parietis ruina *b* *om. z* || confracto *bm* : fracto *r* contrito *m*v || sanato *mr* : eius oratione san. *b* solidato *m*v || XII seruis Dei *m* : monachis *brz* || cibum — sumpserunt *mz* : extra monasterium [cellam *b*t*r*] comederunt *br* || XIII ut supra *mr* : quem uir Dei in uia comedisse spiritu [*om. b*t] cognouit *b* qui cibum contra bonum propositum sumpsit *m*v *om. m*v*z*

Table des chapitres. L'apparat critique, extraordinairement chargé, atteste la popularité particulière de cette Vie de Benoît qu'est le Livre II.

VIII. Seul est signalé le premier épisode de ce long chapitre. Il en sera de même aux chapitres 15, 28 et 37.

VIIII. Comme *leuatus*, qui se lit dans le texte, *leuigatus* signifie sans doute « levé » (plutôt que « rendu léger »). On trouve *leuigare* dans *Reg.* 8, 24 = *Ep.* 8, 24, etc.

XIIII. De simulatione regis Totilae deprehensa.
XV. De prophetia quae de eodem rege Totila facta est.
XVI. De clerico a daemonio liberato.
XVII. De prophetia destructionis monasterii sui.
XVIII. De flascone sublato et per spiritum cognito.
XVIIII. De mappulis a seruo Dei acceptis.
XX. De superba cogitatione pueri per spiritum cognita.
XXI. De ducentis farinae modiis famis tempore ante cellam inuentis.
XXII. De fabrica monasterii Terracinensis per uisionem disposita.
XXIII. De ancillis Dei quae post mortem per oblationem eius communioni sunt redditae.
XXIIII. De puerulo monacho quem sepultum terra proiecit.
XXV. De monacho qui ingrato eo de monasterio discedens draconem contra se in itinere inuenit.
XXVI. De elefantioso curato.
XXVII. De solidis per miraculum debitori redditis.
XXVIII. De ampulla uitrea in saxis proiecta et non fracta.
XXVIIII. De doleo uacuo et oleo repleto.
XXX. De monacho a daemonio liberato.
XXXI. De ligato rustico et solo eius uisu soluto.
XXXII. De mortuo suscitato.

XV quae — rege *mr* : quae eodem rege m^{v} quae eidem regi *z* eidem regi *b* || Totila *mr* : Totilae *b* *om.* $m^{v}z$ || facta est *mrz* : et Canusinae ciuitatis antistiti facta *b* || XVI liberato *mrz* : ad tempus lib. *b* || XVII prophetia — sui $b^{v}mrz$: destructione monasterii uiri Dei ab ipso praedicta *b* || XVIII flascone *post* sublato *transp.* *r* || sublato *mz* : abscondito *b*(*z*) retento m^{v} || et *mrz* : a uiro Dei *b* *om.* m^{v} || XVIIII mappulis *mr* : mappularum receptione *b*(*z*) || a seruo Dei *mr* : ab eodem *b* || acceptis *mr* : cognita *b* || XX superba cogitatione pueri *m* : cog. pueri sup. *r* cog. monachi sup. *b* sup. cog. monachi m^{v} || per spiritum *mr* : a uiro Dei *b* a Dei uiro b^{t} || XXI ducentis $bm^{v}r$: duoc- *m* || farinae modiis *bm* : mod.

XIIII. Une feinte du roi Totila déjouée.
XV. Une prophétie sur ce roi Totila.
XVI. Un clerc libéré du démon.
XVII. Prophétie de la destruction de son monastère.
XVIII. Un barillet subtilisé et découvert par l'Esprit.
XVIIII. Mouchoirs acceptés par un serviteur de Dieu.
XX. Pensée d'orgueil d'un garçon connue par l'Esprit.
XXI. Deux cents mesures de farine en temps de disette trouvées devant le monastère.
XXII. Les plans du monastère de Terracine tracés dans un rêve.
XXIII. Servantes de Dieu qui après la mort furent rendues à la communion par son offrande.
XXIIII. Jeune moine que la terre rejeta après sa sépulture.
XXV. Un moine, contre son gré, quitte le monastère et trouve un dragon devant lui sur le chemin.
XXVI. Un cas d'éléphantiasis guéri.
XXVII. Sous rendus miraculeusement à un débiteur.
XXVIII. Une fiole de verre est jetée sur des rochers sans se briser.
XXVIIII. Une jarre vide remplie d'huile.
XXX. Un moine libéré du démon.
XXXI. Un cultivateur ligoté, délié par son seul regard.
XXXII. Un mort ressuscité.

far. *r* || famis tempore *bm* : temp. fam. *r*(*z*) || ante cellam *m* : ante uiri Dei cellam *b*(*z*) *post* farinae *transp.* *r* || XXII Terracinensis *r* : Tar- *b* -si m^{v} Terracensis *m* Terracensi m^{v} || disposita *mr* : ab eo disp. *b* || XXIII ancillis Dei *mr* : sanctimonialibus *b*(*z*) || oblationem eius *mr* : ei. ob. *b* || communioni *mr* : ecclesiae *add.* *b* || XXIIII puerulo *mr* : puero *b* || XXV ingrato eo de : ingrato eodem *mr* eo ingrato m^{v} ingrato animo ab eodem m^{v} de *b*(*z*) || discedens $bm^{v}rz$: descendens *m* discendit m^{v} recedens m^{v} || contra se *mr* : *om.* bm^{v}(*z*) || XXVI elefantioso *mr* : puero a morbo elephantino *b*(*z*) || XXVIIII doleo *m* : dolio $bm^{v}r$ || et *mr* : *om.* $bm^{v}z$ || XXX daemonio *mr* : daemone *b* diabolo m^{v} || XXXI ligato rustico *mr* : rust. lig. bm^{v} || eius uisu *bmr* : aspectu uiri Dei b^{t}

XXXIII. De miraculo Scolasticae sororis eius.
XXXIIII. De anima sororis eius uisa qualiter e corpore sit egressa.
XXXV. De mundo ante eius oculos collecto et anima Germani Capuanae ciuitatis episcopi.
XXXVI. Quod regulam monachorum scripserit.
XXXVII. De prophetia sui exitus fratribus denuntiata.
XXXVIII. De insana muliere per eius specum sanata.

EXPLICIT CAPITVLA LIBRI SECVNDI

XXXV eius oculos *m* : oc. ei. $bm^{v}r$ ‖ anima *m* : de an. *br* ‖ episcopi *brz* : -po *m* ‖ XXXVI Quod *bm* : de eo quod $m^{v}r$ ‖ XXXVII denuntiata $b^{t}mr$: -ti *b* ‖ XXXVIII per eius specum *mr* : in eius specu *b* ‖ Explicit [-ciunt m^{v}] — Secundi *m* : *om.* *brz* ‖ Libri Secundi *om.* m^{v}

FIN DE LA TABLE DES CHAPITRES DU LIVRE SECOND

XXXVI. Premier titre qui ne commence pas par *De*. Cette formule insolite correspond à la nature particulière du chapitre, le seul du Livre qui ne relate aucun miracle.

INCIPIT LIBER SECVNDVS

DE VITA ET MIRACVLIS VENERABILIS BENEDICTI ABBATIS

Fuit uir uitae uenerabilis, gratia Benedictus et nomine, ab ipso pueritiae suae tempore cor gerens senile. Aetatem quippe moribus transiens, nulli animum uoluptati dedit, sed dum in hac terra adhuc esset, quo temporaliter libere
5 uti potuisset, despexit iam quasi aridum mundum cum flore. Qui liberiori genere ex prouincia Nursiae exortus, Romae liberalibus litterarum studiis traditus fuerat. Sed cum in eis multos ire per abrupta uitiorum cerneret, eum, quem quasi in ingressum mundi posuerat, retraxit pedem,
10 ne si quid de scientia eius adtingeret, ipse quoque postmodum in inmane praecipitium totus iret. Despectis itaque litterarum studiis, relicta domo rebusque patris, soli Deo placere desiderans, sanctae conuersationis habitum quaesiuit. Recessit igitur scienter nescius et sapienter
15 indoctus.

Prol bmrz GH Incipit m^{v} *GH* : *om. bmrz* || de uita et miraculis *bmr* : de uita *z* de mir. *G* *om. H* || uenerabilis *mr* : sancti *b*m^{v}z beati m^{v} *G* *om.* m^{v} *H* || Benedicti *bmr G* : patris nostri *praem. z* *om. H* || abbatis m^{v} *G* : *om. bz H* conditoris [confessoris r^{v}] uel abbatis monasterii quod appellatur arcis prouinciae Campaniae *add. mr*

1 et *bmr GH* : *om.* m^{v}z || 2 pueritiae suae *mr GH* : s. puer. *b* || 6 Nursiae *b*m^{v}*r GH* : Nursia *m*r^{v} || 7 cum *b*m^{o}*r GH* : dum *m* || 8 eis *bm G* : his *r H* || 9 ingressum *m GH* : -su *b*m^{v}*r*(z) || 12 patris *bmr H* : patriis m^{v}z *G* || 13 conuersationis *b*m^{o}*r*(z) *GH* : conuersionis *m*

Prologue. Exorde comme en I, 9, 1. Cf. Cassiodore, *Var.* 12, 26 : *Vir uenerabilis Augustinus uita clarus et nomine* ; *V. Caesarii* 2, 19.

LIVRE SECOND

VIE ET MIRACLES DU VÉNÉRABLE ABBÉ BENOÎT

Il y eut un homme de vie vénérable, Benoît par la grâce et par le nom. Dès l'enfance, son cœur était celui d'un vieillard. Au-dessus de son âge dans toutes ses manières, il ne donna rien de son âme au plaisir sensuel. Sur notre terre, il aurait pu se donner du bon temps, mais il méprisa comme poussière la mondanité en fleur. Né de famille libre dans la région de Nursie, il fut envoyé à Rome pour des études libérales. Mais il vit que plusieurs y culbutaient dans le vice. Aussi, à peine entré dans le monde, il recula, de peur que le savoir-vivre mondain le fît choir tout entier en un gouffre sans fond. Il abandonna l'étude des lettres, laissa la maison et les biens de son père. Désireux de plaire à Dieu seul, il se mit en quête de l'habit pour mener une sainte vie. Ainsi il se retira, savamment ignorant et sagement inculte.

Ensuite voir A. J. Festugière, « Lieux communs littéraires... », p. 137-139 (*puer senex*). Contraste *aetatem... moribus* comme en III, 18, 1 (autre Benoît). Les saints méprisent le monde, florissant en soi mais desséché à leurs yeux : *Hom. Eu.* 28, 3. Sur Nursie, voir I, 4, 8 et note. Comme Benoît, Antoine était de bonne famille, mais il refusa d'étudier les lettres pour éviter les mauvaises relations (Athanase, *V. Ant.* 1, 1-2). Benoît « retire le pied » du gouffre des passions : cf. *Mor.* 20, 66. La formule *soli Deo placere* (*desiderans*) se lit déjà dans *Mor.* 35, 49 ; *Hom. Eu.* 11, 1 (cf. 1 Co 7, 32 ; 2 Tm 2, 4). A la différence de Benoît, Grégoire n'a pas « cherché l'habit » monastique dès le début : voir *Reg.* 5, 53[a], et le commentaire de C. Dagens, « La 'conversion' de S. Benoît selon S. Grégoire le Grand », dans *Riv. stor. lett. relig.* 5 (1969), p. 384-391. Les derniers mots annoncent la *docta ignorantia* de Sanctulus (III, 37, 20 ; cf. *Hom. Eu.* 35, 8), thème augustinien. *

2. Huius ego omnia gesta non didici, sed pauca quae narro quatuor discipulis illius referentibus agnoui : Constantino scilicet, reuerentissimo ualde uiro, qui ei in monasterii regimine successit ; Valentiniano quoque, qui multis annis Lateranensi monasterio praefuit ; Simplicio, qui congregationem illius post eum tertius rexit ; Honorato etiam, qui nunc adhuc cellae eius, in qua prius conuersatus fuerat, praeest.

I. Hic itaque cum iam relictis litterarum studiis petere deserta decreuisset, nutrix, quae hunc arctius amabat, sola secuta est. Cumque ad locum uenissent, qui Effide dicitur, multisque honestioribus uiris caritate se illic detinentibus, in beati Petri ecclesia demorarentur, praedicta nutrix illius ad purgandum triticum |a uicinis mulieribus praestari sibi capisterium petiit, quod super mensam incaute derelictum, casu accidente, fractum est, sicque ut in duabus partibus inueniretur diuisum. Quod mox ut rediens nutrix illius inuenit, uehementissime flere coepit, quia uas quod praestitum acceperat, fractum uidebat.

18 ualde *bm*^{v}*m*^{o}*rz G* : *om. m H* || 19 Valentiniano *bm*^{v}*r GH* : Valentiano *b*^{v}*m* Valentino *b*^{v}*z* || 20 multis annis *m*(*z*) : an. mult. *bm*^{v}*r GH* || Simplicio *mr GH* : Sym- *bm*^{v}*z*

I, 3 uenissent *mrz GH* : -set *b* || Effide *b*^{v}*mrz*^{v} : Efide *m*^{v} *G* Enfide *bz* Fide *b*^{v}*m*^{v} *H* Enfidus *b*^{v} || 8 accidente *bm*^{v}*r G*^{pc} : accedm *G*^{ac}*H* accend- *m*^{v} || sicque *mr GH* : sic *bm*^{v} || 9 mox ut *mr GH* : mox *b* || 10 inuenit *mr GH* : ut ita inu. *b*

---

2. Ces disciples sont de nouveau cités en II, 27, 3 (cf. IV, 8-9). Constantin et Simplicius furent sans doute abbés du Cassin. Sur Valentinien (II, 13, 1) et le monastère S. Pancrace du Latran, voir

2. Je ne sais pas tous ses faits et gestes, mais le peu que je vais raconter, je le tiens de quatre de ses disciples : Constantin, un homme très respectable qui lui succéda à la tête du monastère ; Valentinien, qui dirigea plusieurs années le monastère du Latran ; Simplicius, qui fut le troisième supérieur de sa communauté, après lui ; Honorat, qui actuellement encore gouverne la celle où il avait débuté.

I. Il avait donc abandonné l'étude des lettres et décidé de gagner le désert, suivi seulement de sa nourrice, qui l'aimait tendrement. Ils arrivèrent au lieu dit Effide. Là plusieurs personnes de la meilleure société les retinrent charitablement, et ils demeuraient à l'église Saint-Pierre. La nourrice voulut emprunter un tamis aux femmes du voisinage pour nettoyer du blé. Elle le laissa étourdiment sur une table : il vint à choir et se fendit en deux. Sitôt qu'elle est de retour, la nourrice à cette vue fond en larmes : cet instrument, qui n'était que prêté, elle le retrouve cassé.

G. Ferrari, *op. cit.*, p. 242-253. Honorat (II, 15, 4) serait aussi un abbé cassinien d'après A. Pantoni, « Un quesito su Onorato discepolo e testimone di S. Benedetto », dans *Benedictina* 17 (1970), p. 327-338, mais si *in qua conuersatus fuerat* peut grammaticalement concerner Honorat et le Mont-Cassin, l'analogie de II, 38, 1 (*in quo prius Sublacu habitauit*) suggère plutôt qu'il s'agit de Benoît et de Subiaco.

I, 1. Nourrice : Grégoire mentionne la sienne dans *Reg.* 4, 44 = *Ep.* 4, 46 (cf. Sidoine Apollinaire, *Ep.* 5, 17). *Effide* est l'actuel Affile (cf. *Lib. Pont.* I, 233), à 8 km au sud de Subiaco. Le premier nom, attesté ici pour la première fois, domine dans le *Chronicon Sublacense* (XIIe-XIVe s.), le second, qui semble primitif, dans le *Regestum Sublacense* (XIe s.). Une église Saint-Pierre se voit encore sur l'emplacement originel devenu cimetière, au N.-E. de l'agglomération. La maison d'église sert d'asile aux étrangers : voir Pallade, *Hist. Laus.* 7, 4 = Héraclide, *Parad.* 2, 258 a. Récemment encore, on utilisait à Affile pour divers usages le *capistero* ou *scifa*, plateau oblong de bois très mince, mesurant un peu moins de 0,5 m et muni de poignées aux extrémités, avec lequel on vannait le blé en le faisant sauter (communication de S. Marsili).

2. Benedictus autem religiosus et pius puer, cum nutricem suam flere conspiceret, eius dolori conpassus, ablatis secum utrisque fracti capisterii partibus, sese cum lacrimis in orationem dedit. Qui ab oratione surgens, ita iuxta se uas sanum repperit, ut in eo fracturae inueniri uestigia nulla potuissent. Mox autem nutricem suam blande consolatus, ei sanum capisterium reddidit, quod fractum tulerat. Quae res in loco eodem a cunctis est agnita, atque in tanta admiratione habita, ut hoc ipsum capisterium eius loci incolae in ecclesiae ingressu suspenderent, quatenus et praesentes et secuturi omnes agnoscerent, Benedictus puer conuersationis gratiam a quanta perfectione coepisset. Quod annis multis illic ante oculos omnium fuit, et usque ad haec Langobardorum tempora super fores ecclesiae pependit.

3. Sed Benedictus, plus appetens mala mundi perpeti quam laudes, pro Deo laboribus fatigari quam uitae huius fauoribus extolli, nutricem suam occulte fugiens, deserti loci secessum petiit, cui Sublacus uocabulum est, qui a Romana urbe quadraginta fere millibus distans, frigidas atque perspicuas emanat aquas. Quae illic uidelicet aquarum abundantia in extenso prius lacu collegitur, ad postremum uero in amnem deriuatur.

16 fracturae inueniri [-re m^{v} *H*] *mr GH* : inu. fract. bm^{v} ‖ 16-17 uestigia nulla *mr GH* : nul. uest. *b* ‖ 19 loco eodem *mr H* : eod. loco bm^{v} *G* ‖ 21-22 quatenus et *mr GH* : quatenus *b* ‖ 23 conuersationis [-nes G^{ac}] bm^{v} $G^{ac}H$: conuersionis *mr* G^{pc} ‖ gratiam $bm^{v}rz$ $G^{ac}H$: gratia mr^{v} G^{pc} ‖ 24 oculos omnium *mr GH* : om. oc. *b* ‖ 28 laudes *mr GH* : et plus *add. b* ab omnibus [*seu* hominibus] querere *add.* m^{v} ‖ 30 a *mr GH* : ab *b* ‖ 34 amnem bm^{v}(*z*) *H* : -ne *mr G*

2. *Puer* désigne Hilarion à 18 ans chez Jérôme, *V. Hil.* 12. Prière avec larmes comme en I, 12, 2. Les deux morceaux resoudés sans trace de bris rappellent I, 10, 15, et le *puer* consolant la nour-

2. Alors Benoît, qui était un garçon pieux et bon, quand il vit sa nourrice tout en pleurs, ramassa les deux morceaux du tamis et se mit à prier avec des larmes. Lorsqu'il se releva de sa prière, il trouva près de lui l'instrument intact : impossible de distinguer une trace de cassure. Alors il consola gentiment sa nourrice, en lui rendant à l'état neuf le tamis qu'il avait pris en morceaux. Tout le monde le sut. Ce fut un tel cri d'admiration que les habitants suspendirent ce tamis au porche de l'église. Ainsi ils pourraient voir, eux et tous leurs descendants, la grâce de Dieu dans la vie religieuse de Benoît, cet enfant : quelle perfection, dès le début ! Pendant longtemps, tout le monde put voir là ce tamis, et il resta appendu au-dessus de la porte de l'église jusqu'à ces temps de l'invasion lombarde.

3. Mais Benoît aimait mieux souffrir les maux de ce monde que recevoir sa louange, se fatiguer pour les travaux de Dieu plutôt que se rengorger sous les faveurs de cette vie. Il quitta clandestinement sa nourrice. Il gagna le désert pour s'y retirer, à Subiaco, qui est à quelque 40 milles de Rome. De là sortent des eaux fraîches et limpides en telle abondance qu'elles se rassemblent d'abord en un lac étendu puis s'écoulent dans une rivière.

rice I, 9, 17. Voir ensuite Grégoire de Tours, *Glor. mart.* 46 : à Milan, on suspend au-dessus de l'autel un calice brisé et miraculeusement réparé (cf. I, 2, 3) ; Paulin, *V. Ambr.* 2 : *ut gratia uiri ab incunabulis quae fuerit agnoscatur*. C'est aussi *usque ad haec Langobardorum tempora* qu'on vénérait à Nursie la tunique d'Euthicius (III, 15, 18).

3. Le thaumaturge s'enfuit pour échapper à la gloire : III, 17, 5 ; Jérôme, *V. Hil.* 33 et 43. Cf. *Mor.* 27, 61 : *laudes mundi despicere et pro Deo opprobria amare* ; *In I Reg.* 5, 42. — *Sublacus*, aujourd'hui Subiaco, n'est pas à 40 milles de Rome, mais à 50 (75 km). Même erreur dans *Lib. Pont.* II, 122. Sur le 40e mille de Rome, voir III, 18, 1 et note. Le toponyme *Sublacus*, reproduit en II, 38, 1, diffère à peine de *Sublaqueum* que donnent ou supposent Pline, *Hist. Nat.* 3, 17 ; Frontin, *De aq.* 93 ; Tacite, *An.* 14, 22. Il fait allusion au grand lac artificiel, suivi de deux plus petits, que Néron obtint par un barrage sur l'Anio. Celui-ci s'est effondré en 1305. *.

35 4. Quo dum fugiens pergeret, monachus quidam, Romanus nomine, hunc euntem repperit, quo tenderet requisiuit. Cuius cum desiderium cognouisset, et secretum tenuit, et adiutorium inpendit, eique sanctae conuersationis habitum tradidit, et in quantum licuit ministrauit. Vir autem
40 Dei ad eundem locum perueniens, in arctissimo specu se tradidit, tribusque annis, excepto Romano monacho, hominibus incognitus mansit.

5. Qui uidelicet Romanus non longe in monasterio sub Adeodati patris regula degebat. Sed pie eiusdem patris
45 sui oculis furabatur horas, et quem sibi ad manducandum subripere poterat, diebus certis Benedicto panem ferebat. Ad eundem uero specum a Romani cella iter non erat, quia excelsa desuper rupis eminebat ; sed ex eadem rupe in longissimo fune religatum Romanus deponere panem
50 consueuerat, in qua etiam resti paruum tintinabulum inseruit, ut ad sonum tintinabuli uir Dei cognosceret quando sibi Romanus panem praeberet, quem exiens acciperet. Sed antiquus hostis unius caritati inuidens, alterius refectioni, cum quadam die submitti panem cons-
55 piceret, iactauit lapidem et tintinabulum fregit. Romanus tamen modis congruentibus ministrare non desiit.

40 in *bmr^{v}z GH* : *om. r* ‖ arctissimo specu *mrz GH* : -mum -cum *br^{v}* ‖ 41 tribusque *m GH* : et tribus *b* tribus *r* ‖ 44 Adeodati *bm^{v}r^{v}z G^{ac}* : Deodati *b^{v}mr G^{pc} H^{pc}* Deodato *H^{ac}* Theodati *b^{v}* ‖ 45 furabatur *bm^{v}r GH* : -bat *m* ‖ 46 subripere [-ire *H*] *bm^{v}r G^{pc}H^{pc}* : subrepere *m G^{ac}* subrepire *H^{ac}* ‖ 47 specum *bm^{v}r GH* : -cu *m* ‖ 48 rupis *mr GH* : -pes *bm^{v}* ‖ 50 qua *bm^{v}r G* : quo *b^{v}m H* ‖ resti *bmr G^{ac}H* : -te *m^{v} G^{pc}* -tim *m^{v}* ‖ 52-53 exiens acciperet *bmr GH* : accipiens ederet *b^{v}* ‖ 53 inuidens *mr GH* : et *add. b* ‖ 56 modis *bmz GH* : horis *b^{v}m^{v}*

---

4. Romain donne l'habit comme Patermutius (*Hist. mon.* 9, 423 c), Palamon (Denys, *V. Pach.* 7), etc., ce qui met fin à la « recherche » de Benoît (II, *Prol.* 1). Appelé *puer* précédemment, il reçoit maintenant le titre de *uir Dei.* — Grotte étroite comme dans III, 16, 1 ; cf. Jérôme, *V. Pauli* 5. Celle qu'on voit actuellement au Sacro Speco n'est qu'un recoin inhabitable, mais la grotte primitive, dont certaines parois subsistent dans les murs de l'église,

4. Sur son chemin, le fugitif fut rencontré par un moine nommé Romain, qui lui demanda où il allait. Quand il eut connaissance de son désir, Romain sut se montrer discret et secourable. Il lui donna l'habit de la sainte vie et l'aida de son mieux. Arrivé à destination, l'homme de Dieu se mit dans une grotte très à l'étroit. Il y demeura trois ans, inconnu des hommes sauf du moine Romain.

5. Romain vivait non loin de là en un monastère sous la coupe de l'abbé Adéodat. Il trichait par bonté sur l'horaire en se cachant de son abbé, et ce qu'il pouvait soustraire à ses rations de pain, à jours fixes il le portait à Benoît. Du monastère de Romain à la grotte, pas de chemin, car un roc élevé la surplombait. A chaque fois, du haut de la falaise, Romain faisait descendre du pain lié au bout d'une longue corde, laquelle était munie d'une petite clochette, pour qu'au son de cette sonnette l'homme de Dieu sût qu'il devait sortir pour toucher la ration que Romain lui fournissait. Mais le vieil Adversaire regardait d'un mauvais œil la charité de l'un et le repas de l'autre. Un beau jour, voyant le pain qui descendait, il lança une pierre qui brisa la clochette. Romain n'en continua pas moins son service avec des moyens appropriés.

était assez spacieuse, ouverte au midi et bien abritée. — Trois ans dans une grotte : voir *Hist. mon.* 15, 433 d. C'est le temps de l'allaitement (2 M 7, 27), de l'éducation (Dn 1, 5), de l'épreuve (III, 16, 4), et surtout de la probation des postulants : *Reg.* 8, 10 = *Ep.* 8, 5 (cf. JUSTINIEN, *Nou.* 5, 2) ; PALLADE, *Hist. Laus.* 32, 5 (cf. 2, 1) ; *Conc. d'Orléans V* (549), can. 19. Voir encore SULPICE SÉVÈRE. *Dial.* 1, 19 ; *Apopht. Jean Colobos* 1, etc. — Disparition complète, sauf pour un confident secourable : GEORGES, *V. Theod. Syk.* 19.

5. Curieusement, les noms de *Romanus* et d'*Adeodatus abbas* sont réunis dans *Reg.* 10, 18 = *Ep.* 10, 61. — « Pieux larcin » : cf. I, 9, 10. C'est parfois humilité louable que de cacher même à ses supérieurs le bien qu'on fait : *In I Reg.* 5, 93. — Le monastère d'Adéodat devait se trouver à peu de distance de l'actuel San Biagio, où une église fut consacrée en 1110 (*Chron. Subl.*, p. 18). — Pain porté du coenobium à l'ermite : voir SULPICE SÉVÈRE, *Dial.* 1, 10 ; GRÉGOIRE DE TOURS, *V. Patrum* 11, 2. C'est sa seule nourriture : JÉRÔME, *Ep.* 22, 36, etc. Il la reçoit à certains jours : AUGUSTIN, *De mor. eccl.* I, 66 ; cf. ATHANASE, *V. Ant.* 8 et 12. *

6. Cum uero iam omnipotens Deus et Romanum uellet a labore requiescere, et Benedicti uitam in exemplum hominibus demonstrare, ut posita super candelabrum
60 lucerna claresceret, quatenus omnibus qui in domo sunt luceret, cuidam presbitero longius manenti, qui refectionem sibi in paschali festiuitate parauerat, per uisum Dominus apparere dignatus est, dicens : « Tu tibi delicias praeparas, et seruus meus illo in loco fame cruciatur. »
65 Qui protinus surrexit, atque in ipsa sollemnitate paschali cum alimentis, quae sibi parauerat, ad locum tetendit, et uirum Dei per abrupta montium, per concaua uallium, per defossa terrarum quaesiuit, eumque latere in specu repperit.

70 7. Cumque oratione facta et benedicentes omnipotentem Dominum consedissent, post dulcia uitae conloquia is qui aduenerat presbiter dixit : « Surge, et sumamus cibum, quia hodie Pascha est. » Cui uir Dei respondit, dicens : « Scio quod Pascha est, quia uidere te merui. »
75 Longe quippe ab hominibus positus, quia die eodem paschalis esset sollemnitas ignorabat. Venerabilis autem presbiter rursus adseruit, dicens : « Veraciter hodie resurrectionis dominicae paschalis dies est. Abstinere tibi minime congruit, quia et ego ad hoc missus sum, ut dona
80 omnipotentis Domini pariter sumamus. » Benedicentes igitur Deum, sumpserunt cibum. Expleta itaque refectione et conloquio, ad ecclesiam presbiter recessit.

57 omnipotens Deus *mr GH* : Deus om. *b* ‖ uellet *bm*ᵛ*r G* : uellit *m H* ‖ 58 requiescere *m G*ᵃᶜ *ut uid.* : quiescere *bm*ᵛ*r G*ᵖᶜ*H* ‖ exemplum *bm*ᵛ(z) *G* : -plo *mr H* ‖ 59 super *mr GH* : supra *bm*ᵛ ‖ 70 et *mr GH* : *om. b* ‖ 70-71 omnipotentem Dominum *mr* : Dom. om. *b G*ᵖᶜ Deum om. *G*ᵃᶜ om. Deum *H* ‖ 72 Surge et *m GH* : surge *br* ‖ 74 quod *mr GH* : quia *b* ‖ 76 esset sollemnitas *mr GH* : sol. es. *b* ‖ 79-80 dona omnipotentis Domini *m GH* : d. Dom. om. *r* d. om. Dei *m*ᵛ om. d. Dei *b* ‖ 81 Deum *mrz GH* : Dominum *bm*ᵛ

I, 6. hominibus — luceret : cf. Mt 5, 15-16.

6-8. Cette double découverte de Benoît n'est pas sans analogie

6. Mais Dieu tout-puissant voulut mettre Romain en vacance, et donner la vie de Benoît en exemple aux hommes, mettre sur le chandelier une lumière éclatante pour que tous dans la maison de Dieu fussent éclairés. Assez loin de là habitait un prêtre qui s'était préparé un repas pour la fête de Pâques. Dieu voulut bien lui apparaître en vision et lui dire : « Tu te prépares des choses délicieuses, et mon serviteur, à tel endroit, est torturé par la faim. » Aussitôt le prêtre se leva, et, en pleine fête de Pâques, avec les mets qu'il s'était préparés, il se dirigea vers cet endroit. Il chercha l'homme de Dieu à travers les cimes abruptes, à travers les ravins des vallées, à travers les excavations des terres, et il le trouva caché dans sa grotte.

7. Ils prièrent, bénirent Dieu tout-puissant, s'assirent, et après de doux entretiens sur la vie, le prêtre qui était venu se mit à dire : « Allez ! Mangeons ! Car aujourd'hui, c'est Pâques. » L'homme de Dieu lui répondit : « Je sais bien que c'est Pâques, puisque j'ai l'honneur de vous voir. » Loin des hommes, il ignorait que ce fût la solennité de Pâques. Le vénérable prêtre insista : « Sérieusement, aujourd'hui c'est la Résurrection du Seigneur, le jour de Pâques. Cessez de jeûner ! Ce n'est plus du tout de saison ! Je suis bel et bien envoyé pour que nous prenions ensemble les dons du Seigneur tout-puissant. » Ils bénirent Dieu et déjeunèrent. Le repas fini, et la causerie, le prêtre revint à son église.

avec la manifestation de Jésus aux mages (Mt 2, 1-12) et aux bergers (Lc 2, 8-20), mais il n'y a ni étoile pour guider le prêtre, ni anges pour annoncer aux bergers.

6. L'ange apostrophe de même un riche dans *V. Frontonii* 5-6, *PL* 73, 440 bc (*Tu epularis in diuitiis splendide, et serui mei in eremo indigent pane*), ainsi que l'abbé Marcien dans Cyrille de Scyth., *V. Sab.* 27, et les envoie porter de la nourriture aux hommes de Dieu en détresse (cf. Dn 14, 32-38, commenté en II, 22, 4). Voir aussi Sulpice Sévère, *Dial.* 3, 4 : *Seruus... Dei ad tua limina iacet, et tu quiescis ?* *

7. On prie avant tout : *Hist. mon.* 1, 404 a ; Jérôme, *V. Pauli* 9 ; *RM* 71 et *RB* 53, 4-5. *Dulcia uitae conloquia* rappelle II, 33, 2-4 ; 35, 1. L'ignorance de la date de Pâques implique l'inobservance du carême, auquel les moines ne sont pas astreints selon Cassien, *Conl.* 21, 29. Ce repas pascal miraculeux fait penser à *Hist. mon.* 7, 416 ac.

8. Eodem quoque tempore hunc in specu latitantem etiam pastores inuenerunt. Quem, dum uestitum pellibus
85 inter frutecta cernerent, aliquam bestiam esse crediderunt, sed cognoscentes Dei famulum, eorum multi ad pietatis gratiam a bestiali mente mutati sunt. Nomen itaque eius per uicina loca cunctis innotuit, factumque est ut ex illo iam tempore a multis frequentari coepisset,
90 qui cum ei cibos deferrent corporis, ab eius ore in suo pectore alimenta referebant uitae.

II. Quadam uero die, dum solus esset, temptator adfuit. Nam nigra paruaque auis, quae uulgo merola uocatur, circa eius faciem uolitare coepit, eiusque uultui inportune insistere, ita ut capi manu posset, si hanc uir sanctus
5 tenere uoluisset. Sed signo crucis edito, recessit auis. Tanta autem carnis temptatio, aui eadem recedente, secuta est, quantam uir sanctus numquam fuerat expertus. Quandam namque aliquando feminam uiderat, quam malignus spiritus ante eius mentis oculos reduxit, tan-
10 toque igne serui Dei animum in specie illius accendit, ut se in eius pectore amoris flamma uix caperet, et iam paene deserere heremum uoluptate uictus deliberaret.

85 frutecta *m GH* : fruteta *br* fructecta *m*ᵛ ‖ 88 cunctis innotuit *mr H* : in. cunctis *b* innotuit *G* ‖ 90 cibos *mr GH* : -bum *b* ‖ deferrent *mr GH* : afferrent *b*

II, 2 uulgo *bmr GH* : a uulgo *b*ᵛ ‖ merola *m GH* : merula *bm*ᵛ*r* ‖ 3 inportune *mr H* : -no *G* *om. b* ‖ 4 capi manu *mr H* : manu capi *b*(*z*) *G* ‖ posset *bm*ᵛ*r* : -sit *m GH* ‖ 6 carnis temptatio *bmr GH* : tent. car. *m*ᵛ(*z*) ‖ aui *m GH* : aue *bm*ᵛ*r* ‖ eadem *mr GH* : *ante* aui *transp. bm*ᵛ ‖ 11 iam *mr GH* : etiam *add. b*

8. Voir Cyrille de Scyth., *V. Euth.* 8 : des bergers découvrent Euthyme dans sa grotte ; d'abord épouvantés, ils se mettent à son service (cf. *V. Sab.* 15). Vêtement de peaux rappelant Jean-Baptiste (Mt 3, 4) : quel rapport avec l'*habitus sanctae conuersationis* (1, 4) et la mélote (7, 3) ? Moine et séculiers échangent des nourritures

8. Vers ce temps, des bergers aussi le trouvèrent caché dans sa grotte : le voyant à travers les broussailles vêtu de peaux de bêtes, ils le prirent pour quelque animal. Mais ils firent connaissance avec le serviteur de Dieu, et beaucoup se trouvèrent métamorphosés, passant d'une mentalité animale à la grâce de la piété. Son nom se répandit partout dans les environs. Et il arriva que dès lors beaucoup se mirent à le fréquenter. On lui apportait des vivres pour son corps, et de ses entretiens chacun rapportait en son cœur des aliments de vie.

II. Un jour qu'il était seul, le tentateur se présenta. Un petit oiseau noir, dont le nom vulgaire est merle, se mit à voltiger autour de sa figure, approchant de son visage de façon agaçante, si bien que le saint homme aurait pu le prendre dans la main s'il avait voulu. Il fit un signe de croix, et l'oiseau s'en alla. Mais alors, l'oiseau parti, survint une tentation charnelle telle que ce saint homme n'avait jamais ressenti rien de pareil. Quelque temps auparavant, il avait vu une femme, que l'esprit mauvais lui remit sous les yeux de l'âme. Celui-ci alluma un tel feu dans l'esprit du serviteur de Dieu au souvenir de cette beauté qu'il n'en pouvait plus, de contenir cette flamme d'amour dans son cœur. Il était presque décidé à quitter le désert, vaincu par la volupté.

corporelles et spirituelles : CASSIEN, *Conl.* 21, 1, 3 (cf. 1 Co 9, 11). *Vitae* emphatique comme plus haut (1, 7).

II, 1-2. Sur cette tentation, voir P. Courcelle, P. A. Cusack et M. Doucet (Bibliographie). Cf. ATHANASE, *V. Ant.* 5-6 ; JÉRÔME, *V. Hil.* 5.

1. Représentés par les « oiseaux du ciel » dans la parabole (Mt 13, 4 ; cf. *Mor.* 26, 30-31), les démons prennent spécialement la forme d'oiseaux noirs (corbeaux) dans PALLADE, *Hist. Laus.* 18, 7 = HÉRACLIDE, *Parad.* 6, 271 c ; *V. Caesarii* 2, 17 ; CYRILLE DE SCYTH., *V. Sab.* 27. *Quae uulgo... uocatur* comme en 11, 2 ; 18, 1. Voir ensuite GRÉGOIRE DE TOURS, *Glor. mart.* 107 : une mouche importune signale l'action du diable, qui est dissipée par un signe de croix. Ce signe était l'arme d'Antoine contre le démon : CASSIEN, *Conl.* 8, 18, 2. L'ascète vaincu quitte le désert : SULPICE SÉVÈRE, *Dial.* 1, 22 ; CASSIEN, *Conl.* 2, 13, 4-5 et 7 ; 8, 16, 4. *

2. Cum subito superna gratia respectus, ad semetipsum reuersus est, atque urticarum et ueprium iuxta densa succrescere frutecta conspiciens, exutus indumento, nudum se in illis spinarum aculeis et urticarum incendiis proiecit, ibique diu uolutatus, toto ex eis corpore uulneratus exiit, et per cutis uulnera eduxit a corpore uulnus mentis, quia uoluptatem traxit in dolorem, cumque bene poenaliter arderet foris, extinxit quod inlicite ardebat intus. Vicit itaque peccatum, quia mutauit incendium.

3. Ex quo uidelicet tempore, sicut post discipulis ipse perhibebat, ita in illo est temptatio uoluptatis edomita, ut tale in se aliquid minime sentiret. Coeperunt postmodum multi iam mundum relinquere, atque ad eius magisterium festinare. Liber quippe a temptationis uitio, iure iam factus est uirtutum magister. Vnde et per Moysen praecipitur, ut leuitae a uiginti quinque annis et supra ministrare debeant, ab anno uero quinquagesimo custodes uasorum fiant.

4. Petrvs. Iam quidem prolati testimonii mihi aliquantum intellectus interlucet, sed tamen hoc plenius postulo exponi.

Gregorivs. Liquet, Petre, quod in iuuentute carnis temptatio ferueat, ab anno autem quinquagesimo calor corporis frigescat. Vasa autem sacra sunt fidelium

13 Cum *bm*^{v}*r GH* : tum *b*^{v} dum *r* *om.* *b*^{v} ‖ superna gratia *bmr GH* : -nae -tiae *b*^{v} ‖ respectus *bmr GH* : -tu *b*^{v} aspectu *b*^{v} ‖ 15 frutecta *m GH* : fruteta *br* fructecta *m*^{v} ‖ indumento *bmr G* : -tum *m*^{v}*H* ‖ 19 bene *bm G* : pene *m*^{v}*r H* *om.* *m*^{v} ‖ 20 arderet foris *mr GH* : for. ard. *b* ‖ foris *bm*^{v}*r* : -ras *m GH* ‖ intus *mr GH* : *ante* inlicite *transp.* *b* ‖ 23 illo *mr GH* : eo *b* ‖ 24 in se *mr H* : *post* aliquid *transp. b* *om. G* ‖ 32 plenius *bmr*^{v} : planius *b*^{v}*m*^{v}*r*(*z*) *GH* ‖ 33 postulo exponi *mr GH* : exp. post. *b*

II, 3-4. Nb 8, 24-25.

2. *Respectus gratiae : Hom. Eu.* 33, 7. « Revenir à soi » annonce 3, 6-8. Benoît chasse la volupté par la douleur comme le jeune martyr de Jérôme, *V. Pauli* 3 (se coupe la langue, *ac sic libidinis sensum succedens doloris magnitudo superauit*), ou comme Ammonius et

2. Soudain, touché par la grâce d'en-haut, il revint à lui, et apercevant tout près des buissons touffus d'orties et de ronces, il se dépouilla de son vêtement et se jeta nu dans ces épines piquantes et ces orties brûlantes. Il s'y roula longtemps et en sortit tout blessé. Ces blessures de l'épiderme servirent d'exutoire à la blessure de son âme, la volupté devenant douleur. En brûlant au dehors par un châtiment bienfaisant, il éteignit ce feu intérieur qui ne convenait pas. Il vainquit le péché en changeant d'incendie.

3. Depuis lors, comme il le disait lui-même à ses disciples, la tentation voluptueuse fut si bien domptée qu'il ne sentit jamais plus rien de tel. Par la suite, plusieurs se mirent à quitter le monde pour courir se placer sous sa conduite. Libéré du vice tentateur, il put à bon droit devenir maître de vertu. Nous voyons cela dans la Loi de Moïse : les lévites de vingt-cinq à cinquante ans doivent assurer le service, mais après cinquante ans, ils sont commis à la garde des choses saintes.

4. Pierre. Oui, ce texte me dit quelque chose, mais je demande un éclaircissement.

Grégoire. Il est évident, Pierre, que quand on est jeune, la tentation de la chair est à son plus haut degré ; après la cinquantaine, la température baisse. Les choses saintes sont les âmes des fidèles. Il convient que les élus,

Évagre au désert (Pallade, *Hist. Laus.* 11, 4 : fer rouge ; 38, 11 : bain glacé). Les peines extérieures calment la tentation intérieure : *Mor.* 33, 35-36 (Dieu soigne comme les médecins, qui font sortir le mal en le fixant sur la peau). Cf. Léon, *Serm.* 85, 4 : inversement, la flamme de la charité assoupit celle du feu. — Les épines, supplice corporel sans portée symbolique, font penser à Denys, *V. Pach.* 11.

3. Par un acte héroïque, Benoît obtient l'immunité que Serenus, Élie et Equitius ont reçue par l'opération des anges (I, 4, 1-2 et notes). Comme Élie et Equitius, il devient apte à diriger. *Temptationis uitium* comme en III, 16, 5, également à propos du sexe.

4. Le même passage des Nombres est commenté de la même façon dans *Mor.* 23, 21, mais sans mention de la « chaleur » et du « refroidissement », l'âge de 50 ans étant mis en rapport avec le jubilé. Comparer le commentaire de Philon, *De fuga* 37 (action et contemplation). Les vases sacrés sont les âmes des fidèles, que les pasteurs doivent « porter » : *Hom. Ez.* II, 9, 12. *

mentes. Electi ergo, cum adhuc in temptatione sunt, subesse eos ac seruire necesse est, et obsequiis laboribusque fatigari ; cum uero iam mentis aetate tranquilla calor 40 recesserit temptationis, custodes uasorum sunt, quia doctores animarum fiunt.

5. Petrvs. Fateor, placet quod dicis. Sed quia prolati testimonii claustra reserasti, quaeso ut de uita iusti debeas ea quae sunt inchoata percurrere.

III. Gregorivs. Recedente igitur temptatione, uir Dei, quasi spinis erutis exculta terra, de uirtutum segete feracius fructum dedit. Praeconio itaque eximiae conuersationis celebre nomen eius habebatur.

5 2. Non longe autem monasterium fuit, cuius congregationis pater defunctus est, omnisque ex illo congregatio ad eundem uenerabilem Benedictum uenit, et magnis precibus, ut eis praeesse deberet, petiit. Qui diu negando distulit, suis illorumque fratrum moribus conue-10 nire non posse praedixit, sed uictus quandoque precibus, adsensum dedit.

3. Cumque in eodem monasterio regularis uitae custodiam teneret, nullique, ut prius, per actus inlicitos in dextram laeuamque partem deflectere a conuersationis 15 itinere liceret, suscepti fratres insane saeuientes semetipsos prius accusare coeperunt, quia hunc sibi praeesse poposcerant, quorum scilicet tortitudo in norma eius rectitudinis offendebat. Cumque sibi sub eo conspicerent inlicita non licere et se dolerent adsueta relinquere,

37 mentes *b*m^{o}*r GH* : -tis *m* ‖ 43 claustra *bmr* : clausa $b^{v}m^{v}m^{o}r^{v}$ G^{pc}*H* causam [-sa *G*] m^{v} G^{ac}

III *init. cap. post* habebatur (l. 4) *transp. r* ‖ 2 feracius *bm*r^{v}*z G* : ueracius m^{v}*r H* ‖ 3 fructum *mrz GH* : -tus *b* ‖ 6 ex illo *bmr GH* : ex illa m^{v} illa m^{v} ‖ 8 eis *bmz GH* : eisdem m^{v}*r* ‖ 9 suis ... moribus *bmr GH* : suos... mores b^{v} ‖ conuenire b^{v}*mr* : se conu. *b* ‖ 14 dextram *m G* : -teram *b*m^{v} *H* ‖ deflectere *b*m^{v}*r GH* : flectere *m*

III, 1. Moisson abondante après les épines : *Hom. Eu.* 34, 4. Sur le « nom » qui se répand, voir 1, 8.

lorsqu'ils sont encore tentés, soient soumis à un service, à de grandes manœuvres éreintantes ; mais quand la chaleur de la tentation est tombée, quand est venue dans l'esprit la paix de l'âge, ils sont gardiens des choses saintes, car ils deviennent docteurs des âmes.

5. Pierre. Oui, j'en conviens. Mais après m'avoir tiré au clair le sens de ce texte, je vous prie de reprendre la vie du juste que vous avez commencée.

III. Grégoire. La tentation s'étant éloignée, l'homme de Dieu, semblable à une terre débroussaillée, se mit à fructifier avec fécondité pour la moisson des vertus. Sa vie exemplaire lui faisait de la réclame, son nom était célèbre.

2. Non loin de là, il y avait un monastère. Le Père de la communauté vint à mourir. Tout le couvent se rendit auprès du vénérable Benoît pour lui demander instamment de devenir leur supérieur. Longtemps celui-ci refusa, renvoya la chose ; il leur disait d'avance que sa manière ne leur conviendrait pas. Puis finalement, lassé par leurs prières, il consentit.

3. Mais il veillait à la régularité de vie du monastère, ne permettant à personne de poser des actes illicites par des déviations à droite ou à gauche hors du chemin de la vie religieuse. Alors chez les frères qu'il avait pris en charge grandit une irritation folle. Ils commencèrent à s'accuser d'abord les uns les autres d'avoir postulé pour eux comme supérieur cet individu. Leurs détours se heurtaient à sa norme de rectitude. Quand ils virent que sous cet homme l'illicite n'était plus licite, ils trouvèrent intolérable de

2. Ermite élu abbé d'un monastère voisin : voir III, 15, 1. Ce monastère est-il, comme on le dit depuis le xve siècle, celui des Saints Cosme et Damien à Vicovaro (30 km de Subiaco, vers Tivoli) ? Sur les raisons d'en douter, voir P. Carosi, *Il primo monastero benedettino*, Rome 1956, p. 48. — Le supérieur « prédit » les difficultés : *In I Reg.* 4, 70 (aux postulants).

3. *Regularis uita* comme en *In I Reg.* 4, 70. A la fin, formule analogue à II, 8, 1 (*sicut mos prauorum est inuidere aliis uirtutis bonum...*).

20 durumque esset quod in mente ueteri cogebantur noua meditari, sicut prauis moribus semper grauis est uita bonorum, tractare de eius aliquid morte conati sunt.

4. Qui, inito consilio, uenenum uino miscuerunt. Et cum uas uitreum, in quo ille pestifer potus habebatur, 25 recumbenti patri ex more monasterii ad benedicendum fuisset oblatum, Benedictus, extensa manu, signum crucis edidit, et uas quod longius tenebatur eodem signo rupit, sicque confractum est, ac si in illo uase mortis pro crucе lapidem dedisset. Intellexit protinus uir Dei quia 30 potum mortis habuerat, quod portare non potuit signum uitae, atque ilico surrexit, et uultu placido, mente tranquilla, conuocatos fratres adlocutus est, dicens : « Misereatur uestri, fratres, omnipotens Deus. Quare in me facere ista uoluistis ? Numquid non prius dixi quia uestris ac 35 meis moribus non conueniret ? Ite, et iuxta mores uestros uobis patrem quaerite, quia me post haec habere minime potestis. »

5. Tunc ad locum dilectae solitudinis rediit, et solus in superni spectatoris oculis habitauit secum.

22 de eius *bmr H* : *post* aliquid *transp. G* ‖ aliquid *b*^{v}*mr G* : aliqui *b* *om. H* ‖ morte *mr GH* : *ante* aliqui [-quid *b*^{v}] *transp. b* ‖ 25 ex more *bmrz GH* : *om. b*^{v} ‖ 26 Benedictus *mrz GH* : *post* manu *transp. b* ‖ 32 conuocatos *bm*^{v}*r H*^{pc} : -tus *m*(*z*) -tis *m*^{v} *GH*^{ac} ‖ 33 fratres *bmr H* : fratribus *m*^{v} *G* ‖ 33-34 facere ista *bmrz H* : ista fac. *m*^{v} *G* ‖ 34 Numquid *bm*^{v}*m*^{o}*r*(*z*) *GH* : quid *m* ‖ dixi *mr GH* : uobis *add. bz* ‖ 35 non conueniret *mr G* : minime conu. *b H* ‖ mores uestros *mr GH* : ues. mor. *b* ‖ 36 uobis patrem *mr GH* : pat. uob. *b*(*z*) ‖ me post haec *m H* : me posthac *r G* posthac me *b* ‖ 38 Tunc *mrz GH* : tuncque *b* ‖ 39 spectatoris *bmr GH* : inspectoris *b*^{v}*m*^{v}

---

4. On présente le vin à l'abbé pour qu'il le signe : *RM* 23, 27 et 32. Effet du signe de croix : voir Héraclide, *Parad.* 1, 253 c (*HL* 2, 40) : l'eau infectée par un serpent devient inoffensive ; Grégoire de Tours, *V. Patrum* 5, 2 : le vase, qui contenait un serpent, se brise ; *Glor. mart.* 107 : le vin empoisonné se divise en quatre parties et déborde. Voir aussi III, 5, 3-4 et notes. — Les frères sont « convoqués » : l'abbé ne mangeait-il donc pas avec eux ? *Vultu placido mente tranquilla* reproduit littéralement Sulpice Sévère,

laisser leurs habitudes et trop dur d'être forcés à penser du neuf dans un cerveau endurci. La vie des bons est toujours pénible aux méchants. Ils se mirent donc à rechercher comment le mettre à mort.

4. Après des conciliabules, ils mirent du poison dans son vin. Quand, selon le cérémonial monastique, on présenta au Père de la maison attablé le carafon contenant le breuvage porteur de mort, Benoît étendit la main pour tracer un signe de croix. Le carafon, qui était tenu à une certaine distance, se rompit à ce signe de croix : ce vase funeste se brisa comme si le signe de croix eût été une pierre lancée. Du coup, l'homme de Dieu vit qu'un breuvage de mort était dans le vase puisqu'il n'avait pu supporter le signe de la vie. Alors il se leva sans sourciller, l'âme en paix. Il convoqua les frères et leur dit : « Que Dieu tout-puissant ait pitié de vous, frères. Pourquoi vouliez-vous me faire cela ? Eh quoi ? Ne vous avais-je pas dit que nos manières étaient incompatibles ? Allez vous chercher un père à votre commodité ; après ce qui vient de se passer, vous ne pouvez plus compter sur moi. »

5. Alors il retourna au lieu de sa bien-aimée solitude, et il habita avec lui-même sous l'œil du Spectateur d'en haut.

Dial. 3, 15 (Martin insulté par Brice). Cf. IV, 20, 2 : *uultu ac mente placida* ; *V. Caesarii* 1, 34 : *uultu semper placido.* Comparer les reproches de Benoît en 33, 4.

5. Le contemplatif se hâte de revenir *ad locum dilectae solitudinis* : *In I Reg.* 5, 179 (cf. 180 : danger de la *nimietas sollicitudinis* et nécessité de la *tranquillitas cordis* dans l'action, en vue de la prière). *In superni spectatoris oculis* rappelle AUGUSTIN, *Praec.* 4, 5 : *illo desuper inspectore* (cf. Pr 24, 12). Ensuite voir J. WINANDY, « *Habitavit secum* », dans *COC* 25 (1963), p. 343-354 ; P. COURCELLE, « *Habitare secum* selon Perse et selon Grégoire le Grand », dans *REA* 69 (1967), p. 266-279 ; ID., *Connais-toi toi-même, de Socrate à saint Bernard*, t. I, Paris 1974, p. 229 : « Grégoire doit à l'*Alcibiade*, à travers Perse, le précepte ' Habite avec toi-même ', considéré comme l'équivalent du précepte delphique, mais il l'applique à l'ascèse de saint Benoît dans la solitude. » Au reste, *sibi attendere* était déjà le mot d'ordre d'Antoine (ATHANASE, *V. Ant.* 3, 1-2 ; cf. 1 Tm 4, 16).

40 PETRVS. Minus patenter intellego quidnam sit : habitauit secum.

GREGORIVS. Si sanctus uir contra se unanimiter conspirantes suaeque conuersationi longe dissimiles, coactos diu sub se tenere uoluisset, fortasse sui uigoris usum et 45 modum tranquillitatis excederet, atque a contemplationis lumine mentis suae oculum declinasset, dumque cotidie illorum incorrectione fatigatus minus curaret sua, et se forsitan relinqueret, et illos non inueniret. Nam quotiens per cogitationis motum nimiae extra nos ducimur, 50 et nos sumus, et nobiscum non sumus, quia nosmetipsos minime uidentes per alia uagamur.

6. An illum secum fuisse dicimus, qui in longinquam regionem abiit, portionem quam acceperat consumpsit, uni in ea ciuium adhaesit, porcos pauit, quos et mandu-55 care siliquas uideret et esuriret ? Qui tamen, cum postmodum coepit cogitare bona quae perdidit, scriptum de illo est : *In se reuersus, dixit : « Quanti mercenarii in domo patris mei abundant panibus. »* Si igitur secum fuit, unde ad se rediit ?

60 7. Hunc ergo uenerabilem uirum secum habitasse dixerim, quia in sua semper custodia circumspectus, ante oculos conditoris se semper aspiciens, se semper examinans, extra se mentis suae oculum non deuulgauit.

8. PETRVS. Quid ergo quod de Petro apostolo scrip-65 tum est, dum de carcere ab angelo eductus fuisset : *Qui*

43 suaeque *bm*^{v}*rz G* : suique *H* suaque *m*^{v} suae *m* || conuersationi *bm*^{o}*r G* : -ne *H* -nis *m* || coactos *bm*^{v}*m*^{o}(*z*) : -tus *mr GH* || 44 fortasse *mr GH* : -sis *b* || 46 mentis suae *mr GH* : s. ment. *b* || 47 incorrectione *bmr H* : -nem *G* in correctione *z* in correptione *b*^{v}*m*^{v} correptioni *m*^{v} || 49 nimiae *m*(*z*) : nimie *m*^{v}*r G* nimii *H* nimium *b* || 50 nos *bmrz GH* : non *b*^{v} nobiscum *b*^{v}*m*^{v} || 54 uni *mr GH* : et u. *bz* || 55 uideret *m*^{v}*r G* : uiderit *bm* uidit *H* || esuriret *bmr G* : esuriuit *H* esuriit *m*^{v} || 63 deuulgauit *mr GH* : diu- *bm*^{v} elongauit *b*^{v} || 64 Petro apostolo *mr GH* : ap. Petro *b*

III, 6. Lc 15, 11-17 || 8. Ac 12, 11

PIERRE. Je ne vois pas bien ce qu'est habiter avec soi-même.

GRÉGOIRE. Si le saint avait voulu tenir sous lui pendant longtemps, malgré eux, des gens qui s'entendaient pour conspirer contre lui et qui étaient à cent lieues de sa manière de vivre, il aurait peut-être dépassé ses forces, perdu la paix et détourné l'œil de son âme des rayons lumineux de la contemplation ; chaque jour, excédé de leur incorrection, il eût négligé son intérieur, et il se serait peut-être délaissé sans pour autant les trouver. Car toutes les fois que par une préoccupation excessive on est jeté hors de soi, nous restons nous-même sans doute, mais nous ne sommes plus avec nous, car alors on se perd de vue pour divaguer çà et là.

6. Dira-t-on qu'il était avec lui-même, celui qui, parti pour un pays lointain, mangea la part d'héritage qu'il avait reçue, et dut s'assujettir à quelqu'un qui l'envoya paître ses pourceaux ? Il les voyait se gaver de gousses, et lui crevait de faim. Notre homme se mit alors à penser aux biens qu'il avait perdus, et l'Écriture dit de lui : « Il rentra en lui-même et se prit à songer : Combien de journaliers, chez mon père, ont le pain à discrétion ! » S'il avait été avec lui-même, comment serait-il revenu à lui ?

7. Je dirai donc que cet homme vénérable habita avec lui-même, parce que toujours en garde et vigilant sur lui-même, se voyant toujours sous l'œil du Créateur, s'examinant toujours, il n'avilit point l'œil de son âme en jetant des œillades à l'extérieur.

8. PIERRE. En ce cas, qu'est-ce que vous dites de ce qui est écrit sur l'Apôtre Pierre, quand il fut tiré du cachot

6. Lc 15, 17 implique que l'enfant prodigue est d'abord sorti de soi : *Hom. Eu.* 36, 7. Cf. AUGUSTIN, *Serm.* 96, 2.

7. Se garder soi-même continuellement sous le regard de Dieu : cf. *RM* 10, 12-13 = *RB* 7, 12-13. *

8. Ce rapprochement entre l'enfant prodigue et l'Apôtre Pierre n'est pas fait ailleurs par Grégoire. Selon P. COURCELLE, *Connais-toi toi-même*, t. I, p. 226, n. 218, on ne le trouve pas davantage chez Augustin ou d'autres auteurs. Ainsi commence une série de parallèles avec la geste de saint Pierre (cf. 7, 2 et 8, 8 ; 23, 6 ; 30, 3).

ad se reuersus, dixit : « *Nunc scio uere quia misit Dominus angelum suum, et eripuit me de manu Herodis et de omni expectatione plebis Iudaeorum* » ?

9. Gregorivs. Duobus modis, Petre, extra nos duci-
70 mur, quia aut per cogitationis lapsum sub nosmetipsos recidimus, aut per contemplationis gratiam super nosmetipsos leuamur. Ille itaque qui porcos pauit, uagatione mentis et inmunditia sub semetipso cecidit, iste uero quem angelus soluit eiusque mentem in extasi rapuit,
75 extra se quidem, sed super semetipsum fuit. Vterque ergo ad se rediit, quando et ille ab errore operis se collegit ad cor, et iste a contemplationis culmine ad hoc rediit, quod intellectu communi et prius fuit. Venerabilis igitur Benedictus in illa solitudine habitauit secum, in quantum se
80 intra cogitationis claustra custodiuit. Nam quotienscumque hunc contemplationis ardor in altum rapuit, se procul dubio sub se reliquit.

10. Petrvs. Patet quod dicis. Sed quaeso respondeas, si deserere fratres debuit, quos semel suscepit.

85 Gregorivs. Vt ego, Petre, existimo, ibi adunati aequanimiter portandi sunt mali, ubi inueniuntur aliqui qui adiuuentur boni. Nam ubi omnimodo fructus de bonis deest, fit aliquando de malis labor superuacuus, maxime si e uicino causae subpetant, quae fructum Deo ualeant
90 ferre meliorem. Vir itaque sanctus propter quem custo-

70 sub *bmrz GH* : extra b^{v} ‖ 71 recidimus $bm^{v}z$ GH^{pc} : reced- *m* H^{ac} ducimur $b^{v}r$ ‖ gratiam $bm^{v}m^{o}$ *r GH* : etiam *add. m* ‖ 73 inmunditia $bm^{v}rz$: -tiae mr^{v} *GH* ‖ semetipso *mr H* : -sum bm^{v} *G* ‖ 74 extasi *mrz H* : -se *G* -sim *b* -sin m^{v} ‖ 77 iste *brz G* : ille *m H* ‖ quod *mz H* : in *add.* $bm^{v}r$ *G* ‖ 83 Patet $m^{v}m^{o}z$ *GH* : placet *bmr* ‖ quaeso *bmrz GH* : te *add.* m^{v} ‖ 85 existimo $bm^{v}z$ *H* : exest- *G* exaest- *m* ‖ 87 fructus de bonis *mr GH* : de bon. fruct. *b* ‖ 89-90 ualeant ferre *mr GH* : fer. ual. *b*

9. Chute au-dessous de soi-même et ascension contemplative au-dessus de soi : voir *Mor.* 22, 36 (sur Ha 3, 16 : *subtus me turbata est uirtus mea*) ; cf. *Mor.* 23, 41 (sur Ps 30, 23 : extase et « retour à soi »). Comparer le commentaire de la vision de Benoît, à l'autre bout du

par un ange ? « Revenu à lui, il pensa : Maintenant, je sais vraiment que le Seigneur a envoyé son ange pour me tirer de la main d'Hérode contre toute l'attente des Juifs ».

9. Grégoire. Il y a deux façons, Pierre, de sortir de nous-mêmes. Ou bien par une chute de la pensée nous retombons au-dessous de nous, ou bien par une grâce de contemplation nous sommes élevés au-dessus de nous. Le garçon qui paissait des pourceaux tomba au-dessous de soi par une sale divagation de l'esprit. Au contraire, celui que l'ange délia tout en ravissant son esprit en extase, se trouva sans doute hors de lui-même, mais au-dessus de lui-même. Tous deux revinrent à eux-mêmes : l'un voyant qu'il avait fait erreur, se recueillit dans son cœur ; l'autre, du sommet de la contemplation revint à l'état d'esprit habituel à l'homme qu'il était. Le vénérable Benoît, dans cette solitude, habita avec lui-même en ce sens qu'il se maintint dans le cloître de sa pensée ; mais chaque fois que l'ardeur de la contemplation l'enleva vers les hauteurs, il se laissa au-dessous de lui-même, ce n'est pas douteux.

10. Pierre. C'est clair. Mais répondez-moi, je vous prie : pouvait-il abandonner les frères, une fois qu'il les avait pris en charge ?

Grégoire. Pour ma part, Pierre, j'estime que les mauvais réunis en groupe doivent être supportés avec patience, lorsqu'il se trouve un certain nombre de bons auxquels on peut rendre service. Mais quand le fruit manque complètement, faute de bons, alors le mal qu'on se donne à cause des mauvais devient superflu, surtout dans le cas où à proximité s'offrent des occasions de procurer à Dieu un fruit avantageux. Pour qui le saint

Livre (II, 35, 6-7). *Intra cogitationis claustra* comme chez Augustin, *In Ps. 72*, 14.

10. Deux fois Sabas abandonne ses moines indociles, sans que Cyrille de Scythopolis, *V. Sab.* 33 et 35, éprouve le besoin de le justifier. Mais voir *In I Reg.* 5, 178 : *Qui regimen animarum suscipit, hunc censura ecclesiastica susceptum gregem deserere et remotae uitae otiis uacare non sinit.*

diendum staret, qui omnes unanimiter se persequentes cerneret ?

11. Et saepe agitur in animo perfectorum, quod silentio praetereundum non est, quia cum laborem suum sine
95 fructu esse considerant, in loco alio ad laborem cum fructu migrant. Vnde ille quoque egregius praedicator, qui *dissolui* cupit *et cum Christo esse*, cui *uiuere Christus est et mori lucrum*, qui certamina passionum non solum ipse appetit, sed ad toleranda haec et alios accendit, Damasci
100 persecutionem passus, ut potuisset euadere, murumi funem sportamque quaesiuit, seque latenter depon, uoluit. Numquidnam Paulum mortem dicimus timuisse, quam se ipse pro Iesu amore testatur appetere ? Sed cum in eodem loco minorem sibi fructum adesse conspiceret et
105 grauem laborem, ad laborem se alibi cum fructu seruauit. Fortis etenim praeliator Dei teneri intra claustra noluit, certaminis campum quaesiuit.

12. Vnde isdem quoque uenerabilis Benedictus, si libenter audis, citius agnoscis, quia uiuus ipse indociles
110 deseruit, quantos in locis aliis ab animae morte sucitauit.

PETRVS. Ita esse ut doces, et manifesta ratio et prolatum congruum testimonium declarat. Sed quaeso ut de uita tanti patris ad narrationis ordinem redeas.

13. GREGORIVS. Cum sanctus uir in eadem solitudine
115 uirtutibus signisque succresceret, multi ab eo in loco

95 loco alio *mrz GH* : locum alium bm^{v} ‖ 98 certamina passionum *mr GH* : pas. cert. *b* ‖ 99 appetit *mr GH* : -tiit *b H* -tiuit m^{v} ‖ 100 potuisset *mr GH* : posset bm^{v} ‖ 103 Iesu amore *mr GH* : am. Iesu *b G* ‖ 106 etenim $bm^{v}r$ *GH* : enim *m* ‖ 108 isdem *m GH* : idem $bm^{v}r$ eisdem m^{v} ‖ 109 quia *bmr GH* : quot *add.* m^{v} cum *add.* m^{v} ‖ uiuus $b^{v}m^{v}z$ *H* : uiuos $b^{v}m^{o}r$ *G* uiros *m* non tantos *b* ‖ indociles *bmr GH* : -cibiles $b^{v}m^{v}$ ‖ 110 quantos *bmr GH* : tot m^{v} quos m^{v} ‖ ab animae morte *mr GH* : a morte an. *b* ‖ 114 uir *mz G* : diu *add.* $bm^{v}r$ *H* ‖ 115-116 loco eodem *mr GH* : eod. loco bm^{v}

11. Ph 1, 21. 23 — Ac 9, 24-25 ; 2 Co 11, 32-33.

11. Après Pierre, voici Paul. On le retrouvera en 17, 2 et en 33,

serait-il resté dans son rôle de gardien, quand il voyait tout le monde unanime à le persécuter ?

11. Et souvent il arrive aux âmes les plus parfaites, ne l'oublions pas, que voyant leur travail infructueux, elles émigrent ailleurs pour travailler avec fruit. C'est ainsi que celui qui désirait larguer pour être avec le Christ, pour qui vivre, c'était le Christ, et mourir, une bonne affaire, qui, non content de souhaiter pour lui-même des affrontements douloureux, exhortait aussi les autres à pâtir pareillement, cet illustre prêcheur, se sachant traqué à Damas, chercha à s'évader, et, à l'aide d'un panier au bout d'une corde, se fit déposer clandestinement au pied de la muraille. Ce Paul, dirons-nous qu'il craignait la mort, quand il affirme qu'il la désire pour l'amour de Jésus ? Non. Seulement il voyait que dans cette ville il n'aurait que peu de fruit pour beaucoup de peine, et il se conserva pour travailler autre part avec fruit. Le vaillant soldat de Dieu se refusa à rester claquemuré, et alla chercher la guerre en rase campagne.

12. De même le vénérable Benoît : si vous voulez bien me suivre, vous verrez que, bien vivant lui-même, il abandonna des incorrigibles pour ressusciter ailleurs de la mort spirituelle une multitude d'âmes.

Pierre. Votre démonstration se tient, c'est clair. Vous avez manifestement raison, et le texte apporté est pertinent. Mais, je vous en prie, reprenez le récit de la vie d'un Père aussi grand.

13. Grégoire. Le saint alla croissant en vertus et en miracles dans le désert, attirant ainsi beaucoup de gens

1, où il succède comme ici à Pierre (cf. 30, 3). Son évasion de Damas est commentée de façon toute semblable dans *Mor.* 31, 58. Ici, de plus, Grégoire voudrait qu'elle n'ait point été inspirée par la crainte de la mort. Dans *Mor.* 19, 11, au contraire, il la présente comme une « fuite », motivée par la « crainte des hommes ».

12. *Viuus* : voir *Introduction*, p. 179.

13. Nouvel afflux de dirigés, désignés par *multi* comme en 1, 8 et 2, 3. *Locus* équivaut à *prouincia* en IV, 53, 1. De fait, certains des douze monastères étaient, selon la tradition, assez éloignés, quelque 25 km séparant les deux points extrêmes de la constellation. Sur celle-ci, voir P. Carosi, *Il primo monastero benedettino*, spéciale-

eodem ad omnipotentis Dei sunt seruitium congregati, ita ut illic duodecim monasteria cum omnipotentis Iesu Christi Domini opitulatione construeret, in quibus statutis patribus duodenos monachos deputauit, paucos
120 uero secum retinuit, quos adhuc in sua praesentia aptius erudiri iudicauit.

14. Coepere etiam tunc ad eum Romanae urbis nobiles et religiosi concurrere, suosque ei filios omnipotenti Domino nutriendos dare. Tunc quoque bonae spei suas
125 soboles Euthicius Maurum, Tertullus uero patricius Placidum tradidit. E quibus Maurus iuuenior, cum bonis polleret moribus, magistri adiutor coepit existere, Placidus uero puerilis adhuc indolis annos gerebat.

IIII. In uno autem ex eis monasteriis quae circumquaque construxerat, quidam monachus erat qui ad orationem stare non poterat, sed mox ut se fratres ad orationis studium inclinassent, ipse egrediebatur foras et
5 mente uaga terrena aliqua et transitoria agebat. Cumque ab abbate suo saepius fuisset admonitus, ad uirum Dei deductus est, qui ipse quoque eius stultitiam uehementer increpauit, et ad monasterium reuersus uix duobus diebus uiri Dei admonitionem tenuit, nam die tertio ad
10 usum proprium reuersus, uagari tempore orationis coepit.

120 aptius *bmr GH* : altius b^{v} ‖ 121 erudiri *bmr(z) G* : -re m^{v} m^{o} *H* ‖ 124 Domino *mr GH* : Deo *bz* ‖ suas $bm^{v}r$ GH^{pc} : suos *m* H^{ac} suae m^{v} *om.* m^{v} ‖ 125 soboles $bm^{v}r$ H^{pc} : sub- *m* -lis GH^{ac} ‖ Euthicius $b^{v}m$: Eutic- *r* Euitius [-cius *G*] $b^{v}m^{v}z$ *G* Eucius *H* Equitius bm^{v} ‖ 126 iuuenior *m GH* : iunior *br*

IIII, 3-4 orationis studium *m* : st. or. $bm^{v}r$ *GH* ‖ 7 deductus *bmr* H^{pc} : ductus m^{v} GH^{ac} ‖ eius *mr GH* : *post* stultitiam *transp.* *b* ‖ stultitiam $bm^{v}r$ *GH* : -tiae *m* ‖ 9 tertio *mr GH* : -tia *b*

---

ment p. 76-79. Les listes, établies depuis le XVIe siècle, ne méritent qu'une confiance relative, mais sur un terrain aussi abrupt que la rive droite de l'Anio les emplacements possibles sont en nombre limité, de sorte que ces localisations traditionnelles donnent sans

pour se réunir là au service de Dieu tout-puissant. Si bien qu'il put construire là douze monastères avec l'aide de Jésus-Christ Seigneur tout-puissant. Dans ces monastères, il envoya douze moines avec un Père par équipe. Il garda encore quelques moines avec lui, pensant qu'ils seraient mieux formés en sa présence.

14. Alors de pieux Romains de bonnes familles commencèrent à affluer, et ils confièrent à Benoît leurs fils pour qu'il les élevât à Dieu tout-puissant. Ainsi Euthicius et le patrice Tertullus lui donnèrent leurs fils pleins d'avenir : le premier, Maur, le second, Placide. Maur était un garçon qui avait de la tenue : il devint l'aide du maître. Placide, lui, était encore un enfant.

IIII. Dans l'un de ces monastères qu'il avait créés aux alentours était un moine qui ne pouvait rester à la prière. Dès que les frères s'étaient inclinés pour s'appliquer à la prière, lui, il sortait, et son esprit divaguant lui faisait faire des choses mondaines et éphémères. Admonesté souvent par son abbé, il fut envoyé finalement à l'homme de Dieu. Celui-ci le reprit vertement de sa sottise. De retour au monastère, le moine tint compte de l'admonestation de l'homme de Dieu pendant deux jours à peine ; puis il revint à ses escapades, et recommença à se promener pendant la prière.

doute une idée assez juste de la configuration du groupe de monastères fondés par Benoît. — Douze monastères comme chez PALLADE, *Hist. Laus.* 59, 1 = *HP* 48 (moniales d'Antinoè). Douze moines : voir notre article « La Règle du Maître et les Dialogues de S. Grégoire », dans *RHE* 61 (1966), p. 55-57. On songe aux groupements d'Equitius (I, 4, 1) et de Spes (IV, 11, 1-4). *

14. Recrues « nobles » comme à Marmoutier (SULPICE SÉVÈRE, *V. Mart.* 10, 8). Le patrice Tertullus, inconnu par ailleurs, fait l'objet des spéculations de J. CHAPMAN, *St. Benedict*, p. 190-193. Maur et Placide figureront alternativement ou ensemble (7) dans tous les récits de Subiaco. Contraste entre *iuuenilis* et *puerilis* : voir *Mor.* 21, 5-6. *

IIII, 1. *Ad orationis studium* comme en IV, 4, 1 (cf. II, 11, 1). Sur cette oraison et son contexte liturgique, voir notre article (cité en note sous 3, 13), p. 66-68.

2. Quod cum seruo Dei ab eodem monasterii patre, quem constituerat, nuntiatum fuisset, dixit : « Ego uenio, eumque per memetipsum emendo. » Cumque uir Dei uenisset in eodem monasterio, et constituta hora, expleta
15 psalmodia, sese fratres in orationem dedissent, aspexit quod eundem monachum, qui manere in oratione non poterat, quidam niger puerulus per uestimenti fimbriam foras trahebat. Tunc eidem patri monasterii Pompeiano nomine et Mauro Dei famulo secreto dixit : « Numquid
20 non aspicitis quis est qui istum monachum foras trahit ? ». Qui respondentes dixerunt : « Non ». Quibus ait : « Oremus, ut uos etiam uideatis quem iste monachus sequitur. » Cumque per biduum esset oratum, Maurus monachus uidit, Pompeianus autem eiusdem monasterii pater uidere
25 non potuit.

3. Die igitur alia, expleta oratione, uir Dei, oratorium egressus, stantem foris monachum repperit, quem pro caecitate cordis sui uirga percussit. Qui ex illo die nihil persuasionis ulterius a nigro iam puerulo pertulit, sed ad
30 orationis studium inmobilis permansit, sicque antiquus hostis dominari non ausus est in eius cogitatione, ac si ipse percussus fuisset ex uerbere.

V. Ex his autem monasteriis, quae in eodem loco construxerat, tria sursum in rupibus montis erant, et ualde erat fratribus laboriosum semper ad lacum descendere, ut aquam haurire debuissent, maxime quia ex deuexo mon-

14 in eodem monasterio *mr GH* : ad idem monasterium *b* ‖ 14-15 expleta psalmodia *bmrz GH* : orationis psalmodiae *b*ᵛ ‖ 16 manere in oratione *mr GH* : in or. man. *b* ‖ 18 foras *bm*ᵛ*r GH* : foris *m* ‖ 24 autem *mr GH* : uero *b* ‖ 29 iam *bm*ᵛ*r GH* : *om. m* ‖ 31 dominari *bmr GH* : ulterius *add. b*ᵛ
V, 4 ex deuexo *m*ᵛ *H* : e deu- *b* ex diu- *mr G*

2. *Niger puerulus* : même aspect du diable chez Athanase, *V. Ant.* 6, 1-4 (*niger puer* : luxure) ; *Hist. mon.* 7, 411 a (*paruulus Aethiops* : orgueil). Voir surtout *Hist. mon.* 29, 454 bd (*paruulos puerulos Aethiopes*), et Cassien, *Conl.* 9, 6, 1-3, où les démons dis-

2. La chose fut annoncée au serviteur de Dieu par le Père qu'il avait préposé à cette maison. Benoît lui fit dire : « J'arrive, et je me charge de le corriger. » L'homme de Dieu vint donc, et à l'heure dite, la psalmodie terminée, les frères se mirent en prière. Alors il aperçut un petit moricaud tirant dehors par la frange de son vêtement le moine qui ne pouvait tenir en place durant la prière. A cette vue, Benoît glissa à l'oreille de Pompeianus, le Père du monastère, et de Maur, le serviteur de Dieu : « Ne voyez-vous pas quel est ce personnage qui entraîne notre moine ? » — « Non », murmurèrent-ils. — « Prions, reprit Benoît, pour que vous puissiez voir de qui le frère emboîte le pas. » Après deux jours de prière, le moine Maur l'aperçut, mais Pompeianus, le Père du monastère, ne put le distinguer.

3. Le jour suivant, après la prière, l'homme de Dieu sortit de la chapelle et trouva le moine installé dehors. C'était un cœur tout aveuglé. Benoît le frappa de son bâton, et dès lors le frère n'éprouva plus la suggestion du petit noiraud. Il demeura sans bouger, occupé à prier. Et voilà comment le vieil adversaire n'osa plus attenter à son imagination : on eût dit qu'il avait reçu le coup lui-même.

V. Parmi les monastères qu'il avait établis dans cette région, trois étaient au sommet de montagnes rocheuses, et c'était tout un travail pour les frères d'avoir à descendre au lac puiser de l'eau, d'autant plus que la pente

traient les moines de la prière. — Les perceptions surnaturelles ne sont pas données à tous : IV, 20, 4 (cf. *Mor.* 28, 25) ; on les obtient par une prière prolongée (IV, 7). En priant à l'exemple d'Élisée (2 R 6, 17 ; cf. 6, 20), l'abbé Théodose en obtient une pour son disciple (Théodore, *V. Theod.* 9). De même l'évêque Sévère pour son archidiacre (Grégoire de Tours, *Mir. S. Mart.* 1, 4). Cf. II, 10, 2 (phénomène inverse) ; II, 25, 2 (vision du dragon), où la prière de Benoît a le même effet.

3. « Souvent admonesté » (4, 1 ; cf. *RB* 28, T et 62, 9), le coupable est ici frappé : sur cette procédure pénale, voir notre article (cité sous 3, 13), p. 68-69. Benoît use de la *uirga* comme l'abbé de Fondi (I, 2, 8). Le coup met le diable en fuite : 30, 1.

5 tis latere erat graue descendentibus in timore periculum. Tunc collecti fratres ex eisdem tribus monasteriis ad Dei famulum Benedictum uenerunt, dicentes : « Laboriosum nobis est propter aquam cotidie usque ad lacum descendere, et idcirco necesse est ex eodem loco monasteria 10 mutari. »

2. Quos blande consolatus dimisit, et nocte eadem cum paruo puerulo nomine Placido, cuius superius memoriam feci, eiusdem montis ascendit rupem, ibique diutius orauit, et oratione conpleta, tres petras in loco eodem pro 15 signo posuit, atque ad suum, cunctis illic nescientibus, monasterium rediit.

3. Cumque die alio ad eum pro necessitate aquae praedicti fratres redissent, dixit : « Ite, et rupem illam, in qua tres super inuicem positas petras inuenitis, in modico 20 cauate. Valet enim omnipotens Deus etiam in illo montis cacumine aquam producere, ut uobis laborem tanti itineris dignetur auferre. » Qui euntes rupem montis, quam Benedictus praedixerat, iam sudantem inuenerunt, cumque in ea concauum locum fecissent, statim aqua repletus 25 est, quae tam sufficienter emanauit, ut nunc usque ubertim defluat atque ab illo montis cacumine usque ad inferiora deriuetur.

VI. Alio quoque tempore Gothus quidam pauper spiritu ad conuersationem uenit, quem uir Domini Benedic-

11 consolatus $b^{v}mz$ *GH* : -tos $b^{v}m^{v}r$ consolans *b* ‖ dimisit [dem- GH^{ac}] $bm^{o}rz$ *GH* : admisit *m* ‖ 12 paruo $bm^{v}r$ *GH* : paruulo *m* ‖ puerulo *bmr G* : puero m^{v} *H* ‖ 13 ascendit rupem *mr GH* : rup. asc. *b* ‖ 17 alio *mr GH* : alia *b* ‖ 18 redissent *mr GH* : rediis- *b* ‖ 19 inuenitis *m G* : -nietis *r*(*z*) *H* -neritis bm^{v} -nientes m^{v} ‖ 21 ut *bmr GH* : et $b^{v}z$ ut a m^{v} ‖ 22 dignetur *bmr GH* : dignanter b^{v}

VI, 2 conuersationem *mr* : conseruationem *H* conuersionem $bm^{v}z$ *G* conuersationis ordinem m^{v} ‖ uir Domini *m GH* : uir Dei $m^{v}z$ Dei uir *b*

V, 2-3. Le saint prend un *paruulus puerulus* pour seul témoin du miracle : I, 9, 3-4. Il prie pendant la nuit, et au matin les frères

était très rapide et qu'on courait un danger effrayant à chaque descente. Alors une délégation de frères de ces trois monastères vint trouver le serviteur de Dieu Benoît et lui tint ce langage : « C'est une vraie corvée pour nous, cette eau, chaque jour ! Il nous faut descendre jusqu'au lac ! Aussi, il n'y a pas à dire, il faut déménager les monastères. »

2. Benoît les consola gentiment et les congédia. La nuit même, avec le petit enfant nommé Placide, dont j'ai déjà parlé, il fit l'ascension de la montagne, et au sommet il pria longuement. Sa prière terminée, il posa trois pierres sur place, comme point de repère. Puis il rentra au monastère sans avoir rien dit à personne.

3. Le jour suivant, la délégation revint à propos de la fameuse corvée d'eau. « Allez, dit Benoît, et sur cette pointe où vous trouverez trois pierres superposées, creusez un peu : Dieu tout-puissant est bien capable de faire sortir l'eau même au sommet de cette montagne pour vous épargner la fatigue d'un chemin si malaisé. » Ils s'en vont, et sur le piton que Benoît leur avait indiqué, ils trouvent le roc tout suintant. Ils font un trou : aussitôt il est plein d'eau, et le débit de cette source suffit à alimenter un abondant cours d'eau qui aujourd'hui encore dévale de ce sommet jusqu'en bas.

VI. Une autre fois, un Goth qui avait une âme de pauvre vint se faire moine. L'homme du Seigneur, Benoît,

constatent le prodige : I, 7, 2. — Sources miraculeuses : ATHANASE, *V. Ant.* 54, 4 ; PALLADE, *Hist. Laus.* 39, 4-5 = *HP* 28, 313 c ; CYRILLE DE SCYTH., *V. Euth.* 38 et *V. Sab.* 17 ; GRÉGOIRE DE TOURS, *Mir. S. Mart.* 4, 31, etc. La source de San Giovanni dell'acqua, qui serait celle dont parle ici Grégoire, ne jaillit pas *in montis cacumine*, mais à une grande distance du sommet de la montagne.

VI, 1. Les « pauvres en esprit » (Mt 5, 3) sont les humbles : *Mor.* 19, 40 ; 21, 25 ; 26, 49 (cf. AUGUSTIN, *De serm. Dom. in monte* 1, 3 ; *Hist. mon.* 1, 403 d, etc.). L'humilité de ce Goth contraste avec l'arrogance habituelle des barbares (III, 1, 3), que Benoît humiliera en la personne de Totila (II, 15, 1 ; cf. 14, 2) et de Zalla (II, 31, 3). Les Goths ont toléré la conversion des leurs au catholicisme : voir PROCOPE, *Bell. Goth.* 2, 6. On trouve aussi un moine de race

tus libentissime suscepit. Quadam uero die ei dari ferramentum iussit, quod a falcis similitudine falcastrum uoca-
5 tur, ut de loco quodam uepres abscideret, quatenus illic fieri hortus deberet. Locus autem ipse, quem mundandum Gothus susceperat, super ipsam laci ripam iacebat. Cumque Gothus isdem densitatem ueprium totius uirtutis adnisu succideret, ferrum de manubrio prosiliens in lacum
10 cecidit, ubi scilicet tanta erat aquarum profunditas, ut spes requirendi ferramenti nulla iam esset.

2. Itaque, ferro perdito, tremebundus ad Maurum monachum cucurrit Gothus, damnum quod fecerat nuntiauit, et reatus sui egit paenitentiam. Quod Maurus
15 quoque monachus mox Benedicto Dei famulo curauit indicare. Vir igitur Domini Benedictus haec audiens accessit ad locum, tulit de manu Gothi manubrium et misit in lacum, et mox ferrum de profundo rediit atque in manubrium intrauit. Qui statim ferramentum Gotho reddidit,
20 dicens : « Ecce, labora, et noli contristari. »

VII. Quadam uero die, dum isdem uenerabilis Benedictus in cella consisteret, praedictus Placidus puer sancti uiri monachus ad hauriendam de lacu aquam egressus est. Qui uas, quod tenuerat, in aqua incaute submittens, ipse
5 quoque cadendo secutus est. Quem mox unda rapuit, et paene in unius sagittae cursum a terra introrsus traxit. Vir autem Dei intra cellam positus hoc protinus agnouit

3 dari *bmr* : dare *m*ᵛ*z GH* ‖ 4 a... similitudine [-nem *H*] *b*ᵛ*mr*ᵛ *GH* : ad... similitudinem *bm*ᵛ*r* ‖ 5 abscideret *mr GH* : abscind- *b* ‖ 5-6 quatenus — deberet *om.* G ‖ 6 fieri hortus *mr H* : hor. fi. *b* ‖ quem *bmr GH* : ad *add.* *b*ᵛ ‖ 8 isdem *mr GH* : idem *bm*ᵛ ‖ 9 lacum *bm*ᵛ*r H* : lacu *m* laco *m*ᵛ *G* ‖ 15 Dei famulo *mr H* : fam. Dei *b G* ‖ 17 locum *mz G* : lacum *bm*ᵛ*r H*

VII, 1 isdem *m GH* : idem *bm*ᵛ*r* ‖ 3 hauriendam *bm*ᵛ*r GH* : -dum *m* ‖ 4 in aqua *m GH* : in aquam *bm*ᵛ*r* ‖ 6 in unius *mr GH* : ad u. *b* unius *r*ᵛ ‖ cursum *mr H* : eum *add.* *b G*

---

barbare dans la communauté de Séverin (EUGIPPE, *V. Seu.* 35, 1). *Libentissime suscepit* rappelle *Hom. Eu.* 19, 7 (*deuote susceptus est*).

l'accueillit avec grand plaisir. Un jour, il lui fit donner un outil ferré, une sorte de faucille emmanchée qu'on appelle fauchard, pour raser les buissons à un endroit où l'on prévoyait un jardin. L'endroit que le Goth avait à nettoyer était sur la rive même du lac. Comme le Goth s'en donnait à cœur joie, de toutes ses forces, au plus épais du bois taillis, le fer sauta du manche, tomba dans le lac en eau si profonde que tout espoir était perdu de récupérer le fauchard.

2. Un instrument perdu ! Tout tremblant d'émotion, le Goth va vite trouver le moine Maur et lui annonce le dégât dont il est l'auteur, fait pénitence pour sa faute. Le moine Maur rend compte ponctuellement au serviteur de Dieu Benoît. Entendant cela, l'homme du Seigneur Benoît se rend sur les lieux, prend le manche que tenait le Goth, et le plonge dans le lac. Aussitôt le fer remonte du fond et s'adapte au manche. Là-dessus, Benoît rend son outil au Goth en disant : « Voilà ! Travaille, ne t'inquiète pas ! »

VII. Un jour que le vénérable Benoît se tenait en cellule, notre jeune Placide, ce moine du saint abbé, sortit pour puiser de l'eau dans le lac. Enfonçant dans l'eau sans précaution le seau qu'il tenait, il bascula et le suivit. Le courant l'emporta, et l'entraîna presque à une portée de flèche loin du rivage. De sa cellule, l'homme de Dieu

— Périphrase enveloppant le nom de l'outil : cf. 2, 1 (*merula*) ; 18, 1 (*flascones*), etc. La très forte pente des rives donnait effectivement au lac une grande profondeur, même à proximité du bord.

2. « Pénitence » pour un objet brisé : voir CASSIEN, *Inst.* 4, 16, 1. Cf. *RB* 46, 1-3, qui exige l'aveu spontané. — Modèle évident de cet épisode, le miracle d'Élisée (2 R 6, 5-7) fait l'objet d'un beau commentaire spirituel dans *Mor.* 22, 9 (cf. *Hom. Ez.* I, 1, 10).

VII, 1. *Cella* désigne-t-il, comme souvent, le monastère entier, ou seulement la cellule de l'abbé (cf. 11, 1-2) ? En tout cas, Benoît semble connaître l'accident surnaturellement, comme Antoine (ATHANASE, *V. Ant.* 59, 2) et Séverin (EUGIPPE, *V. Seu.* 10, 2 : Séverin, lisant en cellule, s'écrie soudain : *Maurum cito requirite...*). — *Sancti uiri monachus* comme en 20, 1 et 24, 1 (*eius monachus*).

et Maurum festine uocauit, dicens : « Frater Maure, curre, quia puer ille, qui ad hauriendam aquam perrexerat, in
10 lacum cecidit, iamque eum longius unda trahit. »

2. Res mira et post Petrum apostolum inusitata : benedictione etenim postulata atque percepta, ad patris sui imperium concitus perrexit Maurus, atque usque ad eum locum, quo ab unda ducebatur puer, per terram se ire
15 existimans, super aquam cucurrit, eumque per capillos tenuit, rapido quoque cursu rediit. Qui mox ut terram tetigit, ad se reuersus post terga respexit, et quia super aquas cucurrisset agnouit, et quod praesumere non potuisset ut fieret, miratus extremuit factum.

20 3. Reuersus ad patrem, rem gestam retulit. Vir autem uenerabilis Benedictus hoc non suis meritis, sed oboedientiae illius deputare coepit. At contra Maurus pro solo eius imperio factum dicebat, seque conscium in illa uirtute non esse, quam nesciens fecisset. Sed in hac humili-
25 tatis mutuae amica contentione accessit arbiter puer qui ereptus est. Nam dicebat : « Ego cum ex aqua traherer, super caput meum abbatis melotem uidebam, atque ipsum me ex aquis educere considerabam. »

4. Petrvs. Magna sunt ualde quae narras et multo-

9 hauriendam *bmr* G^{ac} : -dum m^{v} G^{pc} *H* || 10 lacum *b*m^{v}*r*(*z*) *H* : lacu *m* laco *G* || 14 ducebatur *mr GH* : deduc- *b* || 15 existimans *b*m^{v}*r* *GH* : exaest- *m* || aquam *b*m^{v}*r GH* : aquas *mz* || 16 ut *b*m^{v}*r GH* : *om.* *m* || terram *b*$m^{v}$$m^{o}$*r H* : -ra *m G* || 17 post terga *b*m^{v}*r* : posterga *m* *H* postergum m^{v} *G* || 19 extremuit *bmr GH* : extimuit $b^{v}$$m^{v}$ expauit m^{v} || 20 Reuersus *mr GH* : itaque *add.* *b* reuersusque m^{v} || 21 oboedientiae illius *mr GH* : il. ob. *b* || 22 contra *mr GH* : econtra *b* || 24-25 humilitatis mutuae b^{v}*mr H* : mut. hum. *b* hum. mutua et *G* || 27 abbatis melotem *mr GH* : mel. ab. *b* || 29-30 multorum aedificationi *mr* : mult. aedificationem GH^{ac} ad mult. aedi ficationem *b* H^{pc}

VII, 2. Mt 14, 28-29.

L'abbé donne à son moine le titre de « frère » : *RB* 63, 11-12 (cf. Ferrand, *V. Fulg.* 53).

2. Miracle inouï depuis Pierre : de fait, ni Amun (Athanase,

eut immédiatement connaissance de la chose. Aussitôt, il appelle Maur : « Maur, mon frère, vite ! L'enfant qui est allé puiser de l'eau au lac est tombé dedans, et le courant l'entraîne au loin. »

2. Alors se produit une chose merveilleuse, et qu'on n'avait pas vue depuis l'apôtre Pierre : après avoir demandé et reçu une bénédiction, sur l'ordre de son Père, Maur se dirige à toute vitesse vers l'endroit où le courant déportait l'enfant. Il croit aller sur de la terre alors qu'il court sur de l'eau. Il saisit l'enfant par les cheveux et, toujours courant à toute allure, il revient. Ayant atteint le rivage, il reprend ses esprits, et regardant en arrière, il voit qu'il a bel et bien couru sur les eaux. Il n'aurait jamais osé ! Comment aurait-il pu ? Maintenant que c'est chose faite, il en a le frisson.

3. Il se présente de nouveau au Père et rend compte : mission accomplie. Le vénérable Benoît attribue cet exploit non à ses mérites, mais à l'obéissance de Maur. Au contraire, Maur soutient que cela s'est produit uniquement en vertu de l'ordre donné, qu'il n'a aucune part à ce miracle, puisqu'il a agi inconsciemment. Pour arbitrer cet assaut amical d'humilité intervient l'enfant sauvé des eaux : « Moi, quand on m'a tiré de l'eau, je voyais au-dessus de ma tête la peau de bique de l'abbé ; c'était lui qui me tirait des eaux, je le voyais. »

4. PIERRE. Nous sommes dans les hauteurs, tout à fait, avec ce que vous dites. Cela fera du bien à une foule

V. Ant. 60, 4-9), ni même Patermutius (*Hist. mon.* 9, 425 b) n'a vraiment marché sur les eaux. Bénédiction au départ : cf. 12, 2 (au retour) ; voir aussi I, 2, 9 et note. Placide ne semble pas avoir la tonsure (*RM* 90, 79-81, etc.), mais les cheveux longs (cf. JÉRÔME, *V. Hil.* 10 ; AUGUSTIN, *Op. mon.* 39-41 ; FERRAND, *V. Fulg.* 21). *Ad se reuersus* rappelle 3, 6-9.

3. Le thaumaturge attribue son fait aux autres : FERRAND, *V. Fulg.* 49. Qui a fait le miracle, le maître ou le disciple ? Même question en I, 2, 7, et chez SULPICE SÉVÈRE, *Dial.* 1, 11, où l'abbé et son moine font assaut d'humilité comme ici (cf. I, 2, 10). — *Melote* : voir ATHANASE, *V. Ant.* 91, 8-9. D'après JÉRÔME, *Praef. Reg. Pach.* 4, et CASSIEN, *Inst.* 1, 7, c'est une peau de chèvre. Cf. II 1, 8 et note. *

30 rum aedificationi profutura. Ego autem boni uiri miracula quo plus bibo, plus sitio.

VIII. Gregorivs. Cum iam loca eadem in amore Dei Domini Iesu Christi longe lateque feruescerent, saecularem uitam multi relinquerent, et sub leni redemptoris iugo ceruicem cordis edomarent, sicut mos prauorum est
5 inuidere aliis uirtutis bonum, quod ipsi habere non appetunt, uicinae ecclesiae presbiter Florentius nomine, huius nostri subdiaconi Florentii auus, antiqui hostis malitia perculsus, sancti uiri studiis coepit aemulari, eius quoque conuersationi derogare, quosque etiam posset ab illius
10 uisitatione conpescere.

2. Cumque se iam conspiceret eius prouectibus obuiare non posse, et conuersationis illius opinionem crescere, atque multos ad statum uitae melioris ipso quoque opinionis eius praeconio indesinenter uocari, inuidiae facibus
15 magis magisque succensus deterior fiebat, quia conuersationis illius habere appetebat laudem, sed habere laudabilem uitam nolebat. Qui eiusdem inuidiae tenebris caecatus, ad hoc usque perductus est, ut seruo omnipotentis Domini infectum ueneno panem quasi pro bene-
20 dictione transmitteret. Quem uir Dei cum gratiarum

31 quo *$bm^{v}rz$ G* : quod *m H*
VIII, 1 amore *mr* : -rem *bm^{v} GH* ‖ 1-2 Dei Dom [illegible] Dom. *m^{v}* Dei Dom. nostri *r G* Dom. Dei nostri *b* Dom. nostri *z H* Domini *m^{v}* ‖ 2 feruescerent *bmr* : et *add.* *m^{v}(z) G* ac *add.* *m^{v} H* ‖ 3 leni *bm^{o}* : lene *m^{o} G* leui *mr H* ‖ 5 inuidere *bmr G* : in *add.* *m^{v} H* ‖ aliis *bmr G* : aliorum *H* ‖ uirtutis *bmr* : -tibus *GH* ‖ bonum *$bm^{v}r$ H* : bono *m* bonorum *G* ‖ 8 perculsus *$b^{v}mr^{v}$ GH* : percussus *br* ‖ eius quoque *mr GH* : eiusque *b* ‖ 9 posset *$bm^{v}r$* : -sit *m GH* ‖ 11 se iam *m* : iam se *$bm^{o}r$ GH* iam de *m^{v}* ‖ prouectibus *m* : profectibus *br GH* ‖ 14 uocari *bmr GH* : -re *b^{v}* uacare *b^{v}* ‖ 19 Domini *mr GH* : Dei *b*

VIII, 1. leni — iugo : cf. Mt 11, 30

d'âmes. Pour ma part, plus je bois des miracles de cet homme si bon, plus j'ai soif.

VIII. Grégoire. Déjà le pays, de tous côtés, devenait fervent de l'amour du Seigneur Dieu Jésus-Christ. Beaucoup abandonnaient la vie du monde, soumettant leur dureté de cœur au joug plein de douceur du Rédempteur. Mais comme, d'habitude, les mauvais jalousent chez les autres la belle vertu qu'ils n'ont pas le courage de rechercher, le prêtre de l'église voisine, nommé Florent, le grand-père de notre sous-diacre Florent, poussé par le vieil adversaire, se mit à prendre ombrage du zèle d'un si grand homme, à dénigrer son genre de vie, à écarter de lui, autant qu'il pouvait, tous les visiteurs.

2. Puis, voyant qu'il ne pouvait bloquer sa progression, que la renommée de son genre de vie allait grandissant, que beaucoup se sentaient appelés continuellement à une vie meilleure par la réclame que lui faisait son prestige, il fut de plus en plus consumé d'une jalousie brûlante, devenant plus mauvais chaque jour, car il guignait bien l'honneur qui revenait à Benoît de sa vie, mais il ne voulait pas vivre une vie digne d'honneur. Aveuglé par l'envie, il en vint à empoisonner un pain qu'il envoya au serviteur de Dieu tout-puissant en manière de pain bénit. L'homme de Dieu le reçut avec des

VIII, 1. Beaucoup quittent le monde : cf. 2, 3. De même Antoine « persuade beaucoup » de se faire moines (Athanase, *V. Ant.* 14, 7 ; cf. 15, 3 et 87, 2). La jalousie du prêtre fait penser à Sulpice Sévère, *V. Mart.* 27, 3 (évêques *inuidos uirtutis uitaeque eius, qui in illo oderant quod in se non uidebant*) ; Ferrand, *V. Fulg.* 17 (prêtre arien). Cf. I, 4, 11. — *Vicinae ecclesiae* : sans doute l'église Saint-Laurent, sur la rive gauche, un peu en aval du lac (P. Carosi, *op. cit.*, p. 42-43). En 592, un *Florentius subdiaconus noster*, nommé évêque de Naples, s'était dérobé (*Reg.* 3, 15 = *Ep.* 3, 15 ; cf. *Reg.* 9, 8 = *Ep.* 12, 39 : *Florentius diaconus*). *

2. Après le vin empoisonné (3, 4), voici le pain. On songe au prêtre païen qui éprouve l'Apôtre Jean par le poison (voir note sous III, 5, 3), et surtout, par contraste, au bon prêtre qui porta son repas à Benoît (II, 1, 6-7). — Abbé recevant une eulogie sacerdotale : voir *RM* 76 (*Quomodo debent transmissae oblagiae a sacerdote in monasterio suscipi* : verset d'action de grâce et oraison).

actione suscepit, sed eum, quae pestis lateret in pane, non latuit.

3. Ad horam uero refectionis illius ex uicina silua coruus uenire consueuerat, et panem de manu eius acci-
25 pere. Qui cum more solito uenisset, panem, quem presbiter transmiserat, uir Dei ante coruum proiecit, eique praecepit, dicens : « In nomine Iesu Christi Domini, tolle hunc panem, et tali eum in loco proice, ubi a nullo homine possit inueniri. » Tunc coruus, aperto ore, expansis alis,
30 circa eundem panem coepit discurrere atque crocitare, ac si aperte diceret, et oboedire se uelle, et tamen iussa inplere non posse. Cui uir Dei iterum atque iterum praecipiebat, dicens : « Leua, leua securus, atque ibi proice, ubi inueniri non possit. » Quem diu demoratus quandoque
35 coruus momordit, leuauit et recessit. Post trium uero horarum spatium abiecto pane rediit, et de manu hominis Dei annonam, quam consueuerat, accepit.

4. Venerabilis autem pater contra uitam suam inardescere sacerdotis animum uidens, illi magis quam sibi
40 doluit. Sed praedictus Florentius, quia magistri corpus necare non potuit, se ad extinguendas discipulorum animas accendit, ita ut in horto cellae, cui Benedictus inerat, ante eorum oculos nudas septem puellas mitteret, quae coram eis, sibi inuicem manus tenentes et diutius ludentes,
45 illorum mentem ad peruersitatem libidinis inflammarent.

21 pane *b*m^{v}*r GH* : panem *m* ‖ 22 non latuit *ante* quae *transp. r* ‖ 27 Domini *mr GH* : nostri *add. b* *om.* m^{v} ‖ 28 homine [-ni *G*] *m*r^{v} *GH* : -num *b*m^{v}*rz* ‖ 30 atque *mrz GH* : *om. b* ‖ crocitare *bm* : cruc- *seu* crac- *G* crac- m^{v} grac- m^{v}*r* gratitare H^{ac} cratitare H^{pc} grocitare r^{v} ‖ 32 Dei *mrz GH* : Domini *b* ‖ praecipiebat *mr H* : *ante* iterum[1] *transp. b G* ‖ 42 horto *bmrz GH* : -tum $m^{v}r^{v}$ ‖ 45 mentem *mr GH* : -tes *b*m^{v} -te m^{v}

---

3. Plus qu'aux corbeaux d'Élisée (1 R 17, 4-6) et de Paul (Jérôme, *V. Pauli* 10 ; cf. *RM* 26, 2), qui apportent le pain à ces hommes de Dieu, on pense à Sulpice Sévère, *Dial.* 1, 14 : une louve vient chaque jour chez l'ermite *ad legitimam horam refectionis*, pour recevoir du pain de sa main. Cependant l'obéissance du cor-

remerciements, mais cette peste cachée dans le pain ne lui échappa point.

3. A l'heure de son repas, de la forêt voisine venait ponctuellement un corbeau pour recevoir du pain de sa main. Comme l'oiseau arrivait, exact au rendez-vous, l'homme de Dieu lui jette le pain adressé par le prêtre, en disant : « Au nom de Jésus-Christ notre Seigneur, enlève ce pain et dépose-le en un endroit où personne ne puisse le trouver. » Alors le corbeau ouvre un large bec, bat des ailes et commence à tourner autour du pain avec l'air de dire : « Je veux bien obéir, mais je ne puis exécuter l'ordre. » L'homme de Dieu lui réitère son commandement : « Enlève, enlève, n'aie pas peur et jette-le où on ne puisse le trouver. » Après avoir fait bien des difficultés, enfin le corbeau mord le pain, l'enlève et disparaît. Au bout de trois heures, il revint, ayant jeté son pain, et reçut de l'homme de Dieu sa ration habituelle.

4. Mais le vénérable Père, voyant que le prêtre grillait d'envie de le tuer, ressentit une grande douleur : non pour lui-même, mais pour le prêtre. Notre Florent, pensant qu'il aurait du mal à assassiner le maître, se mit à brûler du désir de tuer les âmes de ses disciples. Dans le jardin du monastère où se trouvait Benoît, il envoya sous leurs yeux sept filles nues, et là, sous leur nez, elles menèrent des rondes en se tenant par la main et batifolèrent longtemps. C'était pour allumer dans leur âme une passion perverse.

beau à Benoît rappelle celle de ses congénères au « précepte » divin (1 R 17, 4). Cf. II, 8, 8. *

4. *Illi magis quam sibi doluit* : de même l'abbé Étienne perdant sa récolte (IV, 20, 3 : *magis illi dolebat qui peccatum commiserat quam sibi*). — La *cella* de Benoît, dont nous connaissons le jardin et la position au bord du lac (6-7), semble être le pavillon de la villa de Néron dont on voit les restes au pied de l'abbaye de Sainte-Scholastique. Un « pont de marbre » le reliait à la rive gauche, où se trouvait l'église de Florent. Ce monastère central était sans doute dédié à saint Clément (P. Carosi, *op. cit.*, p. 37-40, 64-65, etc.). — La danse des sept filles nues pourrait être un rite magique de fécondité (J. Laporte, *S. Benoît et le paganisme*, Saint-Wandrille 1963, p. 6-17).

5. Quod sanctus uir de cella conspiciens, lapsumque adhuc tenerioribus discipulis pertimescens, idque pro sua solius fieri persecutione pertractans, inuidiae locum dedit, atque oratoria cuncta, quae construxerat, sub statutis
50 praepositis, adiunctis fratribus, ordinauit, et paucis secum monachis ablatis, habitationem mutauit loci.

6. Moxque uir Dei eius odia humiliter declinauit, hunc omnipotens Deus terribiliter percussit. Nam cum praedictus presbiter, stans in solario, Benedictum discessisse
55 cognosceret et exultaret, perdurante inmobiliter tota domus fabrica, hoc ipsum in quo stabat solarium cecidit, et Benedicti hostem conterens extinxit.

7. Quod uiri Dei discipulus Maurus nomine statim uenerabili patri Benedicto, qui adhuc a loco eodem uix
60 decem millibus aberat, aestimauit esse nuntiandum, dicens : « Reuertere, quia presbiter, qui te persequebatur, extinctus est. » Quod uir Dei Benedictus audiens, sese in grauibus lamentis dedit, uel quia inimicus occubuit, uel quia de inimici morte discipulus exultauit. Qua de re
65 factum est, ut eidem quoque discipulo paenitentiam indiceret, quod mandans talia gaudere de inimici interitu praesumpsisset.

8. PETRVS. Mira sunt et multum stupenda quae dicis. Nam in aqua ex petra producta Moysen, in ferro uero
70 quod ex profundo aquae rediit Heliseum, in aquae itinere

48 fieri persecutione *m*^{v}*r GH* : pers. fi. *b* persecutione *m* ‖ 49 sub statutis *b*^{v}*r*(*z*) *G* : substatutis *m H* substitutis *b* ‖ 52 Moxque *m GH* : ut *add.* *bm*^{v}*r* ‖ 58 uiri *bm*^{v}*m*^{o}*r*(*z*) *G* : uir *m H* ‖ 63 lamentis *mr GH* : lamentationibus *b*

---

7. gaudere — interitu : cf. Si 8, 8 ‖ 8. Nb 20, 7-11 ; 2 R 6, 5-7

---

5. *Oratoria* équivaut à *monasteria* (3, 13 ; cf. EUGIPPE, *V. Seu.* 39, 1). Sur cette dernière organisation de Subiaco, parallèle à la première (3, 13), voir notre article « La Règle du Maître et les Dialogues de S. Grégoire », p. 57-63 (aux diverses interprétations, ajouter C. D'ONOFRIO - C. PIETRANGELI, *Abbazie del Lazio*, Rome 1969, p. 40-41, qui ne convainc pas). Les supérieurs (*praepositi*) ont pu être alors désignés ou simplement confirmés. *Adiunctis fra-*

5. Du monastère, Benoît vit la chose, et il craignit la chute de ses disciples les plus faibles. Comprenant que cette persécution ne visait que lui seul, il céda la place à l'envie ; dans tous les lieux de prière qu'il avait édifiés, il préposa des prieurs avec des groupes de frères, et lui-même, accompagné d'un petit détachement de moines, changea son lieu de résidence.

6. Mais sitôt que l'homme de Dieu eut esquivé humblement la haine de son rival, Dieu tout-puissant frappa terriblement ce dernier. Ce prêtre se tenait sur sa terrasse, exultant à la nouvelle du départ de Benoît, et cette terrasse s'écroula soudain, tout le reste de la maison demeurant intact. L'ennemi de Benoît mourut écrasé.

7. Le disciple de l'homme de Dieu nommé Maur crut bon de l'annoncer en toute hâte au vénérable Père Benoît qui n'était alors qu'à environ dix milles de son monastère : « Revenez, car le prêtre qui vous persécutait vient de mourir. » Entendant cela, l'homme de Dieu se mit à se lamenter grandement, et parce que son ennemi était mort, et parce que son disciple en était ravi. C'est pourquoi il imposa à ce disciple une pénitence, parce que pour un tel message, il avait osé se réjouir de la mort d'un ennemi.

8. Pierre. Que c'est beau ! Vos paroles me laissent tout pensif ! Car, je le vois, cette eau tirée de la pierre rappelle Moïse, le fer qui remonte du fond de l'eau, Élisée,

tribus peut viser l'adjonction de nouveaux frères dans les monastères, ou la réunion des frères en communautés (cf. Grégoire de Tours, *V. Patr.* 18, 1 : *adiuncta congregatione*), ou encore une réunion générale pour l'organisation et les adieux.

6. A l'instant où il triomphe, l'ennemi du saint est précipité d'un toit et meurt : cf. Grégoire de Tours, *Hist. Franc.* 4, 36. *

7. Maur a « exulté » comme Florent (8, 6). *

8. Rapprochement avec la Bible opéré par Pierre : cf. II, 13, 4 (Élisée) ; III, 18, 3, etc. Grégoire lui-même en fait de semblables en I, 7, 4 (Élisée) et III, 16, 2 (Moïse fait jaillir l'eau du rocher). — Ces cinq miracles consécutifs sont récapitulés en bon ordre (cf. II, 5-7 et 8, 3.7). Le modèle scripturaire n'a été mentionné que dans le cas de l'Apôtre (7, 2). Un seul accomplit les miracles de tous : voir Sulpice Sévère, *Dial.* 1, 24-25 (Martin et les moines d'Égypte).

Petrum, in corui oboedientia Heliam, in luctu autem mortis inimici Dauid uideo. Vt perpendo, uir iste spiritu iustorum omnium plenus fuit.

9. Gregorivs. Vir Domini Benedictus, Petre, unius spiritum habuit, qui per concessae redemptionis gratiam electorum corda omnium inpleuit. De quo Iohannes dicit : *Erat lux uera, quae inluminat omnem hominem uenientem in hunc mundum*, et de quo rursus scriptum est : *De plenitudine eius nos omnes accepimus.* Nam sancti Dei homines potuerunt a Domino uirtutes habere, non etiam aliis tradere. Ille autem signa uirtutis dedit subditis, qui se daturum signum Ionae promisit inimicis, ut coram superbis mori dignaretur, coram humilibus resurgere, quatenus et illi uiderent quod contemnerent, et isti quod uenerantes amare debuissent. Ex quo mysterio actum est ut, dum superbi aspiciunt despectum mortis, humiles contra mortem acciperent gloriam potestatis.

10. Petrvs. Quaeso te, post haec, ad quae loca uir sanctus migrauerit, uel si aliquas in eis uirtutes ostenderit, innotesce.

Gregorivs. Sanctus uir, ad alia demigrans, locum, non hostem mutauit. Nam tanto post grauiora praelia pertulit, quanto contra se aperte pugnantem ipsum magistrum malitiae inuenit. Castrum namque, quod Casinum dicitur,

71 oboedientia $bm^{v}rz$ *GH* : -tiam *m* ‖ 74 Domini *mr H* : Dei *bz G* ‖ unius $b^{v}mrz$ *GH* : Dei *add. b* unum b^{v} ‖ 78 et de quo *mr H* : et de qua *G* de quo *bz* et quo m^{v} et quod m^{v} ‖ scriptum est *bmz GH* : et *add.* $m^{v}r$ ‖ 79 nos $bm^{v}m^{o}r$ *GH* : non *m* *om. z* ‖ accepimus *bmrz G* : accip- m^{v} *H* ‖ 84 contemnerent $bm^{v}r(z)$ *GH* : temptarent *m* ‖ 89 uirtutes *mz GH* : postmodum *add. br* ‖ 91 alia $bm^{v}rz$ *GH* : alium mr^{r} ‖ locum $b^{v}mr^{v}$ *G* : loca $bm^{v}r$ *H* loca locum $b^{v}r^{v}(z)$ ‖ 93 quanto *mr H* : -tum *b G* ‖ 93-94 magistrum malitiae *mr GH* : mal. mag. *b* ‖ 94 Casinum *mrz* $G^{pc}H$: Cass- bm^{v} G^{ac} Castinum m^{v}

8. Mt 14, 28-29 ; 1 R 17, 4-6 ; 2 S 1, 11-12 ‖ 9. Jn 1, 9. 16 — Mt 12, 39 ; 16, 4

9. Méditation sur les dons de l'Esprit et les limites du pouvoir des saints : voir 16, 3-5 et 21, 3-4. Le Prologue de Jean sera utilisé de façon analogue en 23, 6 et 30, 2. *

la course sur l'eau, Pierre, le corbeau obéissant, Élie, le deuil pour la mort d'un ennemi, David. Tout bien pesé, cet homme avait pleinement l'esprit de tous les justes.

9. Grégoire. Pierre, Benoît, l'homme du Seigneur, eut l'esprit d'Un seul, qui par la grâce découlant de la rédemption, emplit les cœurs de tous les élus ; c'est ce que dit Jean : « Il y avait la lumière vraie qui illumine tout homme venant en ce monde », et plus loin : « De sa plénitude nous avons tous reçu ». Car les saints de Dieu ont pu avoir du Seigneur le don de faire des miracles, mais pas celui de le transmettre aux autres. Mais Celui-là accorde aux cœurs soumis ces signes miraculeux, qui avait garanti à ses ennemis qu'il leur donnerait le signe de Jonas : en effet, devant les orgueilleux, il voulut bien mourir, mais devant les humbles ressusciter, en sorte que les uns ont vu en lui un être à mépriser, et les autres un objet pour leur amour et leur vénération. En vertu de ce mystère, les orgueilleux ont eu sous les yeux la mort infâme, tandis que les humbles recevaient la gloire d'un pouvoir sur la mort.

10. Pierre. Si vous permettez, dites-moi maintenant où le saint se transporta, et si là aussi il fit voir d'autres miracles.

Grégoire. Le saint eut beau changer de place, il ne changea pas d'adversaire. Mais les combats devinrent d'autant plus durs qu'il se trouva en lutte ouverte avec le maître du mal en personne. La place forte qu'on appelle Casinum est située sur le côté d'une montagne élevée.

10. Casinum : ce *castrum*, dont on voit les restes au S.-E. de la montagne, à l'O. de la ville actuelle, avait un évêque en 487. Ensuite l'évêché n'est plus mentionné. *Tria millia* (4,5 km) représente le trajet de la ville au sommet (519 m). « Temple très ancien » : cf. Jérôme, *V. Hil.* 43 ; Sulpice Sévère, *V. Mart.* 13, 1 et 14, 1. Était-il dédié à Apollon ? Le poème de Marc (v. 22) parle de Jupiter, de même que l'inscription du IIe s. retrouvée en 1880 (*aedem Iouis*). — Grégoire traite les idolâtres de *stulti*, comme Grégoire de Tours, *Glor. conf.* 77 ; *V. Patr.* 6, 2. Ailleurs, il urge la conversion de ces *rustici* (*Reg.* 4, 23 et 26 = *Ep.* 4, 25-26). Sacrifices : cf. Eugippe, *V. Seu.* 11, 2 (*pars plebis in quodam loco nefandis sacrificiis inhaerebat*). *

95 in excelsi montis latere situm est. Qui uidelicet mons distenso sinu hoc idem castrum recipit, sed per tria millia in altum se subrigens, uelut ad aera cacumen tendit. Vbi uetustissimum fanum fuit, in quo ex antiquorum more gentilium ab stulto rusticorum populo Apollo colebatur. 100 Circumquaque etiam in cultu daemonum luci succreuerant, in quibus adhuc eodem tempore infidelium insana multitudo sacrificiis sacrilegis insudabat.

11. Ibi itaque uir Dei perueniens, contriuit idolum, subuertit aram, succidit lucos, atque in ipso templo Apol- 105 linis oraculum beati Martini, ubi uero ara eiusdem Apollinis fuit, oraculum sancti construxit Iohannis, et commorantem circumquaque multitudinem praedicatione continua ad fidem uocabat.

12. Sed haec antiquus hostis tacite non ferens, non 110 occulte uel per somnium, sed aperta uisione eiusdem patris se oculis ingerebat, et magnis clamoribus uim se perpeti conquerebatur, ita ut uoces illius etiam fratres audirent, quamuis imaginem minime cernerent. Vt enim discipulis suis uenerabilis pater dicebat, corpo- 115 ralibus eius oculis isdem antiquus hostis teterrimus et

96 recipit *bm*ᵛ*rz H* : recepit *m G* ‖ 99 ab *m GH* : a *bm*ᵛ*r* ‖ 103 Ibi *mr GH* : illuc *b* ‖ contriuit *bmr H* : conteruit *G* ‖ 104 succidit *b*ᵛ*mrz*ᵛ : -cedit *H*ᵃᶜ -cendit *bm*ᵛ*z H*ᵖᶜ ‖ 104 Apollinis *bm*ᵛ : Apollenis *m* Apollonis *GH* ‖ 105 Apollinis *bm*ᵛ *H* : Apollenis *m* Apollonis *G* ‖ 106 construxit Iohannis *mr GH* : Ioh. con. *b* ‖ 111 se oculis *m GH* : oc. se *r* oculis sese *b* ‖ 112 conquerebatur *bm*ᵛ*r G* : conquir- *m H* ‖ 115 isdem *m G* : idem *bm*ᵛ*r H*

11. Autodafé dans le style de Ex 34, 13 ; Dt 7, 5 (cf. SULPICE SÉVÈRE, *V. Mart.* 13-15 ; GRÉGOIRE DE TOURS, *Hist. Franc.* 8, 15, et *V. Patr.* 6, 2). *Oraculum* pour *oratorium* comme dans *Reg.* 13, 19 (hapax). Au VIᵉ s., Martin était fort vénéré en Italie (GRÉG. DE TOURS, *Mir. S. Mart.* 1, 13-16) et à Rome (*ibid.*, 2, 25 ; cf. *Lib. Pont.* I, 262). Il précède la procession des saints sur la mosaïque de S. Apollinare Nuovo à Ravenne. — Le tracé de l'oratoire Saint-Martin, amplifié par Petronax (VIIIᵉ s.) et reconstruit par Didier (XIᵉ s.), a été découvert en 1953 dans l'actuel cloître d'entrée. Il reposait sur la muraille cyclopéenne qu'on voit à présent au sous-sol. D'après une base de colonne retrouvée, A. Pantoni (lettre du

Celle-ci la reçoit en une large poche, puis continue à s'élever sur un parcours de trois milles, comme tendant son sommet vers le ciel. Il y avait là un temple très ancien où, selon le rite antique des païens, un culte était rendu à Apollon par les pauvres imbéciles d'une population agricole. Tout autour avaient poussé des bois consacrés aux démons ; encore en ce temps-là une foule d'infidèles prenait beaucoup de peine, dans son inconscience, à des sacrifices sacrilèges.

11. Dès son arrivée, l'homme de Dieu brisa l'idole, renversa l'autel, rasa les bois ; dans le temple d'Apollon, il bâtit un oratoire à saint Martin, et à l'emplacement de l'autel d'Apollon, un oratoire à saint Jean. Il appelait à la foi, par une prédication continuelle, toute la population des alentours.

12. Mais cela, le vieil adversaire ne pouvait le supporter en silence. Il se présenta aux yeux de ce Père, non en cachette, ni en songe, mais en vision distincte. A grands cris il se plaignait de souffrir violence, si bien que les frères entendaient ses vociférations, mais ils ne le voyaient pas. Comme le vénérable Père le disait à ses disciples, ce vieil adversaire apparaissait à ses yeux corporels sous un

30-X-1967) pense que le temple tétrastyle aménagé par Benoît mesurait 8 × 23 m, la *cella* pouvant être carrée (8 × 8 m) ou rectangulaire (8 × 10 m). — L'oratoire de S. Jean-Baptiste, mis au jour en 1951 avec un mur pré-chrétien, mesurait 8 × 15,25 m. Avec son abside orientée, large de 5,40 m, il s'étendait sous la dernière travée de la nef, le sanctuaire et le début du chœur de l'actuelle cathédrale. Voir A. Pantoni, « L'esplorazione archeologica », dans *Il sepolcro di San Benedetto*, Montecassino 1951 (*Miscellanea Cassinese* 27), p. 71-94. *

12. Benoît voit, les frères entendent seulement : cf. Sulpice Sév., *V. Mart.* 11, 4-5. Les démons hantant le sanctuaire (cf. III, 7, 4 ; Jérôme, *V. Hil.* 43 : voix) apparaissent et se plaignent d'être chassés : voir Cyrille de Scyth., *V. Sab.* 27 ; Athanase, *V. Ant.* 13, 2-4 (plaintes) et 24, 1 (yeux, bouche crachant le feu, selon Jb 41, 9-12 ; cf. I, 12, 2) ; Pallade, *Hist. Laus.* 18, 7 = *HP* 6, 271 cd (cf. *HP* 10, 286 c : *contumelias*) ; Grég. de Tours, *V. Patr.* 17, 3 (ombre *teterrima*; yeux et bouche). Insultes du diable comme chez Sulpice Sév., *V. Mart.* 22, 1-3. Jeu sur *Benedictus* : cf. II, *Prol.* 1 ; *V. Caes.* 2, 30. *Quid... quid...* : ces plaintes, fréquentes dans les textes cités, remontent à Mt 8, 29.

succensus apparebat, qui in eum ore oculisque flammantibus saeuire uidebatur. Iam uero quae diceret audiebant omnes. Prius enim hunc uocabat ex nomine. Cui cum uir Dei minime responderet, ad eius mox contumelias erum-
120 pebat. Nam cum clamaret, dicens : « Benedicte, Benedicte », et eum sibi nullo modo respondere conspiceret, protinus adiungebat : « Maledicte, non Benedicte, quid mecum habes, quid me persequeris ? »

13. Sed iam nunc expectanda sunt contra Dei famulum
125 antiqui hostis noua certamina. Cui pugnas quidem uolens intulit, sed occasiones uictoriae ministrauit inuitus.

VIIII. Quadam die, dum fratres habitacula eiusdem cellae construerent, lapis in medio iacebat, quem in aedificio leuare decreuerunt. Cumque eum duo uel tres mouere non possent, plures adiuncti sunt, sed ita inmobilis man-
5 sit, ac si radicitus in terra teneretur, ut palam daretur intellegi, quod super eum ipse per se antiquus hostis sederet, quem tantorum uirorum manus mouere non possent. Difficultate igitur facta, ad uirum Dei missum est ut ueniret, orando hostem repelleret, ut lapidem leuare potuis-
10 sent. Qui mox uenit, orationem faciens benedictionem dedit, et tanta lapis celeritate leuatus est, ac si nullum prius pondus habuisset.

X. Tunc in conspectu uiri Dei placuit ut in loco eodem terram foderent. Quam dum fodiendo altius penetrarent, aereum illic idolum fratres inuenerunt. Quo ad horam

124 expectanda *b^vmr^v GH* : spectanda *bm^vr* expetenda *m^v* ‖ 126 occasiones *bmr* : -nis *m G* -nem *m^v H*
VIIII, 2 medio *bmz G* : medium *$m^v$$m^o$ H* ‖ aedificio *mz G* : -cium *bm^vr H* ‖ 3 decreuerunt *mr GH* : -rant *bm^v* ‖ 6 intellegi *mr GH* : -ligi *bm^v* ‖ sederet *bmr G* : -rit *m H* ‖ 8 ueniret *m GH* : et *add.* *br* ‖ 9 potuissent *mr GH* : possent *br^v* ‖ 10 mox *bmr G* : ut *add.* *m^v H* ‖ uenit *mr GH* : et *add.* *b(z)*
X, 1 loco eodem *mr G* : eod. loco *bm^v H* ‖ 3 Quo *bmr H* : quod *$m^v$$m^o$ G*

12. Quid me persequeris : cf. Ac 9, 4.

aspect très hideux et tout enflammé, et il faisait mine de se jeter sur lui avec une gueule lançant du feu et avec des yeux de braise. Ce qu'il disait, tous pouvaient l'entendre. D'abord il l'interpellait par son nom, et comme l'homme de Dieu ne lui répondait rien, il en venait vite aux injures. Il criait : « Benoît ! Benoît ! » et voyant que ce dernier ne lui donnait pas la réplique, il continuait : « Maudit et non béni (Benoît), pourquoi te mêles-tu de mes affaires ? Pourquoi me chercher noise ? »

13. Mais il est temps de voir de nouvelles joutes du vieil adversaire avec le serviteur de Dieu. Ce que Satan voulait, c'était déchaîner des combats, mais, bien contre son gré, il fournissait à Benoît des occasions de victoires.

VIIII. Un jour, des frères construisaient les habitations pour son monastère, et il y avait au beau milieu du terrain une pierre qu'ils décidèrent d'enlever pour leur construction. Ils s'y mettent à deux ou trois pour la remuer — sans résultat. D'autres viennent à la rescousse, mais elle demeure immobile comme si elle était enracinée au sol. Il est facile de deviner que sur elle le vieil adversaire s'est installé en personne, puisque tant de bras vigoureux n'arrivent pas à l'ébranler. Il y a là une réelle difficulté. On envoie dire à l'homme de Dieu qu'il vienne pour chasser l'ennemi par une prière ; alors on pourra lever la pierre. Il arrive rapidement, prie, donne une bénédiction, et la pierre est soulevée avec une prodigieuse rapidité, comme si elle n'avait jamais été un poids lourd.

X. Alors, l'homme de Dieu donna l'ordre de creuser à cet endroit ; en creusant assez profond, les frères trouvèrent une idole de bronze. Provisoirement, ils la jettent

13. Sur les phénomènes démoniaques (dionysiaques ?) qui vont commencer, voir J. Laporte, *op. cit.*, p. 20-24.

VIIII. Cf. Grég. de Tours, *Hist. Franc.* 8, 15 : une statue, qu'on ne peut mouvoir, tombe à la prière du moine Ulfilaic. Suit une riposte du malin, comme dans notre récit (chapitre suivant). *

X, 1. On enterrait les objets foudroyés. Autre hypothèse (culte proscrit) chez J. Laporte, *op. cit.*, p. 23-24. *

casu in coquina proiecto, exire ignis repente uisus est,
5 atque in cunctorum monachorum oculis, quia omne eiusdem coquinae aedificium consumeretur, ostendit.

2. Cumque iaciendo aquam et ignem quasi extinguendo perstreperent, pulsatus eodem tumultu uir Domini aduenit. Qui eundem ignem in oculis fratrum esse, in suis
10 uero non esse considerans, caput protinus in orationem flexit, et eos quos phantastico repperit igne deludi, reuocauit fratres ad oculos suos, ut et sanum illud coquinae aedificium adsistere cernerent, et flammas, quas antiquus hostis finxerat, non uiderent.

XI. Rursum dum fratres parietem, quia res ita exigebat, paulo altius aedificarent, uir Dei in orationis studio intra cellulae suae claustra morabatur. Cui antiquus hostis insultans apparuit, et quia ad laborantes fratres per-
5 geret indicauit. Quod uir Dei per nuntium celerrime fratribus indicauit, dicens : « Fratres, caute uos agite, quia ad uos hac hora malignus spiritus uenit. » Is qui mandatum detulit uix uerba conpleuerat, et malignus spiritus eundem parietem, qui aedificabatur, euertit, atque unum
10 puerulum monachum, cuiusdam curialis filium, opprimens, ruina conteruit. Contristati omnes ac uehementer adflicti, non damno parietis, sed contritione fratris. Quod uenerabili patri Benedicto studuerunt celeriter cum graui luctu nuntiare.

4 coquina *mz G* : -nam *bm*ᵛ*r H* ‖ 7 iaciendo *bm*ᵛ*m*ᵒ*r GH*ᵖᶜ : iacendo *m H*ᵃᶜ iactando *m*ᵛ ‖ 10 orationem *bmz GH* : -ne *m*ᵛ ‖ 11 deludi reuocauit *bm(z) H* : deludere uocauit *m*ᵛ *G* deludi uocauit *m*ᵛ*r* ‖ 12 ad *b*ᵛ*mr GH* : ut *b* et *m*ᵛ ‖ suos *b*ᵛ*mr GH* : signarent monuit *add. b* ‖ 13 adsistere cernerent *bm GH* : cern. ads. *r* ‖ 14 finxerat *bm*ᵛ*m*ᵒ *GH* : infinx- *m* fingebat *m*ᵛ fixerat *m*ᵛ

XI, 1 Rursum *mr GH* : -sus *bm*ᵛ ‖ 3 cellulae *mr H* : cellae *b G* ‖ 4 et quia *mr H* : et ei quod *b* eique quia *G* ‖ 5 indicauit *bm*ᵛ*r GH* : nuntiauit *m* ‖ 11 conteruit *m GH*ᵃᶜ : contriuit *bm*ᵛ*r H*ᵖᶜ ‖ ac *bm*ᵛ*m*ᵒ*r GH* : et *m* ‖ 13 Quod *mr GH* : *om. br*ᵛ*z*

au petit bonheur dans la cuisine : il en jaillit aussitôt du feu, apparemment, et tous les moines voient de leurs yeux que tout le bâtiment de la cuisine va y passer, c'est clair.

2. Jetant de l'eau et croyant éteindre le feu, ils font un grand vacarme. Attiré par ce remue-ménage, l'homme du Seigneur arrive. Il constate que ce feu existe dans les yeux de ses frères, mais nullement dans les siens. Là-dessus, il incline la tête pour prier, rappelle à eux ces frères qu'il trouve abusés par un feu imaginaire : qu'ils voient de leurs propres yeux ! Il se dresse, bien intact, ce bâtiment de la cuisine ; c'est évident. Ces flammes étaient une fantasmagorie du vieil adversaire : on ne les voit plus.

XI. Les frères travaillaient à un mur qu'il fallait surélever. Le vieil adversaire lui apparaît, insultant, disant qu'il va voir les frères au travail. Alors l'homme de Dieu dépêche quelqu'un pour avertir les frères : « Frères ! Attention ! C'est le moment où l'esprit mauvais arrive ! » Le messager n'avait pas fini de parler que l'esprit mauvais renverse le mur qui se bâtissait : un jeune moine, fils d'un curiale, est écrasé sous l'éboulement. Tous sont navrés, absolument bouleversés : ce mur gâché, ce n'est rien, mais ce frère en bouillie ! Ils s'empressent d'informer le vénérable Benoît avec une douleur poignante.

2. Voir *Hist. mon.* 28, 451 ab : une jument, qui l'était seulement *in oculis intuentium*, reprend son véritable aspect de jeune fille à la prière de Macaire, qui seul voyait clair (cf. PALLADE, *Hist. Laus.* 17, 6-9 = *HP* 6, 268-269) ; GRÉG. DE TOURS, *V. Patr.* 5, 3 : l'abbé Pourçain, réveillé par une vision d'incendie, dissipe par la prière cette *phantasia flammarum*, œuvre du diable. — Prière non à terre, mais seulement *flexo capite*, sans doute en raison du lieu : cf. *RM* 55, 4-6 ; 56, 3-7.

XI, 1. L'épisode ressemble beaucoup à 30, 1. *Orationis studium* comme en I, 4, 1 ; II, 4, 1.3. Ensuite voir SULPICE SÉV., *V. Mart.* 21, 2 : Martin en cellule reçoit la visite du diable annonçant un meurtre (autres rencontres du diable : *V. Mart.* 6, 1 ; *Dial.* 3, 15). *Vix uerba conpleuerat et...* (cf. 32, 3) comme chez GRÉG. DE TOURS, *Mir. S. Mart.* 1, 31 (*Necdum.... uerba conpleuerat... cum...*). Cf. Gn 24, 15 — Curiale : notable chargé de percevoir l'impôt. Sur cette fonction redoutable, voir J. CHAPMAN, *St. Benedict*, p. 176-178 et 189.

15 2. Tunc isdem pater ad se dilaceratum puerum deferri iubet. Quem portare non nisi in sago potuerunt, quia conlapsi saxa parietis eius non solum membra, sed etiam ossa contriuerant. Eumque uir Dei praecepit statim in cella sua in psyatio, [quod uulgo matta uocatur,] quo 20 orare consueuerat, proici, missisque foras fratribus cellam clausit. Qui orationi instantius quam solebat incubuit. Mira res : hora eadem hunc incolumem atque ut prius ualentem ad eundem iterum laborem misit, ut ipse quoque parietem cum fratribus perficeret, de cuius se interitu 25 antiquus hostis Benedicto insultare credidisset.

3. Coepit uero inter ista uir Dei etiam prophetiae spiritu pollere, uentura praedicere, praesentibus absentia nuntiare.

XII. Mos etenim cellae fuit, ut quotiens ad responsum aliquod egrederentur fratres, cibum potumque extra cellam minime sumerent. Cumque hoc de usu regulae sollicite seruaretur, quadam die ad responsum fratres egressi sunt, 5 in quo tardiori conpulsi sunt hora demorari. Qui manere iuxta religiosam feminam nouerant, cuius ingressi habitaculum sumpserunt cibum.

15 isdem *bm*ᵛ*r GH* : idem *bm*ᵛ ‖ pater *mr GH* : Benedictus *add. b* ‖ dilaceratum puerum *mr GH* : *ante* ad *transp. b* ‖ 16 in sago *bm*ᵛ*rz GH* : sago *m* in sacco *b*ᵛ*m*ᵛ sacco *m*ᵛ ‖ 17 non solum *mr GH* : *ante* eius *transp. b* ‖ 18 Eumque uir Dei praecepit statim *mr GH* : praecepitque uir Dei statim eum *b* ‖ 19 psyatio *m* : -to *m*ᵛ *GH* -thio *r*ᵛ psiatio *m*ᵛ psiato *m*ᵛ psiathio *bz* spytathio *r* ‖ quod — uocatur *bmr* : *om. b*ᵛ*m*ᵛ*z GH* ‖ matta *bmr* : -tha *b*ᵛ natta *b*ᵛ ‖ quo *m GH* : in *praem. bm*ᵛ*rz* ‖ 21 orationi *bm*ᵛ*r* : -ne *m GH* ‖ 22 hora eadem *mr GH* : ead. hora *b* ‖ 26-28 *ad cap. praec. iunx. mrz ad seq. b* ‖ 26 etiam prophetiae *mr GH* : proph. et. *b* ‖ 27 praesentibus *mr GH* : etiam *add. b*
XII, 5 in quo *mr GH* : et in eo *b*

---

2. *Psiatio quod uulgo matta uocatur* : gloses analogues chez Jérôme traduisant Pachôme, *Praec.* 88 (*psiathium id est mattam*) ; Denys, *V. Pach.* 43 (*psiathos quas mattas uulgus appellat*) ; Fructueux, *Reg.* II, 19 (*psiatho quod latine storea nuncupatur*). Cf. Grég. de Tours, *V. Patr.* 19, 2 (*stratum... quod intextis iunci uirgulis fieri*

2. Alors le Père ordonne qu'on lui apporte le jeune homme mis en lambeaux : ils ne purent le transporter que dans une couverture, les moellons écroulés lui ayant rompu le corps et broyé les os. L'homme de Dieu demande qu'on le mette aussitôt dans sa cellule sur le *psiathium* — c'est-à-dire la natte —, où il se tenait pour prier. Il renvoie les frères, ferme la porte, se met à prier encore plus instamment que d'habitude, et c'est le miracle. Sur l'heure, voilà le garçon sain et sauf, vaillant comme auparavant, expédié au travail interrompu, alors que, par sa mort, le vieil adversaire avait bien cru insulter Benoît.

3. Dans ces conjonctures, l'homme de Dieu commença aussi à être doué de l'esprit prophétique, annonçant l'avenir, faisant savoir aux gens présents ce qui se passait au loin.

XII. L'usage du monastère était que si les frères sortaient pour quelque course, ils devaient s'abstenir de manger et de boire hors du monastère. Ce point de l'observance était suivi scrupuleusement. Un jour, les frères sortirent pour une course et furent contraints de s'arrêter au loin jusqu'à une heure tardive. Dans le voisinage habitait une femme pieuse qu'ils connaissaient. Ils entrèrent chez elle et prirent une collation.

solet, quas uulgo mattas uocant). CASSIEN, qui ne glose jamais *psiathium*, le distingue de *matta* en *Conl.* 4, 21, 2. La *matta* sert de tapis de prière (*RM* 19, 25 ; 69, 10) comme de matelas (*RM* 81, 31 ; *RB* 55, 15). — L'enfant se retrouve *incolumis* : III, 16, 6. Comparée à II, 32, 3, cette résurrection paraît facile et discrète.

3. Introduction aux douze miracles cognitifs (12-22). *Prophetiae spiritu* : 14, 1 ; 21, 3-4. Prédictions : 12-13 ; 15, 1.3 ; 16-17 ; 21. Visions à distance : 18-19 (cf. 14.20.22).

XII, 1. On ne mange pas hors du monastère : voir *Ordo mon.* 8 ; *Reg. Tarn.* 9, 14 ; *RB* 51 (*Frater qui pro quouis responso dirigitur...*). Cf. *RM* 61 (casuistique). *Regula* ne vise pas nécessairement la Règle écrite (II, 36). Les frères sont envoyés à plusieurs (cf. *Ordo mon.* 8 ; PACHÔME, *Praec.* 56, etc.), suivant le principe formulé dans *Reg.* 12, 6 = *Ep.* 12, 24. Cependant on trouve un frère envoyé seul en II, 19, 1 ; *RM* 15, 48 ; *RB* 51, 1, etc. L'heure « tardive » fait penser à *RM* 61, 18, la femme « religieuse » à *RM* 61, 16 : autant de circonstances atténuantes.

2. Cumque iam tardius ad cellam redissent, benedictionem patris ex more petierunt. Quos ille protinus per-
10 contatus est, dicens : « Vbi comedistis ? » Qui responderunt, dicentes : « Nusquam ». Quibus ille ait : « Quare ita mentimini ? Numquid illius talis feminae habitaculum non intrastis ? Numquid hos atque illos cibos non accepistis ? Numquid tot calices non bibistis ? » Cumque eis
15 uenerabilis pater et hospitium mulieris et genera ciborum et numerum potionum diceret, recognoscentes cuncta quae egerant, ad eius pedes tremefacti ceciderunt, se deliquisse confessi sunt. Ipse autem protinus culpam pepercit, perpendens quod in eius absentia ultra non
20 facerent, quem praesentem sibi esse in spiritu scirent.

XIII. Frater quoque Valentiniani eius monachi, cuius superius memoriam feci, uir erat laicus, sed religiosus. Qui, ut serui Dei orationem perciperet et germanum fratrem uideret, annis singulis de loco suo ad cellam ieiunus
5 uenire consueuerat. Quadam igitur die, dum iter ad monasterium faceret, sese illi alter uiator adiunxit, qui sumendos in itinere portabat cibos. Cumque iam hora tardior excreuisset, dixit : « Veni, frater, sumamus cibum, ne lassemur in uia. » Cui ille respondit : « Absit, frater,
10 non facio, quia ad uenerabilem patrem Benedictum ieiunus semper uenire consueui. » Quo responso percepto, ad horam conuiator conticuit.

8 redissent *m GH* : rediis- *br* ‖ 17 ceciderunt *mr GH* : et *add. b* ‖ 18 culpam *bmr GH* : -pae *b*ᵛ*r*ᵛ
XIII, 1 Valentiniani *bmr GH* : -tini *m*ᵛ*z* ‖ 4 cellam *mr GH* : eius *add. bm*ᵛ ‖ 7 cibos *mr GH* : *ante* in *transp. b* ‖ 10 non facio *mr GH* : non faciam *r*ᵛ hoc non faciam *bz* ‖ 11 uenire *m G* : peruen- *br H*

---

2. Demande de bénédiction au retour : elle n'est attestée qu'ici (cf. 13, 3 : demande d'oraison à l'arrivée). Les reproches de Benoît

2. Une fois rentrés au monastère, tardivement, ils demandèrent au Père sa bénédiction selon l'usage. Aussitôt celui-ci questionne : « Où avez-vous mangé ? » — « Nulle part », disent-ils. — « Pourquoi mentir ainsi ? N'êtes-vous pas entrés chez telle femme ? N'avez-vous pas mangé ceci et cela ? N'avez-vous pas bu tant de fois ? » Comme le vénérable Père leur indique l'hôtesse, le menu, le nombre de rasades, ils reconnaissent tout ce qu'ils ont fait et tombent tout penauds à ses pieds, avouant leur incorrection. Celui-ci leur remet aussitôt leur faute, sachant bien qu'on ne les reprendra plus à se conduire mal loin de lui, du moment qu'ils le savent présent en esprit.

XIII. Le frère du moine Valentinien, que j'ai mentionné plus haut, était laïc, mais très pieux. Pour recevoir une oraison du serviteur de Dieu et pour voir son frère, il arrivait de chez lui tous les ans, et il avait accoutumé de venir à jeun au monastère. Un jour qu'il était en chemin, un voyageur se joignit à lui : il portait des provisions pour le voyage. Comme le temps passait et qu'il se faisait tard, le voyageur dit : « Allons, frère, mangeons pour ne pas nous fatiguer à marcher. » Et l'autre de répondre : « Jamais de la vie, frère ! Car j'ai l'habitude de venir toujours à jeun voir le vénérable Père Benoît. » Sur cette réponse, le compagnon de route se tut pour un moment.

supposent une règle simple comme *RB* 51, plutôt que la casuistique de *RM* 61. Au reste, le Maître envisage qu'on mange chez un séculier, non chez une femme. Les moines pachômiens ne pouvaient rien manger ou boire chez les moniales (Denys, *V. Pach.* 28). — Modèle biblique : voir note sous 13, 4.

XIII, 1. Valentinien : voir *Prol.* 2. *Laicus sed religiosus* fait penser à Sulpice Sév., *Dial.* 2, 2 : *uir licet saecularibus negotiis occupatus, tamen admodum christianus*; *RM* 24, 23 : *laicus... huius religiositatis quod...* (cf. *RM* 61, 16). Voir aussi II, 3, 14 (*nobiles et religiosi*) ; IV, 28, 1. — La visite annuelle est mentionnée dans les mêmes termes en III, 37, 1 ; *Hom. Eu.* 37, 9 (cf. II, 33, 2 ; Grég. de Tours, *Mir. S. Mart.* 2, 53). Les deux séculiers se donnent le titre de « frère » (cf. I, 10, 18 ; II, 7, 1 et notes), peut-être parce que « religieux » et pèlerins.

2. Sed cum post haec aliquantum itineris spatium egissent, rursus admonuit ut manducarent. Consentire noluit,
15 qui ieiunus peruenire decreuerat. Tacuit quidem qui ad manducandum inuitauerat, et cum eo ieiunus adhuc pergere ad modicum consensit. Cumque et iter longius agerent, et eos tardior hora fatigaret ambulantes, inuenerunt in itinere pratum et fontem et quaeque poterant ad refi-
20 ciendum corpus delectabilia uideri. Tunc conuiator ait : « Ecce aqua, ecce pratum, ecce amoenus locus, in quo possumus refici et parum quiescere, ut ualeamus iter nostrum postmodum incolumes explere. » Cum igitur et uerba auribus et loca oculis blandirentur, hac tertia admoni-
25 tione persuasus, consensit et comedit.

3. Vespertina uero hora peruenit ad cellam. Praesentatus autem uenerabili Benedicto patri, sibi orationem petiit. Sed mox ei uir sanctus hoc quod in uia egerat inproperauit, dicens : « Quid est, frater ? Malignus hostis,
30 qui tibi per conuiatorem tuum locutus est, semel tibi persuadere non potuit, secundo non potuit, ad tertium persuasit, et te ad hoc quod uoluit superauit. » Tunc ille reatum infirmae suae mentis agnoscens, eius pedibus prouolutus, tanto magis coepit culpam deflere et erubescere,
35 quanto se cognouit etiam absentem in Benedicti patris oculis deliquisse.

4. PETRVS. Ego sancti uiri praecordiis Helisei spiritum uideo inesse, qui absenti discipulo praesens fuit.

13 haec *mr GH* : hoc *b* ‖ 14 rursus *bmr GH* : -sum *m*v ‖ Consentire noluit *mr GH* : nol. cons. *b* ‖ 17 et iter *m GH* : iter *br* ‖ 23 uerba *mr GH* : haec *add. b* ‖ 24 hac tertia *m*v*r G* : ac tertia *m*v *H* ad tertiam *m*v tertia *bz* ‖ admonitione *bmrz GH* : -nem *m*v ‖ 26 Vespertina uero *bmz GH* : atque uesp. *r* ‖ 27 sibi orationem *mr GH* : dari *add. bm*v or. sibi *m*v ‖ 29 frater *m GH* : quod *add. bm*v*rz* ‖ 31 ad tertium *mr*(*z*) : at tertio *bm*v tertio *m*v *GH* ‖ persuasit *b*v*mr GH* : suasit *b* ‖ 38 fuit *mr GH* : exstitit *b*

XIII, 4. 2 R 5, 26.

2. Le compagnon accepte de cheminer à jeun : suivant les lois

2. Mais ensuite, quand ils eurent fait un bout de chemin, il rappela qu'il fallait manger. L'autre, qui avait décidé de venir à jeun, refusa. Celui qui invitait à déjeuner se tut, admettant de continuer encore un peu à jeun. Cependant la marche se prolongeait, l'heure avançait, la fatigue prenait les marcheurs. Ils rencontrèrent sur leur route un pré et une fontaine et tout ce qui pouvait paraître délectable pour refaire ses forces. Alors le compagnon de route dit : « Voilà de l'eau, un pré, un endroit agréable où nous pouvons nous refaire et prendre un peu de repos. Ensuite nous serons dispos pour finir sans encombre notre marche. » Ces propos flattaient l'oreille l'endroit, était plaisant à l'œil : cette troisième invitation persuada le pèlerin. Il consentit et mangea.

3. Il arriva dans la soirée au monastère. Introduit auprès du vénérable Benoît, il lui demanda sa bénédiction, mais aussitôt le saint lui reprocha sa conduite sur le chemin : « Quoi donc, frère ! Le mauvais adversaire qui vous a parlé par votre compagnon de route n'a pas réussi à vous convaincre une première fois, une deuxième, et la troisième fois il a réussi ! Il vous a vaincu en vous imposant sa volonté. » Alors notre homme reconnut la faute due à son manque de caractère. Il se jeta aux pieds de Benoît et il se mit à pleurer de honte pour sa faute, d'autant plus qu'il avait mal agi — il s'en apercevait — sous le regard du Père pourtant bien loin.

4. Pierre. Je vois que le cœur du saint avait l'esprit d'Élisée présent à son disciple encore qu'éloigné.

de la charité antique, il ne saurait manger seul. Repas pris à l'instigation d'un *conuiator* : voir *RM* 62 (*uiae collegis*). Cf. *RM* 61, 5-10 : invitations réitérées.

3. Il s'avère que le voyageur était un déguisement du diable : cf. I, 10, 6. L'abbé appelle un laïc *frater*, comme le faisait le moine de Fondi (I, 3, 4). Le coupable se jette aux pieds de l'abbé comme en 12, 2 (cf. *RB* 44, 2-4, etc.). *

4. Conclusion de 12-13. Pierre fait allusion à 2 R 5, 25-26 (Élisée et Giézi), à quoi ressemble surtout la première histoire (12, 2 : dialogue entre les disciples et le maître ; mais celui-ci pardonne au lieu de punir). Benoît a l'« esprit d'Élisée », voire « l'esprit de tous les justes » (8, 8). Athanase, *V. Ant.* 34, 3, attribuait la clairvoyance d'Élisée à sa pureté d'âme.

GREGORIVS. Oportet, Petre, ut interim sileas, quatenus
40 adhuc maiora cognoscas.

XIIII. Gothorum namque temporibus, cum rex eorum Totila sanctum uirum prophetiae habere spiritum audisset, ad eius monasterium pergens, paulo longius substitit eique se uenturum esse nuntiauit. Cui dum protinus man-
5 datum de monasterio fuisset, ut ueniret, ipse, sicut perfidae mentis fuit, an uir Domini prophetiae spiritum haberet, explorare conatus est. Quidam uero eius spatarius Riggo dicebatur, cui calciamenta sua praebuit, eumque indui regalibus uestibus fecit, quem quasi in persona sua
10 pergere ad Dei hominem praecepit. In cuius obsequio tres, qui sibi prae caeteris adhaerere consueuerant, comites misit, scilicet Vult, Ruderic et Blidin, ut ante serui Dei oculos ipsum esse regem Totilam simulantes, eius lateri obambularent. Cui alia quoque obsequia atque spatarios
15 praebuit, ut tam ex eisdem obsequiis quam ex purpureis uestibus rex esse putaretur.

2. Cumque isdem Riggo decoratus uestibus, obsequentum frequentia comitatus, monasterium fuisset ingressus, uir Dei eminus sedebat. Quem uenientem conspiciens,
20 cum iam ab eo audiri potuisset, clamauit, dicens : « Pone,

39 Gregorius *mr* : *num. cap.* XIIII *praem.* *bm*^{v}*z*
XIIII bmrwz GH 6 Domini *mw H* : Dei *bm*^{v}*rw*^{v} *G* ‖ 8 Riggo *bmwz GH* : Riccho *r* ‖ cui *bm*^{o}*rw GH* : qui *m* ‖ 9 regalibus uestibus *mrw G*^{pc}*H* : uest. reg. *b* ‖ 12 Vult *m*^{v}*r*^{v}*w*^{v} *H* : Vuld *m*^{v} Vul *mw G* Mul *m*^{v} Vulteric *z* Wilderich *r* ‖ Ruderic *bmr*^{v}*w* : Ruderes *H* Rudirig *G* *alia uaria m*^{v}*w*^{v} *om. r* ‖ Blidin *bmrw GH* : Blindin *m*^{v}*w*^{v} Brindin *z* ‖ 13 lateri *mrw GH*^{pc} : -re *H*^{ac} -ribus *bm*^{v} ‖ 14 spatarios *bm*^{v}*rw*^{v} *H* : -rius *mw*^{v} *G* -rium *m*^{v}*w*^{v} ‖ 17 isdem *mw GH* : idem *bm*^{v}*rw*^{v} hisdem *m*^{v} eisdem *H* ‖ Riggo : Riccho *r* ‖ obsequentum *bmrw H* : -tium *m*^{v} *G* ‖ 20 audiri *bm*^{v}*w*^{v} *H*^{pc} : -re *mrw GH*

XIIII, 1. Totila met à l'épreuve l'esprit de prophétie du saint : fait analogue en III, 5, 1-2, à propos de l'évêque de Canusium (cf. II, 15, 3). Riggo n'est pas connu par ailleurs, mais on trouve

Grégoire. Pour le coup, Pierre, il convient que vous gardiez le silence, afin d'en apprendre de plus belles encore.

XIIII. Au temps des Goths, leur roi Totila avait entendu dire que le saint homme était doué de l'esprit prophétique. Il se dirigea donc sur le monastère, fit halte à quelque distance et lui annonça sa visite. On répondit immédiatement du monastère qu'il pouvait venir. Mais Totila, mécréant comme il était, voulut expérimenter si l'homme du Seigneur avait réellement l'esprit prophétique. A l'un de ses écuyers, nommé Riggo, il donna ses bottes, fit endosser sa tenue royale et ordonna de se présenter à l'homme de Dieu comme s'il était le roi en personne. Puisqu'il lui fallait un état-major, il lui adjoignit trois comtes, ses inséparables, Vult, Ruderic et Blidin, pour faire croire au serviteur de Dieu qu'il avait affaire vraiment au roi Totila, ainsi accompagné à droite et à gauche. Il ajouta un cortège et des écuyers pour que ces honneurs, comme la tenue de pourpre, fissent croire que Riggo était le roi.

2. Quand Riggo, en grande tenue, escorté d'une foule d'officiels, fit son entrée au monastère, l'homme de Dieu était assis à bonne distance. Voyant qu'il approchait, lorsqu'il se trouva à portée de voix, il cria : « Déposez,

les trois comtes chez Procope, *BG* 3, 5 (*Bledan kai Rouderichon kai Ouliarin*), et l'*Auctarium Marcellini*, a. 542, 3 (*Ruderit et Viliarid Bledamque*) : ils battent les Byzantins à Mugello, près de Florence, vers le début de 542. Cf. Cassiodore, *Var.* 1, 38 (*Wiliarit adulescentis*) ; 5, 23 (*comitem Wiliarium* ; voir aussi Procope, *BG* 1, 3 ; 2, 16 et 21-22). Ruderic fut tué à Ostie quelques jours avant la prise de Rome, en décembre 546 (Procope, *BG* 3, 19). La visite au Mont-Cassin se place sans doute peu après le combat de Mugello, quand Totila allait prendre Naples (*BG* 3, 6), ou peu avant la prise de Rome (cf. A. Mundó, « Sur la date de la visite de Totila à S. Benoît », dans *Rev. Bén.* 59 [1949], p. 203-206 : deuxième moitié de 546).

2. Benoît appelle Riggo *fili*, comme Equitius le défenseur Julien (I, 4, 15 ; cf. I, 10, 13). Il le démasque : cf. 1 R 14, 6 (Ahias et la femme de Jéroboam) ; *Hist. mon.* 1, 394 bc (Jean de Lyco et le diacre). Riggo et ses compagnons tombent à terre : on songe à Saul et aux siens (Ac 26, 14).

fili, pone hoc quod portas. Non est tuum. » Qui Riggo protinus in terram cecidit, et quia tanto uiro inludere praesumpsisset expauit, omnesque, qui cum eo ad Dei hominem ueniebant, terrae consternati sunt. Surgentes autem ad eum propinquare minime praesumpserunt, sed ad suum regem reuersi, nuntiauerunt trepidi in quanta uelocitate fuerant deprehensi.

XV. Tunc per se isdem Totila ad Dei hominem accessit. Quem cum longe sedentem cerneret, non ausus accedere, sese in terram dedit. Cui dum uir Dei bis et ter diceret : « Surge », sed ipse ante eum erigi de terra non auderet, Benedictus, Iesu Christi Domini famulus, per semetipsum dignatus est accedere ad regem prostratum. Quem de terra leuauit, de suis actibus increpauit, atque in paucis sermonibus cuncta quae illi erant uentura praenuntiauit, dicens : « Multa mala facis, multa fecisti. Iam aliquando ab iniquitate conpescere. Et quidem Romam ingressurus es, mare transiturus, nouem annis regnas, decimo morieris. »

2. Quibus auditis, rex uehementer territus, oratione petita, recessit, atque ex illo iam tempore minus crudelis fuit. Cum non multo post Romam adiit, ad Siciliam per-

21 Riggo : Riccho *r* || 22 terram *bmwz H* : -ra m^{v} *G*
XV, 1 isdem *mw H* : idem $bm^{v}r$ eisdem w^{v} *G* || 3 terram *bmrwz H* : -ra m^{v} *G* || dum *mw H* : cum $bm^{o}rw^{v}$ *G* || bis *bmrwz GH* : *om. r* || et ter *mw*^{v} : terque $m^{v}w^{v}$ H^{pc} ter $m^{v}w$ GH^{ac} terue *b* *om. r* || 4 sed *bmrw H* : cum *add.* w^{v} *G* || erigi de terra *mw* : de ter. er. $bm^{v}rw^{v}$ *GH* || 5 Iesu Christi *mrw GH* : Chr. Ie. *b* *om.* m^{v} || Domini *mwz GH* : *om.* $bm^{v}r$ || 6 dignatus est accedere $bmrw^{v}$ *H* : acc. dign. est $m^{v}w^{v}$ acc. est dign. m^{v} dign. acc. est $m^{o}w$ *G* || 7 leuauit *mw GH* : et *add. brz* || 9 multa² *mrwz G* : mala *add.* $bm^{v}w^{v}$ *H* || 10 conpescere *bmrw H* : -pesce $m^{v}w^{v}$ *G* || Et quidem *mrw GH* : equidem *b* || 11 regnas *mrw* GH^{ac} : regnans m^{v} regnabis $br^{v}w^{v}$ H^{pc} regnaturus $m^{v}w^{v}$ || 13 tempore *bmw GH* : *om. r* || 14 Cum *mrw GH* : et *bz*

XV, 1. Grégoire goûte le spectacle de Totila humilié. La crainte du roi barbare devant l'homme de Dieu fait penser à EUGIPPE, *V. Seu.* 19, 2 et 31, 2 ; GRÉG. DE TOURS, *V. Patr.* 1, 5. Benoît est toujours assis quand il reçoit les Goths (14, 2 ; 31, 2). Cf. l'attitude fière

mon fils, déposez ce que vous portez, ce n'est pas à vous. » Riggo en tomba à la renverse, et se sentit très mal à l'aise d'avoir osé se jouer d'un si grand homme. Toute sa suite, qui venait vers l'homme de Dieu, fut jetée à terre. Puis, se relevant, ils n'osèrent pas s'approcher, mais retournèrent vers leur roi et lui annoncèrent, très émus, combien vite ils avaient été surpris.

XV. Alors Totila vint en personne trouver l'homme de Dieu. Il le vit de loin qui siégeait. Totila n'osa pas s'approcher et se prosterna. L'homme de Dieu lui dit à deux ou trois reprises : « Levez-vous ! » Mais il n'osait pas se redresser en face de lui. Benoît, le serviteur de Jésus-Christ notre Seigneur, daigna s'avancer vers le roi prosterné et le releva. Il lui reprocha ses actions, et en quelques mots lui annonça tout l'avenir. Il lui dit : « Vous faites bien du mal, vous en avez fait beaucoup : cessez enfin de commettre l'iniquité. Vous ferez votre entrée à Rome, vous passerez la mer, vous régnerez pendant neuf années, et la dixième, vous mourrez. »

2. A ces mots, le roi se sentit très inquiet. Il demanda une bénédiction et se retira. Dès lors, il fut moins cruel. Assez peu de temps après, il entra à Rome et débarqua

d'Antoine recevant une lettre des empereurs, auxquels il répond en leur faisant la leçon (Athanase, *V. Ant.* 81 ; cf. 84, 6). De même Séverin invite rois et reines à cesser de mal agir (Eugippe, *V. Seu.* 40, 2-3). — Totila « fait du mal » » comme le roi Hazael (2 R 8, 12). Benoît lui prédit qu'il vaincra, puis mourra : on songe aux célèbres prédictions de Jean de Lyco à Théodose (*Hist. mon.* 1, 391 c et 405 a ; Pallade, *Hist. Laus.* 35, 2 = *HP* 22, 301 b ; Cassiodore, *Hist. trip.* 9, 45 = Sozomène, *Hist. eccl.* 7, 22) et de Martin à Maxime (Sulpice Sév., *V. Mart.* 20, 8-9). Séverin annonce aussi à Odoacre son avènement (Eugippe, *V. Seu.* 7) et prédit qu'il régnera treize ans (*ibid.* 32, 2).

2. Cruauté de Totila : voir III, 11-13 ; Procope, *BG* 3, 6.10.15.25. 30 ; *Auctar. Marc.*, a. 545, 1 ; Jordanes, *Rom.* 380. Elle s'adoucit, comme celle d'Avitien après sa rencontre avec Martin (Sulpice Sév., *Dial.* 3, 8). — Entré à Rome en décembre 546 et en septembre 549 (ou janvier 550), maître de la Sicile en 550, Totila périt en août 552, dans la 11e année de son règne (Procope, *BG* 4, 32), qui avait commencé en novembre 541. *Anno... decimo* pèche donc par défaut.

15 rexit, anno autem regni sui decimo omnipotentis Dei iudicio regnum cum uita perdidit.

3. Praeterea antistes Canusinae ecclesiae ad eundem Domini famulum uenire consueuerat, quem uir Dei pro uitae suae merito ualde diligebat. Is itaque, dum cum illo
20 de ingressu regis Totilae et Romanae urbis perditione colloquium haberet, dixit : « Per hunc regem ciuitas ista destruetur, ut iam amplius non habitetur. » Cui uir Domini respondit : « Roma a gentibus non exterminabitur, sed tempestatibus, coruscis et turbinibus ac terrae motu fati-
25 gata, marcescet in semetipsa. » Cuius prophetiae mysteria nobis iam facta sunt luce clariora, qui in hac urbe dissoluta moenia, euersas domus, destructas ecclesias turbine cernimus, eiusque aedificia, longo senio lassata, quia ruinis crebrescentibus prosternantur uidemus.
30 4. Quamuis hoc Honoratus eius discipulus, cuius mihi relatione conpertum est, nequaquam ex ore illius audisse se perhibet, sed quia hoc dixerit, dictum sibi a fratribus fuisse testatur.

XVI. Eodem quoque tempore quidam Aquinensis ecclesiae clericus daemonio uexabatur, qui a uenerabili uiro Constantio, ecclesiae eius antistite, per multa fuerat martyrum loca transmissus, ut sanari potuisset. Sed sancti

17 antistes $bm^{v}rw^{v}$: -stis H^{pc} antestis *mw* GH^{ac} ‖ Canusinae *mrw GH* : Canos- $m^{v}w^{v}$ *ante* antistes *transp.* *b* ‖ 22 destruetur *bm* H^{pc} : destruitur $m^{v}r$ GH^{ac} ‖ habitetur *mw GH* : inhab- $bm^{v}rw^{v}$ ‖ Domini *bmw H* : Dei $m^{v}rw^{v}z$ *G* ‖ 24 ac $bm^{v}m^{o}rw^{v}$ *GH* : et *mw* ‖ 25 marcescet $bm^{v}r^{v}wz$ GH^{pc} : -cit *mr* H^{ac} ‖ in semetipsa *mrwz GH* : *ante* marcescet *transp.* *b* ‖ 29 uidemus $bmrw^{v}z$ *H* : uidimus $m^{v}w$ *G*
XVI bmrz GH 3 ecclesiae eius *m GH* : ei. eccl. *r* eiusdem eccl. *b* ‖ antistite $bm^{v}r$ H^{pc} : antes- *m* GH^{ac}

3. Sur l'évêque Sabin de Canosa, voir III, 5 et notes. Il parle ici de la première entrée de Totila à Rome, le 17 décembre 546, à la suite de laquelle le roi commença de démolir la ville, puis la vida de tous ses habitants pendant plus de quarante jours (Procope, *BG* 3, 20-22 ; *Auctar. Marc.*, a. 547, 5). La conversation des deux saints

en Sicile. L'an dix de son règne, par un jugement de Dieu tout-puissant, il perdit son royaume avec la vie.

3. Par ailleurs, l'évêque de l'Église de Canosa avait accoutumé de visiter le serviteur du Seigneur, et l'homme de Dieu l'aimait beaucoup pour sa vie méritante. Dans une conversation sur l'entrée du roi Totila à Rome et le sac de la ville, l'évêque déclara : « Le roi détruira la ville, si bien qu'elle sera inhabitable. » L'homme de Dieu lui répondit : « Rome ne sera pas exterminée par des barbares, mais dévastée par des tempêtes, par la foudre, par des cyclones, par le tremblement de terre ; elle flétrira dans ses ruines. » Les mystères de cette prophétie sont devenus pour nous d'une clarté aveuglante, maintenant que dans la ville nous voyons les murailles pleines de brèches, les maisons renversées, les églises détruites par la tornade, et ses édifices, épuisés par une longue vieillesse, joncher la terre en ruines grandissantes.

4. Notons toutefois qu'Honorat, son disciple, qui m'a rapporté la chose, dit qu'il n'a pas été témoin auriculaire ; mais il atteste que cela lui a été rapporté par les frères.

XVI. A cette époque, un clerc de l'Église d'Aquin était tourmenté par le démon. Le vénérable Constance, évêque de cette ville, l'avait envoyé à de nombreux sanctuaires de martyrs pour qu'il pût être guéri, mais les

peut donc se placer vers mars 547. On songe aux entretiens prophétiques d'Antoine avec l'évêque Sarapion (ATHANASE, *V. Ant.* 82, 3). — Dégâts subis par les édifices romains : voir *Hom. Ez.* II, 6, 22 (*ruinis crebrescentibus... destrui aedificia uidemus*). Cf. *Hom. Eu.* 1, 5 (*nudiustertius... turbine... destructae domus atque ecclesiae... euersae sunt*).

4. Honorat, abbé de Subiaco quand Grégoire écrit (*Prol.* 2 et note), a sans doute été d'abord moine au Mont-Cassin.

XVI, 1. Aquino est à une dizaine de kilomètres du Mont-Cassin vers l'Ouest. Sur l'évêque Constance, voir III, 8 et notes. L'histoire de son clerc ressemble à celle du prêtre indigne, puni d'un cancer pour son impureté, que Macaire d'Alexandrie guérit moyennant promesse de renoncer à tout ministère (PALLADE, *Hist. Laus.* 18, 19-21 = *HP* 6, 274-275). *Vt quanta... demonstrarent* : formule semblable en 1, 2.

Dei martyres noluerunt ei sanitatis donum tribuere, ut quanta esset in Benedicto gratia demonstrarent. Ductus itaque est ad omnipotentis Dei famulum Benedictum, qui Iesu Christo Domino preces fundens, antiquum hostem de obsesso homine protinus expulit. Cui sanato praecepit, dicens : « Vade, et post haec carnem non comedas, ad sacrum uero ordinem numquam accedere praesumas. Quacumque autem die sacrum ordinem temerare praesumpseris, statim iuri diaboli iterum manciparis. »

2. Discessit igitur clericus sanus, et sicut terrere solet animum poena recens, ea quae uir Dei praeceperat interim custodiuit. Cum uero post annos multos omnes priores illius de hac luce migrassent, et minores suos sibimet superponi in sacris ordinibus cerneret, uerba uiri Dei quasi ex longo tempore oblitus postposuit, atque ad sacrum ordinem accessit. Quem mox is qui reliquerat diabolus tenuit, eumque uexare, quousque animam eius excuteret, non cessauit.

3. Petrvs. Iste uir diuinitatis, ut uideo, etiam secreta penetrauit, qui perspexit hunc clericum idcirco diabolo traditum, ne ad sacrum ordinem accedere auderet.

Gregorivs. Quare diuinitatis secreta non nosset, qui diuinitatis praecepta seruaret, cum scriptum sit : *Qui adhaeret Domino, unus spiritus est* ?

4. Petrvs. Si unus fit cum Domino spiritus, qui Domino adhaeret, quid est quod iterum isdem egregius

5 Dei *bm^{v}rz GH* : *om. m* ‖ 10 post haec *m H* : posthac *br G* ‖ 10-11 ad sacrum uero *mr H* : et ad sacrum *b* ad sagrum *G* ‖ 12 temerare *bmr GH* : temerarie *b^{v}* ‖ 13 manciparis *mr GH^{ac}* : -paberis *bm^{v}r^{v}z H^{pc}* ‖ 27 seruaret *mr GH^{ac}* : -uauit *br^{v}* -uaueret *H^{pc}* ‖ 30 isdem *m GH* : idem *bm^{v}r*

XVI, 3. 1 Co 6, 17

2. Cf. Pallade, *Hist. Laus.* 17, 3-4 = *HP* 6, 268 a : Macaire d'Égypte profère contre le futur prêtre Jean, son serviteur et suc-

saints martyrs ne voulurent pas lui faire don de la santé, pour montrer ce qu'il y avait de grâce en Benoît. Il fut donc conduit au serviteur de Dieu tout-puissant Benoît qui, en priant le Seigneur Jésus-Christ avec effusion, expulsa sur-le-champ le vieil adversaire de cet homme possédé. Après guérison, il lui donna cette ordonnance : « Va, et après cela ne mange plus de viande. Ne te permets pas d'accéder à un saint ordre. Le jour où tu te permettras de profaner un ordre sacré, aussitôt tu redeviendras esclave du diable. »

2. Là-dessus, le clerc guéri prit congé, et comme une peine récente, d'ordinaire, inspire de la crainte à l'esprit, il tint compte des prescriptions de l'homme de Dieu pendant quelque temps. Mais au bout de plusieurs années, quand il vit que tous ses anciens étaient morts et que ses cadets le devançaient dans les ordres sacrés, il négligea les paroles de l'homme de Dieu, comme oubliées en raison du long temps écoulé, et il accéda à un ordre sacré. Aussitôt le diable qui l'avait laissé le saisit et ne cessa plus de le tourmenter jusqu'à ce qu'il eût rendu l'âme.

3. Pierre. Cet homme, à ce que je vois, pénétra même les secrets de la divinité, puisqu'il connut que le clerc avait été livré au diable pour qu'il n'osât point accéder à un ordre sacré.

Grégoire. Comment n'aurait-il pas connu les secrets de la divinité, celui qui observait les commandements de la divinité, étant donné qu'il est écrit : « Celui qui adhère au Seigneur n'est avec lui qu'un seul esprit » ?

4. Pierre. S'il devient un seul esprit avec le Seigneur, celui qui adhère au Seigneur, pourquoi le même excellent

cesseur, une menace qui se réalise longtemps après, par la faute de celui-ci. Voir aussi Grég. de Tours, *Mir. S. Mart.* 1, 2 et 2, 53 : rechutes dans la maladie pour non-observance des conditions de la guérison. *Priores... minores* : *RB* 63, 10.

3. *Diabolo traditum* fait allusion à 1 Co 5, 5 ou 1 Tm 1, 20 (cf. *RB* 25, 4 ; Eugippe, *V. Seu.* 36.) Même usage de 1 Co 6, 17 dans *In I Reg.* 4, 7, pour expliquer l'accord du jugement de Samuel avec celui du Seigneur. Voir aussi *In I Reg.* 4, 180. Dons de Dieu à ceux qui lui obéissent : III, 15, 17.

praedicator dicit : *Quis nouit sensum Domini, aut quis consiliarius eius fuit* ? Valde enim esse inconueniens uidetur, eius sensum, cum quo unum factus fuerit, ignorare.

5. GREGORIVS. Sancti uiri, in quantum cum Domino
35 unum sunt, sensum Domini non ignorant. Nam isdem quoque apostolus dicit : *Quis enim scit hominum, quae sunt hominis, nisi spiritus hominis, qui in ipso est* ? *Ita et quae Dei sunt, nemo cognouit, nisi spiritus Dei.* Qui, ut se ostenderet nosse quae Dei sunt, adiunxit : *Nos autem*
40 *non spiritum huius mundi accepimus, sed spiritum qui ex Deo est.* Hinc iterum dicit : *Quod oculus non uidit, nec auris audiuit, nec in cor hominis ascendit, quae praeparauit Deus diligentibus se, nobis autem reuelauit per spiritum suum.*

45 6. PETRVS. Si ergo eidem apostolo ea quae Dei sunt per Dei spiritum fuerant reuelata, quomodo super hoc quod proposui praemisit, dicens : *O altitudo diuitiarum sapientiae et scientiae Dei. Quam inconprehensibilia sunt iudicia eius, et inuestigabiles uiae eius* ? Sed rursum mihi haec
50 dicenti alia suboritur quaestio. Nam Dauid propheta Domino loquitur, dicens : *In labiis meis pronuntiaui omnia iudicia oris tui.* Et cum minus sit nosse quam etiam pronuntiare, quid est quod Paulus inconprehensibilia esse Dei iudicia asserit, Dauid autem haec se omnia non solum
55 nosse, sed etiam in labiis pronuntiasse testatur ?

33 unum *mr GH* : unus *bm*ᵛ*r*ᵛ || factus *bmr GH* : *om.* *b*ᵛ || 34 Domino *mr H* : Deo *b G* || 35 isdem *m GH* : idem *bm*ᵛ*r* || 37 sunt hominis *mr GH* : hom. sunt *b* || in ipso est *m GH* : est in ipso *br* || 47 proposui *bmr*ᵛ*z GH* : -suit *b*ᵛ*r* || 49 eius² *bm*ᵛ*r GH* : illius *m* || rursum *bmr GH* : -sus *m*ᵛ

---

4. Rm 11, 34 || 5. 1 Co 2, 11-12.9-10 || 6. Rm 11, 33 ; Ps 118, 13

---

4. Ailleurs (*Mor.* 10, 7 ; 28, 13), Grégoire ne cite ce verset paulinien qu'à la suite du verset précédent (Rm 11, 33). Ici, du reste, il ne tardera pas à citer ce dernier (16, 6).

prédicateur dit-il : « Qui connaît la pensée du Seigneur, ou qui fut son conseiller ? » Car il n'est pas du tout logique, semble-t-il, que l'on ignore la pensée de celui avec qui on ne fait qu'un.

5. Grégoire. Les saints, en tant qu'ils sont un avec le Seigneur, n'ignorent point la pensée de Dieu. Car l'Apôtre dit encore : « Qui des hommes connaît les choses de l'homme, sinon l'esprit de l'homme qui est en lui ? De même, nul ne connaît les choses de Dieu, sinon l'Esprit de Dieu. » Et pour montrer qu'il connaît les choses de Dieu, il ajoute : « Quant à nous, nous avons reçu non pas l'esprit de ce monde, mais l'esprit qui est de Dieu. » Il explicite : « Ce que l'œil n'a pas vu, ce que l'oreille n'a pas entendu, ce qui n'est pas monté au cœur de l'homme, tout cela Dieu l'a préparé pour ceux qu'il aime, et il nous l'a révélé par son Esprit. »

6. Pierre. Si donc les choses qui sont de Dieu furent révélées à cet Apôtre par l'Esprit de Dieu, comment, avant le mot que j'ai cité à l'instant, s'est-il écrié : « O profondeur des richesses de la sagesse et de la science de Dieu ! Combien sont incompréhensibles ses jugements, et ses voies déroutantes ! » A peine ai-je dit cela que déjà surgit un nouveau problème, car le prophète David, s'adressant au Seigneur, déclare : « De mes lèvres j'ai prononcé tous les jugements de ta bouche. » Et comme savoir est moins que prononcer, pourquoi Paul assure-t-il que les jugements de Dieu sont incompréhensibles, tandis que David atteste que non seulement il connaît toutes ces choses, mais bien mieux, qu'il les a prononcées ?

5. Citation de 1 Co 2, 11 : ailleurs (*Mor.* 15, 66 ; 18, 78), Grégoire n'en reproduit que la première partie, sur l'esprit de l'homme. Citation de 1 Co 2, 12 : ailleurs (*In I Reg.* 3, 151 ; 4, 82), Grégoire lit *habemus* pour *accepimus*. Citation de 1 Co 2, 9-10 : une seule fois (*Mor.* 18, 92), Grégoire réunit ces deux versets ; d'ordinaire (au moins sept fois), il cite seulement le premier. Remarquer la marche à reculons : 1 Co 2, 9-10 est cité après 1 Co 2, 11-12.

6. Rm 11, 33 est cité après Rm 11, 34 (16, 4) : nouvelle marche à reculons. La citation de Ps 118, 13 ne se présente pas ailleurs dans l'œuvre de Grégoire.

7. GREGORIVS. Ad utraque haec tibi superius sub breuitate respondi, dicens quod sancti uiri, in quantum cum Domino sunt, sensum Domini non ignorant. Omnes enim qui deuote Dominum sequuntur, etiam deuotione cum
60 Deo sunt, et adhuc carnis corruptibilis pondere grauati, cum Deo non sunt. Occulta itaque Dei iudicia, in quantum coniuncti sunt, sciunt ; in quantum disiuncti sunt, nesciunt. Quia enim secreta eius adhuc perfecte non penetrant, inconprehensibilia eius iudicia esse testantur. Quia
65 uero ei mente inhaerent, atque inhaerendo uel sacrae scripturae eloquiis uel occultis reuelationibus, in quantum accipiunt, agnoscunt, haec et norunt et pronuntiant. Iudicia igitur, quae Deus tacet, nesciunt ; quae Deus loquitur, sciunt.
70 8. Vnde et Dauid propheta, cum dixisset : *In labiis pronuntiaui omnia iudicia*, protinus addidit : *oris tui*, ac si aperte dicat : illa ego iudicia et nosse et pronuntiasse potui, quae te dixisse cognoui. Nam ea, quae ipse non loqueris, nostris procul dubio cognitionibus abscondis.
75 Concordat ergo prophetica apostolicaque sententia, quia et inconprehensibilia sunt Dei iudicia, et tamen, quae de ore eius prolata fuerint, humanis labiis pronuntiantur, quoniam sciri ab hominibus et prolata per Deum possunt, et occultata non possunt.
80 9. PETRVS. In obiectione meae quaestiunculae patuit causa rationis. Sed quaeso te, si qua sunt adhuc de huius uiri uirtute, subiunge.

60-61 et adhuc — non sunt *om. H* ‖ 60 pondere grauati *mr G* : grau. pond. *b* ‖ 64 Quia *bmr*^{v} *G* : qui *r H* ‖ 65 ei mente *m GH* : mente ei *br*^{v} et mente *r* ‖ sacrae [-i *G* -e *H*] *mr GH* : sacris *b* ‖ 67 haec *mr GH* : *post* norunt *transp. b* ‖ norunt *m H* : nouerunt *bm*^{v}*r* *G* ‖ 78 sciri *bm*^{v}*r* *G*^{pc}*H*^{pc} : -re *m* *G*^{ac}*H*^{ac} ‖ per Deum *bmrz GH* : prodi *b*^{v} ‖ 79 occultata *mr*(*z*) : occulta *bm*^{v}*r*^{v} *GH* occultari *b*^{v} ‖ 81 rationis *bmr GH* : tuae *add. b*^{v} ‖ 82 uirtute *mr G* : -tibus *bm*^{v}*r*^{v} *H*

8. Rm 11, 33 ; Ps 118, 13.

7. Grégoire. A vos deux difficultés, je viens de répondre brièvement en disant que les saints, en tant qu'ils sont unis au Seigneur, n'ignorent pas la pensée du Seigneur. En effet, tous ceux qui suivent le Seigneur avec dévotion sont par leur dévotion avec Dieu, mais alourdis par le poids de la chair corruptible, ils ne sont pas avec Dieu. Les jugements cachés de Dieu, en tant qu'unis à Dieu ils les connaissent, mais en tant que séparés ils les ignorent. Parce qu'ils ne pénètrent pas encore parfaitement ses secrets, ils attestent que ses jugements sont incompréhensibles. Mais parce qu'ils lui sont unis par l'esprit et que, par cette union, en tant qu'instruits par des paroles de l'Écriture sacrée ou des révélations cachées, ils reçoivent des lumières, ils connaissent ces choses et les prononcent. Les jugements que Dieu tait, ils les ignorent ; ceux que Dieu énonce, ils les savent.

8. Voilà pourquoi le prophète David, après avoir dit : « De mes lèvres j'ai prononcé tous les jugements », s'empresse d'ajouter : « de ta bouche », ce qui revient à dire en clair : « J'ai pu connaître et prononcer ces jugements que je savais que tu avais énoncés. Car ce que tu n'as pas énoncé toi-même, tu le caches sans nul doute à nos intelligences. » Il y a donc accord entre la sentence prophétique et la sentence apostolique, car les jugements de Dieu sont incompréhensibles, et pourtant ce qui a été proféré par sa bouche est prononcé par des lèvres humaines ; c'est pour cette raison que ce qui est proféré peut être objet de connaissance humaine, tandis que ce qui est caché ne peut être objet de cette connaissance.

9. Pierre. Par l'objection de ma petite difficulté, votre raisonnement sur les textes a tout éclairci. Mais, je vous prie, continuez, s'il y a encore à dire sur les miracles de cet homme.

7. « Poids de la chair corruptible » qui « alourdit » : cf. Sg 9, 15 (*Corpus quod corrumpitur aggrauat animam*) ; 2 Co 5, 4 (*grauati*). Le mot de la Sagesse est cité dans *Mor.* 30, 53 ; *Hom. Ez.* II, 1, 16.

9. *Viri uirtute* : paronomasie étymologique rappelant Virgile, *Aen.* 4, 3 ; Horsièse, *Lib.* 52 (144, 23), citant Ec 12, 3. Cf. III, 35, 3.

XVII. GREGORIVS. Vir quidam nobilis, Theopropus nomine, eiusdem Benedicti patris fuerat admonitione conuersus, qui pro uitae suae merito magnam apud eum familiaritatis fiduciam habebat. Hic cum quadam die eius
5 cellulam fuisset ingressus, hunc amarissime flentem repperit. Cumque diu subsisteret, eiusque non finiri lacrimas uideret, nec tamen uir Domini, ut consueuerat, orando plangeret, sed moerendo, quaenam causa tanti luctus existeret inquisiuit. Cui uir Dei ilico respondit : « Omne
10 hoc monasterium quod construxi, et cuncta quae fratribus praeparaui, omnipotentis Dei iudicio gentibus tradita sunt. Vix autem obtinere potui, ut mihi ex hoc loco animae cederentur. »

2. Cuius uocem tunc Theopropus audiuit, nos autem
15 cernimus, qui destructum modo a Langobardorum gente eius monasterium scimus. Nocturno enim tempore et quiescentibus fratribus, nuper illic Langobardi ingressi sunt, qui diripientes omnia, ne unum quidem hominem illic tenere potuerunt, sed inpleuit omnipotens Deus, quod
20 fideli famulo Benedicto promiserat, ut, si res gentibus traderet, animas custodiret. Qua in re Pauli uicem uideo tenuisse Benedictum, cuius dum nauis rerum omnium iacturam pertulit, ipse in consolatione uitam omnium qui eum comitabantur accepit.

XVII bmrw (*usque* qua in re) **z GH** 1 Theopropus *mrw H* : -bus *bm*ᵛ *G* Benedictus *z* ‖ 6 non *bm*ᵛ*rw*ᵛ *GH* : *post* lacrimas *transp. mw* ‖ finiri *bmrw G* : -re *m*ᵛ *H* ‖ 7 uir Domini ut *mw* : ut uir Dei *bm*ᵛ*rw*ᵛ *GH* ‖ 13 cederentur *mw GH* : concederentur *bm*ᵛ*r* ‖ 14 Theopropus *mrw H* : -bus *bm*ᵛ *G* Benedictus *z* ‖ 17 illic *bmrw GH* : illi *m*ᵛ illuc *w*ᵛ ‖ 21 uideo *bm*ᵒ*r GH* : uides *m* uidemus *z* ‖ 23 iacturam *bm*ᵛ*r GH* : -ra *m* ‖ consolatione *bmr* : -nem *m*ᵛ *GH* ‖ 24 eum *bmr H* : cum eo *m*ᵛ *G*

XVII, 2. Ac 27, 22-24.

XVII, 1. D'après 35, 4, Theopropus habite en ville et possède des serviteurs. Ce *religiosus uir* est donc un laïc « converti » à une vie pieuse sans quitter le monde. Les avis de Benoît ont opéré cette conversion : cf. II, 19, 1 ; *Reg.* 4, 6 = *Ep.* 4, 6 (*nobilem mulierem...*

XVII. Un noble nommé Théopropus avait été converti par les exhortations de ce même Père Benoît. Comme il menait une vie méritante, ce dernier avait en lui pleine confiance : il s'ouvrait à lui. Un jour que Théopropus était entré dans sa cellule, il le trouva pleurant amèrement. Il resta longtemps et vit que ses larmes ne cessaient pas : non pas ces pleurs qui accompagnaient habituellement la prière de l'homme du Seigneur, mais des larmes de chagrin. Il demanda la cause de si grands sanglots. L'homme de Dieu lui répondit : « Tout ce monastère que j'ai construit, tout ce que j'ai préparé pour les frères est livré aux barbares par un jugement de Dieu tout-puissant. J'ai pu obtenir à grand-peine qu'il me concède de tirer les âmes de ce lieu. »

2. Cette annonce qu'entendit Théopropus, nous la voyons réalisée, puisque nous savons que son monastère a été détruit récemment par les Lombards. Une nuit, comme les frères dormaient, les Lombards y entrèrent il y a peu de temps. Ils ont tout mis à sac, mais n'ont pu prendre un seul homme. Dieu tout-puissant a tenu sa promesse à son fidèle serviteur Benoît. S'il a livré les biens aux barbares, il a gardé les âmes. En cette affaire, je vois que Benoît a remplacé Paul qui vit son navire perdre tous ses biens, mais reçut pour sa consolation la vie de ceux qui l'accompagnaient.

per exhortationem Agnelli episcopi fuisse conuersam) ; FERRAND, *V. Fulg.* 43. *Pro uitae suae merito* rappelle 15, 3, et la « grande familiarité » entre ce moine et ce laïc, I, 2, 1 (cf. III, 37, 1). « Cellule » de Benoît : voir 11, 1-3 (cf. 35, 2). Ses pleurs dus à une vision prophétique font penser à ceux d'Antoine (ATHANASE, *V. Ant.* 82, 4-13). Intéressante notation sur son habitude de prier avec larmes : voir *RB* 20, 3 ; 49, 4 ; 52, 4. Cf. JÉRÔME, *V. Pauli* 15 : Paul avait coutume de prier avec des soupirs. *

2. Selon H. S. BRECHTER, *Monte Cassinos erste Zerstörung*, dans *SMGBO* 56 (1938), p. 109-150, cette destruction aurait eu lieu en 577. D'après PAUL DIACRE, *Hist. Lang.* 4, 17, l'abbé d'alors était Bonitus, successeur de Constantin et Simplicius (cf. *Prol.* 2) et de Vital. Les moines se seraient réfugiés à Rome (au monastère du Latran, ajoute LÉON D'OSTIE, *Chron. Cass.* 1, 2, par conjecture fondée sur *Prol.* 2 : Valentinien). Le même PAUL DIACRE, *Hist. Lang.* 6, 40, dit que le monastère de Benoît fut relevé quelque 110 ans plus tard (quelque 140 ans, en réalité : après 717).

XVIII. Quodam quoque tempore Exhilaratus noster, quem ipse conuersum nosti, transmissus a domino suo fuerat, ut Dei uiro in monasterium uino plena duo lignea uascula, quae uulgo flascones uocantur, deferret. Qui
5 unum detulit, alterum uero pergens in itinere abscondit. Vir autem Domini, quem facta absentia latere non poterant, unum cum gratiarum actione suscepit, et discedentem puerum monuit, dicens : « Vide, fili, de illo flascone, quem abscondisti, iam non bibas, sed inclina illum caute,
10 et inuenis quid intus habet. » Qui confusus ualde a Dei homine exiuit, et reuersus, uolens adhuc probare quod audierat, cum flasconem inclinasset, de eo protinus serpens egressus est. Tunc praedictus Exhilaratus puer, per hoc quod in uino repperit, expauit malum quod fecit.

XVIIII. Non longe autem a monasterio uicus erat, in quo non minima multitudo hominum ad fidem Dei ab idolorum cultu Benedicti fuerat exhortatione conuersa. Ibi quoque quaedam sanctimoniales feminae inerant, et
5 crebro illuc pro exhortandis animabus fratres suos mittere Benedictus Dei famulus curabat. Quadam uero die misit ex more, sed is qui missus fuerat monachus post admonitionem factam, a sanctimonialibus feminis rogatus, mappulas accepit, sibique eas abscondit in sinu.

XVIII bmrz GH 3 in monasterium *bmr H* : in monasterio *m*ᵛ *om. G* ‖ 4 uulgo *bmr GH* : a uulgo *b*ᵛ ‖ 8 fili *mrz* : ne *add. b H*ᵃᶜ ut *add. H*ᵖᶜ *post* flascone *transp. G* ‖ de *bmr H* : *om. G* ‖ 9 iam non *mz GH* : *om. b* ‖ 10 inuenis *m GH* : inuenies *bm*ᵛ*rz* ‖ 11 adhuc *bmr GH* : hoc *b*ᵛ *om. b*ᵛ
XVIIII bmrw (*usque* conuersa) **z GH** 2 non minima *bmr*ᵛ*w H* : non magna *b*ᵛ magna *m*ᵛ*rz G* ‖ 4-8 sanctimoniales... sanctimonialibus *bm*ᵛ *G* : sanctaem-... sanctaem- *mr H*

XVIII. Histoire étrangement semblable à III, 14, 9, où le *puer* reste anonyme. On trouve *Exhilaratum nostrum* dans *Reg.* 5, 6 = *Ep.* 4, 47 (Grégoire avait pensé l'envoyer à Constantinople avec un

XVIII. En une autre occasion, notre Exhilaratus, que vous connaissez depuis qu'il est converti, avait été envoyé par son maître pour porter à l'homme de Dieu au monastère deux vases en bois pleins de vin, ce que nous appelons vulgairement des barillets. Il en remit un, mais cacha l'autre au cours du trajet. L'homme de Dieu, à qui les actions accomplies à distance ne pouvaient échapper, reçut l'unique barillet avec des remerciements. Puis il ajouta pour la gouverne du serviteur qui se retirait : « Attention, mon fils, à ne pas boire de ce barillet dissimulé. Incline-le avec précaution et tu verras le contenu. » Tout honteux, le serviteur quitta l'homme de Dieu, et au retour il voulut savoir à quoi s'en tenir sur ce qu'il avait entendu. Il inclina le barillet et aussitôt un serpent en sortit. Alors le serviteur Exhilaratus, voyant ce qu'il y avait dans le vin, blêmit devant sa vilaine action.

XVIIII. Non loin du monastère il y avait un village. Bon nombre de ses habitants avaient été amenés du culte des idoles à la foi en Dieu par le zèle de Benoît. Il y avait également là quelques religieuses, et le serviteur de Dieu se faisait un devoir d'envoyer souvent ses frères stimuler leurs âmes. Un jour, il envoya quelqu'un comme de coutume, et le moine envoyé fut prié par les religieuses, après sa conférence, de vouloir bien accepter des mouchoirs, qu'il glissa dans sa ceinture.

message), *Exhilaratum secundicerium* dans *Reg.* 7, 29 = *Ep.* 7, 32 (il revient d'Orient), et *coepiscopum nostrum Exhilaratum* dans *Reg.* 14, 4 = *Ep.* 14, 4 (en Sicile). Les deux premières mentions au moins concernent probablement le présent *conuersus.* — Serpent dans le vin : voir Grég. de Tours, *V. Patrum* 5, 2. Le voleur trouve un serpent là où il avait caché son larcin : Cyrille de Scyth., *V. Euth.* 48.

XVIIII, 1. Rappel de l'œuvre évangélisatrice de Benoît (8, 11). Ensuite *pro exhortandis animabus* rappelle I, 4, 4 (*pro exhortandis ad desideria superna fidelibus*) ; cf. III, 21, 2. *Admonitio* comme en 17, 1. — A la différence de 12, 1, le frère sortant est ici envoyé seul. Pour le reste, les deux histoires se ressemblent beaucoup. — *Mappula* : un de ces objets « nécessaires » que les moines sont tentés de s'approprier (*RB* 55, 19).

10 2. Qui mox ut reuersus est, eum uir Dei uehementissima amaritudine coepit increpare, dicens : « Quomodo ingressa est iniquitas in sinu tuo ? » At ille obstupuit, et quid egisset oblitus, unde corripiebatur ignorabat. Cui ait : « Numquid ego illic praesens non eram, quando ab
15 ancillis Dei mappulas accepisti, tibique eas in sinu misisti ? » Qui mox eius uestigiis prouolutus, stulte se egisse paenituit, et eas, quas in sinu absconderat, mappulas proiecit.

XX. Quadam quoque die, dum uenerabilis pater uespertina iam hora corporis alimenta perciperet, eius monachus cuiusdam defensoris filius fuerat, qui ei ante mensam lucernam tenebat. Cumque uir Dei ederet, ipse autem
5 cum lucernae ministerio adstaret, coepit per superbiae spiritum in mente sua tacitus uoluere, et per cogitationem dicere : « Quis est hic, cui ego manducanti adsisto, lucernam teneo, seruitium inpendo ? Quis sum ego, ut isti seruiam ? » Ad quem uir Dei statim conuersus, uehemen-
10 ter eum coepit increpare, dicens : « Signa cor tuum, frater. Quid est quod loqueris ? Signa cor tuum. » Vocatisque statim fratribus, praecepit ei lucernam de manibus tolli, ipsum uero iussit a ministerio recedere et sibi hora eadem quietum sedere.
15 2. Qui requisitus a fratribus quid habuerit in corde, per ordinem narrauit quanto superbiae spiritu intumue-

12 sinu tuo *mz GH* : sinum tuum *bm*ᵛ*z* ‖ obstupuit *bm*ᵛ*r GH* : obstip- *m* ‖ 15 sinu *mz* H : sino *m*ᵛ *G* sinum *bm*ᵛ*r*
XX bmrz GH 1 uenerabilis *bm GH* : Benedictus *add. r* ‖ 5-6 per superbiae spiritum *bmr GH* : puer superbiae spiritu *b*ᵛ ‖ 10 eum *mr GH* : *post* coepit *transp. b* *om. H* ‖ 12 ei *bm*ᵛ*r GH* : eis *m*

2. Reproches adressés au frère rentrant : voir 12, 2. Ici, ils font écho à 2 R 5, 26 : *Nonne cor meum in praesenti erat quando... accepisti uestes* (cf. Dn 13, 5). Le coupable « se prosterne aux pieds » de l'abbé : 13, 3 (cf. *RB* 44, 4).
XX, 1. Ce repas vespéral peut être l'unique *refectio* du carême (*RB* 41, 7) ou la *cena* du temps pascal (*RB* 41, 1). En 33, 2, Benoît

2. Dès que le conférencier fut rentré à la maison, l'homme de Dieu se mit à le tancer avec un très vif déplaisir : « Comment l'iniquité est-elle entrée dans ton sein ? » Stupeur de l'homme, qui avait oublié son geste, et ne voyait pas la raison de cette semonce. Alors Benoît reprit : « N'étais-je pas là quand tu as reçu tes mouchoirs de ces servantes de Dieu, et que tu les as fourrés dans ta ceinture ? » Le moine se jeta à ses pieds, pénitent pour cette action étourdie, et il rendit ces mouchoirs qu'il avait dissimulés dans sa ceinture.

XX. Un jour, le vénérable Père prenait sa réfection corporelle, et comme la soirée était déjà avancée, un de ses moines, fils d'un défenseur, lui tenait la lampe devant la table. Tandis que l'homme de Dieu mangeait, notre porte-lampe, debout, fut pris d'un esprit d'orgueil et se mit à ruminer silencieusement dans sa tête. Il se disait dans ses pensées : « Qui est-ce que j'assiste, moi, pendant qu'il mange ? Je lui tiens la lampe, je lui sers d'esclave ! Quand je suis ce que je suis, moi, le servir ? » L'homme de Dieu, aussitôt, se tourna vers lui et se mit à le semoncer vertement : « Fais le signe de croix sur ton cœur, frère ! Qu'est-ce que tu dis là ? Fais le signe de croix sur ton cœur ! » Il appelle aussitôt les frères, commande qu'on lui prenne la lampe des mains, enjoint au porte-lampe de quitter son poste, d'aller s'asseoir immédiatement et de se tenir coi.

2. Les frères demandèrent au jeune ce qui s'était passé dans son cœur. Il leur conta par le menu toute cette

mange aussi *incumbentibus iam tenebris*. Qu'il ait besoin pour cela d'une lampe est contraire à *RB* 41, 8-9. *Puer* tenant un cierge à table devant un grand : voir GRÉG. DE TOURS, *Hist. Franc.* 5, 3. — Les Dialogues ne font connaître que le *defensor ecclesiae* (I, 4, 12, etc.). Par CASSIODORE, *Var.* 7, 11, etc., on connaît aussi le *defensor ciuitatis*, nommé par le prince à la demande de ses concitoyens. — « Reproches véhéments » comme en 19, 2. Signe de croix sur la poitrine pour chasser une mauvaise pensée : *RM* 8, 27.

2. Cf. PALLADE, *Hist. Laus.* 35, 5-7 = *HP* 22, 302 bc : Jean de Lyco découvre les pensées d'impatience de son visiteur et l'en reprend.

rat, et quae contra uirum Dei uerba per cogitationem tacitus dicebat. Tunc liquido omnibus patuit, quod uenerabilem Benedictum latere nihil posset, in cuius aure etiam
20 cogitationis uerba sonuissent.

XXI. Alio igitur tempore in eadem Campaniae regione famis incubuerat, magnaque omnes alimentorum indigentia coangustabat. Iamque in Benedicti monasterio triticum deerat, panes uero paene omnes consumpti fuerant,
5 ut non plus quam quinque ad refectionis horam fratribus inueniri potuissent. Cumque eos uenerabilis pater contristatos cerneret, eorum pusillanimitatem studuit modesta increpatione corrigere, et rursum promissione subleuare, dicens : « Quare de panis inopia uester animus
10 contristatur ? Hodie quidem minus est, sed die crastina abundanter habebitis. »

2. Sequenti autem die ducenti farinae modii ante fores cellae in saccis inuenti sunt, quos omnipotens Deus quibus deferentibus transmisisset, nunc usque manet incognitum.
15 Quod cum fratres cernerent, Domino gratias referentes, didicerunt iam de abundantia nec in egestate dubitare.

3. PETRVS. Dic, quaeso te : numquidnam credendum est huic Dei famulo semper prophetiae spiritum adesse

19 nihil *m GH* : nil *br* ‖ posset *bm*ᵛ*r H* : -sit *m G* ‖ aure *b*ᵛ*mr GH* : auribus tacitae *b* ‖ 20 cogitationis uerba *bmr GH* : uer. cog. *b*ᵛ
XXI, 1 igitur *mrz GH* : quoque *bm*ᵛ*r*ᵛ *H* ‖ regione *bm*ᵛ*r GH* : -nem *m* -nis *m*ᵛ ‖ 2 famis *m GH* : fames *bm*ᵛ*r* ‖ 6 inueniri *bm*ᵛ*rz H*ᵖᶜ : -re *m GH*ᵃᶜ ‖ contristatos *bm*ᵛ*rz H*ᵖᶜ : -tus *m GH*ᵃᶜ ‖ 8 rursum *bm*ᵒ*r GH* : -sus *m* ‖ promissione *bmr GH* : blanda *add.* *b*ᵛ ‖ 12 fores *bm*ᵒ*r GH*ᵖᶜ : foris *m H*ᵃᶜ ‖ 13 cellae *bmrz H* : cellole *G* ecclesiae cellae *b*ᵛ ‖ 17 numquidnam *mr GH* : numquid non *br*ᵛ

XXI, 1. Famine en Campanie : voir 28, 1. On peut en rapprocher la famine « universelle » du *Lib. Pont.* I, 291 (Silvère : 536-537),

bouffée d'orgueil qui l'avait gonflé, les propos qu'il avait tenus contre l'homme de Dieu, sans mot dire, dans sa pensée. Alors apparut clairement à tous qu'on ne pouvait rien cacher au vénérable Benoît. A son oreille un simple discours mental avait résonné.

XXI. Une autre fois, une grande famine tomba sur la Campanie. Tout le monde était dans la détresse, faute de vivres. Déjà au monastère de Benoît le blé manquait. Les pains avaient été presque tous consommés, si bien qu'à l'heure du repas des frères on ne put en trouver que cinq. Comme le vénérable Benoît les voyait découragés, il essaya de corriger leur pusillanimité en les grondant un peu, et de leur rendre cœur par une promesse : « Pourquoi vous attrister pour un manque de pains ? Aujourd'hui c'est la disette ; demain, ce sera l'abondance. »

2. Le jour suivant, on trouva deux cents boisseaux de farine dans des sacs envoyés par Dieu tout-puissant. On ignore encore maintenant quels furent ses intermédiaires. A cette vue, les frères rendirent grâces au Seigneur. Ils venaient d'apprendre qu'il ne fallait pas douter de l'abondance, même dans la disette.

3. Pierre. Auriez-vous la bonté de me dire si ce serviteur de Dieu a pu avoir continuellement l'esprit de

la disette en Italie du Nord attestée par Cassiodore, *Var.* 12, 22-28 (535-536 ?), et l'affreuse famine qui sévit en Émilie, Toscane et Picenum selon Procope, *BG* 2, 20 (hiver 538-539). — Cinq pains : cf. Mt 14, 17 ; Mc 6, 38 ; Lc 9, 13 ; Jn 6, 9. *Die crastina* rappelle *V. Caesarii* 2, 7 : *Cras dabit Deus...* (même contexte).

2. De même, alors que ses moines n'ont plus de pain, Pachôme reçoit à l'aube un chargement de blé inattendu (G^1 39 ; Bo 39). Miracles analogues dans *Hist. mon.* 7, 416 bc (Apollonius) ; 9, 425 c (Patermutius) ; 11, 431 c (Hellenus ; cf. 16, 438 c : Paphnuce). Voir aussi *V. Caes.* 2, 7 ; Cyrille de Scyth., *V. Ioh.* 12, etc.

3. Même problème dans *Mor.* 2, 89 et *Hom. Ez.* I, 1, 15-16, où Grégoire donne la même solution et cite comme ici Nathan et Élisée, mais en ordre inverse et mêlés à d'autres exemples. Le présent passage est un raccourci mieux ordonné. L'utilisation de Jn 3, 8 dans cette discussion est neuve. Les cinq autres citations de ce verset dans l'œuvre de Grégoire sont plus longues (jusqu'à *uadat*) et accompagnées d'un commentaire différent. *

potuisse, an per interualla temporum eius mentem prophetiae spiritus inplebat ?

Gregorivs. Prophetiae spiritus, Petre, prophetarum mentes non semper inradiat, quia, sicut de sancto Spiritu scriptum est : *Vbi uult spirat*, ita sciendum est quia et quando uult adspirat. Hinc est enim quod Nathan, a rege requisitus si construere templum posset, prius consensit et postmodum prohibuit. Hinc est quod Heliseus, cum flentem mulierem cerneret causamque nescisset, ad prohibentem hanc puerum dicit : « *Dimitte eam, quia anima eius in amaritudine est, et Dominus celauit a me et non indicauit mihi.* »

4. Quod omnipotens Deus ex magnae pietatis dispensatione disponit, quia dum prophetiae spiritum aliquando dat et aliquando subtrahit, prophetantium mentes et eleuat in celsitudine et custodit in humilitate, ut et accipientes spiritum inueniant quid de Deo sint, et rursum prophetiae spiritum non habentes cognoscant quid sint de semetipsis.

5. Petrvs. Ita hoc esse ut adseris, magna ratio clamat. Sed, quaeso, de uenerabili patre Benedicto quicquid adhuc animo occurrit, exequere.

XXII. Gregorivs. Alio quoque tempore a quodam fideli uiro fuerat rogatus, ut in eius praedio iuxta Terra-

23 spirat bmr^{v} *GH* : aspirat $b^{v}r$ ‖ 25 posset $bm^{v}r$: -sit m^{v} *GH* potuisset *m* ‖ consensit *bmr GH* : consentit m^{v} concessit b^{v} ‖ 27 nescisset *bmr*(*z*) *GH* : nesciret $m^{v}r^{v}$ ‖ 31 magnae *bmrz* : magna m^{v} *GH* ‖ 32 disponit $bm^{o}rz$ *GH* : disposuit *m* ‖ 35 rursum *bmr GH* : -sus m^{v}

XXII, 1 Gregorius $bm^{o}r$ *GH* : *om.* *m* ‖ 2 Terracinensem $m^{v}r$ *GH* : Tarrac- *b* Terracensem *m* Terracinenses *etc.* m^{v}

XXI, 3. Jn 3, 8 ; 2 S 7, 1-17 ; 2 R 4, 27.

4. Développement de l'idée esquissée dans *Mor.* 2, 89 et *Hom. Ez.* I, 1, 15. Cf. *Mor.* 19, 10 (*in illis uirtutibus Elias quid de Deo acceperat, in istis infirmitatibus quid de se esse poterat agnoscebat... fuit ista infirmitas custos uirtutis*) ; 28, 13 (Dieu nous cache certaines choses

prophétie, ou si c'est seulement par intervalles que cet esprit de prophétie le remplissait ?

GRÉGOIRE. Pierre, l'esprit de prophétie n'illumine pas toujours l'esprit des prophètes, car de même qu'il est écrit du Saint-Esprit : « Il souffle où il veut », de même il faut savoir qu'il inspire quand il veut. De là vient que Nathan, à qui le roi demandait s'il pouvait construire le temple, commença par dire oui, puis il dit non. De là vient qu'Élisée, voyant une femme pleurer sans qu'il sût pourquoi, dit à son serviteur qui voulait l'écarter : « Laisse-la, car son âme est dans l'amertume. Le Seigneur m'en a caché la raison et il ne me l'a pas révélée. »

4. Dieu tout-puissant agit ainsi par une dispensation de sa grande bonté, car lorsqu'il donne parfois l'esprit de prophétie et parfois le soustrait, il élève l'esprit des prophètes jusqu'aux cimes et puis les retient dans l'humilité, pour que, lorsqu'ils reçoivent cet esprit, ils découvrent ce qu'ils sont de par Dieu, et quand derechef ils n'ont plus l'esprit de prophétie, ils reconnaissent ce qu'ils sont par eux-mêmes.

5. PIERRE. Oui, c'est comme vous dites. Il y a là de grandes raisons de convenance qui s'imposent. Mais s'il vous plaît, dites ce qui vous revient encore à l'esprit sur le vénérable abbé Benoît.

XXII. GRÉGOIRE. A quelque temps de là, un homme pieux le pria d'envoyer de ses disciples et de construire

pour nous faire connaître notre humble mesure). — Cette méditation sur les dons de l'Esprit et leurs limites rappelle II, 16, 7-8. *

XXII, 1. Sur Terracine, encore tenue par les « Romains » au temps des Dialogues, voir note sous III, 7, 1. Le monastère de Benoît (cf. IV, 9, 1) est appelé dans des documents médiévaux *S. Stephanus de montanis* (P. F. KEHR, *Italia Pontificia*, t. II, Berlin 1907, p. 121). Vendu par le Mont-Cassin en 1641, il ne put être retrouvé, en 1685, par Mabillon (voir son *Iter Italicum*, dans *Museum Italicum*, t. I, Paris 1724, p. 98). A. CONTATORI, *De historia Terracinensi*, Rome 1706, p. 341, signale de faibles restes, mais sans en préciser la localisation. Un Monte San Stefano culmine à 733 m, à 5 km au N. de Terracine. — Constitution de la communauté : voir 3, 13. La nomination conjointe de l'abbé et du prieur est contraire à *RB* 65. *Refectorium*, encore inconnu du Maître et de Benoît, apparaît chez FERRÉOL, *Reg.* 24 (cf. DONAT, *Reg.* 56, 5 ; ISIDORE, *Reg.* 9, 2 ; FRUCTUEUX, *Reg.* I, 10).

cinensem urbem, missis discipulis suis, construere monasterium debuisset. Qui roganti consentiens, deputatis fratribus, patrem constituit, et quis eis secundus esset ordinauit. Quibus euntibus spondit, dicens : « Ite, et die illo ego uenio, et ostendo uobis in quo loco oratorium, in quo refectorium fratrum, in quo susceptionem hospitum uel quaeque sunt necessaria aedificare debeatis. » Qui, benedictione percepta, ilico perrexerunt, et constitutum diem magnopere praestolantes, parauerunt omnia quae his, qui cum tanto patre uenire potuissent, uidebantur esse necessaria.

2. Nocte uero eadem, qua promissus inlucescebat dies, eidem seruo Dei, quem illic patrem constituerat, atque eius praeposito uir Domini in somnis apparuit, et loca singula, ubi quid aedificari debuisset, subtiliter designauit. Cumque utrique a somno surgerent, sibi inuicem quod uiderant retulerunt. Non tamen uisioni illi omnimodo fidem dantes, uirum Dei, sicut se uenire promiserat, expectabant.

3. Cumque uir Dei constituto die minime uenisset, ad eum cum moerore reuersi sunt, dicentes : « Expectauimus, pater, ut uenires, sicut promiseras, et nobis ostenderes, ubi quid aedificare deberemus, et non uenisti. » Quibus ipse ait : « Quare, fratres, quare ista dicitis ? Numquid, sicut promisi, non ueni ? » Cui cum ipsi dicerent : « Quando uenisti ? », respondit : « Numquid utrisque uobis dormientibus non apparui et loca singula designaui ? Ite, et sicut per uisionem audistis, omne habitaculum monasterii ita construite. » Qui haec audientes uehementer admirati,

5 eis *b*^{v}*mr GH* : ei *bm*^{v}*r*^{v} *om. m*^{v} ‖ 6 spondit *m G* : spopondit *bm*^{v}*r* respondit *b*^{v} *H* ‖ 16 somnis *bm*^{v}*r GH* : -niis *m* ‖ 17 aedificari *b*^{v}*m* : -re *bm*^{v}*r GH* ‖ debuisset *b*^{v}*m GH* : -sent *bm*^{v}*r* ‖ 30 audistis *bmr GH* : uidistis *b*^{v}*z*

---

2. Ressemble à *Hist. mon.* 1, 391-392 : Jean de Lyco annonce

un monastère près de la ville de Terracine sur un terrain qu'il possédait. Benoît consentit à sa demande, forma un essaim de frères, institua l'abbé et son prieur. Au départ, il leur fit cette promesse : « Allez, et tel jour, je viendrai et vous montrerai où bâtir l'église, le réfectoire des frères, l'hôtellerie et tous les lieux conventuels. » Après avoir reçu sa bénédiction, ils partirent aussitôt. Attendant avec impatience le jour fixé, ils préparèrent tout le nécessaire pour ceux qui pourraient venir avec ce Père si cher.

2. Mais dans la nuit qui précéda l'aube du grand jour, au serviteur de Dieu qu'il avait constitué abbé, de même qu'à son prieur, apparut en songe l'homme du Seigneur, qui leur désigna minutieusement tous les emplacements où ils devaient bâtir. L'un et l'autre, à leur réveil, se communiquent leur vision. Mais ne voulant pas se fier absolument à un rêve, ils attendent de pied ferme l'homme de Dieu, puisqu'il avait promis de venir.

3. Le jour fixé se passe sans l'homme de Dieu. Bien ennuyés, ils retournent auprès de lui et disent : « Nous avons attendu, Père, que vous veniez selon votre promesse pour nous montrer où nous devons bâtir. Et vous n'êtes pas venu. » Il leur dit : « Pourquoi, mes frères, pourquoi dites-vous cela ? Aurais-je manqué à ma promesse en ne venant pas ? » A leur question : « Quand êtes-vous venu ? », il répondit : « Pendant votre sommeil à tous deux : que faites-vous de cette apparition ? Je vous ai indiqué l'emplacement de chacun des lieux réguliers. Allez, et construisez toutes les habitations du monastère comme vous avez entendu dans la vision. » A ces paroles, ils furent stupéfaits ; ils revinrent à la propriété dont nous

sa visite à une femme et lui apparaît en songe (de même AUGUSTIN, *De cura mort.* 21 ; cf. *V. Patr. Iurensium* 102) ; *Hist. mon.* 7, 415 b : Apollonius et le brigand ont le même songe (cf. GRÉG. DE TOURS, *Glor. mart.* 56 et *Glor. conf.* 80 : un saint défunt apparaît en songe à deux vivants simultanément). Comparer la légende de la fondation de Sainte-Marie-aux-Neiges (*BHL* 5403). *

3. Les moines appellent leur abbé *pater* : voir I, 2, 9 (cf. *RM* 61, 2 ; 83, 4.8). L'abbé les appelle « frères » : II, 7, 1 et note (cf. *RM* 92, 8, etc.). *Quare fratres quare...* rappelle 14, 2 (*pone fili pone*).

ad praedictum praedium sunt reuersi, et cuncta habitacula, sicut ex reuelatione didicerant, construxerunt.

4. PETRVS. Doceri uelim, quo fieri ordine potuit, ut
35 longe iret, responsum dormientibus diceret, quod ipsi per uisionem audirent et recognoscerent.

GREGORIVS. Quid est quod perscrutans rei gestae ordinem ambigis, Petre ? Liquet profecto quia mobilioris naturae est spiritus quam corpus. Et certe scriptura teste
40 nouimus quod propheta ex Iudaea subleuatus, repente est cum prandio in Chaldaea depositus, quo uidelicet prandio prophetam refecit, seque repente in Iudaea iterum inuenit. Si igitur tam longe Abacuc potuit sub momento corporaliter ire et prandium deferre, quid mirum si Benedic-
45 tus pater obtinuit, quatenus iret per spiritum et fratrum quiescentium spiritibus necessaria narraret, ut, sicut ille ad cibum corporis corporaliter perrexit, ita iste ad institutionem spiritalis uitae spiritaliter pergeret ?

5. PETRVS. Manus tuae locutionis tersit a me, fateor,
50 dubietatem mentis. Sed uelim nosse in communi locutione qualis iste uir fuerit.

XXIII. GREGORIVS. Vix ipsa, Petre, communis eius locutio a uirtutis erat pondere uacua, quia cuius cor sese in alta suspenderat, nequaquam uerba de ore illius incassum cadebant. Si quid uero umquam non iam decernendo,
5 sed minando diceret, tantas uires sermo illius habebat, ac si hoc non dubie atque suspense, sed iam per sententiam protulisset.

34 uelim *bm*ᵛ*r* : uellim *m H*ac uellem *m*ᵛ *GH*pc ‖ fieri ordine *bm*ᵛ*r GH* : ord. fi. *mz* ‖ 47 ita *bmr GH* : et *add.* *m*ᵛ*z* ‖ 50 uelim *bm*ᵛ*r* : uellim *m H*ac uellem *m*ᵛ *GH*pc

---

XXII, 4. Dn 14, 32-38.

---

4. AUGUSTIN, *De cura mort.* 21, se montre beaucoup moins affirmatif. Il doute que l'esprit de Jean de Lyco se soit montré lui-même. L'histoire d'Habacuc (cf. 1, 6) n'est pas citée ailleurs par Grégoire,

avons parlé, et se mirent en devoir de construire selon les instructions reçues dans la vision.

4. Pierre. Je souhaiterais une explication : comment le saint a-t-il pu aller au loin donner une réponse à des dormeurs qui, en vision, l'ont reconnu et entendu ?

Grégoire. Qu'allez-vous chercher, Pierre, à épiloguer sur le comment du fait ? Une chose est claire assurément : c'est que l'esprit est de nature plus mobile que le corps. Or nous savons avec certitude par l'Écriture qu'un prophète fut enlevé en Judée et brusquement déposé en Chaldée avec son repas. Ce repas servit à la réfection du prophète Daniel, puis soudain il se retrouva en Judée. Si donc Habacuc a pu en un instant aller corporellement si loin pour porter un repas, pourquoi s'étonner si l'abbé Benoît obtint d'aller par l'esprit dire le nécessaire aux esprits des frères endormis ? Comme Habacuc alla porter corporellement une nourriture corporelle, ainsi le saint abbé alla spirituellement inaugurer une vie spirituelle.

5. Pierre. J'avoue que vos paroles ont enlevé, comme avec la main, les doutes de mon esprit. Mais je voudrais savoir quelle pouvait être sa puissance dans son langage ordinaire.

XXIII. Grégoire. Même son langage ordinaire, Pierre, n'était pas dénué de pouvoir surnaturel. Car si l'on a le cœur fixé en haut, les paroles qui sortent de la bouche ne tombent pas en vain. S'il venait à dire quelque chose simplement, non sur le ton du décret, mais de la menace, sa parole avait tant d'efficacité qu'il semblait l'avoir dite non sous condition, sans trancher définitivement, mais comme s'il rendait une sentence.

mais Cyrille de Scyth., *V. Euth.* 43 et *V. Ioh.* 11, l'invoque à propos de personnages vivants transportés dans l'air corporellement.

5. *Locutio* répété. La métaphore de la main est courante chez Grégoire, soit dans les *Morales* (16, 53 ; 21, 22 ; 26, 66 et 81, etc.), soit dans les *Homélies sur l'Évangile* (2, 4 ; 21, 1 ; 34, 15). Voir IV, 18, 2.

XXIII, 1. Benoît a le cœur suspendu dans les hauteurs : voir 3, 9 ; 35, 6-7 (cf. I, *Prol.* 3). Descendant de là, les « paroles de sa bouche » ne sont pas « vides », non plus que celles de Dieu (Is 55, 10-11).

2. Nam non longe ab eius monasterio duae quaedam sanctimoniales feminae, nobiliori genere exortae, in loco
10 proprio conuersabantur, quibus quidam religiosus uir ad exterioris uitae usum praebebat obsequium. Sed sicut nonnullis solet nobilitas generis parere ignobilitatem mentis, ut minus se in hoc mundo despiciant, qui plus se ceteris aliquid fuisse meminerunt, necdum praedictae sanctimo-
15 niales feminae perfecte linguam sub habitus sui freno restrinxerant, et eundem religiosum uirum, qui ad exteriora necessaria eis obsequium praebebat, incautis saepe sermonibus ad iracundiam prouocabant.

3. Qui cum diu ista toleraret, perrexit ad Dei hominem,
20 quantasque pateretur uerborum contumelias enarrauit. Vir autem Dei haec de illis audiens, eis protinus mandauit, dicens : « Corrigite linguam uestram, quia, si non emendaueritis, excommunico uos. » Quam uidelicet excommunicationis sententiam non proferendo intulit, sed
25 intentando.

4. Illae autem a pristinis moribus nihil mutatae, intra paucos dies defunctae sunt atque in ecclesia sepultae. Cumque in eadem ecclesia missarum sollemnia celebra-

XXIII, 8 non *bm*^{v}*rz GH* : *om. m* ‖ 9 sanctimoniales *bm*^{v}*r GH*^{ac} : sanctaemonialis [-les *H*] *m H*^{pc} ‖ 14 meminerunt *bmr GH* : -rint *m*^{v}*r*^{v} ‖ sanctimoniales *bm*^{v}*r G* : sanctaemonialis *m H*^{ac} sanctaemoniales *H*^{pc} ‖ 19 cum *mr GH* : dum *b* ‖ 23 excommunico *bmrz GH* : -cabo *b*^{v} ‖ 25 intentando *b*^{v}*mr G* : intendendo *b*^{v} *H* interpretando *b*^{v} minando *bm*^{v} imminando *m*^{v} comminando *m*^{v}

---

2. Ces moniales habitant non loin du monastère sont-elles celles du *uicus* mentionné plus haut (19, 1) ? On songe aux tantes de Grégoire menant la vie religieuse chez elles (IV, 17, 1). *Religiosus uir* : voir I, 2, 1 ; II, 35, 4, etc. *Exterior* signifie « temporel, d'ici-bas » : cf. III, 1, 2 ; IV, 9, 1 (*exterioribus studiis*). *Habitus sui freno* est une expression curieuse, si *habitus* désigne l'habit religieux. *

3. L'excommunication infligée aux moines par leur abbé, notamment pour mauvais usage de la parole (*RM* 12, 1-5 ; cf. *RM* 11, 40-90), est un châtiment bien connu, dont parle en particulier *RB* 23-30, mais il s'agit ici de moniales. Il semble que celles-ci soient

2. Par exemple : non loin de son monastère, deux religieuses de noble lignage vivaient dans leur maison. Un homme pieux s'était mis à leur service pour les soins de la vie courante. Mais chez certains, trop souvent, la noblesse du sang amène la vulgarité de l'âme. Quand on se rappelle qu'on a été plus que les autres, on est moins porté à faire peu de cas de soi-même en ce monde. Ces religieuses n'avaient pas encore su freiner parfaitement leur langue par égard pour leur habit, et cet homme pieux qui leur rendait service pour les nécessités de la vie matérielle, elles l'agaçaient bien des fois par des propos blessants.

3. Longtemps l'homme supporta cela. Puis il alla trouver l'homme de Dieu et lui raconta les outrages qu'il devait entendre. Apprenant quelle était leur conduite, l'homme de Dieu leur envoya dire immédiatement : « Corrigez votre langue, car si vous ne changez pas, je vous excommunie. » En fait, il ne porta pas une sentence d'excommunication proprement dite ; il se contenta de menacer.

4. Mais elles ne changèrent rien à leurs procédés. Peu de jours après, elles vinrent à mourir, et furent ensevelies dans l'église. Lorsqu'on y célébrait la messe solennelle et

placées sous la juridiction de Benoît. La suite du récit montre que la sanction entraîne la privation de l'eucharistie, peine rarement mentionnée dans les documents concernant les moines (cf. *Reg.* 9, 107 = *Ep.* 9, 37 ; *RM* 80, 7-9 ; *V. Patr. Iurensium* 150). *

4. Défunt indigne expulsé de l'église où on l'a enseveli : voir IV, 55 ; ici cependant il ne s'agit pas des corps des défuntes, et c'est seulement à l'instant de la communion qu'elles sortent. On songe aussi à la moniale bavarde, à demi brûlée dans son tombeau (IV, 53). — *Si quis non communicat det locum* : formule conservée par *Le Pontifical Romano-germanique du Xe siècle*, éd. C. Vogel, t. I, Rome 1963, p. 12-13 (§ XIV, 3), qui la fait prononcer par l'exorciste. Ce renvoi des non-communiants ne se place pas à l'offertoire, mais, comme le suggère la suite du récit (§ 5), juste avant la communion, suivant un usage bien attesté en Gaule et dont on trouve des traces, à Rome même, dans *Ordo Rom.* I, 99 et 108 ; *Sacram. Gelas.* III, 16 (1260). Il s'agit de permettre la distribution de la communion dans la nef (cf. J. A. Jungmann, *Missarum Solemnia*, t. III, Paris 1954, p. 270, n. 4).

rentur, atque ex more diaconus clamaret : « Si quis non communicat, det locum », nutrix earum, quae pro eis oblationem Domino deferre consueuerat, eas de sepulcris suis progredi et exire ecclesiam uidebat. Quod dum saepius cerneret, quia ad uocem diaconi clamantis exiebant foras atque intra ecclesiam permanere non poterant, ad memoriam rediit, quae uir Dei illis adhuc uiuentibus mandauit. Eas quippe se communione priuare dixerat, nisi mores suos et uerba corrigerent.

5. Tunc seruo Dei cum graui moerore indicatum est. Qui manu sua protinus oblationem dedit, dicens : « Ite, et hanc oblationem pro eis offerri Domino facite, et ulterius excommunicatae non erunt. » Quae dum oblatio pro eis fuisset immolata, et a diacone iuxta morem clamatum est, ut non communicantes ab ecclesia exirent, et illae exire ab ecclesia ulterius uisae non sunt. Qua ex re indubitanter patuit, quia, dum inter eos qui communione priuati sunt minime recederent, communionem a Domino per seruum Domini recepissent.

6. PETRVS. Mirum ualde quamuis uenerabilem et sanctissimum uirum, adhuc tamen in hac carne corruptibili degentem, potuisse animas soluere in illo iam inuisibili iudicio constitutas.

GREGORIVS. Numquidnam, Petre, in hac adhuc carne non erat, qui audiebat : *Quodcumque ligaueris super terram, erit ligatum in caelis, et quae solueris super terram,*

31 deferre *mr GH* : offerre bm^{v} ‖ 32 progredi *bmrz GH* : egredi m^{v} ‖ ecclesiam *mr GH* : de ecclesia $bm^{v}(z)$ extra ecclesiam r^{v} ‖ 33 exiebant *mr GH* : exib- bm^{v} ‖ 35 rediit *mrz GH* : reduxit *b* ‖ 42 diacone *m G* : -no $bm^{v}r$ diac̄ *H* ‖ 43 et illae *m G* : illae $bm^{v}rz$ *H* ‖ 54 in caelis *m GH* : et in caelis $bm^{v}rz$ ‖ quae *bm GH* : quaecumque $m^{v}r$

XXIII, 6. Mt 16, 19.

5. On songe à la délivrance des âmes du purgatoire par la messe (IV, 57, 6-7 et 14-16). Mais ici les défuntes sont simplement récon-

que le diacre proclamait selon l'usage : « Si quelqu'un ne communie pas, qu'il se retire ! », leur nourrice, qui avait accoutumé d'apporter pour elles l'offrande au Seigneur, les voyait surgir de leurs tombeaux et sortir de l'église. Ayant souvent observé qu'elles sortaient à l'invitation du diacre et qu'elles ne pouvaient pas rester à l'intérieur de l'église, alors elle se rappela que de leur vivant l'homme de Dieu leur avait fait dire qu'il les priverait de la communion si elles ne corrigeaient pas leurs manières et leur langage.

5. Elle le fit savoir, bouleversée de chagrin, au serviteur de Dieu. Immédiatement celui-ci donna de sa main une offrande en disant : « Allez, et faites présenter au Seigneur cette offrande pour elles ; désormais, elles ne seront plus excommuniées. » L'offrande ayant été immolée pour elles, lorsque le diacre, selon l'usage, avertit les non-communiants de sortir de l'église, on ne les vit plus désormais sortir de l'église. Par là on constata indubitablement que, puisqu'elles ne sortaient plus avec ceux qui étaient privés de communier, elles avaient reçu la communion du Seigneur par le serviteur du Seigneur.

6. Pierre. J'admire beaucoup qu'un homme, même vénérable et saint, ait pu, vivant encore dans la chair corruptible, libérer des âmes déjà citées devant le juge invisible.

Grégoire. Pierre, est-ce qu'il n'était pas encore dans cette chair, celui qui entendit ces mots : « Tout ce que tu lieras sur terre sera lié dans les cieux, et ce que tu

ciliées avec l'Église, réintégrées dans sa communion, et c'est le pardon de Benoît, signifié par son offrande, qui obtient ce résultat.

6. Avec ses semblables, Benoît « tient la place » (*uicem.... obtinent*) de Pierre en liant et déliant, comme il a « tenu la place » (*uicem tenuisse*) de Paul en obtenant la vie de ses moines (17, 2). Par son intercession, l'abbé « délie » le moine qu'il a excommunié : *RM* 14, 17. Dans *Past.* 1, 2, *locum regiminis* (*subeant*) se rapporte à la charge des évêques, qui ne consiste pas seulement à savoir et à prêcher, mais aussi à conformer leur conduite (*moribus*) à leurs discours. Cf. *Hom. Eu.* 26, 5 : *Ligandi atque soluendi auctoritatem suscipiunt, qui gradum regiminis sortiuntur* (les évêques).— *Factus... caro* fait allusion à Jn 1, 14 (voir 8, 9 et note). C'est l'abaissement du Fils de Dieu qui vaut tant de grandeur aux hommes : 8, 9.

55 *soluta erunt et in caelis* ? Cuius nunc uicem et ligando et soluendo obtinent, qui locum sancti regiminis fide et moribus tenent. Sed ut tanta ualeat homo de terra, caeli et terrae conditor in terram uenit e caelo, atque, ut iudicare caro etiam de spiritibus possit, hoc ei largiri dignatus est, 60 factus pro hominibus Deus caro, quia inde surrexit ultra se infirmitas nostra, unde sub se infirmata est firmitas Dei.

7. PETRVS. Cum uirtute signorum concorditer loquitur ratio uerborum.

XXIIII. GREGORIVS. Quadam quoque die, dum quidam eius puerulus monachus, parentes suos ultra quam debebat diligens atque ad eorum habitaculum tendens, sine benedictione de monasterio exisset, eodem die, mox 5 ut ad eos peruenit, defunctus est. Cumque esset sepultus, die altero proiectum foras corpus eius inuentum est. Quod rursus tradere sepulturae curauerunt, sed sequenti die iterum proiectum exterius atque inhumatum sicut prius inuenerunt.

10 2. Tunc concite ad Benedicti patris uestigia currentes, cum magno fletu petierunt, ut ei suam gratiam largiri dignaretur. Quibus uir Dei manu sua protinus communionem dominici corporis dedit, dicens : « Ite, atque hoc dominicum corpus super pectus eius ponite, eumque sepulturae

55 et ligando *mr* GH^{ac} : et ligandi m^{v} H^{pc} in ligando $bm^{v}r^{v}$ ligandi b^{v} ‖ 56 soluendo *bmr* GH^{ac} : -di $b^{v}m^{v}$ H^{pc} ‖ 58 in terram *bmrz* : in terra m^{v} *GH* ‖ 59 largiri $bm^{v}r$ *H* : -re *m G* ‖ 60 Deus *bmrz H* : Dei *G* *om.* m^{v}

XXIIII, 3 debebat *mr GH* : deberet bm^{v} ‖ 4 exisset *bmr GH* : exiisset *b* ‖ 7 rursus *bm G* : -sum $m^{v}r$ *H* ‖ 10 concite $bm^{v}r$ *G* : -ti *m H* ‖ 11 largiri $bm^{v}r$ *H* : -re *mG* ‖ 14 eius *mz G* : cum magna reuerentia *add.* $bm^{v}r$ *H* ‖ 14-15 eumque sepulturae sic *mr G* : eumque sep. *H* et sic sep. eum *b*

---

7. Pierre fait un usage analogue de *ratio* en 8, 12 ; 16, 9 ; 21, 5.

XXIIII, 1. Reproduit par le Maître (*RM* 3, 8), le commandement d'« honorer père et mère » disparaît chez Benoît (*RB* 4, 8). Le moine ne peut sortir sans l'autorisation de l'abbé (*RB* 67, 7), en

délieras sur terre sera délié aussi dans les cieux » ? Sa succession pour lier et délier est assurée par ceux qui tiennent sa place en gouvernant saintement grâce à leur foi et à leurs mœurs. Mais pour que l'homme de la terre ait tant de puissance, le créateur du ciel et de la terre est venu du ciel ; pour que la chair puisse juger même les esprits, Dieu, dans sa largesse condescendante, s'est fait chair pour les hommes. Ainsi notre faiblesse peut s'élever au-dessus d'elle-même, parce que la force de Dieu s'est rendue faible au-dessous d'elle-même.

7. PIERRE. La raison donnée s'accorde bien avec le miracle effectué.

XXIIII. GRÉGOIRE. Un jour, un de ses moines, un petit garçon qui aimait ses parents outre mesure, se dirigea vers leur maison après être sorti du monastère sans bénédiction. Le jour même, arrivé chez eux, il mourut. On l'enterra. Le lendemain, on trouva son corps rejeté de la fosse. On procéda à un nouvel enterrement, mais le jour suivant on le trouva comme devant, rejeté et privé de sépulture.

2. Alors on courut en hâte se jeter aux pieds du Père Benoît, demandant en sanglotant qu'il voulût bien lui accorder sa grâce. Aussitôt l'homme de Dieu donna aux parents la communion au Corps du Seigneur en disant : « Allez poser ce Corps du Seigneur sur sa poitrine, puis

particulier pour visiter ses parents (*RM* 90, 65-66). Bénédiction au départ : I, 2, 9 ; II, 7, 2. La famille de l'enfant habite aux environs, comme le frère de Valentinien (13, 1). — Ce mort rejeté par la terre fait penser aux défunts projetés de leur tombeau (IV, 55, 2-3 ; IV, 56, 2) ou brûlés dedans (IV, 33, 3 ; IV, 53, 2).

2. L'abbé, même laïc, communie ses moines : *RM* 21, 1. Plusieurs conciles interdisent de « donner » l'eucharistie aux morts : *Hippone* (393), c. 4 ; *Auxerre* (561-605), c. 12 ; *In Trullo* (692), c. 83, d'après lesquels il semble qu'on mettait le pain consacré dans la bouche du défunt. Ici Benoît le fait déposer sur la poitrine de l'enfant. De même, en 687, Cuthbert sera enseveli *oblatis super pectus sanctum positis*, d'après *V. Cuthberti* IV, 13 (*BHL* 2019). Cf. Ps.-AMPHILOQUE, *V. Basilii* 6, *PL* 73, 301 b (tiers d'hostie réservé

15 sic tradite. » Quod cum factum fuisset, susceptum corpus eius terra tenuit nec ultra proiecit. Perpendis, Petre, apud Iesum Christum Dominum cuius meriti iste uir fuerit, ut eius corpus etiam terra proiecerit, qui Benedicti gratiam non haberet.

20 PETRVS. Perpendo plane et uehementer stupeo.

XXV. GREGORIVS. Quidam autem eius monachus mobilitati mentem dederat et permanere in monasterio nolebat. Cumque eum uir Dei adsidue corriperet, frequenter admoneret, ipse uero nullo modo consentiret in congre-5 gatione persistere atque inportunis precibus ut relaxaretur inmineret, quadam die isdem uenerabilis pater, nimietatis eius taedio affectus, iratus iussit ut discederet.

2. Qui mox ut monasterium exiit, contra se adsistere aperto ore draconem in itinere inuenit. Cumque eum isdem 10 draco qui apparuerat deuorare uellet, coepit ipse tremens et palpitans magnis uocibus clamare, dicens : « Currite, currite, quia draco iste me deuorare uult. » Currentes autem fratres draconem minime uiderunt, sed trementem atque palpitantem monachum ad monasterium reduxe-15 runt. Qui statim promisit numquam se esse iam a monasterio recessurum, atque ex hora eadem in sua promissione permansit, quippe qui sancti uiri orationibus contra se adsistere draconem uiderat, quem prius non uidendo sequebatur.

15 factum $bm^{v}m^{o}r$ *GH* : -tus *m* ‖ 17 ‖ Dominum *bmr* : *om. z GH* ‖ 18 proiecerit bmr^{v} *G* : proieceret *H* proiceret $m^{v}r$

XXV, 2 monasterio $bm^{v}r$ *G* : -rium *m H* ‖ 3 corriperet *m GH* : et *add. brz* ‖ 6 isdem *mr G* : idem bm^{v} ‖ 7 ut $bm^{v}m^{o}r$ *GH* : *om. m* ‖ 8 monasterium *bmr G* : -rio m^{v} a monasterio *H* ‖ 9 isdem *mr GH* : idem bm^{v} ‖ 10 uellet $bm^{v}r$ H^{pc} : uellit *m* GH^{ac} uelit m^{v} ‖ 11-12 currite$^{1-2}$ *bmr GH* : occurrite b^{v} ‖ 15 iam *mr GH* : *om. b*

---

ad consepeliendum sibi). — *Perpendis...* : conclusions presque identiques en I, 5, 2 ; I, 6, 2.

enterrez-le. » Quand cela fut fait, la terre garda le corps qu'on lui avait confié. Elle ne le rejeta plus. Vous pouvez apprécier, Pierre, quel était le mérite de cet homme devant le Seigneur Jésus-Christ, puisque la terre même rejetait le corps de celui qui n'avait pas la grâce de Benoît.

PIERRE. Oui, oui, et j'en suis très frappé.

XXV. GRÉGOIRE. Un de ses moines avait cédé à l'instabilité et ne voulait pas rester au monastère. L'homme de Dieu l'avait repris avec constance, l'avait exhorté souvent, mais lui s'obstinait à refuser de rester dans la communauté, insistait avec importunité pour être relâché. Si bien qu'un jour le vénérable Père, dégoûté par la démesure de son fils, lui enjoignit tout en colère de partir.

2. A peine sorti du monastère, il trouve devant lui sur son chemin un dragon, la gueule béante. Ce dragon apparu soudain faisant mine de le dévorer, il se met à trembler avec des palpitations et à hurler : « Au secours ! Au secours ! le dragon va me dévorer ! » Les frères accoururent : pas de dragon. Ils ramènent au monastère le moine tremblant et palpitant. Séance tenante, il jure qu'il ne quittera plus le monastère. Dès lors, il tint sa promesse, ce moine qui, grâce aux prières du saint, avait pu voir se dresser contre lui un dragon qu'auparavant il suivait sans le voir.

XXV, 1. *Eius monachus* comme en 20, 1 et 24, 1 (cf. 7, 1). *Nimietas* au sens d'« importunité » : voir *RM* 9, 7 et 16 (*nimius*). Abbé en colère : I, 2, 8 ; I, 7, 1 et 3 (cf. *RM* 9, 16 ; 21, 6.14 ; 22, 6).

2. En IV, 40, 4 et 11, des mourants ont la même vision d'un dragon dévorant. L'un d'eux en est converti (IV, 40, 3 ; cf. *Hom. Eu.* 19, 7 et 38, 16), et Grégoire fait à son propos la même réflexion qu'ici : *eum a quo prius non uidens tenebatur uidit postea ne teneretur* (*Hom. Eu.* 19, 7, col. 1159 c). — *Currite* : cf. IV, 40, 7 (*curre*). Les frères ne voient pas le démon, et c'est la prière de Benoît qui en obtient la vision pour l'intéressé : voir II, 4, 2 (cf. 10, 1-2 : phénomène inverse). *

XXVI. Sed neque hoc silendum puto, quod inlustri uiro Aptonio narrante cognoui. Qui aiebat patris sui puerum morbo elefantino fuisse correptum, ita ut iam pilis cadentibus cutis intumesceret atque increscentem saniem occultare non posset. Qui ad uirum Dei ab eodem patre eius missus est, et saluti pristinae sub omni celeritate restitutus.

XXVII. Neque illud taceam, quod eius discipulus, Peregrinus nomine, narrare consueuerat, quia die quadam fidelis uir quidam, necessitate debiti conpulsus, unum sibi fore remedium credidit, si ad Dei uirum pergeret et quae eum urgueret debiti necessitas indicaret. Venit itaque ad monasterium, omnipotentis Dei famulum repperit, quia a creditore suo pro duodecim solidis grauiter adfligeretur intimauit. Cui uenerabilis pater nequaquam se habere duodecim solidos respondit, sed tamen eius inopiam blanda locutione consolatus, ait : « Vade, et post biduum reuertere, quia deest hodie, quod tibi debeam dare. »

2. In ipso autem biduo more suo in oratione fuit occupatus. Cum die tertio is, qui necessitate debiti adfligebatur, rediit, super arcam uero monasterii, quae erat frumento plena, subito tredecim solidi sunt inuenti. Quos uir Dei

XXVI, 2 Aptonio $b^{v}m$ *H* : Abdonio *r* Antonio $bm^{v}z$ *G* Optonio m^{v} ‖ aiebat $bm^{v}rz$: agebat *m GH* ‖ 4 increscentem saniem *bmr* : increscente sanie $b^{v}m^{v}$ *GH* ‖ 5 occultare $bm^{v}r$ *GH* : -ri *mz* ‖ posset $bm^{v}r$: possit *m GH*
XXVII, 6 quia *mr G* : et quia bm^{v} *H* ‖ 9 inopiam $bm^{v}r$ *GH* : -pia *m* ‖ 13-14 Cum... rediit *mr GH* : cumque... rediret *b* ‖ 14 uero mr^{v} *GH* : *om. br*

XXVI. Cet épisode et le suivant viennent de narrateurs distincts des quatre abbés cités en *Prol.* 2. Ils ressemblent aux miracles voisins racontés par ceux-ci (27, 2-3 et 28-29). — Un *illustrissimus uir Aptonius* (*Antonius*), mort depuis peu, est mentionné avec son fils Armenius dans *Reg.* 3, 28 = *Ep.* 3, 28 (avril 593). Sur les *pueri*, esclaves de rang supérieur, voir J. Chapman, *St. Benedict*, p. 164-

XXVI. Un mot sur ce que m'a appris l'Illustre Aptonius. Il me disait que son père avait un esclave atteint d'éléphantiasis. Ses poils tombaient, sa peau gonflait et ne pouvait cacher le pus qui montait. Son père envoya le malade à l'homme de Dieu, et en un clin d'œil l'esclave retrouva sa santé d'autrefois.

XXVII. Un mot encore : une histoire que son disciple Peregrinus racontait volontiers. Un bon chrétien, forcé d'acquitter une dette criarde, crut qu'il n'y avait pour lui d'autre moyen de s'en tirer que d'aller trouver l'homme de Dieu et de lui exposer l'extrémité où le mettait cette dette. Il arrive donc au monastère, trouve le serviteur de Dieu tout-puissant, lui confie les tracas affreux que lui cause son créancier pour la somme de douze sous. Le vénérable Père répond qu'il n'a pas douze sous, mais tout de même, pour consoler son indigence, il lui dit gentiment : « Allez. Revenez dans deux jours. Je n'ai pas aujourd'hui de quoi vous donner. »

2. Pendant ces deux jours, selon son habitude, il fut tout en prière. Le troisième jour, le débiteur aux abois revient, et voici que sur le coffre du monastère qui était plein de froment, tout d'un coup on trouva treize sous. L'homme de Dieu ordonne de les apporter et de les

166. *Elefantiosus* est synonyme de *leprosus* chez EUGIPPE, *V. Seu.* 34, 1-2 (Séverin en guérit un par la prière).

XXVII, 1-2. Curieusement semblable à I, 9, 10-13, ce récit attribué à un informateur particulier et introduit par une formule insolite s'insère dans un chapitre contenant un autre miracle. Il peut s'agir d'un ajout. *

1. *Neque illud taceam quod...* : cf. 26. La formule ne revient pas ailleurs au L. II. Les autres Livres l'emploient 14 fois, toujours avec *hoc* et *silere* (cf. 26), jamais avec *illud* et *tacere* comme ici. *Narrare consueuit* se retrouve en IV, 13, 1 et 18, 1. *Fidelis uir quidam* comme en 22, 1. *Solidus* équivaut à *aureus*, et 12 *aurei* sont le prix d'un cheval (I, 9, 10-13). *Blanda locutione consolatus* rappelle II, 1, 2.

2. Benoît prie *more suo* : cf. SULPICE SÉV., *Dial.* 3, 2 (Martin). Les douze sous lui sont envoyés du ciel comme à Boniface (I, 9, 12, cf.

deferri iussit et adflicto petitori tribuit, dicens ut duodecim redderet et unum in expensis propriis haberet.

3. Sed ad ea nunc redeam, quae eius discipulis in libri huius exordio praedictis referentibus agnoui. Quidam uir grauissima aduersarii sui aemulatione laborabat, cuius ad hoc usque odium prorupit, ut ei nescienti in potu uenenum daret. Qui, quamuis uitam auferre non ualuit, cutis tamen colorem mutauit, ita ut diffusa in corpore eius uarietas leprae morem imitari uideretur. Sed ad Dei hominem deductus, salutem pristinam citius recepit. Nam mox ut eum contigit, omnem cutis illius uarietatem fugauit.

XXVIII. Eo quoque tempore, quo alimentorum inopia Campaniam grauiter adfligebat, uir Dei diuersis indigentibus monasterii sui cuncta tribuerat, ut paene nihil in cellario nisi parum quid olei in uitreo uase remaneret. Tunc quidam subdiaconus Agapitus nomine aduenit, magnopere postulans, ut sibi aliquantulum oleum dari debuisset. Vir autem Domini, qui cuncta decreuerat in terra tribuere, ut in caelo omnia reseruaret, hoc ipsum parum quod remanserat olei iussit petenti dari. Monachus uero, qui cellarium tenebat, audiuit quidem iubentis uerba, sed inplere distulit.

2. Cumque post paululum, si id quod iusserat datum esset, inquireret, respondit monachus se minime dedisse,

16 tribuit $m^{v}r$ *GH* : tribui $bmr^{v}z$ ‖ 17 redderet *bm GH* : debiti *add. r* ‖ 22 daret *bmr GH* : misceret b^{v} ‖ Qui *mr GH* : cui m^{v} quod br^{v} ‖ 22-23 cutis tamen $bm^{o}r$ *GH* : eius tamen cutis m^{v} tamen *m*
XXVIII, 4 parum *bm G* : paruum m^{v} *H* ‖ 6 oleum *m GH* : olei $bm^{v}r$ ‖ 8 reseruaret *bmr GH* : seruaret $m^{v}m^{o}$ ‖ parum *bm G* : paruum $m^{v}m^{o}$ *H*

Cyrille de Scyth., *V. Sab.* 31). Le débiteur en aura même un pour lui : trait rappelant le miracle d'Élisée (2 R 4, 7).

3. Retour aux récits des quatre abbés (*Prol.* 2). La guérison du lépreux est décrite presque dans les mêmes termes en 26, mais ici *eum contigit* fait penser au « toucher » du Christ (Mt 8, 3 ; Mc 1, 41 ; Lc 5, 13).

remettre au quémandeur affligé, en lui disant de rendre douze sous et d'en garder un pour ses dépenses personnelles.

3. Mais je reviens maintenant à ce que je sais par les disciples que j'ai nommés dans l'exorde de ce livre. Un homme était travaillé par une jalousie très grave contre son ennemi, et il en vint à ce point de haine qu'il mit à son insu du poison dans son breuvage. Cela ne le tua pas, mais sa peau en fut atteinte et se couvrit de taches qui ressemblaient un peu à la lèpre. Amené à l'homme de Dieu, il recouvra brusquement sa santé antérieure. Le saint, dès qu'il l'eut touché, mit en fuite toutes les taches de son épiderme.

XXVIII. Au temps également où la famine désolait terriblement la Campanie, l'homme de Dieu avait donné aux pauvres tout ce qu'il avait dans son monastère, en sorte qu'il ne restait presque plus rien au cellier, sauf un peu d'huile dans une fiole de verre. Survient un sous-diacre nommé Agapit, demandant violemment qu'on lui donne un peu d'huile. L'homme de Dieu, qui avait décidé de donner tout sur terre pour tout récupérer dans le ciel, ordonne de satisfaire la demande en donnant le peu d'huile qui pouvait rester. Le moine qui tient le cellier entend bien l'ordre, mais il diffère de l'exécuter.

2. Peu après, l'abbé lui demande si l'ordre a été exécuté, et le moine de répondre qu'il n'a rien donné, car

XXVIII-XXVIIII. Benoît, le pauvre sous-diacre et le cellérier : scènes analogues chez SULPICE SÉV., *Dial.* 2, 1 (Martin, le pauvre et l'archidiacre) ; *V. Caesarii* 2, 7 (Césaire, les captifs et l'*ordinator*) ; CYRILLE DE SCYTH., *V. Euth.* 17 (Euthyme, les 400 hôtes et l'économe de la laure) ; GRÉG. DE TOURS, *Glor. conf.* 110 (Paulin, le pauvre et Terasia). Sauf dans le premier cas, un miracle répond chaque fois à la charité héroïque du saint. *

XXVIII, 1. Cf. *Hist. mon.* 7, 417 a : l'abbé Apollonius distribue aux affamés les provisions des frères. Les derniers mots (*implere distulit*) rappellent SULPICE SÉV., *Dial.* 2, 1 : *Cum ei archidiaconus dare tunicam distulisset...*

2. Comparer les remontrances de l'*ordinator* dans *V. Caesarii* 2, 7, et celles de l'économe chez CYRILLE DE SCYTH., *V. Euth.* 17.

quia, si illud tribueret, omnino nihil fratribus remaneret. Tunc iratus aliis praecepit, ut hoc ipsum uas uitreum, in quo parum olei remansisse uidebatur, per fenestram proicerent, ne in cella aliquid per inoboedientiam remaneret. Factumque est. Sub fenestra autem eadem ingens praecipitium patebat, saxorum molibus asperum. Proiectum itaque uas uitreum uenit in saxis, sed sic mansit incolume, ac si proiectum minime fuisset, ita ut neque frangi neque effundi oleum potuisset. Quod uir Domini praecepit leuari, atque ut erat integrum petenti tribuit. Tunc collectis fratribus, inoboedientem monachum de infidelitate sua et superbia coram omnibus increpauit.

XXVIIII. Qua increpatione conpleta, sese cum iisdem fratribus in orationem dedit. In eo autem loco, ubi cum fratribus orabat, uacuus erat ab oleo doleus et coopertus. Cumque sanctus uir in oratione persisteret, coepit operimentum eiusdem dolei oleo excrescente subleuari. Quo commoto atque subleuato, oleum quod excreuerat ora dolei transiens pauimentum loci, in quo incubuerant, inundabat. Quod Benedictus Dei famulus ut aspexit, protinus orationem conpleuit, atque in pauimentum oleum defluere cessauit.

2. Tunc diffidentem inoboedientemque fratrem latius admonuit, ut fidem habere disceret et humilitatem. Isdem

14 illud *m G* : illud ei *br* illum ei m^v *H* ‖ 16 parum *bm G* : paruum $m^v m^o$ *H* ‖ 19 asperum *bmr G* : aspersum m^v *H* ‖ 22 effundi oleum *m* : ol. ef. $bm^v r$ *GH* ‖ 23 tribuit bm^v *GH* : tribui *mrz*

XXVIIII, 2 iisdem : isdem *m GH* eisdem $bm^v r$ ‖ 3 uacuus [-os H^{ac}] b^v *mr GH* : uacuum bm^v ‖ doleus [-os H^{ac}] *m GH* : dolius $b^v r$ dolium bm^v ‖ coopertus *mr GH* : -tum bm^v ‖ 5 dolei *m GH* : dolii bm^v ‖ 6 commoto *bm GH* : demoto *r* ‖ 7 dolei *m GH* : dolii *b* ‖ incubuerant $b^v m$ *H* : -rat $bm^v r(z)$ *G* ‖ 12 isdem *mr H* : idem bm^v is *G*

Benoît « en colère » : voir 25, 1 et note. Ce qui suit rappelle Cassien, *Inst.* 4, 25 : l'ancien commande à son disciple, Jean de Lyco, de jeter par la fenêtre (*per fenestram proice*) une fiole d'huile, leur unique provision ; Optat de Milève, *De schism. Don.* 2, 19 : une ampoule

s'il livrait cette huile, il ne resterait rien pour les frères. L'abbé irrité commande à d'autres frères de jeter par la fenêtre cette fiole avec un fond d'huile, car rien ne saurait rester dans le monastère par désobéissance. L'ordre est exécuté. Sous cette fenêtre s'ouvrait béant un immense précipice hérissé de rocs énormes. La trajectoire de la fiole aboutit aux rochers, mais elle resta intacte, comme si elle n'avait pas été lancée ; elle ne se brisa pas, et l'huile ne put se répandre. L'homme du Seigneur ordonna de ramasser la fiole et de la donner, intacte qu'elle était, au sous-diacre. Puis, en présence de la communauté, il reprit le moine désobéissant et devant tous lui reprocha son manque de foi et son orgueil.

XXVIIII. Cette réprimande terminée, il se mit en prière avec les frères. Dans le lieu où il priait avec les frères, il y avait un tonneau vidé de son huile et muni d'un couvercle. Comme le saint prolongeait sa prière, le couvercle du tonneau commença à se soulever, poussé par l'huile qui montait. Ébranlé, il fut enfin complètement enlevé. La marée d'huile montante passa par-dessus bord, provoquant une inondation sur le pavement du lieu où l'on s'était prosterné pour prier. Quand le serviteur de Dieu vit cela, il conclut sa prière aussitôt, et l'huile cessa de couler sur le pavement.

2. Alors il prit à partie plus copieusement le frère sans foi et désobéissant, pour qu'il apprît à avoir foi

de chrême, jetée par la fenêtre, demeure *illaesa inter saxa* ; SULPICE SÉV., *Dial.* 3, 3 : un *uas uitreum*, rempli d'huile bénite et placé dans une *fenestra*, tombe sur le marbre sans se briser (*ampulla perinde incolumis est reperta ac si...*) ; *V. Caesarii* 1, 39 : l'*ampullula* se brise, mais l'huile bénite ne se répand pas. — Le coupable est repris *coram omnibus* : *RB* 70, 3 (1 Tm 5, 20). *

XXVIIII, 1. C'est au cellier qu'on prie, semble-t-il. L'huile est multipliée comme en I, 7, 5-6 (cf. I, 5, 2 ; III, 37, 2-3) ; voir aussi EUGIPPE, *V. Seu.* 28. Elle déborde : SULPICE SÉV., *Dial.* 3, 3. Elle s'arrête : 2 R 4, 6. La surabondance de l'aliment multiplié rappelle CYRILLE DE SCYTH., *V. Euth.* 17.

2. Monition à la suite du miracle comme chez EUGIPPE, *V. Seu.* 12, 6 (obéissance à Dieu) ; CYRILLE DE SCYTH., *V. Euth.* 17 (hospitalité et confiance en Dieu). Elle porte sur la foi et l'humilité (cf. 28,

uero frater salubriter correptus erubuit, quia uenerabilis pater uirtutem omnipotentis Domini, quam admonitione 15 intimauerat, miraculis ostendebat, nec erat iam ut quisquam de eius promissionibus dubitare posset, qui in uno eodemque momento, pro uitreo uase paene uacuo, plenum oleo doleum reddidisset.

XXX. Quadam die, dum ad beati Iohannis oratorium, quod in ipsa montis celsitudine situm est, pergeret, ei antiquus hostis in mulomedici specie obuiam factus est, cornu et tripedicam ferens. Quem cum requisisset, dicens : 5 « Vbi uadis ? », ille respondit : « Ecce ad fratres uado, potionem eis dare. » Itaque perrexit uenerabilis Benedictus ad orationem. Qua conpleta, concitus rediit. Malignus uero spiritus unum seniorem monachum inuenit aquam haurientem, in quo statim ingressus est, eumque 10 in terram proiecit et uehementissime uexauit. Quem cum uir Dei, ab oratione rediens, tam crudeliter uexari conspiceret, ei solummodo alapam dedit, et malignum ab eo spiritum protinus excussit, ita ut ad eum redire ulterius non auderet.

15 2. PETRVS. Velim nosse, haec tanta miracula uirtute semper orationis impetrabat, an aliquando etiam solo uoluntatis exhibebat nutu ?

GREGORIVS. Qui deuota mente Deo adhaerent, cum rerum necessitas exposcit, exhibere signa modo utroque 20 solent, ut mira quaeque aliquando ex prece faciant, ali-

14 uirtutem *bm^{v}r GH* : -te *m* ‖ Domini *mr GH* : Dei *bz* ‖ 16 posset *bm^{v}r* : -sit *m GH* ‖ 18 doleum *m GH* : dolium *bm^{v}r*

XXX, 3 in mulomedici specie *bmr GH* : sedens in mulo in medici specie *b^v* in modum medici *m^v* ‖ 4 tripedicam *bm^{v}r G* : trep- *m H* -cum *b^v* trepidicam *b^{v}m^v* ‖ 5 Vbi *b^{v}mrz GH* : quo *bm^v* ‖ 6 uenerabilis *mr*(*z*) *GH* : pater *add. b* ‖ 9 quo *mr GH* : quem *bm^{v}r^{v}z* ‖ 13 ad eum redire *bm^{v}rz GH* : redire ad eum *m* ‖ 15 Velim *bmr* : uellim *H* uellem *G* ‖ nosse *mz GH* : si *add. bm^{v}r*

---

2 : manque de foi et orgueil), cette dernière vertu englobant l'obéissance (voir *RM* 7, 1 = *RB* 5, 1, etc.). Le coupable « rougit » de cette

et humilité. Ce frère rougit après cette réprimande salutaire, car le vénérable Père démontrait par des miracles cette puissance du Seigneur tout-puissant qu'il avait inculquée dans sa monition. Et ainsi il n'y avait pas moyen pour qui que ce fût de mettre en doute ses promesses, puisqu'en un moment pour une fiole de verre presque vide il avait rendu une futaille remplie d'huile.

XXX. Un jour qu'il se rendait à l'oratoire Saint-Jean, situé tout au sommet de la montagne, il croisa le vieil adversaire déguisé en vétérinaire, portant une corne-entonnoir et des entraves. Il lui demanda : « Où vas-tu ? » Et celui-ci répondit : « Voilà que je vais aux frères leur donner une potion. » Alors le vénérable Benoît alla à sa prière, et quand il l'eut terminée, il revint en hâte. L'esprit mauvais avait trouvé un vieux moine puisant de l'eau. Il entra en lui sur-le-champ, le jeta par terre et le tourmenta très violemment. L'homme de Dieu revenant de la prière vit qu'il était tourmenté bien cruellement. Il se contenta de lui donner un soufflet. Cela chassa aussitôt l'esprit mauvais, qui par la suite n'osa plus revenir.

2. PIERRE. Une chose que je voudrais savoir : ces grands miracles, les obtenait-il toujours en vertu de la prière, ou bien parfois les produisait-il par un simple mouvement de sa volonté ?

GRÉGOIRE. Ceux qui adhèrent à Dieu avec dévotion ont accoutumé de produire des miracles de deux manières, selon les circonstances. Parfois ils font des merveilles

correction « salutaire » : II, 13, 3 (*erubescere*) ; III, 14, 9 (*salubrem poenam... uerecundiam suam*).

XXX, 1. Sur l'oratoire Saint-Jean, voir 8, 11 et note (cf. 37, 4). Vision du diable qui va tourmenter les frères comme en 11, 1. Cf. SULPICE SÉVÈRE, *V. Mart.* 6, 1 : le diable, sous forme humaine, se présente sur le chemin de Martin ; 21, 2 : il lui apparaît, tenant une corne à la main et se vantant d'un meurtre. — Le moine devait puiser à une citerne, car il n'y a pas de source au Mont-Cassin. Benoît le guérit avec une gifle, comme il avait chassé le diable d'un coup de bâton (4, 3). Guérison immédiate et définitive : I, 4, 7 ; III, 33, 5 (cf. II, 38, 1).

2. *Qui... Deo adhaerent* rappelle 16, 3 (citation de 1 Co 6, 7). Méditation sur le Prologue johannique comme en 8, 9 (cf. 23, 6).

quando ex potestate. Cum enim Iohannes dicat : *Quotquot autem receperunt eum, dedit eis potestatem filios Dei fieri*, qui filii Dei ex potestate sunt, quid mirum si signa facere ex potestate ualent ?

25 3. Quia enim utroque modo miracula exhibeant, testatur Petrus, qui Tabitham mortuam orando suscitauit, Ananiam uero et Saphiram mentientes morti increpando tradidit. Neque enim orasse in eorum extinctione legitur, sed solummodo culpam, quam perpetrauerant, incre-30 passe. Constat ergo quia aliquando haec ex potestate, aliquando uero exhibent ex postulatione, dum et istis uitam increpando abstulit, et illi reddidit orando.

4. Nam duo quoque fidelis Dei famuli Benedicti facta nunc replico, in quibus aperte clareat aliud hunc accepta 35 diuinitus ex potestate, aliud ex oratione potuisse.

XXXI. Gothorum quidam, Zalla nomine, perfidiae fuit arrianae, qui Totilae regis eorum temporibus contra catholicae ecclesiae religiosos uiros ardore inmanissimae crudelitatis exarsit, ita ut quisquis ei clericus monachusue ante 5 faciem uenisset, ab eius manibus uiuus nullo modo exiret. Quadam uero die auaritiae suae aestu succensus, in rapinam rerum inhians, dum quendam rusticum tormentis crudelibus adfligeret eumque per supplicia diuersa lania-

21 Iohannes [Ioa- *br*] *bm*^{v}*r* : -nis *m GH* ‖ 22 autem *bmr GH* : *om.* *m*^{v} ‖ 23 qui *bmr*^{v}*z GH* : quod si *b*^{v}*m*^{v}*r* ‖ 25 enim *bmr GH* : eo in *m*^{v} cum *etc.* *m*^{v} ‖ 30 quia *m GH* : quod *br* ‖ 33 Dei famuli *mr GH* : fam. Dei *b* ‖ 34 replico *bmrz GH*^{pc} : -cabo *r*^{v} ‖ clareat *bm H* : -ret *m*^{v}*r* -rent *G*

XXXI bmrw (*usque* exiret) **z GH** 1 Zalla *bm*^{v}*rw G* : Tzalla *b*^{v}*mw*^{v}*z* Azalla *H* Galla *b*^{v}*r*^{v}

XXX, 2. Jn 1, 12 ‖ 3. Ac 9, 40 ; 5, 1-10.

---

3. Les pouvoirs de Benoît sont comparés à ceux de Pierre comme en 23, 6. Le contraste entre les deux miracles de celui-ci est aussi esquissé dans *Hom. Ez.* II, 6, 9 : *mentientes uerbo occiderat... mortuos oratione suscitabat.*

par la prière, d'autres fois par leur pouvoir. Puisque saint Jean dit : « Tous ceux qui l'ont reçu, il leur a donné le pouvoir de devenir fils de Dieu », pourquoi s'étonner s'ils peuvent faire des miracles par pouvoir, ceux qui sont fils de Dieu en vertu d'un pouvoir ?

3. Oui, des miracles apparaissent selon ces deux manières. Témoin Pierre, qui ressuscita Tabitha morte par sa prière, et livra Ananie et Saphire coupables de mensonge à la mort par une simple réprimande. Nous ne lisons pas qu'il pria pour obtenir leur mort, mais que simplement il les reprit pour la faute qu'ils avaient commise. On peut donc constater que parfois ils produisent des miracles par pouvoir, parfois par prière, puisque Pierre a ôté la vie à ceux-ci par une réprimande, et rendu la vie à celle-là par une prière.

4. Mais je vais rapporter deux faits du fidèle serviteur de Dieu Benoît où il apparaît clairement que son pouvoir vint une fois d'une puissance reçue de Dieu et une autre fois de la prière.

XXXI. Un Goth nommé Zalla, de l'hérésie arienne, au temps du roi Totila, brûlait d'une ardeur cruelle, tout à fait inhumaine, contre toutes les personnes consacrées de l'Église catholique. Si un clerc ou un moine venait devant sa face, il ne sortait jamais vivant de ses griffes. Un jour, tout allumé et bouillonnant de cupidité, haletant de désir de rapine, il avait pris pour souffre-douleur un paysan qu'il torturait avec cruauté par des supplices variés. Affolé de douleur, le paysan déclare qu'il a confié ses

4. Selon ATHANASE, *V. Ant.* 84, 1-2, c'est seulement par la prière que le saint opérait des guérisons, non de sa propre autorité (cf. *V. Ant.* 56, 1 ; 58, 4). Grégoire introduit une distinction inconnue d'Athanase.

XXXI, 1. Goth acharné contre les personnes sacrées de l'Église catholique : voir III, 18, 1-2, où un autre moine Benoît, dans la même région et à la même époque, subit de graves sévices. Ces faits ont pu se produire lors de l'entrée de Totila en Campanie (PROCOPE, *BG* 3, 6 : deuxième moitié de 542) ou plus tard. On songe à VICTOR DE VITE, *De persec. Vand.* 1, 1-2 : les barbares ariens se déchaînent particulièrement contre églises, basiliques, cimetières, monastères ; des évêques et des prêtres sont torturés jusqu'à la mort pour qu'ils livrent de l'or ou de l'argent.

ret, uictus poenis rusticus sese res suas Benedicto Dei
10 famulo conmendasse professus est, ut, dum hoc a torquente creditur, suspensa interim crudelitate, ad uitam horae raperentur.

2. Tunc isdem Zalla cessauit rusticum tormentis adfligere, sed eius brachia loris fortibus adstringens, ante
15 equum suum coepit inpellere, ut quis esset Benedictus, qui eius res susceperat, demonstraret. Quem ligatis brachiis rusticus antecedens duxit ad sancti uiri monasterium, eumque ante ingressum cellae solum sedentem repperit et legentem. Eidem autem subsequenti et saeuienti
20 Zallae rusticus dixit : « Ecce iste est, de quo dixeram, Benedictus pater. » Quem dum feruido spiritu cum peruersae mentis insania fuisset intuitus, eo terrore quo consueuerat acturum se existimans, magnis coepit uocibus clamare, dicens : « Surge, surge, et res istius rustici redde,
25 quas accepisti. »

3. Ad cuius uocem uir Dei protinus oculos leuauit a lectione, eumque intuitus, mox etiam rusticum, qui ligatus tenebatur, adtendit. Ad cuius brachia dum oculos deflexisset, miro modo tanta se celeritate coeperunt inli-
30 gata brachiis lora deuoluere, ut dissolui tam concite nulla hominum festinatione potuissent. Cumque is, qui ligatus uenerat, coepisset subito adstare solutus, ad tantae potestatis uim tremefactus Zalla ad terram corruit, et ceruicem crudelitatis rigidae ad eius uestigia inclinans, orationibus
35 se illius conmendauit. Vir autem sanctus a lectione minime surrexit, sed uocatis fratribus eum introrsus tolli, ut benedictionem acciperet, praecepit. Quem ad se reductum, ut

11 creditur *bm GH* : crederetur $m^{v}r$ ‖ 12 horae bmr^{v} *GH* : *om. r* ‖ raperentur bmr^{v} *G* : -retur *r H* reparentur r^{v} repararentur b^{v} ‖ 13 isdem *m GH* : idem $bm^{v}r$ ‖ Zalla $bm^{v}r$ *G* : Tzalla *mz* Azalla *H* ‖ 20 Zallae $bmm^{o}r$ *G* : Tzallae m^{o} Azallae *H* Zalla m^{v} Thalla m^{v} ‖ dixeram *mr GH* : tibi *add.* $bm^{v}z$ ‖ 29 deflexisset *bmr GH* : defixisset b^{v} flexisset m^{v} ‖ 30 deuoluere *bmr GH* : dissoluere $b^{v}m^{v}$ ‖ 33 Zalla $bm^{v}r$ *G* : Tzalla *mz* Azalla *H* Thalla m^{v} ‖ 34 orationibus se *mrz GH* : se or. *b* ‖ 37 acciperet $bm^{v}r$ *H* : acciperit *G* acceperit *m*

biens au serviteur de Dieu Benoît. Tant que le bourreau croirait à cet expédient, sa cruauté serait en veilleuse, et ce serait pour la vie un sursis de quelques heures.

2. Alors Zalla cessa de mettre à la question le paysan, mais il lui lia les bras de fortes courroies et commença à le pousser devant son cheval pour qu'il lui montrât qui était ce Benoît qui avait reçu ses biens en dépôt. Le paysan, les bras ligotés, marche devant et le conduit au monastère du saint. Il le trouve assis devant la porte de la maison, occupé à lire. Le paysan dit à Zalla qui est à ses trousses tout écumant : « Voilà. C'est lui dont je vous ai parlé, Benoît, l'abbé. » Alors Zalla, l'esprit fumant de colère, regarde Benoît dans la folie de son âme pervertie, et pensant devoir user des procédés terroristes qui lui ont toujours réussi, il se met à brailler : « Debout ! Debout ! Rends à ce cultivateur les effets que tu as reçus ! »

3. A ce tonnerre, l'homme de Dieu lève les yeux de sa lecture, aperçoit Zalla, puis remarque le paysan qu'il tenait ligoté. Son regard s'arrête sur les bras, et alors, merveille ! à toute vitesse les courroies se défont, les bras sont déliés, si vite qu'un homme en se hâtant n'aurait pas été si prompt. L'homme venu sanglé est tout à coup dessanglé. Quel pouvoir ! Quelle puissance ! Atterré, Zalla tombe de cheval, et courbant aux pieds de Benoît son échine roidie par une inflexible cruauté, il se recommande à ses prières. Benoît ne se lève pas de sa lecture, appelle les frères et ordonne d'emporter Zalla pour qu'il prenne un aliment béni. Au retour de Zalla, il l'avertit d'avoir à

2. *Cella* désigne le monastère, plutôt que le logis abbatial. Benoît est assis, comme à l'arrivée de Riggo et de Totila (14, 2 ; 15, 1). *Surge surge* : Grégoire est coutumier de ces répétitions quand il rapporte des propos oraux (20, 1 ; 22, 3 ; 25, 2, etc.).

3. Prisonnier délivré de ses liens : IV, 59, 1 et note ; Grégoire de Tours, *Mir. S. Mart.* 4, 16.26.35.39.41, etc. Zalla tombe à terre comme Riggo et Totila (14, 2 ; 15, 1). Son humble attitude devant Benoît rappelle celle de Julien et du *puer* (I, 4, 13-14). Il se recommande à ses prières : I, 4, 17 ; IV, 31, 2. *Benedictionem* : sans doute eulogie, aliment béni, comme l'entend Zacharie (cf. *RM* 25, 8.10 ; 53, 44). Benoît semonce le Goth comme Totila (15, 1).

a tantae crudelitatis insania quiescere deberet, admonuit. Qui fractus recedens, nil ulterius petere a rustico prae-
40 sumpsit, quem uir Dei non tangendo, sed respiciendo soluerat.

4. Ecce est, Petre, quod dixi, quia hii, qui omnipotenti Deo familiarius seruiunt, aliquando mira facere etiam ex potestate possunt. Qui enim ferocitatem Gothi terribilis
45 sedens repressit, lora uero nodosque ligaturae, quae innocentis brachia adstrinxerant, oculis dissoluit, ipsa miraculi celeritate indicat quia ex potestate acceperat habere quod fecit. Rursum quoque, quale quantumque miraculum orando ualuit obtinere, subiungam.

XXXII. Quadam die cum fratribus ad agri opera fuerat egressus. Quidam uero rusticus defuncti filii corpus in ulnis ferens, orbitatis luctu aestuans, ad monasterium uenit, Benedictum patrem quaesiuit. Cui cum dictum
5 esset quia isdem pater cum fratribus in agro moraretur, protinus ante monasterii ianuam corpus extincti filii proiecit, et dolore turbatus, ad inueniendum uenerabilem patrem sese concitus in cursum dedit.

2. Eadem uero hora uir Dei ab agri opere iam cum fra-
10 tribus reuertebatur. Quem mox ut orbatus rusticus aspexit, clamare coepit : « Redde filium meum, redde filium meum. » Vir autem Dei in hac uoce substitit, dicens :

40 Dei *m*ᵛ*m*ᵒ*rz GH* : Domini *bm* ‖ 42 hii *m G* : hi *bm*ᵛ*r H* ‖ 44 ferocitatem *bm*ᵛ*r GH* : -te *m* ‖ 46 oculis *bm*ᵛ*z* : -lo *m*ᵛ*r H* -los *G* ‖ 49 ualuit *mrz GH* : uoluit *br*ᵛ

XXXII bmrz GH 1 Quadam *mr GH* : quodam *b* ‖ 5 isdem *mr GH* : idem *bm*ᵛ ‖ 8 concitus *mr GH* : *post* cursum *transp. b* ‖ 9 opere *bmr H* : -ra *m*ᵛ *G*

---

4. *Familiariter*, ainsi que *familiaris* et *familiaritas*, ne sont employés ailleurs dans les Dialogues qu'en parlant de relations entre hommes. Le présent usage se retrouve dans un décret du Concile de 595 (*Reg.* 5, 57ᵃ = *Append.* V, § 6) : *ut... in diuino seruito ualeant familiarius in monasteriis conuersari.*

XXXII, 1. Début *Quadam die* comme aux ch. 9 et 30 (cf. 2.7. 20.24) ; l'expression revient ici pour la douzième fois depuis II,

cesser de si folles cruautés. Zalla apprivoisé se retire, n'osant plus rien demander au paysan que l'homme de Dieu avait délié sans le toucher, d'un seul regard.

4. Voilà, Pierre, c'est comme j'ai dit. Ceux qui servent Dieu tout-puissant plus assidûment peuvent quelquefois faire des merveilles par puissance. Celui qui a réprimé assis la férocité d'un Goth terrible, qui a dénoué d'un regard les sangles et les nœuds qui enlaçaient les bras d'un innocent, nous montre par la rapidité même du miracle qu'il avait reçu d'accomplir par puissance ce qu'il a fait. Pour la symétrie, j'ajouterai quel grand et admirable miracle il put obtenir par sa prière.

XXXII. Un jour qu'il était sorti avec les frères pour travailler aux champs, un paysan, portant dans ses bras le corps de son fils mort, et mis tout hors de lui par la douleur de cette perte, vint au monastère demander Benoît, l'abbé. On lui dit que le Père était aux champs avec les frères. Aussitôt il déposa le cadavre de son fils à la porte du monastère ; et, affolé par la peine, il se mit à courir à toutes jambes à la recherche du vénérable Père.

2. A cette heure, l'homme de Dieu revenait du travail aux champs avec les frères. Dès que le pauvre paysan l'aperçut, il cria : « Rendez-moi mon fils, rendez-moi mon fils ! » L'homme de Dieu, à ce cri, s'arrêta et dit : « Est-ce

1, 5 (cf. 12.13.25.31). L'abbé travaille aux champs avec ses moines : I, 4, 12. Ces travaux sont interdits par le Maître (*RM* 86), mais admis par Benoît (*RB* 41, 4 ; 48, 7-8). Le héros de ce chapitre, comme celui du précédent, est un *rusticus*. Il refait le geste de la veuve chez Eugippe, *V. Seu.* 6, 1 : *filium... ante ianuam monasterii proiciens* (autres analogies plus loin). *

2. Même supplique pour un enfant mort chez Sulpice Sév., *Dial.* 2, 4 (*restitue mihi filium meum*), et pour des enfants malades chez Jérôme, *V. Hil.* 14 (*redde mihi liberos meos*) ; Eugippe, *V. Seu.* 6, 1 (*reddi sibi... filium precabatur incolumem*). En I, 10, 17, la demande (*ueni et resuscita*) et la réponse (*recedite*) sont identiques. Voir Victor de Vite, *De persec. Vand.* 2, 17 : sollicité par un aveugle de lui « rendre ses yeux », Eugène répond : *Recede a me, frater, peccator sum* (cf. Lc 5, 8). *Haec nostra non sunt* rappelle des réponses d'Antoine (Pallade, *Hist. Laus.* 22, 10 = *HP* 10, 286 b : *Non est istud opus meum* ; cf. Athanase, *V. Ant.* 48, 2), d'Ammon (*Hist. mon.* 30, 456 b : *Supra merita mea est quod petitis*) et de

« Numquid ego tibi filium tuum abstuli ? » Cui ille respondit : « Mortuus est. Veni, resuscita eum. » Quod mox
15 ut Dei famulus audiuit, ualde contristatus est, dicens : « Recedite, fratres, recedite. Haec nostra non sunt, sed sanctorum apostolorum sunt. Quid nobis onera uultis inponere, quae non possumus portare ? » At ille, quem nimius cogebat dolor, in sua petitione perstitit, iurans quod non
20 recederet, nisi eius filium resuscitaret. Quem mox Dei famulus inquisiuit, dicens : « Vbi est ? » Cui ille respondit : « Ecce corpus eius ad ianuam monasterii iacet. »

3. Vbi dum Dei uir cum fratribus peruenisset, flexit genua et super corpusculum infantis incubuit, seseque
25 erigens ad caelum palmas tetendit, dicens : « Domine, non aspicias peccata mea, sed fidem huius hominis, qui resuscitari filium suum rogat, et redde in hoc corpusculo animam, quam abstulisti. » Vix in oratione uerba conpleuerat, et regrediente anima ita corpusculum pueri
30 omne contremuit, ut sub oculis omnium qui aderant appareuerit concussione mirifica tremendo palpitasse. Cuius mox manum tenuit, et eum patri uiuentem atque incolumem dedit.

4. Liquet, Petre, quia hoc miraculum in potestate non
35 habuit, quod prostratus petiit ut exhibere potuisset.

Petrvs. Sic cuncta esse ut asseris, constat patenter, quia uerba quae proposueras, rebus probas. Sed quaeso te

13 tibi *m GH* : *post* tuum *transp. b om.* $m^v rz$ ‖ 14-15 mox ut *mr GH* : ut mox *b* ‖ 16 Recedite fratres recedite *bmrz GH* : recede frater recede b^v ‖ 17 sunt *mz GH* : *om.* $bm^v r$ ‖ uultis *bmrz GH* : uis b^v ‖ 23 dum *mr GH* : cum bm^v ‖ Dei uir m^v *GH* : uir Dei *bmr* ‖ 24 genua $bm^v rz$: ianua *H* genu *m G* ‖ 27 resuscitari $bmm^o r$: -re m^v *GH* ‖ 36 Sic $bm^o rz$ *GH* : si *m* ‖ 37 te $m^v m^o$ *GH* : ut *add. bmz* ut mihi *add. r*

Séverin (Eugippe, *V. Seu.* 6, 2 : *Non est uirtutis meae*). Ressusciter est le propre des Apôtres : I, 10, 17 et note. Ensuite réminiscence de Ac 15, 10 (cf. Athanase, *V. Ant.* 49, 3). Mêmes instances de la mère en I, 2, 5 : *cum iuramento dixit* : *Nullatenus recedes, nisi filium meum suscitaueris.* Dernière question de Benoît : cf. Jn 11, 34. *

que je vous ai pris votre fils, moi ? » L'homme répondit : « Il est mort. Venez le ressusciter ! » A ces mots, le serviteur de Dieu fut très attristé. Il dit : « Retirez-vous, mes frères, retirez-vous. C'est bon pour les saints Apôtres, ce n'est pas pour nous. Pourquoi voulez-vous nous imposer des fardeaux que nous ne pouvons porter ? » Mais l'homme, poussé à bout par sa douleur, s'obstina dans sa demande, jurant qu'il ne partirait pas si le Père ne ressuscitait pas son enfant. Alors le serviteur de Dieu demanda : « Où est-il ? » L'homme répondit : « Son corps est couché à la porte du monastère ».

3. Quand l'homme de Dieu arriva là avec les frères, il fléchit le genou, se coucha sur le corps de l'enfant, puis, se relevant, il éleva les mains au ciel en disant : « Seigneur, ne regarde pas mes péchés, mais la foi de cet homme qui demande que son fils soit ressuscité, et rends à ce corps l'âme que tu as enlevée. » Sa prière était à peine achevée que l'âme rentra dans le corps de l'enfant, qui trembla des pieds à la tête, sous les yeux de tous les assistants. Il était visible qu'un tremblement l'avait fait palpiter sous une secousse extraordinaire. Alors il le prit par la main et le remit bien vivant et en bonne santé à son père.

4. Il est évident, Pierre, qu'il n'eut pas ce miracle par puissance, puisqu'il demanda prosterné de pouvoir l'accomplir.

PIERRE. Les choses sont comme vous dites, la constatation est très claire. Les thèses proposées, vous les prouvez par des faits. Mais dites-moi, je vous prie, si les saints

3. A quelques variantes près, cette scène reproduit I, 2, 6. Benoît se couche sur l'enfant comme Élisée (2 R 4, 34-35). Le miracle est attribué par son auteur à la foi du demandeur : ATHANASE, *V. Ant.* 48, 2. *Domine non aspicias peccata mea sed fidem...* : cette formule se retrouve dans une oraison avant la communion de la la messe romaine (XIe s.). *Vix... uerba conpleuerat et...* comme en 11, 1 (cf. JÉRÔME, *V. Pauli* 8). *

4. Conclusion du récit de la résurrection (cf. 30, 4 ; 31, 4) et annonce de l'échec par lequel va se terminer la carrière du thaumaturge. Le dernier des douze miracles opératifs (23-33) ne sera pas fait par Benoît, mais par sa sœur.

indices, si sancti uiri omnia quae uolunt possunt, et cuncta inpetrant quae desiderant obtinere.

XXXIII. GREGORIVS. Quisnam erit, Petre, in hac uita Paulo sublimior, qui de carnis suae stimulo ter Dominum rogauit, et tamen quod uoluit obtinere non ualuit ? Ex qua re necesse est ut tibi de uenerabili patre Benedicto 5 narrem, quia fuit quiddam quod uoluit, sed non ualuit inplere.

2. Soror namque eius, Scolastica nomine, omnipotenti Domino ab ipso infantiae tempore dicata, ad eum semel per annum uenire consueuerat, ad quam uir Dei non longe 10 extra ianuam in possessione monasterii descendebat. Quadam uero die uenit ex more, atque ad eam cum discipulis uenerabilis eius descendit frater. Qui totum diem in Dei laudibus sacrisque conloquiis ducentes, incumbentibus iam noctis tenebris, simul acceperunt cibos. Cumque adhuc 15 ad mensam sederent et inter sacra conloquia tardior se hora protraheret, eadem sanctimonialis femina, soror eius, eum rogauit, dicens : « Quaeso te, ne ista nocte me deseras, ut usque mane aliquid de caelestis uitae gaudiis loquamur. » Cui ille respondit : « Quid est quod loqueris, 20 soror ? Manere extra cellam nullatenus possum. »

XXXIII, 8 dicata *m GH* : dedicata *bm*^{v}*r* ‖ 10 possessione *bmrz* : -nem *m*^{v} *GH* ‖ 14 cibos *bmr H* : cibum *m*^{v}(*z*) *G* ‖ 16 sanctimonialis [-les *G*] *bm*^{v}*r G* : sanctaemonialis [-les *H*^{ac}] *m H* ‖ 17 ne ista nocte me *bmr G* : ut ista nocte me non *m*^{v}*m*^{o} *H* ‖ 18 aliquid *mr GH* : *om. bz* ‖ 19 quod *bm*^{v}*m*^{o}*r GH* : hoc quod *m*

XXXIII, 1. 2 Co 12, 7-9

XXXIII, 1. Contraste entre les sublimités de la vie de Paul et son impuissance à obtenir le retrait du *stimulus carnis* : *Mor.* 19, 11 (cf. *Hom. Eu.* 27, 6 : il le fallait pour son salut).

2. Sur le nom propre *Scholastica*, voir I. SCHUSTER, *S. Benoît et son temps*, p. 40 ; A. DE VOGÜÉ, « La rencontre de Benoît et de Scholastique », dans *RHS* 48 (1972), p. 262-264. L'enfant a été consacrée

peuvent tout ce qu'ils veulent et obtiennent tout ce qu'ils désirent obtenir.

XXXIII. Grégoire. Qui donc, Pierre, a été plus élevé en cette vie que Paul ? Et pourtant trois fois il demanda à Dieu d'être libéré de l'aiguillon de sa chair et il ne put l'obtenir. A ce propos, il faut que je vous raconte comment le vénérable Père Benoît voulut un jour une chose et ne put réaliser son désir.

2. Sa sœur, nommée Scholastique, consacrée dès l'enfance à Dieu tout-puissant, avait l'habitude de venir le voir une fois par an. L'homme de Dieu descendait à sa rencontre non loin de la porte, dans une dépendance du monastère. Un jour, elle vint comme de coutume, et son vénérable frère descendit avec des disciples pour la voir. Toute la journée se passa à louer Dieu et à parler de choses saintes. Les ombres de la nuit tombaient quand ils prirent leur repas. On était encore à table à parler de choses saintes et il se faisait tard, quand la religieuse sa sœur le pria en ces termes : « Je t'en prie, ne me quitte pas cette nuit : jusqu'au matin parlons des joies de la vie céleste. » Il répondit : « Que dis-tu là, ma sœur ! Rester hors du monastère, je ne le peux absolument pas. »

à Dieu, selon un usage très répandu en dépit des réserves de certains textes canoniques (cf. A. de Vogüé, *La Règle de S. Benoît*, t. VI [*SC* 186], p. 1356-1368). — Visite annuelle : Ammon revoyait sa femme deux fois l'an (Pallade, *Hist. Laus.* 8, 5 = *HP* 2, 259 d), mais Jean de Lyco ne revit jamais sa sœur (*HP* 22, 303 d ; cf. Pallade, *Hist. Laus.* 35, 13). Rencontres de moines avec leurs sœurs : *V. Patr.* 3, 31-34. Celle de Benoît et de Scholastique aurait eu lieu, d'après la tradition, au pied de la montagne, vers l'Ouest. L'accès du monastère est interdit à toute femme, même proche parente de l'abbé : Aurélien, *Reg. mon.* 15 (cf. Césaire, *Reg. mon.* 11 ; Ferréol, *Reg.* 4). Benoît se fait accompagner : Basile, *Reg.* 174 ; *Reg. Tarn.* 4, 2 ; Ferréol, *Reg.* 4, etc. — Le repas à la nuit tombée, en contradiction avec *RB* 41, 8-9, rappelle 20, 1. *De caelestis uitae gaudiis loquamur* : cf. 35, 1. Chez les Pachômiens, les entretiens entre frère et sœur ont pour objet *memoria futurorum cum spe felicitatis aeternae* (Denys, *V. Pach.* 28). Benoît s'écrie *Quid est quod loqueris* comme en 20, 1. L'abbé ne peut passer la nuit au dehors : cf. Aurélien, *Reg. mon.* 34 ; Isidore, *Reg.* 13, 1.

3. Tanta uero erat caeli serenitas, ut nulla in aere nubes appareret. Sanctimonialis autem femina, cum uerba fratris negantis audisset, insertas digitis manus super mensam posuit, et caput in manibus omnipotentem Dominum 25 rogatura declinauit. Cumque leuaret de mensa caput, tanta coruscationis et tonitrui uirtus tantaque inundatio pluuiae erupit, ut neque uenerabilis Benedictus, neque fratres qui cum eo aderant, extra loci limen quo consederant pedem mouere potuissent. Sanctimonialis quippe 30 femina, caput in manibus declinans, lacrimarum fluuios in mensam fuderat, per quos serenitatem aeris ad pluuiam traxit. Nec paulo tardius post orationem inundatio illa secuta est, sed tanta fuit conuenientia orationis et inundationis, ut de mensa caput iam cum tonitruo leuaret, 35 quatenus unum idemque esset momentum et leuare caput et pluuiam deponere.

4. Tunc uir Dei inter coruscos et tonitruos atque ingentis pluuiae inundationem uidens se ad monasterium non posse remeare, coepit conqueri contristatus, dicens : « Par-40 cat tibi omnipotens Deus, soror. Quid est quod fecisti ? » Cui illa respondit : « Ecce te rogaui, et audire me noluisti. Rogaui Dominum meum, et audiuit me. Modo ergo, si potes, egredere, et me dimissa ad monasterium recede. » Ipse autem exire extra tectum non ualens, qui remanere 45 sponte noluit, in loco mansit inuitus, sicque factum est ut totam noctem peruigilem ducerent, atque per sacra spiritalis uitae conloquia sese uicaria relatione satiarent.

5. Qua de re dixi eum uoluisse aliquid, sed minime potuisse, quia, si uenerabilis uiri mentem aspicimus, 50 dubium non est quod eandem serenitatem uoluerit, in

22 sanctimonialis *bm^{v}r G* : sanctaem- *m H* ‖ 25 leuaret *mr GH* : *post* mensa *transp. b* ‖ 29 sanctimonialis *bm^{v}r G* : sanctaem- *m H* ‖ 30 fluuios *bm^{v}z GH^{pc}* : -uius *m H^{ac}* -uium *m^{v}r* flumina *r^{v}* ‖ 31 in mensam *bm^{v}r GH* : in mensa *m* ‖ quos *m^{v} GH* : quas *bmr* ‖ 37 et *bmz GH* : *om. r* ‖ tonitruos *bmz GH^{ac}* : -trua *m^{v} H^{pc}* ‖ 42 audiuit *bmr H* : exaudiuit *m^{v} G* ‖ 46 peruigilem *bmr GH* : -les *b^{v}z*

3. Le ciel était alors d'une sérénité parfaite, sans un nuage. La religieuse, à ce refus de son frère, posa sur la table ses mains, les doigts entrelacés, et inclina la tête dans ses mains pour prier Dieu. Quand elle la releva, ce fut un éclat violent d'éclairs, tonnerre, pluie diluvienne, tant et si bien que ni le vénérable Benoît ni les frères qui l'accompagnaient ne pouvaient franchir le seuil du lieu où ils se trouvaient. La religieuse, en inclinant la tête dans ses mains, avait versé sur la table des fleuves de larmes par lesquels elle amena la sérénité du ciel à la pluie. Et ce ne fut pas un peu après sa prière que l'inondation s'ensuivit, mais la simultanéité fut telle de la prière et de l'inondation qu'au moment où elle leva la tête de la table, le tonnerre éclatait déjà. A l'instant même où la tête se leva, la pluie tomba.

4. Alors l'homme de Dieu, parmi les éclairs, les tonnerres et l'immense inondation de la pluie, voyant qu'il ne pouvait rentrer au monastère, commença à se plaindre, tout triste : « Que Dieu tout-puissant te pardonne, ma sœur ! Qu'est-ce que tu as fait là ? » Elle répondit : « Voilà ! Je t'ai prié, et tu n'as pas voulu m'écouter. J'ai prié mon Seigneur, et il m'a écouté. Maintenant donc, si tu peux, sors ! Laisse-moi, et rentre au monastère. » Mais lui ne pouvait sortir au-delà du toit. Il n'avait pas voulu rester de bon gré, il resta là de force. Et voilà comment ils passèrent toute la nuit à veiller, en se rassasiant mutuellement de saints propos sur la vie spirituelle.

5. J'ai donc dit qu'il avait voulu quelque chose, mais sans résultat. Car si nous considérons la pensée de l'homme vénérable, évidemment il aurait souhaité que le beau

3. Tonnerre et pluie obtenus soudain par la prière : III, 15, 11.18 ; Jérôme, *V. Hil.* 32 ; *V. Patr.* 5, 12, 14 ; Grég. de Tours, *Mir. S. Iul.* 6 (cf. 1 S 12, 17-18 ; 1 R 18, 30-38). — Rapidité de la réponse divine : III, 15, 17. On songe à l'obéissance immédiate du moine selon *RM* 7, 9 = *RB* 5, 9 (*ueluti uno momento*).

4. Plaintes semblables de Séverin chez Eugippe, *V. Seu.* 28, 5 : *Quid fecisti frater ? ... Ignoscat tibi Dominus.* La dernière phrase rappelle 1, 7 (*dulcia uitae conloquia*) et 35, 1 (*ut... dulcia sibi inuicem uitae uerba transfunderent*).

qua descenderat, permanere. Sed contra hoc quod uoluit, in uirtute omnipotentis Dei ex feminae pectore miraculum inuenit. Nec mirum quod plus illo femina, quae diu fratrem uidere cupiebat, in eodem tempore ualuit. Quia enim 55 iuxta Iohannis uocem *Deus caritas est*, iusto ualde iudicio illa plus potuit, quae amplius amauit.

PETRVS. Fateor, multum placet quod dicis.

XXXIIII. GREGORIVS. Cumque die altero eadem uenerabilis femina ad cellam propriam recessisset, uir Dei ad monasterium rediit. Cum ecce post triduum in cella consistens, eleuatis in aera oculis, uidit eiusdem sororis suae 5 animam, de eius corpore egressam, in columbae specie caeli secreta penetrare. Qui tantae eius gloriae congaudens, omnipotenti Deo in hymnis et laudibus gratias reddidit, eiusque obitum fratribus denuntiauit.

2. Quos etiam protinus misit, ut eius corpus ad monas- 10 terium deferrent, atque in sepulcro, quod sibi ipse parauerat, ponerent. Quo facto contigit, ut quorum mens una semper in Deo fuerat, eorum quoque corpora nec sepultura separaret.

51 hoc *bmr G* : haec *H* *om.* m^v m^o
XXXIIII, 2 recessisset *bmz GH* : *om. r* ‖ 3 Cum ecce *bm GH* : cum *r* ecce m^v

5. 1 Jn 4, 8.16.
XXXIIII, 1. cf. Lc 3, 22.

5. L'allusion finale à Lc 7, 47 (cf. 7, 42) donne la clé de l'épisode : si Benoît, comme Paul, n'a pas obtenu ce qu'il voulait, c'est que Scholastique, comme la pécheresse de l'Évangile, a davantage aimé (voir A. DE VOGÜÉ, *art. cit.*, p. 264-273). Cette affection féminine pour Benoît rappelle aussi celle de la nourrice (1, 1), mais cette fois le saint ne peut « fuir » et doit se plier au vœu d'une authentique « charité ». Comparer l'exaltation analogue de la charité vers la fin du Livre suivant (III, 37, 18).

XXXIIII, 1. Scholastique semble habiter un monastère (*cella*). Le site en est douteux (SCHUSTER, *S. Benoît et son temps*, p. 354-356). — *In cella consistens* rappelle 7, 1. La même vision de colombe, rapportée avec plus de détails, marque la mort de Spes (IV, 11, 4).

temps qu'il avait eu pour descendre continuât, mais contre son désir, par la force de Dieu tout-puissant, il trouva un miracle suscité par le cœur d'une femme. Ce n'est pas étonnant qu'une femme en cette occasion ait été plus forte que lui : elle voulait voir plus longtemps son frère. Selon la parole de Jean, « Dieu est amour », et par un jugement tout à fait juste, elle fut plus puissante parce qu'elle aima davantage.

PIERRE. J'avoue que cela me plaît beaucoup, ce que vous dites.

XXXIIII. GRÉGOIRE. Le lendemain, la vénérable femme revint à sa maison, et l'homme de Dieu rentra au monastère. Trois jours après, comme il était au monastère, ayant levé les yeux il vit l'âme de sa sœur, sortie de son corps, pénétrer les profondeurs mystérieuses du ciel sous la forme d'une colombe. Tout réjoui d'une telle gloire, il rendit grâces à Dieu tout-puissant dans ses hymnes de louanges, et il annonça ce décès aux frères.

2. De plus, il les envoya aussitôt pour ramener son corps au monastère, où on le placerait dans le tombeau qu'il s'était préparé pour lui-même. De cette manière il arriva que ceux dont l'esprit avait toujours été uni en Dieu ne furent pas séparés même par la tombe.

Là, on voit la colombe sortir *ex ore eius*, précision absente ici, sans doute à cause de la distance. Cf. le martyre d'Eulalie (PRUDENCE, *Perist.* 3, 161-173 ; GRÉG. DE TOURS, *Glor. mart.* 91 : *quod sanctus eius spiritus in columbae specie penetrauerit caelos*).

2. JUSTINIEN, *Nou.* 133, 3, interdit d'ensevelir les femmes dans les monastères d'hommes et vice versa. Césaire ensevelit sa sœur, l'abbesse Caesaria, *iuxta eam quam sibi parauerat... sepulturam*, dans la basilique des moniales d'Arles (*V. Caes.* 1, 44). — Sépulture à deux : III, 23, 2-4. Cf. *Conc. d'Auxerre* (561-605), c. 15 : *Non licet mortuum super mortuum mitti.* D'après le récit de la translation des reliques, *inuenerunt... ossa beatae Scholasticae... subteriacere, marmore tamen interposito* (éd. R. WEBER, « Un nouveau manuscrit... », dans *Rev. Bén.* 62 [1952], p. 141, 17-23). — Le commentaire final s'inspire de 2 S 1, 23 (Saül et Jonathas). Cf. GRÉG. DE TOURS, *Hist. Franc.* 1, 42 : *ut quos tenet socios caelum, sepultorum hic corporum non separet monumentum* (les « Deux Amants » de Clermont ; curieusement, la femme s'appelait Scholastica d'après la tradition locale : voir *PL* 71, 183, n. *d*) ; *Glor. conf.* 75. *

XXXV. Alio quoque tempore Seruandus diaconus atque abbas eius monasterii, quod in Campaniae partibus a Liberio quondam patricio fuerat constructum, ad eum uisitationis gratia ex more conuenerat. Eius quippe monasterium frequentabat, ut, quia isdem quoque uir doctrina gratiae caelestis influebat, dulcia sibi inuicem uitae uerba transfunderent, et suauem cibum caelestis patriae, quia adhuc perfecte gaudendo non poterant, saltem suspirando gustarent.

2. Cum uero hora iam quietis exigeret, in cuius turris superioribus se uenerabilis Benedictus, in eius quoque inferioribus se Seruandus diaconus conlocauit, quo uidelicet in loco inferiora superioribus peruius continuabat ascensus. Ante eandem uero turrem largius erat habitaculum, in quo utriusque discipuli quiescebant. Cumque uir Domini Benedictus, adhuc quiescentibus fratribus, instans uigiliis, nocturnae orationis tempora praeuenisset, ad fenestram stans et omnipotentem Dominum deprecans, subito intempesta noctis hora respiciens, uidit fusam lucem desuper cunctas noctis tenebras exfugasse, tan-

XXXV, 3 constructum *bmr GH* : constitutum b^{v} ‖ 5 isdem *mr GH* : idem bm^{v} ‖ 10 Cum uero *mr GH* : cumque *b* ‖ exigeret $bm^{v}r$ *G* : -rit *H* exegerit *m* ‖ 12 se $bm^{v}m^{o}$ G^{pc} *H* : sese *mr om.* m^{v} G^{ac} ‖ 13 inferiora $bm^{o}r$ *GH* : -re *m* ‖ 14 turrem *m GH* : -rim $bm^{v}r$ ‖ 16 Domini *mr GH* : Dei *bz* ‖ adhuc *mr GH* : *post* quiescentibus *transp. b* ‖ 18 omnipotentem *bmrz H* : -ti *G* ‖ Dominum *mr* : -no *GH* Deum *bz*

XXXV, 1. *Diaconus atque abbas* est insolite dans les Dialogues, qui ne donnent jamais de titre clérical aux abbés (cf. I, 4, 8), mais se retrouve dans *Reg.* 7, 18 = *Ep.* 7, 18. Un Servandus signa le modèle de l'*Amiatinus* (début du Lévitique), un autre fut diacre à Fiesole (*Reg.* 9, 143 = *Ep.* 10, 44). — Le patrice Liberius a fait, de 484 à 554 environ, une longue et brillante carrière, dont parlent Procope, Jordanès, etc. Ses sentiments chrétiens et ceux de sa femme Agrestia apparaissent dans *V. Caesarii* 2, 9-12. Il bâtit la basilique d'Orange dont la dédicace fut l'occasion du concile de 529. Le temps de sa préfecture des Gaules, de 515 environ (Avit, *Ep.* 32 ; Ennode, *Ep.* 9, 23) à 533 (Cassiodore, *Var.* 11, 1), dut être le moins propice à la fondation du monastère en Campanie. Celui-ci

XXXV. Une autre fois, Servandus, diacre et abbé du monastère qui avait été construit jadis par le patrice Liberius en Campanie, était venu au monastère rendre visite à Benoît selon son habitude. Il fréquentait le monastère, étant lui-même tout imprégné de doctrine spirituelle et de grâce céleste. C'était entre eux une transfusion de douces paroles de vie. La suave nourriture de la céleste patrie, ils ne pouvaient encore en jouir parfaitement ; du moins ils en avaient un goût en soupirant vers elle.

2. Mais l'heure du repos l'exigeait. Le vénérable Benoît prit place dans la partie supérieure de sa tour et le diacre Servandus dans la partie inférieure. Un escalier montait et assurait une liaison continuelle entre le bas et le haut de la tour. Devant la tour était un large bâtiment où les disciples des deux abbés prenaient leur repos. L'homme du Seigneur, Benoît, tandis que les frères reposaient encore, avait devancé le temps de la prière, debout pour ses vigiles nocturnes. Il se tenait à la fenêtre, priant le Seigneur tout-puissant. Tout à coup, au cœur de la nuit, il vit une lumière épandue d'en haut refouler les

est mentionné dans les mêmes termes qu'ici en *Reg.* 9, 162 = *Ep.* 9, 73 ; *Reg.* 9, 164 = *Ep.* 9, 24. D'après la première lettre, adressée au commandant militaire de Naples, il semble se trouver dans cette région. Son identification avec S. Sébastien d'Alatri ne se fonde que que sur *V. Placidi* 12 (Pierre Diacre, xiie s.) et sur une inscription de la même époque gravée sur l'autel dudit monastère (Bibliographie : C. Scaccia-Scarafoni et A. Schmitt). — *Dulcia... uitae uerba*, etc. : cf. 1, 7 ; 33, 2 et 4.

2. Abbé logeant dans une tour : Cyrille de Scyth., *V. Sab.* 18 (cf. 36.40.43) ; Grég. de Tours, *Hist. Franc.* 6, 6 (l'abbé-reclus Hospitius). D'autres vivent dans un local à part : III, 16, 10 ; Cassien, *Conl.* 20, 1, 2 ; Eugippe, *V. Seu.* 39, 1 ; Ferréol, *Reg.* 16 ; Grég. de Tours, *Hist. Franc.* 7, 1. — Abbé qui devance l'office nocturne : Cyrille de Scyth., *V. Sab.* 43 ; Ferrand, *V. Fulg.* 38 ; *V. Patr. Iurensium* 130. Voir surtout *Hom. Eu* 34, 18 : le moine Victorin-Émilien *nocturnas fratrum uigilias praeuenire consueuerat*; une nuit, la lumière tombe du ciel sur l'orant, si vive que toute la région en resplendit (cf. Grég. de Tours, *Glor. conf.* 38 [37]). Comparer les illuminations nocturnes de Théodore de Marseille en prière (Grég. de Tours, *Hist. Franc.* 6, 24) et d'Oyend endormi (*V. Patr. Iurensium* 159). *

toque splendore clarescere, ut diem uinceret lux illa, quae inter tenebras radiasset.

3. Mira autem ualde res in hac speculatione secuta est, quia, sicut post ipse narrauit, omnis etiam mundus, uelut
25 sub uno solis radio collectus, ante oculos eius adductus est. Qui uenerabilis pater, dum intentam oculorum aciem in hoc splendore coruscae lucis infigeret, uidit Germani Capuani episcopi animam in spera ignea ab angelis in caelum ferri.

30 4. Tunc tanti sibi testem uolens adhibere miraculi, Seruandum diaconum iterato bis terque eius nomine cum clamoris magnitudine uocauit. Cumque ille fuisset insolito tanti uiri clamore turbatus, ascendit, respexit, partemque lucis exiguam uidit. Cui tantum hoc stupescenti miracu-
35 lum, uir Dei per ordinem quae fuerant gesta narrauit, statimque in Casinum castrum religioso uiro Theopropo mandauit, ut ad Capuanam urbem sub eadem nocte transmitteret, et quid de Germano episcopo ageretur agnosceret et indicaret. Factumque est, et reuerentissimum
40 uirum Germanum episcopum is qui missus fuerat iam defunctum repperit, et requirens subtiliter agnouit, eodem momento fuisse illius obitum, quo uir Domini eius cognouit ascensum.

5. Petrvs. Mira res ualde et uehementer stupenda.
45 Sed hoc quod dictum est, quia ante oculos ipsius, quasi

22 inter tenebras *bmr H* : in ten. *G* in tenebris *m*^{v} ‖ 23 ualde res *mr GH* : res ualde *b* ‖ in hac speculatione *bmrz GH* : eandem speculationem *b*^{v} ‖ 28 spera *b*^{v}*mr G*^{ac} : sphera *G*^{pc}*H* sphaera *b* ‖ 31 diaconum *bm*^{v}*r G* : -nem *m* diac̄ *H* ‖ 34 stupescenti *m*^{v} : stupisc- *m* obstupescenti *bm*^{v}*r H* obstupiscenti *G* obstupenti *m*^{v} ‖ 36 Theopropo *mr H* : Theoprepo *z* Theoprobo *bm*^{v} *G* ‖ 39 et² *bmr H* : ut *m*^{v} *G* ‖ 42 cognouit *bmr H* : agnouit *m*^{v} *G* ‖ 43 ascensum *bmrz GH* : abcessum *b*^{v}

3. Récit reproduit en IV, 8. L'œil fixe le rayon de lumière divine : *Mor.* 23, 42. — Germain, mentionné en IV, 42, 3-4, était déjà évêque en 519 (*Lib. Pont.* I, 270). Son successeur, Victor, fut consacré le 23 février 541 (*CIL* X, 1-2, 4503). — Visions d'âmes portées au ciel par les anges (cf. Lc 16, 22 ; *Pass. Perpet. et Felic.*

ténèbres de la nuit. Elle éclairait d'une telle splendeur qu'elle surpassait la lumière du jour, elle qui cependant rayonnait entre les ténèbres.

3. Une chose très merveilleuse suivit dans cette contemplation, car, comme il l'a raconté par la suite, le monde entier, comme ramassé sous un seul rayon de soleil, fut amené à ses yeux. Le vénérable Père, tandis qu'il enfonçait la pointe de son regard dans cette splendeur de lumière étincelante, vit l'âme de Germain, l'évêque de Capoue, portée au ciel par des anges dans une sphère de feu.

4. Voulant se munir d'un témoin devant un tel miracle, il appela très fort le diacre Servandus à deux ou trois reprises. Bouleversé par ce cri, insolite chez un tel homme, Servandus monte, regarde et ne voit plus qu'un petit reste de lueur. Comme il est stupéfait d'un si beau miracle, l'homme de Dieu lui raconte tout au long ce qui vient de se passer. Sans attendre, il donne avis au pieux Théopropus, au bourg de Casinum, d'envoyer quelqu'un cette nuit même à la ville de Capoue prendre des nouvelles de l'évêque Germain et les rapporter. Le messager trouve l'évêque décédé, et en demandant des détails précis, il apprend que sa mort a eu lieu au moment même où l'homme du Seigneur a connu son ascension.

5. PIERRE. C'est une chose merveilleuse au plus haut point et qui me confond absolument. Mais ce que vous

11) : voir ATHANASE, *V. Ant.* 60, 1-3 ; JÉRÔME, *V. Pauli* 14 ; *Hist. mon.* 10, 429 b et 16, 438 b. 439 b ; GRÉG. DE TOURS, *Mir. S. Mart.* 1, 4, etc. Globe de feu : SULPICE SÉV., *Dial.* 2, 2 ; GRÉG. DE TOURS, *Hist. Franc.* 6, 24.

4. Comme Maur (4, 2), Servandus participe à la vision de Benoît, mais imparfaitement. Sur Theopropus, voir 17, 1 et note. Envoi d'un messager pour vérifier un décès connu par révélation : GRÉG. DE TOURS, *Mir. S. Mart.* 1, 4. Une enquête précise montre que l'homme est mort au moment même de la vision : ATHANASE, *V. Ant.* 60, 10 (Amun) ; PALLADE, *Hist. Laus.* 4, 4 = *HP* 1, 254 d (l'Empereur Julien) ; GRÉG. DE TOURS, *Mir. S. Mart.* 1, 4-5 (Martin).

5. Voir P. COURCELLE, « La vision cosmique de saint Benoît », dans *REAug* 13 (1967), p. 97-117, qui compare notamment CICÉRON, *Somn. Scip.* 6, 20 ; SÉNÈQUE, *Quaest. nat.*, *Praef.* 8 ; MACROBE, *In somm. Scip.* I, 5, 1 ; JÉRÔME, *Ep.* 60, 18, 2 ; BOÈCE, *Consol. Philos.* II, 7.

sub uno solis radio collectus, omnis mundus adductus est, sicut numquam expertus sum, ita nec conicere scio ; quoniam quo ordine fieri potest, ut mundus omnis ab homine uno uideatur ?

50 6. GREGORIVS. Fixum tene, Petre, quod loquor, quia animae uidenti creatorem angusta est omnis creatura. Quamlibet etenim parum de luce creatoris aspexerit, breue ei fit omne quod creatum est, quia ipsa luce uisionis intimae mentis laxatur sinus, tantumque expanditur in 55 Deo, ut superior existat mundo. Fit uero ipsa uidentis anima etiam super semetipsam. Cumque in Dei lumine rapitur super se, in interioribus ampliatur, et dum sub se conspicit, exaltata conprehendit quam breue sit, quod conprehendere humiliata non poterat. Vir ergo qui [intu-60 eri] globum igneum, angelos quoque ad caelum redeuntes uidebat, haec procul dubio cernere nonnisi in Dei lumine poterat. Quid itaque mirum, si mundum ante se collectum uidit, qui subleuatus in mentis lumine extra mundum fuit ?

65 7. Quod autem collectus mundus ante eius oculos dicitur, non caelum et terra contracta est, sed uidentis animus dilatatus, qui, in Deo raptus, uidere sine difficultate potuit omne quod infra Deum est. In illa ergo luce, quae exterioribus oculis fulsit, lux interior in mente fuit, quae 70 uidentis animum quia ad superiora rapuit, ei quam angusta essent omnia inferiora monstrauit.

47-48 quoniam quo *m H* : quo namque m^v *G* quonam $bm^vr(z)$ || 52 Quamlibet bm^vr *GH* : quael- *m* || parum bm^vr *GH* : paruum *m* || 57 sub se *mr G* : se *praem. b* mens *add.* b^v se super se *H* se m^v || 59 ergo *mrz GH* : Dei *add.* bm^v || intueri [-re *H*] b^vmr *GH* : intuerit r^v in turri b^v intuens br^vz || 60 angelos bm^vrz *GH* : -lus *m G* || 66 contracta est *bmr G* : contr. fuit m^v contractus est *H* contracti sunt r^v || 67 dilatatus *mr GH* : est dil. *b* dilatatur m^v

---

6-7. La vision de Benoît s'explique comme la prophétie de Job

avez dit, que devant ses yeux comme sous un seul rayon de soleil le monde entier s'est trouvé amené, c'est là une expérience que je n'ai jamais faite et que je ne sais même pas conjecturer. De quelle manière, en effet, le monde entier peut-il être vu par un seul homme ?

6. Grégoire. Tenez fermement, Pierre, ce que je dis : pour l'âme qui voit le Créateur, la création tout entière est petite. Bien qu'elle ait vu une faible partie seulement de la lumière du Créateur, tout le créé se rétrécit pour elle. Dans la clarté de la contemplation intérieure s'élargit la capacité de l'âme ; son expansion en Dieu est telle qu'elle devient supérieure au monde. Bien plus, l'âme du contemplatif se survole. Dans la lumière de Dieu, elle est ravie au-dessus d'elle-même, elle se dilate intérieurement. Quand elle regarde sous elle, elle comprend de là-haut combien petit est ce qu'elle ne pouvait comprendre quand elle était en bas. L'homme donc qui voyait un globe de feu et distinguait les anges remontant au ciel, n'apercevait cela, sans nul doute, que dans la clarté de Dieu. Qu'y a-t-il d'étonnant qu'il ait vu le monde ramassé devant lui, celui qui, soulevé dans la lumière de l'esprit, était hors du monde ?

7. Quand je dis que le monde était rassemblé devant ses yeux, cela ne signifie pas que le ciel et la terre s'étaient rétrécis, mais que l'âme du contemplatif s'était dilatée : ravi en Dieu, il pouvait voir sans difficulté tout ce qui est au-dessous de Dieu. A cette lumière extérieure qui brillait aux yeux correspondait une lumière intérieure dans l'âme qui montrait à l'âme du contemplatif combien toutes les choses d'en-bas étaient petites, une fois qu'elle avait été ravie vers les choses d'en-haut.

en *Mor.* 4, 65 : *quia angusta est omnis creatura creatori* (cf. Sénèque, *Quaest. nat.*, *Praef.* 17 : *Sciam omnia angusta esse mensus deum*). Voir aussi *Mor.* 4, 62 : *laxato mentis sinu.* — L'âme est ravie au-dessus d'elle-même : II, 3, 9 ; *Mor.* 22, 36 et 32, 1. Elle voit au-dessous d'elle tout ce qui passe : I, *Prol.* 3 ; *Mor.* 22, 35 et 31, 96. Elle s'élève *extra mundum* : *Mor.* 1, 34 et 22, 35. — Cette vision finale de la petitesse du monde est à rapprocher du mépris initial de Benoît pour le monde (*Prol.* 1).

8. PETRVS. Videor mihi utiliter non intellexisse quae dixeras, quando ex tarditate mea tantum creuit expositio tua. Sed quia haec liquide meis sensibus infudisti, quaeso
75 ut ad narrationis ordinem redeas.

XXXVI. GREGORIVS. Libet, Petre, adhuc de hoc uenerabili patre multa narrare, sed quaedam eius studiose praetereo, quia ad aliorum gesta euoluenda festino. Hoc autem nolo te lateat, quod uir Dei inter tot miracula,
5 quibus in mundo claruit, doctrinae quoque uerbo non mediocriter fulsit. Nam scripsit monachorum regulam discretione praecipuam, sermone luculentam. Cuius si quis uelit subtilius mores uitamque cognoscere, potest in eadem institutione regulae omnes magisterii illius actus inue-
10 nire, quia sanctus uir nullo modo potuit aliter docere quam uixit.

XXXVII. Eodem uero anno, quo de hac uita erat exiturus, quibusdam discipulis secum conuersantibus, quibusdam longe manentibus sanctissimi sui obitus denuntiauit diem, praesentibus indicens ut audita per silentium
5 tegerent, absentibus indicans quod uel quale eis signum fieret, quando eius anima de corpore exiret.

74 quia b^v*mr GH* : cum *b* ‖ liquide *mr GH* : -do *b*
XXXVI, 6 discretione *bmrz* : descriptione [discr- *G*] m^v *G* desertione m^v districtionem *H* ‖ 7 praecipuam *bmr H* : -pua $m^v r^v z$ *G* ‖ luculentam [-ta m^v *G*] *bmr GH* : -to $b^v z$ ‖ 8 uelit *bmr* : uellit *GH*
XXXVII, 4 per silentium *bmr GH* : pro silentio b^v

---

8. Réflexion analogue de Pierre en IV, 4, 9.

XXXVI. Transition comme en I, 3, 1 ; III, 38, 5. *Indoctus* à son départ de Rome (*Prol.* 1), voici que Benoît brille par sa *doctrina*. Celle-ci, ainsi que les « mœurs » qu'elle reflète, est un élément biographique que Grégoire ne peut omettre : voir notre commentaire dans *RBS* 5 (1976), p. 289-298. *Regulam monachorum* : *Reg.* 9, 20 = *Ep.* 11, 48. — *Virtute discretionis praecipuus* qualifie Évagre dans *HP* 2, 262 c (cf. PALLADE, *Hist. Laus.* 11, 5 : *diakritikos*) ; ici, allusion possible au discernement des vocations (*RB* 58,1-2, etc.), dont Grégoire loue Benoît dans *In I Reg.* 4, 70 (cf. nos remarques dans *Benedic-*

8. PIERRE. Je crois que j'ai eu intérêt à ne pas comprendre ce que vous disiez, puisque ma lenteur d'esprit m'a valu de si abondants éclaircissements. Mais maintenant que vous m'avez rendu ces choses très limpides, je vous prie de reprendre le fil de la narration.

XXXVI. GRÉGOIRE. J'aimerais, Pierre, m'étendre encore longuement sur ce vénérable Père, mais je passe à dessein sur quelques faits de sa vie, car je me dépêche pour pouvoir développer la geste d'autres personnages. Cependant je ne veux pas que vous ignoriez que l'homme de Dieu, parmi tant de merveilles qui le rendirent éclatant au monde, s'est fait connaître aussi, et de façon assez brillante, par sa parole doctrinale. En effet, il a écrit une *Règle des moines* remarquable par sa discrétion, dans un langage clair. Si l'on veut connaître avec plus de précision sa façon de vivre, on peut trouver dans les leçons de cette Règle tout ce dont il a montré l'exemple en agissant, car le saint, sans nul doute, n'a pu enseigner d'une façon et vivre d'une autre.

XXXVII. L'année même où il devait sortir de cette vie, il annonça le jour de sa mort très sainte à quelques disciples qui vivaient avec lui, comme à d'autres qui habitaient au loin. Il demanda à ceux qui étaient présents de ne pas ébruiter ce qu'ils avaient entendu, et indiqua aux absents quel signe se ferait quand son âme sortirait de son corps.

tina 22 [1975), p. 299-301). — En IV, 42, 1, *luculenti* qualifie les Livres de Paschase, dont l'éloge bipartite (fond et forme) ressemble à celui de la Règle ici. Le mot peut signifier « clair » (CASSIEN, *Conl.* 8, 3, 4 ; DONAT, *Reg.*, *Prol.* 19) ou « brillant » (OROSE, *Hist.* 5, 15 ; JULIEN POMÈRE, *De uita cont.* 1, 17 et 23 ; *V. Patr. Iurensium* 62). — Accord de la vie et de la doctrine : voir FESTUGIÈRE, « Lieux communs... », p. 140-142. *

XXXVII, 1. Le Saint annonce sa fin prochaine : ATHANASE, *V. Ant.* 89, 2 ; *Hist. mon.* 1, 405 a ; SULPICE SÉV., *Ep.* 3, 6 ; EUGIPPE, *V. Seu.* 40-41 ; *V. Caesarii* 2, 33 ; FERRAND, *V. Fulg.* 62 ; CYRILLE DE SCYTH., *V. Euth.* 39, etc. — Consigne de silence : FERRAND, *V. Fulg.* 49. *

2. Ante sextum uero sui exitus diem, aperiri sibi sepulturam iubet. Qui mox correptus febribus, acri coepit ardore fatigari. Cumque per dies singulos languor ingrau-
10 esceret, sexto die portari se in oratorium a discipulis fecit, ibique exitum suum dominici corporis et sanguinis perceptione muniuit, atque inter discipulorum manus inbecilla membra sustentans, erectis in caelum manibus stetit et ultimum spiritum inter uerba orationis efflauit.

15 3. Qua scilicet die duobus de eo fratribus, uni in cella commoranti, alteri autem longius posito, reuelatio unius atque indissimilis uisionis apparuit. Viderunt namque quia strata palliis atque innumeris corusca lampadibus uia recto orientis tramite ab eius cella in caelum usque
20 tendebatur. Cui uenerando habitu uir desuper clarus adsistens, cuius esset uia, quam cernerent, inquisiuit. Illi autem se nescire professi sunt. Quibus ipse ait : « Haec est uia, qua dilectus Domino caelum Benedictus ascendit. » Tunc itaque sancti uiri obitum, sicut praesentes discipuli uide-
25 runt, ita absentes ex signo, quod eis praedictum fuerat, agnouerunt.

4. Sepultus uero est in oratorio beati Baptistae Iohannis, quod, destructa ara Apollinis, ipse construxit.

7 sepulturam *bmr GH* : sepulcrum *b*ᵛ*m*ᵛ ‖ 9 ardore *bmr GH* : dolore *b*ᵛ ‖ 10 sexto *mr GH* : -ta *b* ‖ 13 caelum *bm*ᵛ*rz H* : caelo *m*ᵛ *G* caelis *m* ‖ 18-19 quia — uia *bmr GH* : uiam stratam pal. atque innum. coruscam lamp. quae *b*ᵛ ‖ 18 palliis *bm*ᵛ*r*(*z*) : palleis *m H* paliis *G* ‖ corusca *om. G* ‖ 19 recto *bmr H* : -ta *m*ᵛ *G* ‖ 20 Cui *bmr GH* : cum *m*ᵛ(*z*) ‖ 23 Domino *bm GH* : -ni *m*ᵛ*r* Dei *z* ‖ 27 Baptistae Iohannis *m H* : Io. Bap. *brz G*

XXXVII, 3. dilectus Domino : cf. Si 45, 1.

---

2. Mort préparée une semaine à l'avance : Cyrille de Scyth., *V. Sab.* 44 (Aphrodisios). L'oratoire où Benoît se fait porter est sans doute celui de S. Martin (8, 11). — Communion sous les deux espèces et mort en oraison au milieu des frères : voir IV, 11, 4 (l'abbé Spes). Paul est mort *extensis in caelum manibus* (Jérôme, *V. Pauli* 15), ainsi que les abbés Hospitius et Salvius (Grég. de Tours, *Hist. Franc.* 6, 6 ; 7, 1).

2. Six jours avant son décès, il ordonna d'ouvrir son tombeau. Bientôt il fut pris de fièvres, leur ardeur violente l'accablait. Comme la maladie devenait chaque jour plus grave, le sixième jour il se fit porter à l'oratoire par ses disciples. Là il se munit, pour le départ, du corps et du sang du Seigneur. Les mains des disciples soutenaient son corps débilité. Il se tint debout, les mains levées au ciel, et rendit son dernier soupir entre des paroles de prière.

3. Le même jour, deux frères, l'un demeurant au monastère, l'autre logeant au loin, eurent révélation de cela par une même et identique vision. Ils virent en effet un chemin jonché de tapis et brillant d'innombrables lampes, du côté de l'Orient, qui partait de son monastère et s'élevait droit jusqu'au ciel. Au-dessus, un homme vénérable, tout resplendissant, leur demanda s'ils savaient quel était ce chemin qu'ils contemplaient. Ils avouèrent leur ignorance. Alors il leur dit : « C'est le chemin par lequel le bien-aimé du Seigneur, Benoît, monte au ciel. » Ainsi, tout comme les disciples présents virent la mort du saint, les absents en eurent connaissance d'après le signe qui leur avait été prédit.

4. Il fut enterré dans l'oratoire Saint-Jean-Baptiste qu'il avait fait construire lui-même sur l'autel détruit d'Apollon.

3. Le signe annoncé aux absents (§ 1) est accordé aussi à un frère présent. Ces visions identiques et simultanées rappellent 22, 2. — Voie lumineuse disposée pour l'ascension d'une âme au ciel : *Apopht. Jean Colobos* 40, *PG* 65, 220 a. Cette montée se fait « vers l'Orient » : *Pass. Perpet. et Felic.* 11. Les *pallia* ne sont sans doute pas des « paillettes » (*paleae*), comme l'entend P. Courcelle, « La vision cosmique... », p. 116, mais des étoffes jonchant la voie comme dans Mt 21, 8 (cf. 2 R 9, 13). On songe à la décoration des églises selon Victor de Vite, *De persec. Vand.* 2, 6 (*ecclesiam... palliorum uelamine ac lampadibus rutilantem*) ; Grég. de Tours, *Glor. conf.* 30 (*tumulum... palliolis nitentibus obuelari*). — L'ange fait penser à *Hist. mon.* 9, 426 a : *uidit... assistentem... clarissimi aspectus uirum canitie uenerandum.*

4. Oratoire Saint-Jean-Baptiste : 8, 11 ; 30, 1. De même, l'abbé Equitius a été enseveli à l'oratoire Saint-Laurent (I, 4, 20). *

XXXVIII. Qui et in eo specu, in quo prius Sublacu habitauit, nunc usque, si petentium fides exigat, miraculis coruscat. Nuper namque est res gesta, quam narro, quia quaedam mulier mente capta, dum sensum funditus
5 perdidisset, per montes et ualles, siluas et campos, die noctuque uagabatur, ibique tantummodo quiescebat, ubi hanc quiescere lassitudo coegisset. Quadam uero die, dum uaga nimium erraret, ad beati uiri Benedicti patris specum deuenit, ibique nesciens ingressa mansit. Facto autem
10 mane, ita sanato sensu egressa est, ac si eam numquam insania capitis ulla tenuisset. Quae omni uitae suae tempore in eadem, quam acceperat, salute permansit.

2. Petrvs. Quidnam esse dicimus, quod plerumque in ipsis quoque patrociniis martyrum sic esse sentimus,
15 ut non tanta per sua corpora, quanta beneficia per reliquias ostendant, atque illic maiora signa faciant, ubi minime per semetipsos iacent ?

3. Gregorivs. Vbi in suis corporibus sancti martyres iacent, dubium, Petre, non est quod multa ualeant signa
20 monstrare, sicut et faciunt, et pura mente quaerentibus innumera miracula ostendunt. Sed quia ab infirmis potest mentibus dubitari, utrumne ad exaudiendum ibi praesentes sint, ubi constat quia in suis corporibus non sint, ibi eos necesse est maiora signa ostendere, ubi de eorum
25 praesentia potest mens infirma dubitare. Quorum uero mens in Deo fixa est, tanto magis habet fidei meritum,

XXXVIII *init. cap. post* coruscat (l. 3) *transp.* *bm*v*z* ‖ 1 Sublacu *b*v*mr*v(*z*) : Sublacus *bm*v*r G* sublatus *H* ‖ 8 patris *mr GH* : *om. bz* ‖ 9-10 Facto autem mane *mr GH* : mane autem facto *b* ‖ 12 salute *bmr H* : -tem *m*v *G* sanitate *r*v ‖ 15 sua corpora *mr GH* : corp. sua *b* ‖ 16 faciant *mr GH* : faciunt *bm*v ‖ 24 eos necesse est *mrz GH* : necesse est eos *b*

XXXVIII, 1. *Nunc usque si petentium fides exigat...* : cf. I, 10, 19 (miracles au tombeau de Fortunat). La grotte de Subiaco (1, 4) s'ajoute au tombeau du saint, comme le jardin d'Hilarion en

XXXVIII. Même dans la grotte de Subiaco, où il habita d'abord, il fait d'éclatants miracles aujourd'hui encore, si la foi de ceux qui les demandent le requiert. Récemment s'est produit le fait que je vais conter. Un folle qui avait complètement perdu le sens errait par monts et par vaux, dans les forêts et dans les champs, de jour, de nuit, ne se reposant que là où la fatigue l'y contraignait. Un jour qu'elle avait beaucoup erré dans son vagabondage, elle arriva à la grotte de ce bienheureux homme, l'abbé Benoît, y entra sans savoir et y demeura. Au matin, elle en sortit guérie, avec tout son bon sens, comme si la folie ne l'avait jamais tenue. Tout le reste de sa vie, elle conserva la santé qu'elle avait ainsi recouvrée.

2. Pierre. Une question à élucider : pourquoi constatons-nous souvent qu'il en va de même pour le patronage des martyrs ? Ils n'accordent pas autant de bienfaits par leurs corps que par des reliques, et ils font de plus grands prodiges là où ils ne gisent pas corporellement.

3. Grégoire. Où gisent les corps des saints martyrs, il n'est pas douteux, Pierre, qu'ils peuvent opérer bien des prodiges, comme ils le font en accordant d'innombrables miracles à ceux qui cherchent avec une âme pure. Mais comme des âmes faibles peuvent douter qu'ils soient présents pour les exaucer là où l'on sait qu'ils ne sont pas présents corporellement, il est nécessaire que les plus grands miracles se produisent là où une âme faible peut douter de leur présence. Quant à ceux qui ont l'âme fixée en Dieu, leur foi est d'autant plus méritoire que tout en

Chypre (Jérôme, *V. Hil.* 46) ou la cellule où Martin est mort à Candes (Grég. de Tours, *Mir. S. Mart.* 2, 20 : guérison d'une possédée qui y a passé toute la nuit). — Guérison « comme si l'on n'avait jamais été malade » : I, 10, 5 (cf. II, 9 et 11, 2). Elle est définitive : 4, 3 ; 30, 1, etc.

2. A propos de reliques des Apôtres enfermées sous un autel, *V. Patr. Iurensium* 156 dit : *Patrocinantur nunc exorantibus indefessa uirtute, quorum... merita nequeunt localiter coerceri.*

3. Forts et faibles dans la foi : IV, 1, 5. Le *regulus* de l'Évangile (Jn 4, 46-53) manquait de foi quand il jugeait la présence corporelle du Christ nécessaire pour que son fils guérît, car il méconnaissait sa présence spirituelle en tout lieu : *Hom. Eu.* 28, 1.

quanto illic eos nouit et non iacere corpore, et tamen non deesse ab exauditione.

4. Vnde ipsa quoque ueritas, ut fidem discipulis auge-
30 ret, dixit : *Si non abiero, Paraclitus non uenit ad uos.* Cum enim constet quia Paraclitus Spiritus ex Patre semper procedat et Filio, cur se Filius recessurum dicit, ut ille ueniat, qui a Filio numquam recedit ? Sed quia discipuli in carne Dominum cernentes corporeis hunc semper oculis
35 uidere sitiebant, recte eis dicitur : *Nisi ego abiero, Paraclitus non uenit*, ac si aperte diceretur : « Si corpus non subtraho, qui sit amor Spiritus non ostendo, et nisi me desieritis corporaliter cernere, numquam me discitis spiritaliter amare. »

40 5. PETRVS. Placet quod dicis.

GREGORIVS. Aliquantum iam a locutione cessandum est, ut si ad aliorum miracula enarranda tendimus, loquendi uires interim per silentium reparemus.

EXPLICIT LIBER SECVNDVS

29 discipulis *bmrz GH* : salutis b^{v} ‖ 30 Paraclitus *mr GH* : -cletus bm^{v} ‖ uenit *mz* : ueniet $bm^{v}r$ *GH* ‖ 31 Paraclitus *mr GH* : -cletus *b* ‖ ex $b^{v}mrz$ *GH* : a *b* ‖ 32 procedat [procid- H^{ac}] *bm GH* : -dit $m^{v}r$ ‖ 34 semper *mr GH* : *post* oculis *transp.* *b* ‖ 35 Paraclitus *mr GH* : -cletus bm^{v} ‖ 36 uenit *mz* : ueniet $bm^{o}r$ *GH* ‖ 37 qui mr^{v} *GH* : quis *br* quid $b^{v}z$ ‖ 38 discitis [-tes *H*] *mrz* GH^{ac} : -cetis bm^{v} H^{pc} ‖ 42 enarranda *bm G* : -do *H* narranda $m^{v}r$ ‖ 44 Explicit Liber Secundus m^{v} *H* : *om.* *brz* de uita et miraculis uenerabilis uiri Benedicti abbatis monasterii [-rio m^{o}] quod appellatur arcis prouinciae Campaniae Domino adiuuante *add.* *m* expl uita beati Benedicti abb *G*

XXXVIII, 4. Jn 16, 7.

sachant que les martyrs ne gisent pas là corporellement, elle tient cependant qu'ils ne se font pas faute d'exaucer.

4. C'est ainsi que la Vérité elle-même, pour augmenter la foi de ses disciples, a dit : « Si je ne m'en vais pas, le Paraclet ne vient pas à vous. » Comme il est certain que l'Esprit Paraclet procède toujours du Père et du Fils, pourquoi le Fils dit-il qu'il doit se retirer, pour que vienne celui qui ne s'éloigne jamais du Fils ? C'est parce que les disciples, voyant le Seigneur dans la chair, avaient soif de le voir toujours de leurs yeux corporels ; à cause de cela, il leur dit fort bien : « Si moi je ne m'en vais pas, le Paraclet ne vient pas. » Comme s'il disait en clair : « Si je ne vous retire mon corps, je ne vous montre pas ce qu'est l'amour de l'Esprit ; et si vous ne cessez de me voir corporellement, jamais vous n'apprendrez à m'aimer spirituellement. »

5. PIERRE. Très juste, ce que vous dites.

GRÉGOIRE. Il nous faut faire ici une petite pause, si nous voulons conter les miracles d'autres saints. Réparons en silence nos forces pour des paroles futures.

FIN DU LIVRE SECOND

4. L'Esprit procède du Père et du Fils : altérée dans le grec de Zacharie (« L'Esprit procède du Père et demeure dans le Fils »), peut-être du fait d'un interpolateur (JEAN DIACRE, *V. Greg.* 4, 75), cette assertion se retrouve dans le symbole de Grégoire tel que le présente JEAN DIACRE, *V. Greg.* 2, 2, ainsi que dans *Hom. Eu.* 26, 2 (cf. *Mor.* 1, 30 ; 2, 92 ; 5, 65). L'Esprit ne s'éloigne jamais de l'humanité du Fils, dont il procède selon la divinité : *Mor.* 2, 90. — Aux deux formes sous lesquelles est cité ici le mot du Christ s'en ajoute une troisième en *Mor.* 8, 41 (*Si ego non abiero Paraclitus non ueniet*), avec un commentaire analogue, mais plus intellectualiste : *Ac si aperte diceret : Si ab intentionis uestrae oculis corpus non subtraho, ad intellectum uos inuisibilem per consolatorem Spiritum non perduco.* — *Amor Spiritus* rappelle *Hom. Eu.* 30, 1 : *Ipse namque Spiritus amor est.*

5. Interrompre le discours pour refaire ses forces par le silence : conclusion toute semblable dans *Hom. Ez.* I, 2, 21 et II, 3, 23 ; *In I Reg.* 5, 212 (cf. *Hom. Ez.* I, 6, 19 et II, 5, 22 ; *In I Reg.* 3, 159 et 4, 217.)

Incipiunt Capitula Libri Tertii

I. De Paulino Nolanae ciuitatis episcopo.
II. De Iohanne papa.
III. De Agapito papa.
IIII. De Datio Mediolanensis ciuitatis episcopo.
V. De Sabino Canusinae ciuitatis episcopo.
VI. De Cassio Narniensis ciuitatis episcopo.
VII. De Andrea Fundanae ciuitatis episcopo.
VIII. De Constantio Aquini ciuitatis episcopo.
VIIII. De Frigdiano Lucensis ciuitatis episcopo.
X. De Sabino Placentinae ciuitatis episcopo.
XI. De Cerbonio Populonii ciuitatis episcopo.
XII. De Fulgentio Vtriculanae ciuitatis episcopo.
XIII. De Herculano Perusinae ciuitatis episcopo.
XIIII. De Isaac seruo Dei.
XV. De Euthicio et Florentio seruis Dei.
XVI. De Martino monacho de monte Marsico.
XVII. De monacho ex monte Argentario qui mortuum suscitauit.
XVIII. De Benedicto monacho.
XVIIII. De ecclesia beati Zenonis in Veronense ciuitate.
XX. De Stephano presbitero prouinciae Valeriae.

III Cap bmz Incipiunt — Tertii *m^v* : item capitula libri tertii incipiunt *m*   libri tertii capita *b* ‖ I ciuitatis *m* : urbis *b* ‖ II Iohanne *mz* : sancto *praem. b* ‖ III Agapito *mz* : sancto *praem. b* ‖ IIII Mediolanensis ciuitatis *mz* : Mediolanensi *b* ‖ V Canusinae *bz* : Canos- *m* ‖ VIII Aquini *mz* : -nae *b* ‖ X Placentinae ciuitatis episcopo *mz* : episcopo Placentino qui Padum flumen per litteras suas compescuit *b* ‖ XI ciuitatis *mz* : *om. b* ‖ XII Vtriculanae *bm^v* : -no *m* ‖ ciuitatis *bm^vz* : *om. m* ‖ XV Euthicio *m^v* : -chio *m^v*   Euthychio *m*   Eutychio *bz*   Euticio *m^v* ‖ XVIIII Zenonis *mz* : martyris *add. b* ‖ in *mz* : *om.*

Table des chapitres du Livre III

I. Paulin, évêque de la ville de Nole.
II. Le pape Jean.
III. Le pape Agapit.
IIII. Datius, évêque de la ville de Milan.
V. Sabin, évêque de la ville de Canosa.
VI. Cassius, évêque de la ville de Narni.
VII. André, évêque de la ville de Fondi.
VIII. Constance, évêque de la ville d'Aquin.
VIIII. Frigdianus, évêque de la ville de Lucques.
X. Sabin, évêque de la ville de Plaisance.
XI. Cerbonius, évêque de la ville de Populonia.
XII. Fulgence, évêque de la ville d'Otricoli.
XIII. Herculanus, évêque de la ville de Pérouse.
XIIII. Isaac, serviteur de Dieu.
XV. Euthicius et Florentius, serviteurs de Dieu.
XVI. Martin, moine du mont Marsique.
XVII. Un moine du mont Argentaro qui ressuscita un mort.
XVIII. Le moine Benoît.
XVIIII. L'église du bienheureux Zénon dans la ville de Vérone.
XX. Étienne, prêtre du district de Valérie.

*bm*v ‖ Veronense *m* : -si *m*v -sis *m*v Veronae *bz* ‖ ciuitate *mz* : -tis *m*v in qua aquae ultra portam apertam inundantes minime intrauerunt *b* ‖ XX Valeriae *mz* : cui diabolus caligas ex tibiis traxit *add. b*

Table des chapitres. Comme ceux du Livre I, les titres des chapitres I-XVI, et d'autres plus loin, se bornent à indiquer les noms, qualités et lieux des personnages.

XVII. Premier titre mentionnant, à la façon de ceux du Livre II, le miracle accompli.

XXI. De puella conuersa cuius solo imperio homo est a daemonio liberatus.
XXII. De presbitero prouinciae Valeriae qui furem ad sepulcrum suum tenuit.
XXIII. De abbate Praenestini montis eiusque presbitero.
XXIIII. De Theodoro mansionario ecclesiae beati Petri apostoli urbis Romae.
XXV. De Acontio mansionario ecclesiae suprascriptae.
XXVI. De Mena monacho solitario.
XXVII. De quadraginta rusticis pro eo quod carnes comedere immolaticias noluerunt a Langobardis occisis.
XXVIII. De multitudine captiuorum pro eo quod adorare caput caprae noluerunt occisorum.
XXVIIII. De arriano episcopo caecato.
XXX. De arrianorum ecclesia quae in Romana urbe catholica consecratione dedicata est.
XXXI. De Herminigildo rege Leuuigildi Wisigothorum regis filio pro fide catholica ab eodem patre suo occiso.
XXXII. De episcopis Africanis qui pro defensione catholicae fidei abscisis ab arrianis Wandalis radicitus linguis nullum locutionis solitae sustinuere dispendium.
XXXIII. De Eleutherio seruo Dei.
XXXIIII. Quot sunt conpunctionis genera.

XXI daemonio *m* : daemone *b* || XXIIII apostoli $b^{t}m$: *om. bz* || XXV Acontio $b^{t}m$: Abundio $bm^{v}z$ || ecclesiae suprasscriptae *m* : eiusdem eccl. beati Petri *bz* || XXVII rusticis *m* : qui *add.* bm^{v} || comedere immolaticias $b^{t}m$: im. com. bm^{v} || occisis *m* : occisi sunt bm^{v} || XXVIII captiuorum *m* : qui *add. b* || adorare *m* : *post* caprae *transp.* $bm^{v}z$ || occisorum *m* : occisi sunt bm^{v} || XXXI Herminigildo $b^{t}m^{v}$: Hermen- *bz* Hermigeldo *m* Hermigildo $m^{v}z^{t}$ || Leuuigildi bm^{v} : Liu- b^{t} Libigildi *m* *om. z* || XXXII abscisis *m* :

XXI. Une religieuse libère un homme du démon par son seul commandement.
XXII. Le prêtre du district de Valérie qui retint un voleur à son tombeau.
XXIII. L'abbé du mont de Préneste et son prêtre.
XXIIII. Théodore, sacristain de l'église Saint-Pierre de Rome.
XXV. Acontius, sacristain de cette église.
XXVI. Menas, moine solitaire.
XXVII. Quarante cultivateurs, qui avaient refusé de manger des viandes immolées aux idoles, tués par les Lombards.
XXVIII. Une foule de prisonniers mis à mort pour refus d'adorer une tête de chèvre.
XXVIIII. L'évêque arien devenu aveugle.
XXX. Une église arienne à Rome est dédiée par une consécration catholique.
XXXI. Le roi Herminigild, fils du roi wisigoth Leuvigild, mis à mort par son père pour la foi catholique.
XXXII. Des évêques d'Afrique coupables de défendre la foi catholique, à qui les Vandales ariens avaient coupé la langue à la racine, n'en continuent pas moins de parler comme à l'ordinaire.
XXXIII. Éleuthère, serviteur de Dieu.
XXXIIII. Combien il y a de genres de componction.

abscissis *b* abscissa b^t || radicitus *bm* : *om.* *b*(*z*) || linguis *bm* : -gua b^t || XXXIIII conpunctionis $bm^v z$: -num *m* || genera $b^t m$: *ante* conpunctionis *transp.* *b*

XXI-XXII. Nouvelles mentions de miracles.

XXVII-XXXII. La tendance à mentionner le miracle se confirme. Plusieurs titres, le dernier surtout, sont assez longs, comme le seront souvent ceux du Livre IV.

XXXIII. Unique titre qui ne commence pas par *De*. La raison est la même qu'en II, 36 : le chapitre ne raconte pas un miracle, mais expose une doctrine.

EXPLICIT CAPITVLA LIBRI TERTII

XXXVIII Explicit [-ciunt *m*v] — Tertii *m* : *om. bz*

FIN DE LA TABLE DES CHAPITRES DU LIVRE III

XXXV. Cette mention de la province (*Tuscia*) manque en 35, 1, où Grégoire indique seulement la ville d'Amant. Si le nom de celle-ci est bien *Tifernum Tiberinum*, comme nous l'avons écrit avec quelques mss, la présente indication est correcte : *Tifernum Tiberinum* se trouve bien en *Tuscia*.

INCIPIT LIBER TERTIVS

Dum uicinis ualde patribus intendo, maiorum facta reliqueram, ita ut Paulini miraculum Nolanae urbis episcopi, qui multos quorum memini uirtute et tempore praecessit, memoriae defuisse uideatur. Sed ad priora nunc
5 redeo, eaque quanta ualeo breuitate perstringo. Sicut enim bonorum facta innotescere citius similibus solent, senioribus nostris per iustorum exempla gradientibus praedicti uenerabilis uiri celebre nomen innotuit, eiusque opus admirabile ad eorum se instruenda studia tetendit.
10 Quorum me necesse fuit grandaeuitati tam certo credere, ac si ea, quae dicerent, meis oculis uidissem.

I. Dum saeuientium Wandalorum tempore fuisset Italia in Campaniae partibus depopulata, multique essent de hac terra in Africana regione transducti, uir Domini Paulinus cuncta, quae ad episcopii usum habere potuit, cap-
5 tiuis indigentibusque largitus est. Cumque iam nihil omnimodo superesset, quod petentibus dare potuisset,

Prol bmz GH Incipit *m GH* : *om. bz* || Tertius *bmz H* : de aliquorum *add. G* || 1 Dum *m*^{o} *GH* : I *praem. bm*^{v}*z* Prol. *praem. m*
I 1-8 bmwz GH 1 Dum *mw GH* : cum *bm*^{o}*w*^{v} || 3 Africana regione *mwz GH* : Africanam regionem *bm*^{v}*w*^{v}

Prologue. Ces faits plus anciens (*priora*) remplissent une brève section, close en 4, 4. Le célèbre Paulin de Nole (353-431) est effectivement bien antérieur aux personnages des Livres I et II. — *Seniores nostri* comme en *Hom. Eu.* 23, 2. Grégoire aime les propos des vieillards (I, 10, 11), et il invoque leur témoignage comme ici en I, *Prol.* 10.

I, 1. Charité de Paulin : voir Uranius, *De ob. Paul.* 3 (pauvres) et 6 (prisonniers). — D'Afrique, où ils arrivent en 429, les Vandales ont ravagé l'Italie chaque année à partir de 455 (prise de Rome)

LIVRE III

Je donne toute mon attention aux Pères proches de nous, et j'ai laissé de côté les faits et gestes de plus anciens. Ainsi le miracle de Paulin, évêque de Nole, qui a devancé ascétiquement et chronologiquement beaucoup de ceux que je viens de rappeler, paraît manquer à notre rapport. Mais je reviens maintenant aux temps antérieurs, et je vais les raconter aussi rapidement que je le puis. En général, les œuvres des bons sont vite connues de leurs pareils, et pour nos anciens qui ont marché sur les traces des justes, le nom de cet homme vénérable est devenu célèbre. Son action admirable a servi de monitrice à leur zèle, en sorte que je me suis vu obligé de croire leur grand âge avec autant d'assurance que si j'avais vu de mes yeux ce qu'ils disaient.

I. Au temps où sévissaient les Vandales, quand l'Italie fut dévastée dans la région de Campanie et que beaucoup d'habitants furent déportés de ce pays en Afrique, l'homme du Seigneur Paulin donna pour les captifs et les indigents tout ce qu'il pouvait avoir à l'usage de l'évêché. Il ne lui restait absolument plus rien à donner aux quémandeurs, quand un beau jour arriva une veuve qui lui

selon Procope, *BV* 1, 5 (cf. Victor de Vite, *De persec. Vand.* 1, 8). A cette époque, le grand Paulin de Nole était mort depuis un quart de siècle. Son successeur Paulin II, mort le 10 septembre 442 (*CIL* X, 1-2, 1340), a vu l'affermissement du royaume vandale en Afrique, mais n'a pas connu leurs razzias en Italie. Un troisième Paulin, placé vers 507-535 par Moricca (p. xxxvii-xxxviii), ne paraît pas avoir existé (cf. F. Lanzoni, *Le diocesi d'Italia*, p. 238-239). Le présent récit de Grégoire est donc, selon toute apparence, légendaire. Il attribue au célèbre Paulin Ier, dont la mort en 431 est certainement visée à la fin du chapitre (§ 9), un haut fait inconnu par ailleurs, qui suppose une situation politique plus tardive. *

quodam die quaedam uidua aduenit, quae a regis Wandalorum genero suum filium in captiuitate ductum fuisse perhibuit, atque a uiro Dei eius pretium postulauit, si
10 forte illius dominus hoc dignaretur accipere et hunc concederet ad propria remeare.

2. Sed uir Dei, magnopere petenti feminae quid dare potuisset inquirens, nihil apud se aliud nisi se inuenit, petentique feminae respondit, dicens : « Mulier, quid pos-
15 sim dare non habeo, sed memetipsum tolle, me seruum iuris tui esse profitere, atque ut filium tuum recipias, me uice illius in seruitium trade. » Quod illa ex ore tanti uiri audiens, inrisionem potius credidit quam conpassionem. At ille, ut erat uir eloquentissimus atque adprime exte-
20 rioribus quoque studiis eruditus, dubitanti feminae citius persuasit, ut audita crederet et pro receptione filii se in seruitium episcopum tradere non dubitaret.

3. Perrexere igitur utrique ad Africam. Procedenti autem regis genero, qui eius filium habebat, uidua roga-
25 tura se obtulit, ac prius petiit ut ei donari debuisset. Quod cum uir barbarus typo superbiae turgidus, gaudio transitoriae prosperitatis inflatus, non solum facere, sed etiam audire despiceret, uidua subiunxit, dicens : « Ecce hunc hominem pro eo uicarium praebeo, et solummodo pieta-
30 tem in me exhibe mihique unicum filium redde. » Cumque ille uenusti uultus hominem conspexisset, quam artem

7 quodam *bmw* : quadam $m^{v}w^{v}$ *H* *post* die *transp.* $m^{v}w^{v}$ *G* ‖ 8 captiuitate $mw^{v}z$ *H* : -tem $bm^{v}m^{o}w$ *G* ‖ ductum fuisse *mw G* : fuisse duc. bw^{v} *H* fuisse deductum m^{v} ‖ 10 concederet $bm^{v}m^{o}w$ *G* : -rit *H* -re *mw* ‖ 12 Dei *bmwz G* : Domini $m^{o}w^{v}$ *H* ‖ 15 me seruum *mw GH* : ser. me *b* ‖ 19 adprime *bmw GH* : a primaeuo iuuentutis flore b^{v} a prima aetate m^{v} ‖ 19-20 exterioribus quoque studiis *bmw(z) GH* : distincte et digne b^{v} ‖ 21 filii *mw G* : filii sui $bm^{v}z$ *GH* : sui filii m^{v} ‖ se *mw G* : *om.* $bm^{v}z$ *H* ‖ 22 seruitium *bmw H* : -tio $m^{v}w^{v}$ *G* ‖ 23 perrexere *bmw* : - runt $m^{v}w^{v}$ *GH* ‖ 25 ei *mw GH* : filium *add. bz* ‖ donari *mw G* : -re $bm^{v}w^{v}$ *H* ‖ 26 typo $b^{v}mw$ *H* : tipo m^{v} *G* typho $bm^{v}z$ ‖ 29 et *mw GH* : *om. bz*

annonça que son fils avait été emmené captif par le gendre du roi des Vandales ; elle demanda à l'homme de Dieu le prix de son rachat, au cas où son maître voudrait bien l'accepter et concéder son retour chez lui.

2. Mais l'homme de Dieu, cherchant ce qu'il pourrait donner à la quémandeuse et ne trouvant rien chez lui que lui-même, lui répondit : « Femme, je n'ai rien que je puisse donner, mais prenez-moi, déclarez que je suis un esclave vous appartenant, et pour recouvrer votre fils, livrez-moi en servitude à sa place. » Quand elle entendit cela d'un tel homme, elle crut d'abord que c'était mauvaise plaisanterie plutôt que compassion, mais lui, avec sa grande éloquence, accrue par une parfaite formation aux études profanes, n'eut pas de peine à persuader la femme déconcertée : elle pouvait en croire ses oreilles, et, sans hésiter, le livrer, lui l'évêque, en esclavage pour recouvrer son fils.

3. Ils passèrent donc tous deux en Afrique. Lors d'une sortie du gendre royal qui avait son fils, la veuve quémandeuse se présenta et le pria d'abord de vouloir bien le lui rendre gracieusement. Le barbare, bouffi d'orgueil, enflé par l'euphorie d'une prospérité momentanée, dédaigna de s'exécuter et même de paraître l'entendre. La veuve revint à la charge : « Voici un homme que je fournis pour le remplacer ; ayez seulement pitié de moi, et me rendez mon fils unique. » Quand le gendre eut considéré Paulin, qui avait un visage agréable, il lui demanda

2. Personnages qui se font vendre comme esclaves à des fins charitables : voir Pallade, *Hist. Laus.* 37, 2 = *HP* 24, 305 c (le moine Sérapion) ; Grég. de Tours, *Hist. Franc.* 3, 15 (le cuisinier Léon). Curieusement, l'histoire de Sérapion est contée par Léonce de Neapolis, *V. Ioh. Eleem.* 22, *PL* 73, 359 d, sous une forme qui ressemble fort à la geste de Paulin : une veuve demande l'aumône à Sérapion pour nourrir ses fils affamés ; n'ayant rien à lui donner, il se fait vendre par elle à des mimes, qu'il convertit. — *Exterioribus studiis eruditus* comme en IV, 9, 1 (cf. *In I Reg.* 6, 82).

3. Orgueil du barbare : voir note sous II, 6, 1. Artisanat et jardinage s'opposent comme dans *RM* 50, 72-73 ; 78, 4 ; 86, 27. Paulin, *Ep.* 5, 15 ; 11, 14 ; 39, 4, etc., parle du petit jardin de Nole qu'il

nosset inquisiuit. Cui uir Domini Paulinus respondit, dicens : « Artem quidem aliquam nescio, sed hortum bene excolere scio. » Quod uir gentilis ualde libenter accepit,
35 cum in nutriendis holeribus quia peritus esset audiuit. Suscepit itaque seruum, et roganti uiduae reddidit filium. Quo accepto, uidua ab Africana regione discessit.

4. Paulinus uero excolendi horti suscepit curam. Cumque isdem regis gener crebro ingrederetur hortum suumque
40 hortolanum quaedam requireret, sapientem ualde esse hominem uideret, amicos coepit familiares deserere et saepius cum suo hortolano conloqui atque eius sermonibus delectari. Cui Paulinus cotidie ad mensam odoras uirentesque herbas deferre consueuerat, et accepto pane ad
45 curam horti remeare.

5. Cumque hoc diutius ageretur, quadam die suo domino secum secretius loquenti ait : « Vide quid agas, et Wandalorum regnum qualiter disponi debeat prouide, quia rex citius et sub omni celeritate est moriturus. »
50 Quod ille audiens, qui ab eodem rege prae ceteris diligebatur, ei minime tacuit, sed quid a suo hortolano, sapiente scilicet uiro, agnouisset indicauit. Quod dum rex audisset, ilico respondit : « Ego uellem hunc, de quo loqueris, hominem uidere. » Cui gener eius, uenerabilis Paulini tempo-
55 ralis dominus, respondit dicens : « Virentes herbas mihi ad prandium deferre consueuit. Has itaque huc ad mensam eum deportare facio, ut qui sit, qui haec mihi est locutus, agnoscas. »

32 Domini *mw GH* : Dei $bm^{v}z$ ‖ 34 accepit $bm^{v}w^{v}z$ *H* : accipit *mw G* ‖ 35 suscepit $bm^{v}w^{v}z$ *GH* : suscipit *mw* ‖ 39 isdem *mw GH* : idem bm^{v} ‖ 40 requireret *mw GH* : et *add.* bw^{v} requirens m^{v} ‖ 41 amicos $bm^{v}wz$ *GH* : -cus mw^{v} ‖ coepit *mwz GH* : et *add.* bm^{v} ‖ 42 hortolano *mw GH* : hortul- bm^{v} ‖ 43 odoras $b^{v}mw$: odoratas b^{v} *H* odoriferas $bm^{v}w^{v}$ holeras w^{v} *G* olera $m^{v}w^{v}$ ad horsa olera m^{v} ‖ 48 debeat *bmwz G* : debeas $m^{v}w^{v}$ *H* ‖ 49 celeritate est *bmw G* : est cel. $m^{v}w^{v}$ *H* ‖ 50 qui *mw(z) H* : quia $bm^{v}w^{v}$ *G* ‖ 51 quid *bmwz* $G^{pc}H$: quia m^{v} G^{ac} quod m^{v} ‖ hortolano *mw GH* : hortul- bm^{v} ‖ sapiente *mw G* : -ti $bm^{v}w^{v}$ *H* ‖ 52 dum $bm^{v}m^{o}w$ *GH* : cum *m* *om.* w^{v} ‖ rex *bmwz GH* : *om.* $m^{v}w^{v}$ ‖ 53 uellem $bm^{v}w^{v}$ *GH* : uellim *mw*

quel métier il connaissait. L'homme du Seigneur Paulin répondit : « Oh, je ne sais pas de métier, mais je sais bien cultiver un jardin. » Grand fut le plaisir du barbare en apprenant qu'il était habile à faire pousser les légumes : il prit donc l'esclave et rendit son fils à la veuve qui le priait. La veuve le reçut et quitta l'Afrique.

4. Paulin reçut un jardin à cultiver. Le gendre royal y entrait souvent et demandait quelque chose à son jardinier. Comme il voyait que c'était un homme très sage, il commença à délaisser ses familiers pour causer plus souvent avec son jardinier et jouir de ses propos. Régulièrement, chaque jour, Paulin lui apportait pour la table des fines herbes et des légumes frais, recevait une ration de pain puis retournait soigner son jardin.

5. Cela dura assez longtemps. Un jour qu'il avait une conversation plus intime avec son maître, il lui dit : « Voyez ce que vous avez à faire, pour prévoir comment disposer le royaume des Vandales, car le roi mourra bientôt, dans très peu de temps. » Le gendre, qui était favori du roi, ne lui cacha pas ce qu'il avait appris, mais lui indiqua ce qu'il tenait de son jardinier, un vrai sage. Le roi l'entendit et répondit aussitôt : « Je voudrais bien voir cet homme dont vous me parlez. » Son gendre, maître temporel du vénérable Paulin, répondit : « Il vient régulièrement m'apporter des légumes frais au déjeuner. Je vais les lui faire apporter ici à table, pour que vous voyiez quel est cet homme qui m'a parlé ainsi. »

uelim *m*^{v} || 57 qui^{2} *mw H* : quis *bm*^{v}*w*^{v} *G* quid *m*^{v} || haec mihi *mwz* : mihi haec *bm*^{v}*w*^{v} *GH*

---

cultive en l'honneur de saint Félix. Il aime d'ailleurs se présenter comme l'esclave du saint (*Po.* 21, 345-364, etc.). Peut-être ce langage a-t-il contribué à la formation de la présente légende.

4. L'esclave fournit son travail au maître et reçoit de lui sa nourriture : *RM* 16, 18-19.

5. Ces révélations sur l'avenir, qui vont tirer l'homme de Dieu de sa situation humiliée, font penser à l'histoire de Joseph (Gn 40-41). *

6. Factumque est, et cum rex ad prandendum discu-
60 buit, Paulinus ex suo opere odora quaeque et uirentia
delaturus uenit. Cumque hunc rex subito conspexisset,
intremuit, atque accito eius domino, sibi per filiam pro-
pinquo, ei secretum, quod prius absconderat, indicauit
dicens : « Verum est quod audisti. Nam nocte hac in som-
65 nio sedentes in tribunalibus contra me iudices uidi, inter
quos iste etiam simul sedebat, et flagellum, quod aliquando
acceperam, eorum mihi iudicio tollebatur. Sed percunc-
tare quisnam sit. Nam ego hunc tanti meriti uirum popu-
larem, ut conspicitur, esse non suspicor. »
70 7. Tunc regis gener secreto Paulinum tulit, quidnam
esset inquisiuit. Cui uir Domini respondit : « Seruus tuus
sum, quem pro filio uiduae uicarium suscepisti. » Cumque
instanter ille requireret, ut non quid esset, sed quid in
sua terra fuisset indicaret, atque hoc ab eo iteratione fre-
75 quentis inquisitionis exigeret, uir Domini, constrictus
magnis coniurationibus, iam non ualens negare quid esset,
episcopum se fuisse testatus est. Quod possessor eius
audiens, ualde pertimuit, atque humiliter obtulit, dicens :
« Pete quod uis, quatenus ad terram tuam a me cum
80 magno munere reuertaris. » Cui uir Domini Paulinus ait :
« Vnum est quod mihi inpendere beneficium potes, ut
omnes ciuitatis meae captiuos relaxes. »

59 cum *mw GH* : dum *b* ‖ prandendum *bmwz H* : prandium $m^{v}w^{v}$ *G* ‖ 60 odora *bmw* $G^{pc}H$: adhora w^{v} G^{ac} ad horam w^{v} olera $b^{v}m^{v}w^{v}$ ‖ et *bmwz GH* : *om.* $b^{v}w^{v}$ ‖ 61 uenit *mw GH* : aduenit $bm^{v}w^{v}$ ‖ 62 accito *mw* : ascito *H* acito $m^{v}w^{v}$ accersito $bm^{v}w^{v}$ arcessito w^{v} *G* ‖ 68 quisnam *bmwz H* : quidnam w^{v} *G* ‖ 70 tulit *mw GH* : et *add. b* ‖ quidnam *mw G* : quinam *H* quisnam $bm^{v}w^{v}z$ ‖ 72 quem *bmwz GH* : *om.* $m^{v}w^{v}$ ‖ 73 ut *bmw G* : et m^{v} *H* ‖ quid[1] *bmwz GH* : quis $m^{v}w^{v}$ ‖ quid[2] *bmwz GH* : in quid $m^{v}w^{v}$ ‖ 74 sua terra *mw H* : suam terram *G* terra sua *b* ‖ 74-75 frequentis inquisitionis *bmw GH* : frequenti inquisitione $b^{v}m^{v}$ frequenti et inquisitione b^{v}

6. Ainsi fut fait. Quand le roi se mit à table pour le déjeuner, Paulin se présenta pour apporter toutes sortes de fines herbes et primeurs. Dès que le roi l'eut regardé, il frémit, et ayant fait venir le maître de cet homme, son parent par sa fille, il avoua un secret qu'il avait jusque-là tenu caché : « C'est vrai, ce que vous avez entendu. Car cette nuit, dans un cauchemar, j'ai vu des juges siégeant face à moi sur des estrades. Parmi eux, cet homme siégeait aussi, et la verge que j'avais reçue jadis m'était enlevée par leur jugement. Mais informez-vous de qui il est ; car je ne pense pas qu'un homme de si grand mérite sorte du peuple, comme il paraît. »

7. Alors le gendre royal prit en secret Paulin et lui demanda qui il était. L'homme du Seigneur répondit : « Je suis votre esclave, que vous avez accepté comme remplaçant pour le fils d'une veuve. » L'autre d'insister sur sa demande : qu'il indique non ce qu'il était, mais ce qu'il avait été dans son pays. Alors, devant cette exigence, harcelé par cette question réitérée, contraint par de grandes adjurations, ne pouvant plus nier ce qu'il était, l'homme du Seigneur témoigna qu'il avait été évêque. Entendant cela, son possesseur fut saisi d'une grande peur, et humblement il lui offrit réparation : « Demandez ce que vous voudrez, pour que vous reveniez de chez moi dans votre pays avec un grand présent. » L'homme du Seigneur, Paulin, dit : « Le seul bienfait que vous puissiez m'accorder, c'est que vous libériez tous les captifs de ma cité. »

6. Paulin, victime des Vandales, siège parmi les juges du roi barbare, tout comme Jean et Symmaque seront chargés de précipiter en enfer le roi goth qui les a fait mourir (IV, 31, 3-4). *

7. Le barbare orgueilleux (§ 3) offre « humblement » de grands présents, mais Paulin demande seulement la libération de ses concitoyens prisonniers : même offre et même réponse dans l'histoire de Sanctulus (III, 37, 17). *

8. Qui cuncti protinus in Africana regione requisiti, cum onustis frumento nauibus pro uenerandi uiri Paulini
85 satisfactione in eius comitatu laxati sunt. Post non multos uero dies Wandalorum rex occubuit, et flagellum, quod ad suam perniciem dispensante Domino pro fidelium disciplina acceperat, amisit. Sicque factum est, ut omnipotentis Dei famulus Paulinus uera praediceret, et
90 qui se in seruitio solum tradiderat, cum multis a seruitio ad libertatem rediret, illum uidelicet imitatus, qui formam serui adsumpsit, ne nos essemus serui peccati. Cuius sequens uestigia Paulinus ad tempus uoluntarie seruus factus est solus, ut esset postmodum liber cum multis.

95 9. Petrvs. Cum me audire contigit, quod imitari non ualeo, flere magis libet quam aliquid dicere.

Gregorivs. De cuius etiam morte apud eius ecclesiam scriptum est, quia, cum dolore esset lateris tactus, ad extrema perductus est, dumque eius omnis domus in sua
100 soliditate persisteret, cubiculum, quo iacebat aeger, facto terraemotu contremuit, omnesque qui illic aderant nimio terrore concussit, sicque sancta illa anima carne soluta est, factumque est, ut magnus pauor inuaderet eos, qui Paulini mortem uidere potuissent.

105 10. Sed quia haec, quam superius dixi, Paulini uirtus ualde est intima, nunc, si placet, ad miracula exteriora

84 uiri $bm^{v}wz$ *GH* : *om.* mw^{v} ‖ 87 Domino *mw* : Deo $bm^{v}w^{v}z$ *GH* ‖ 88 disciplina bmw^{v} *H* : -nam $m^{v}w$ *G* ‖ acceperat *bmw H* : tenuerat $m^{v}w^{v}z$ *G* ‖ 90 seruitio^{1} *mw G* : -tium $bm^{v}w^{v}$ *H*

9 bmz GH 95 Cum *m GH* : dum *b* ‖ contigit *mz H* : contingit bm^{v} *G* ‖ imitari *bm* : -re m^{v} *GH* ‖ 100 quo *m G* : in quo $bm^{v}z$ quod *H* ‖ 106 intima *bm* : intimata m^{v} *GH* imitanda m^{v} ‖ si placet $bm^{v}z$ *GH* : si licet *m* scilicet m^{v}

I, 8. formam serui : Ph 2, 7 ; serui peccati : Rm 6, 17.20.

---

8. Voir IV, 24, 3 : les méchants reçoivent parfois le pouvoir de tourmenter les bons, mais c'est à leur propre détriment qu'ils l'exercent. — Un seul, en se livrant volontairement, obtient la libération de beaucoup : de même Sanctulus (III, 37, 17), à propos

8. Aussitôt on les rechercha dans toute l'Afrique et ils furent libérés pour escorter le vénérable Paulin, en guise de réparation, avec des navires chargés de blé. Peu de jours après, le roi des Vandales mourut, perdant la verge qu'il avait reçue pour sa perte de la providence du Seigneur afin de châtier les chrétiens. Il arriva ainsi que Paulin, le serviteur de Dieu tout-puissant, prédit des choses vraies et que, s'étant livré seul à l'esclavage, il revint avec beaucoup de la servitude à la liberté, imitant ainsi celui qui prit la forme d'esclave pour que nous ne fussions pas esclaves du péché. Mettant ses pas dans ses pas, Paulin se fit seul pour un temps esclave volontaire, afin d'être ensuite libre avec beaucoup.

9. PIERRE. Quand il m'arrive d'entendre ce que je ne puis imiter, j'aime mieux pleurer que de faire des phrases.

GRÉGOIRE. Sur sa mort dans son Église on a écrit aussi que, pris d'une douleur au côté, il fut réduit à l'extrémité. Tandis que toute sa maison restait immobile, la chambre où gisait le malade frémit par un tremblement de terre, ce qui frappa tous les assistants d'une terreur intense. Ainsi la sainte âme fut déliée de la chair, et une grande peur envahit ceux qui avaient pu voir la mort de Paulin.

10. Mais parce que ce haut fait de Paulin, tel que je viens de le dire, est fort intérieur, maintenant, si vous n'y voyez pas d'inconvénient, venons-en à des miracles exté-

duquel l'exemple du Christ est également évoqué (III, 37, 19, citant 1 Jn 3, 16). Voir aussi III, 31, 8 (Herménégilde).

9. *Flere magis libet quam aliquid dicere* : ce mot attribué à Pierre se lit déjà dans *Hom. Eu.* 33, 1. — Douleur au côté, tremblement de terre ressenti seulement dans la chambre du mourant, frayeur des assistants, tous ces traits viennent d'URANIUS, *De ob. Paul.* 4, auquel Grégoire se réfère (*scriptum est*). C'était le 22 juin 431 (*ibid.* 12). — Tremblement de terre à la mort d'un saint : IV, 23, 2 ; terreur : IV, 20, 4, etc. *

10. *Virtus... intima* : la charité de Paulin (1-8), plutôt que le séisme connu seulement des quelques assistants (9). — Nouvelle

ueniamus, quae et multis iam nota sunt, et ego tam religiosorum uirorum relatione didici, ut de his omnimodo ambigere non possim.

II. Gothorum tempore, dum Iohannes uir beatissimus, huius Romanae ecclesiae pontifex, ad Iustinum seniorem principem pergeret, in Corinthi partibus aduenit. Cui necesse fuit, ut in itinere ad sedendum equus requiri
5 debuisset. Quod illic quidam uir nobilis audiens, equum, quem pro magna mansuetudine eius coniux sedere consueuerat, ita ei obtulit, ut, cum ad loca alia peruenienti aptus equus potuisset inueniri, deberet ille, quem dederat, propter suam coniugem retransmitti. Factumque est, et
10 usque ad certum locum praedictus uir, equo eodem subuehente, perductus est. Qui mox ut alium repperit, illum quem acceperat retransmisit.

2. Cumque eum praedicti nobilis uiri coniux sedere ex more uoluisset, ultra non ualuit, quia post sessionem tanti
15 pontificis mulierem ferre recusauit. Coepit namque inmenso flatu et fremitu atque incessanti totius corporis motu quasi despiciendo prodere quia post membra pontificis mulierem ferre non posset. Quod uir eius prudenter intuitus, hunc ad eundem uenerabilem uirum protinus
20 retransmisit, magnis precibus petens, ut equum ipse possideret, quem iuri suo sedendo dedicasset.

109 possim *bm*^{v} *GH* : possum *m*

II bmw (*usque* aduenit, l. 3) **z GH** 1 dum *mw G* : cum *b* ‖ Iohannes *bm*^{v} : -nis *m GH* ‖ 2 Iustinum *bmw* : Iustinianum *m*^{v}*w*^{v}*z GH* ‖ 3 Corinthi *bm*^{v}*w*^{v} : Chorenti *mw*^{v} Chorinti *w H* Gotorum *G* ‖ partibus *bmw GH* : partes *m*^{v}*w*^{v} ‖ 7 peruenienti *bm*^{v} *G* : -te *m H* ‖ 8 aptus equus *bm GH* : equus aptus *m*^{v} alius equus *b*^{v} ‖ potuisset inueniri *b*^{v}*m GH* : inu. pot. *b* ‖ 18 posset *bm*^{v} : possit *m GH*

---

référence à un ensemble de témoins anonymes et indiscutables (cf. *Prol.*).

II, 1. Sur cette ambassade du pape Jean, envoyé par Theodoric à Constantinople pour obtenir que Justin révoque ses mesures

rieurs. Ils sont bien connus de beaucoup, et ce que j'ai appris par la relation d'hommes très pieux, je ne peux absolument pas le suspecter.

II. Au temps des Goths, comme le bienheureux Jean, pontife de cette Église romaine, allait visiter l'empereur Justin l'ancien, il arriva au pays de Corinthe, et pour continuer son voyage il fut dans la nécessité de chercher un cheval de selle. Apprenant cela, un noble de l'endroit lui offrit un cheval qui, en raison de sa grande douceur, était à l'usage de sa femme ; quand il serait arrivé ailleurs et aurait pu trouver un cheval approprié, le pape n'aurait qu'à renvoyer la monture prêtée pour qu'elle soit rendue à son épouse. Ainsi fut fait. Le pape parvint à un certain point sur le cheval prêté. Dès qu'il en eut trouvé un autre, il renvoya celui qu'il avait reçu en prêt.

2. Mais dès que la femme de ce noble personnage voulut se mettre en selle comme d'habitude, elle n'y parvint pas, car la bête se refusa à porter une femme après la session d'un si grand pontife. Oui, il se mit à renâcler fortement, à frémir, ne tenant plus un instant en place, comme s'il voulait signifier son mépris : il ne pouvait porter une femme après que s'y fût assis un pontife. Le mari de la dame, sagement, s'en rendit compte et renvoya sur-le-champ le cheval au vénérable pape, lui demandant avec de grandes instances de prendre possession de ce cheval dont il avait fait la dédicace en y siégeant : il était devenu sa propriété.

contre l'Arianisme, voir *Lib. Pont.* I, 104-107 et 275-276 ; *Anon. Vales.* 15, 88-93 ; MARCELLIN, *Chron.*, p. 102. Jean partit de Ravenne en 526, avant Pâques qu'il célébra à Constantinople le 19 avril. Son emprisonnement et sa mort (18 mai), qui suivirent son retour, seront mentionnés en IV, 31, 4. *

2. Histoire opposée chez PAUL DIACRE, *Hist. Lang.* 6, 8 : un cheval furieux, habitué à renverser *immenso fremitu* tous ceux qui le montent, devient *mansuetus* dès qu'il est enfourché par le saint évêque Jean de Bergame. — Le propriétaire donne l'animal miraculé au saint : cf. I, 10, 10. *

3. De quo etiam illud mirabile a nostris senioribus narrari solet, quod in Constantinopolitana urbe ad portam quae uocatur aurea ueniens, populorum turbis sibi occurrentibus, in conspectu omnium roganti caeco lumen reddidit et manu superposita oculorum tenebras fugauit.

III. Post non multum uero temporis, exigente causa Gothorum, uir quoque beatissimus Agapitus, huius sanctae Romanae ecclesiae pontifex, cui Deo dispensante deseruio, ad Iustinianum principem accessit. Cui adhuc pergenti, quadam die in Graeciarum iam partibus curandus oblatus est mutus et claudus, qui neque ulla uerba edere, neque ex terra umquam surgere ualebat. Cumque hunc propinqui illius flentes obtulissent, uir Domini sollicite requisiuit, an curationis illius haberent fidem.

2. Cui dum in uirtute Dei ex auctoritate Petri fixam salutis illius spem habere se dicerent, protinus uenerandus uir orationi incubuit, et missarum sollemnia exorsus, sacrificium in conspectu Dei omnipotentis immolauit. Quo peracto, ab altari exiens, claudi manum tenuit, atque, adsistente et aspiciente populo, eum mox a terra in propriis gressibus erexit. Cumque ei dominicum corpus in os mitteret, illa diu muta ad loquendum lingua soluta est. Mirati omnes flere prae gaudio coeperunt, eorumque

24 aurea *bm*^{v} *G* : auream *m H* || sibi *bm*^{v}*z G* : ibi *b*^{v}*m H*
III bmz GH 6 claudus *bm*^{v} *H*^{pc} : clodus *m GH*^{ac} || 14 claudi *bm*^{v} *H*^{pc} : clodi *m GH*^{ac} || 18 prae *bm GH* : cum *m*^{v} *om. m*^{v}

3. « Nos anciens » comme dans *Prol.* — D'après le *Lib. Pont.*, toute la ville vint au devant de Jean à 15 milles de Constantinople. L'Anonyme et Marcellin parlent aussi, à cette occasion, de grands honneurs témoignés au successeur de Pierre, et le premier rapporte (§ 93) un autre miracle survenu lors des funérailles de Jean à Ravenne. La Porte d'Or se trouvait au Sud-Ouest de la ville impériale.

III, 1. Le pape Agapit fut envoyé par Théodat à Constantinople pour apaiser Justinien irrité de l'assassinat d'Amalasonte et obtenir le retrait de l'armée commandée par Bélisaire : voir *Lib. Pont.* I,

3. Autre miracle à l'actif de Jean, conté volontiers par nos anciens : arrivant à la Porte d'Or de Constantinople, devant les foules accourues à sa rencontre, à la vue de tous il rendit la lumière à un aveugle qui l'invoquait, et en lui imposant la main, il chassa les ténèbres de ses yeux.

III. Pas bien longtemps après, les Goths exigeant qu'il plaidât leur cause, le bienheureux Agapit, pontife de cette Église romaine que je sers par une disposition de Dieu, vint trouver l'empereur Justinien. Un jour, encore sur le trajet, en territoire grec, on lui amena pour qu'il le guérît un muet perclus qui ne pouvait émettre une parole ni se soulever de terre un seul instant. Lorsque ses proches l'eurent présenté en pleurant, l'homme du Seigneur leur posa instamment cette question : avaient-ils foi en sa guérison ?

2. Ils dirent qu'ils espéraient fermement sa santé par la puissance de Dieu, en vertu de l'autorité de Pierre. Aussitôt l'homme vénérable se plongea dans la prière, commença une messe où il immola le sacrifice en présence du Dieu tout-puissant. Cela fait, quittant l'autel, il prit la main du perclus, et devant le peuple qui était là et regardait de tous ses yeux, il le releva aussitôt de terre debout sur ses pieds. Puis il lui mit le corps du Seigneur dans la bouche, et cette langue longtemps muette se délia pour parler. Tous, pleins d'admiration, se mirent

287-288 ; LIBERATUS, *Breu.* 21 ; *Auctar. Marc.*, a. 535 (cf. CASSIODORE, *Var.* 12, 20). Parti à la fin de 535 ou au début de 536, Agapit mourut à Constantinople le 22 avril 536.

2. Le sacrifice est « achevé » (*peracto*) avant la communion : cf. GRÉGOIRE DE TOURS, *Hist. Franc.* 9, 3 (*peractis solemniis*) ; *Mir. S. Mart.* 2, 47. Après la fraction, le pape quitte l'autel : *Ordo Rom. I*, 98 (cf. *Reg.* 9, 26 = *Ep.* 9, 12). — La première guérison rappelle celle du boiteux de Jérusalem (Ac 3, 1-10) par Pierre, dont l'« autorité » et l'« aide » sont ici mentionnées. La seconde, obtenue au moyen de l'hostie consacrée, fait penser à II, 23, 5 et 24, 2, où l'eucharistie joue, entre les mains de Benoît, un rôle ministériel analogue. On songe aussi à la guérison du sourd-muet par le Christ et à l'admiration qu'elle suscite (Mc 7, 32-37). — Étonnement et pleurs de joie : I, 12, 2.

mentes ilico metus et reuerentia inuasit, cum uidelicet
20 cernerent, quid Agapitus facere in uirtute Domini ex
adiutorio Petri potuisset.

IIII. Eiusdem quoque principis tempore, cum Datius
Mediolanensis urbis episcopus, causa fidei exactus, ad
Constantinopolitanam urbem pergeret, Corinthi deuenit.
Qui dum largam domum ad hospitandum quaereret,
5 quae comitatum illius totum ferre potuisset, et uix inueniret, aspexit eminus domum congruentis magnitudinis
eamque sibi praeparari ad hospitandum iussit. Cumque
eiusdem loci incolae dicerent, in ea hunc manere non posse,
quia multis iam annis hanc diabolus inhabitaret atque
10 ideo uacua remansisset, uir uenerabilis Datius respondit,
dicens : « Immo ideo hospitari in domo eadem debemus,
si hanc malignus spiritus inuasit et ab ea hominum inhabitationem repulit. » In ea sibi igitur parari praecepit,
securusque illam, antiqui hostis certamina toleraturus,
15 intrauit.

2. Itaque intempestae noctis silentio, cum uir Dei
quiesceret, antiquus hostis inmensis uocibus magnisque
clamoribus coepit imitari rugitus leonum, balatus pecorum, ruditus asinorum, sibilos serpentium, porcorum
20 stridores et soricum. Cum repente Datius, tot bestiarum
uocibus excitatus, surrexit uehementer iratus et contra
antiquum hostem magnis coepit uocibus clamare, dicens :

IIII, 3 Corinthi *m GH* : -thum *bm*v || 12 malignus spiritus *m GH* : spir. mal. *b* || inhabitationem *bm*v *G* : -ne *m H* habitationem *m*v || 13 sibi igitur *m GH* : ig. sibi *b* || parari *bm* : -re *GH* lectum *add.* *b*v || 19 ruditus *bm*v : riditos *G* rugitus *m*v *H* rogitus *m* || 20 Cum *m GH* : tunc *b*

IIII, 1. Datius vint à Rome, pour provoquer une intervention byzantine en Ligurie, au début de 538 (Procope, *BG* 2, 7 ; cf. *Lib. Pont.* I, 291). Milan fut occupé, selon ses vœux, par les Byzantins, puis repris et dévasté par les Goths (Procope, *BG* 2, 12 et 21 : 538-539). Après ce désastre, peut-être même avant (*Ep. cler. Med.*

à pleurer de joie, et aussitôt crainte et révérence envahirent leurs esprits : ils voyaient ce qu'Agapit avait pu faire par la puissance du Seigneur en vertu du secours de Pierre.

IIII. Au temps de ce même empereur, l'évêque de Milan Datius, obligé d'aller à Constantinople pour le service de la foi, parvint à Corinthe. Il se mit en quête d'une vaste demeure pour y loger, capable de contenir toute sa suite, et il avait peine à trouver. De loin il aperçut une maison d'une grandeur convenable et il ordonna qu'on la lui préparât pour son séjour. Les habitants de l'endroit lui dirent alors qu'il ne pouvait y demeurer, car le diable y logeait depuis bien des années : c'est pourquoi elle demeurait vide. Le vénérable Datius répondit : « Raison de plus pour que nous devions séjourner dans cette maison, si le méchant esprit l'a envahie et empêche les hommes d'y habiter ». Il ordonna donc de tout préparer pour lui et il y entra tranquillement, prêt à supporter les combats du vieil adversaire.

2. Alors dans le silence au cœur de la nuit, comme l'homme de Dieu reposait, le vieil adversaire, avec des cris énormes et de grandes clameurs, se mit à contrefaire les rugissements du lion, les bêlements des brebis, les braiements de l'âne, les sifflements des serpents, les sons stridents des porcs et des souris. Alors Datius, éveillé en sursaut par tant de cris d'animaux, se leva très irrité et se mit à clamer à grands cris contre le vieil adversaire :

ad leg. Franc., *PL* 69, 118 c), Datius vécut hors de son diocèse. Présent à Constantinople en 544-545 (Facundus d'Hermiane, *Pro defens. trium cap.* 4, 3), puis de 550 à sa mort en 552 (Victor Tun., *Chron.*, a. 554), quand a-t-il fait le voyage mentionné ici ? D'après sa conclusion (§ 4), Grégoire paraît considérer le fait comme antérieur au règne de Totila (541-552). — Passage à Corinthe sur la route de Constantinople : cf. 2, 1. *

2. *Intempestae noctis* comme en II, 35, 2. Ces diableries nocturnes rappellent Athanase, *V. Ant.* 9, 5 (*rugiebat leo... serpens sibilo personabat* : voir *PL* 73, 132 b) ; cf. *V. Ant.* 52, 2-4. Irritation et cris du saint : III, 20, 2 et 21, 3 (*miser*). L'apostrophe méprisante de Datius ressemble à celle d'Antoine (Athanase, *V. Ant.* 9, 9), qui raillait

« Bene tibi contigit, miser. Tu ille qui dixisti : *Ponam sedem meam ad aquilonem et ero similis altissimo*, ecce per
25 superbiam tuam porcis et soricibus similis factus es, et qui imitari Deum indigne uoluisti, ecce, ut dignus es, bestias imitaris. »

3. Ad quam eius uocem, ut ita dicam, deiectionem suam malignus spiritus erubuit. An non erubuit, qui eandem
30 domum ad exhibenda monstra quae consueuerat ulterius non intrauit ? Sicque postmodum fidelium habitaculum facta est, quia, dum eam unus ueraciter fidelis ingressus est, ab ea protinus mendax spiritus atque infidelis abscessit.

35 4. Sed oportet iam ut priora taceamus. Ad ea quae diebus nostris sunt gesta ueniendum est.

V. Quidam etenim religiosi uiri Apuliae prouinciae partibus cogniti, hoc quod apud multorum notitiam longe lateque percrebuit, de Sabino Canusinae urbis episcopo testari solent, quia isdem uir longo iam senio oculorum
5 lumen amiserat, ita ut omnimodo nil uideret. Quem rex Gothorum Totila prophetiae habere spiritum audiens, minime credidit, sed probare studuit quod audiuit.

2. Qui cum in eisdem partibus deuenisset, hunc uir Domini ad prandium rogauit. Cumque iam uentum esset

23 ille *m G* : illi *H* es *add.* *bm*v*z* || 26 Deum *bm*v *G* : Deo *m H* Dominum *m*v || 29 malignus spiritus *bm* : spir. mal. *m*v*GH* || 32 eam *bm G* : ea *H*ac in ea *m*v(*z*) *H*pc

V 1-2 bmwz GH 1 etenim *mm*o*w GH* : enim *bm*v || 3 Sabino *bmwz G* : Sau- *m*v*w*v *H* || Canusinae *bm*v*w*v*z* : Canos- *mw H* Canosino *G* || 4 isdem *mw GH* : idem *bm*v || 5 uideret *bm*v*w GH*pc : -rit *m H*ac || 8 eisdem partibus *mw GH* : iisdem part. *b* easdem partes *m*v

---

IIII, 2. Is 14, 13-14.

---

déjà le diable d'imiter les bêtes. — Souvent reproduit plus complètement, Is 14, 13-14 est cité sous la même forme très abrégée dans *Past.* 2, 6 (35 b) ; *In I Reg.* 2, 12. *

« Tu n'as que ce que tu mérites, misérable ! Tu es celui qui a dit : ' Je siégerai à l'Aquilon et serai semblable au Très-Haut. ' Voilà que par ton orgueil tu es devenu semblable aux porcs et aux souris. Toi qui as voulu imiter Dieu indignement, voilà que tu imites les bêtes, comme tu en es digne. »

3. A ces mots, l'esprit malin rougit de son abjection, si je puis dire. N'en rougit-il pas, puisqu'il n'entra plus dans cette maison pour y exhiber ses monstres comme il faisait ? Et ainsi, par la suite, elle devint habitable aux fidèles, grâce à l'entrée d'un seul véritable fidèle, qui causa le départ immédiat de l'esprit menteur et infidèle.

4. Mais en voilà assez sur les temps anciens. Il nous faut venir aux événements de nos jours.

V. Quelques hommes de piété, bien connus du côté de la province d'Apulie, attestent volontiers le fait suivant, devenu largement de notoriété publique, au sujet de Sabin, évêque de la ville de Canosa. Cet homme, au bout d'une longue vieillesse, avait perdu la lumière de ses yeux, en sorte qu'il ne pouvait absolument plus rien voir. Le roi des Goths Totila apprit qu'il avait l'esprit de prophétie, mais il n'en crut rien ; il voulut mettre à l'épreuve ce qu'il entendait dire.

2. A l'occasion de sa venue dans la région, l'homme du Seigneur l'invita à déjeuner. Quand on se mit à table, le

3. Lieu exorcisé : voir *V. Caesarii* 2, 18 (bains) ; Cyrille de Scyth., *V. Sab.* 27 (colline du Castellion). — Le diable est menteur : Jn 8, 44. *

4. Fin des faits « anciens » annoncés dans *Prol.* En réalité, le dernier de ces *priora* (Datius à Corinthe, vers 538-539) n'est guère plus ancien que les faits accomplis « de nos jours » (sous Totila, 541-552) dont il va être question.

V, 1. Sabin est l'évêque de Canusium mentionné en II, 15, 3. Il fut le chef de la délégation envoyée en 536 au concile qui se tint à Constantinople après la mort d'Agapit (mai-juin 536). Totila met en doute et à l'épreuve son charisme de prophétie comme celui de Benoît (II, 14, 1).

2. Totila s'empara de l'Apulie dans la deuxième moitié de 542 (Procope, *BG* 3, 6), mais y vint-il en personne ? En tout cas, il y vint dans la première moitié de 547 pour en chasser les Byzantins (*BG* 3, 22), qui avaient occupé notamment Canusium (*BG* 3, 18). —

10 ad mensam, rex discumbere noluit, sed ad Sabini uenerabilis uiri dexteram sedit. Cum uero eidem patri puer ex more uini poculum praeberet, rex silenter manum tetendit, calicem abstulit, eumque per se episcopo uice pueri praebuit, ut uideret an spiritu prouidente discer-
15 neret, quis ei poculum praeberet. Tunc uir Dei, accipiens calicem, sed tamen ministrum non uidens, dixit : « Viuat ipsa manus. » De quo uerbo rex laetus erubuit, quia, quamuis ipse deprehensus est, in uiro tamen Dei quod quaerebat inuenit.
20 3. Huius autem uenerabilis uiri, cum ad exemplum uitae sequentium in longum senium uita traheretur, eius archidiaconus, ambitione adipiscendi episcopatus accensus, eum extinguere ueneno molitus est. Qui cum uini fusoris eius animum corrupisset, ut mixtum uino ei ueneni
25 poculum praeberet, refectionis hora, cum iam uir Dei ad edendum discumberet, ei praemiis corruptus puer hoc, quod ab archidiacono eius acceperat, ueneni poculum obtulit. Cui statim uenerabilis episcopus dixit : « Bibe tu hoc, quod mihi bibendum praebes. » Tremefactus puer,
30 deprehensum esse se sentiens, maluit moriturus bibere quam poenas pro illa tanti homicidii culpa tolerare. Cumque sibi ad os calicem duceret, uir Domini conpescuit, dicens : « Non bibas. Da mihi, ego bibo. Sed uade, dic ei qui tibi illud dedit : Ego quidem uenenum bibo, sed tu
35 episcopus non eris. »

10 mensam *b*m^v*w* *GH* : -sa *m* || noluit *b*m^o *wz GH* : uoluit *m* || Sabini *bmwz GH* : Sau- $m^v w^v$ *om.* w^v || 12 uini poculum *mw GH* : poc. uini *b*w^v || 14 spiritu prouidente *bmw G* : episcopo prou. *H* spir. prouidentiae $b^v m^v z$ prouidentia b^v || 17 laetus *mw GH* : laetatus *b*(*z*) || 18 est *mw* : fuisset *b*$m^v w^v$ *om.* m^v w^v *GH*

3 bmz GH 21 eius *bmz* G^{pc} *ut uid.* : *om.* m^v G^{ac} || 23-24 uini fusoris *bmz G* : uni ex pueris b^v *H* unius ex pueris b^v || 24 mixtum *m H* : -to *G* mistum *b* || ei ueneni *m H* : uen. ei *b* ei uenenum *G* || 30 esse se *m H* : se esse *b G*

Le roi refuse de s'étendre et s'assoit à droite de l'évêque : la scène fait penser à SULPICE SÉV., *V. Mart.* 20, 4-7, où Martin est

roi ne voulut pas s'étendre, mais s'assit à droite du vénérable Sabin. Comme le domestique présentait à ce Père, selon l'usage, une coupe de vin, le roi, sans bruit, tendit la main, prit la coupe et la présenta lui-même, à la place du valet, à l'évêque, pour voir si, illuminé par l'esprit, il discernerait qui lui tendait la coupe. Alors l'homme de Dieu, recevant la coupe sans voir l'intermédiaire, s'écria : « Vive cette main ! » À ce mot, le roi fut joyeux et confus. Il se sentait pris, mais il avait trouvé ce qu'il cherchait dans l'homme de Dieu.

3. Or la vie de cet homme vénérable s'étirait en une longue vieillesse pour servir de modèle de vie à ses successeurs. Son archidiacre, qui grillait d'envie de parvenir à l'épiscopat, machina de le faire mourir par le poison. Il corrompit son échanson pour qu'il lui présentât une coupe de vin empoisonné. A l'heure du repas, l'homme de Dieu s'étant étendu pour manger, le valet corrompu par les gratifications présenta la coupe de poison qu'il avait reçue de son archidiacre. Aussitôt le vénérable évêque lui dit : « Bois toi-même ce que tu me tends à boire. » Glacé d'horreur, le valet, se sentant pris, choisit de boire et de mourir, plutôt que d'endurer les peines pour le crime d'un tel homicide. Il portait la coupe à ses lèvres quand l'homme de Dieu l'arrêta : « Ne bois pas. Donne-moi. Moi, je vais boire. Mais va dire à celui qui t'a donné cela : Moi, je bois le poison, mais toi, tu ne seras pas évêque. »

assis près du roi, tandis que les autres convives sont étendus (là aussi, une coupe passe du roi à l'évêque). Plus loin (§ 3), Sabin lui-même s'étend pour manger. — Honte et joie mêlées : III, 14, 9.

3. Tentative d'empoisonnement par le vin : II, 3, 4. On songe à l'Apôtre Jean, auquel le prêtre païen Aristodème fait boire une coupe empoisonnée, qu'il prend sans dommage après avoir tracé des signes de croix (Abdias, *Hist. cert. apost.*, L. V, Paris 1566, p. 66-67). Ici le crime est inspiré par l'ambition, comme chez Grégoire de Tours, *Hist. Franc.* 5, 37 (351 c) : l'évêque d'Angoulême est empoisonné par Frontonius, qui veut lui succéder ; cf. *Hist. Franc.* 3, 17 (257 a) : évêque de Tours empoisonné par un clerc. — Empoisonneur forcé de boire lui-même le poison : cf. Paul Diacre, *Hist. Lang.* 2, 29. — *Tu episcopus non eris* : même prédiction de Boniface à l'ambitieux Constance (I, 9, 13). *

4. Facto igitur signo crucis, uenenum episcopus bibit securus, eademque hora in loco alio quo inerat archidiaconus eius defunctus est, ac si per os episcopi ad archidiaconi uiscera illa uenena transissent. Cui tamen ad inferendam mortem uenenum quidem corporale defuit, sed hunc in conspectu aeterni iudicis uenenum suae malitiae occidit.

5. PETRVS. Mira sunt haec et nostris ualde stupenda temporibus. Sed talis eiusdem uiri uita perhibetur, ut qui conuersationem eius agnouerit, uirtutem non debeat mirari.

VI. GREGORIVS. Neque hoc, Petre, sileam, quod multi nunc qui hic de Narniensi ciuitate adsunt mihi sedulo testificantur. Eodem namque Gothorum tempore, cum praefatus rex Totila Narniis uenisset, ei uir uitae uenerabilis Cassius, eius urbis episcopus, occurrit. Cui quia ex consparsione semper facies rubere consueuerat, hoc rex Totila non consparsionis esse credidit, sed assiduae potationis, eumque omnimodo despexit.

2. Sed omnipotens Deus ut quantus uir esset qui despiciebatur ostenderet, in Narniensi campo, quo rex aduenerat, malignus spiritus coram omni exercitu eius spatarium inuasit eumque uexare crudeliter coepit. Qui cum ante regis oculos ad uenerabilem uirum Cassium fuisset adduc-

VI bmwz GH 2 Narniensi *bmw G* : -se $m^{v}w^{v}$ *H* Narnensi m^{v} || sedulo *bmw G* : -le m^{v} H^{pc} sedole m^{v} H^{ac} || 4 Narniis *mw G* : Narnis $b^{v}m^{v}$ Naronis *H* Narnius b^{v} Narniam *bz* || 5 eius *mw GH* : eiusdem $bm^{v}w^{v}z$ || 6 consparsione $b^{v}mw$ *GH* : conspers- $bm^{v}w^{v}$ passione m^{v} || 7 consparsionis *mw* : -nes *H* conspers- $bm^{v}w^{v}$ sparsionis $m^{v}m^{o}w^{v}$ compassionis w^{v} *G* || 10 ostenderet $bm^{v}w$: -rit *m GH* || Narniensi *bmw G* : -se m^{v} *H* || 12 uexare $bm^{v}w^{v}$ *GH* : -ri *mw* || 13 uenerabilem *mw* : uenerandum $bm^{v}w^{v}$ *GH*

---

4. Signe de croix déjouant la tentative d'empoisonnement : outre l'histoire de saint Jean (note précédente), voir II, 3, 4. *

5. La *conuersatio* de Sabin, dont Grégoire n'a pas parlé (sauf une allusion en II, 15, 3), semble connue de Pierre par ailleurs.

4. Ayant donc fait un signe de croix, l'évêque but tranquillement le poison, et à la même heure l'archidiacre, qui était dans un autre lieu, y mourut, comme si le poison eût passé par la bouche de l'évêque dans les entrailles de l'archidiacre. Celui-ci n'eut pas de poison matériel pour lui infliger la mort, mais devant l'éternel juge le poison de sa méchanceté le tua.

5. PIERRE. Voilà qui est admirable et vraiment stupéfiant à notre époque ! Mais la vie de cet homme est telle, à ce qu'on dit, que si l'on connaît son genre d'existence, on n'est plus surpris de son pouvoir.

VI. GRÉGOIRE. Je ne passerai pas non plus sous silence, Pierre, ce que beaucoup qui sont ici de la ville de Narni attestent devant moi avec empressement. En ce même temps des Goths, comme le roi Totila, déjà nommé, était venu à Narni, l'homme de vie vénérable Cassius, évêque de cette ville, vint pour l'accueillir. Par tempérament, il avait la face toujours rubiconde, et le roi Totila n'attribua pas cette rougeur au tempérament, mais à des libations assidues : il le méprisa profondément.

2. Mais Dieu tout-puissant voulut faire voir la grandeur de l'homme ainsi méprisé. Dans la campagne de Narni, où le roi était venu, un méchant esprit envahit son porte-glaive devant toute l'armée et se mit à le tourmenter cruellement. Sous les yeux du roi, on l'amena au

VI, 1. Dans *Hom. Eu.* 37, 9 (1279 c), Grégoire disait déjà : *Multi uestrum... Cassium Narniensem episcopum nouerunt.* Il ne semble donc pas que *multi* fasse ici allusion à des gens de Narni venus pour traiter de la succession de l'évêque Praeiectitius, comme le suggèrent P. EWALD et L. HARTMANN, en note sous *Reg.* 2, 4 et 5, 57[a]. — D'après son épitaphe (*CIL* X, 2, 4164 ; cf. *DACL* XII, 881), Cassius fut évêque d'octobre 536 à juin 558 (cf. IV, 58). Sous son pontificat, la très forte place qu'était Narni (PROCOPE, *BG* 1, 17) fut prise par les Byzantins en 537 (*BG* 1, 16 ; cf. 2, 11) et reprise par eux en 552 (*BG* 4, 33). Ce dernier fait suppose que Totila s'en était emparé, ce qui a pu arriver en 542 (*BG* 3, 5-6) ou en 545 (*BG* 3, 11-12 ; cf. *Auctar. Marc.* 8, 4).

2. Ce *spatarius* de Totila serait-il Riggo, mentionné en II, 14, 1 ?

tus, hunc ab eo uir Domini, oratione facta, signo crucis
15 expulit. Qui ingredi in eum ulterius non praesumpsit, sicque factum est, ut rex barbarus seruum Dei ab illo iam die ueneraretur ex corde, quem despectum ualde iudicabat ex facie. Nam quia uirum tantae uirtutis uidit, erga eum illa mens effera ab elationis fastu detumuit.

VII. Sed ecce, dum facta fortium uirorum narro, repente ad memoriam uenit, quid erga Andream, Fundanae ciuitatis episcopum, diuina misericordia fecerit. Quod tamen ad hoc legentibus ut ualeat exopto, quatenus
5 qui corpus suum continentiae dedicant, habitare cum feminis non praesumant, ne ruina menti tanto repentina subripiat, quanto ad hoc quod male concupiscitur, etiam praesentia concupitae formae famulatur. Nec res est dubia, quam narro, quia paene tanti in ea testes sunt,
10 quanti et eius loci habitatores existunt.

2. Hic namque uenerabilis uir, cum uitam multis plenam uirtutibus duceret seque sub sacerdotali custodia in continentiae arce custodiret, quandam sanctimonialem feminam, quam secum prius habuerat, noluit ab episcopii
15 sui cura repellere, sed certus de sua eiusque continentia, secum hanc permisit habitare. Ex qua re actum est, ut antiquus hostis apud eius animum aditum temptationis

14 ab eo $bm^v w^v$ *GH* : *post* Domini *transp.* *mw* || signo $bm^v w^v$ *G* : signum *mw* *H* || 15 ingredi in eum ulterius *mw* : in eum ingr. ult. $bm^v w^v$ *GH* in eum ult. ingr. m^v || 19 eum *mw GH* : illum *b*

VII bmz GH 8 famulatur bm^v *GH* : -letur *m* || 9 in ea *bm GH* : mei b^v *om.* $m^v z$ || 10 eius *m H* : eiusdem $bm^v z$ *G* || 13 sanctimonialem bm^v *G* : sanctaem- *m H* || 14 noluit *bmz GH* : non curauit b^v

— Le diable n'ose revenir : II, 30, 1. Contraste *corde... facie* comme dans 1 S 16, 7 (*VL*). Orgueil du roi barbare : cf. 1, 3.

VII, 1. L'adjectif *Fundanus*, répété plus loin (§ 3), diffère de *Fundensis*, employé pour le même lieu en I, 2, 1 ; *Reg.* 3, 13, = *Ep.* 3, 13. On retrouve *Fundanus* chez Paulin de Nole, *Ep.* 32, 17 ; *Lib. Pont.* I, 220, comme dans les signatures de l'évêque Vital aux conciles de 499, 501 et 502. — L'évêque André de Fondi, qu'on a confondu avec son homonyme de Formies (*CIL* X, 1-2, 6218), est

vénérable Cassius. L'homme du Seigneur, après une prière, expulsa d'un signe de croix le diable, qui n'osa plus revenir en cet homme. Il arriva ainsi qu'à partir de ce jour le roi barbare vénéra du fond du cœur le serviteur de Dieu, qu'il avait jugé profondément méprisable d'après son faciès. Quand il eut vu que l'homme avait une si grande puissance, cette âme brutale se dégonfla à son égard du dédain de l'orgueil.

VII. Mais voici qu'en racontant les actions des preux, il me vient soudain en mémoire ce que la divine miséricorde a fait pour André, évêque de Fondi. Je souhaite que ce soit profitable aux lecteurs, afin que ceux qui ont dédié leurs corps à la chasteté n'aient pas la présomption d'habiter avec des femmes, car il pourrait en résulter pour leur âme une ruine d'autant plus subite que le désir mauvais est servi par la présence de la beauté convoitée. Et ce n'est pas un fait douteux que je raconte, car j'ai là presque autant de témoins qu'il y a d'habitants dans ce lieu.

2. Ce vénérable André, qui menait une vie toute pleine de vertus, se gardait dans la citadelle de la continence avec une vigilance sacerdotale. Mais il ne voulut pas écarter de l'entretien de son évêché une religieuse qu'il avait eue avec lui antérieurement : comme il était assuré de leur chasteté à tous deux, il lui permit la cohabitation. Cette licence eut pour résultat que le vieil adversaire se mit à chercher dans son âme une entrée pour le tenter. Et il commença à obséder les yeux de son esprit de la beauté

inconnu par ailleurs. S'il a vécu au VIe s., il se place entre Vital (502) et Agnellus (*Reg.* 3, 13-14 = *Ep.* 3, 13-14). Ce dernier, en décembre 592, était réfugié à Terracine, Fondi étant dévasté par les Lombards et complètement inhabité. C'est donc au témoignage d'une population déplacée, peut-être décimée et dispersée, que fait appel la phrase finale, reproduite en III, 26, 1. — *Legentibus* : cf. I, *Prol.* 10 et note. La cohabitation d'hommes et de femmes consacrés est déjà réprouvée par GÉLASE Ier, *Ep. ad. episc. per Picen.* 8-9. *

2. Tentation charnelle : cf. II, 2, 1 (*eius mentis oculos... specie illius*). — Sur l'histoire qui suit et ses antécédents littéraires, voir Introduction, ch. IV, n. 82-84 et 97-102. *

exquireret. Nam coepit speciem illius oculis mentis eius inprimere, ut inlectus nefanda cogitaret.

20 3. Quadam uero die Iudaeus quidam, ex Campaniae partibus Romam ueniens, Appiae carpebat iter. Qui ad Fundanum cliuum perueniens, cum iam diem uesperescere cerneret et quo declinare posset minime repperiret, iuxta Apollinis templum fuit ibique se ad manendum contulit. 25 Qui ipsum loci illius sacrilegium pertimescens, quamuis fidem crucis minime haberet, signo tamen se crucis munire curauit.

4. Nocte autem media, ipso solitudinis pauore turbatus, peruigil iacebat, et repente conspiciens uidit maligno- 30 rum spirituum turbam quasi in obsequium cuiusdam potestatis praeire, eum uero qui ceteris praeerat in eiusdem gremio loci consedisse. Qui coepit singulorum spirituum obsequentium sibi causas actusque discutere, quatenus unusquisque quantum nequitiae egisset inueniret.

35 5. Cumque singuli spiritus ad inquisitionem eius exponerent, quid operati contra bonos fuissent, unus in medio prosiliuit, qui in Andreae episcopi animum per speciem sanctimonialis feminae, quae in episcopio eius habitabat, quantam temptationem carnis conmouisset aperuit. 40 Cum uero hoc malignus qui praeerat spiritus inhianter audiret, et tantum sibi factum lucrum grande crederet, quanto sanctioris uiri animam ad lapsum perditionis incli-

18 exquireret $bm^{v}z$ *H* : -rit *m* exquer- *G* inueniret b^{v} ‖ 19 inlectus $b^{v}m$ *GH* : ill- bm^{v} inlectum m^{v} in lecto *z* ‖ 21 Appiae *bmz GH* : Appuae m^{v} Capuae b^{v} *om.* m^{v} ‖ 22 cliuum bm^{v} : -bum *H* clebum *m* ciuem *G* ‖ uesperescere m^{v} : -riscere *m GH* -rascere bm^{v} ‖ 23 posset bm^{v} : possit *m GH* ‖ repperiret *bm* : -pererit *GH* repperit m^{v} ‖ 24 Apollinis bm^{v} : Apollenis m^{v} Apollonis *m GH* ‖ 31 potestatis $bm^{v}z$ *GH* : potentis *m* ‖ 37 medio $m^{v}z$ *GH* : medium *bm* ‖ prosiliuit *m G* : -liit *b* -luit m^{v} *H* ‖ 38 sanctimonialis bm^{v} *G* : sanctaem- *m H* ‖ 41 tantum *m GH* : -to bm^{v} ‖ 42 quanto *bm GH* : -tum m^{v} ‖ animam *m GH* : -mum bm^{v}

---

3. D'après G. Conte-Colino, *Storia di Fondi*, p. 25-26 et 52, le voyageur se dirigeant vers Fondi et Rome trouvait ce temple d'Apol-

de cette femme ; ainsi appâté, il aurait des pensées inavouables.

3. Or, un beau jour, un Juif venant du côté de la Campanie se rendait à Rome, empruntant la voie Appienne. Arrivé à la descente de Fondi, il s'aperçut que la nuit tombait et il ne voyait pas où il pourrait gîter. Comme il était près d'un temple d'Apollon, il s'y rendit pour passer la nuit. Redoutant vivement l'impiété du lieu, et bien qu'il ne fût pas un fidèle de la croix, il eut soin de se prémunir par un signe de croix.

4. A minuit, troublé par la peur même de la solitude, il gisait encore bien éveillé. Soudain ses regards tombèrent sur une troupe de mauvais esprits qui semblaient précéder un potentat pour lui faire la cour. Celui qui était le chef de tous s'assit au milieu du temple. Il commença à éplucher missions et actes de chaque esprit de sa cour, pour trouver combien chacun avait fait de mal.

5. Un à un, les esprits faisaient à sa demande un exposé de leurs opérations contre les bons. Un démon, bondissant au milieu, fit connaître la tentation charnelle qu'il avait excitée dans l'esprit de l'évêque André grâce à la beauté d'une religieuse qui habitait dans son évêché. Le mauvais esprit qui présidait écouta avidement, estimant que c'était pour lui un gain d'autant plus grand qu'on avait incliné à une chute qui la perdrait l'âme d'un

lon à droite de l'Appia, à 4 milles (6 km) de Fondi, en descendant les pentes des Monts Aurunci. Le croquis de B. Amante - R. Bianchi, *Memorie storiche...*, p. 13, qui suggère une localisation légèrement différente, paraît peu sûr. En tout cas, la ville est dans la plaine, au point le plus bas de la route. — C'est aussi *aduesperascente iam die* qu'un moine voyageur, chez Cassien, *Conl.* 18, 16, 1, trouve un antre et s'y abrite.*

4. C'est aussi peu après le *tempus mediae noctis* que le voyageur de Cassien, *Conl.* 8, 16, 1-2, assiste à une scène semblable : cortège de démons « précédant » leur chef, qui « s'asseoit » et « se met à examiner les actes d'un chacun ». Voir aussi *V. Patrum* 5, 5, 39 (même spectacle, vu par un enfant païen dans un temple).

5. Un des esprits mauvais, chez Cassien, *Conl.* 8, 16, 3, déclare que tel moine a forniqué avec une nonne, à son instigation, la nuit précédente, et il reçoit les plus grands éloges pour avoir provoqué cette « ruine » (cf. *V. Patrum* 5, 5, 39).

naret, ille spiritus, qui haec eadem fatebatur, adiunxit quia usque ad hoc quoque die praeterito uespertina hora
45 eius mentem traxerit, ut in terga eiusdem sanctimonialis feminae blandiens alapam daret. Tunc malignus spiritus atque humani generis antiquus inimicus exhortatus hunc blande est, ut perficeret quod coepisset, quatenus ruinae illius singularem inter ceteros palmam teneret.

50 6. Cumque Iudaeus qui aduenerat hoc uigilans cerneret, et magnae formidinis anxietate palpitaret, ab eodem spiritu, qui cunctis illic obsequentibus praeerat, iussum est, ut requirerent quisnam esset ille qui iacere in templo eodem praesumpsisset. Quem maligni spiritus pergentes
55 et subtiliter intuentes, crucis mysterio signatum uiderunt mirantesque dixerunt : « Vae, uae, uas uacuum et signatum. » Quibus hoc renuntiantibus, cuncta illa malignorum spirituum turba disparuit.

7. Iudaeus uero, qui haec uiderat, ilico surrexit atque
60 ad episcopum sub festinatione peruenit. Quem in ecclesia sua repperiens, seorsum tulit, qua temptatione urgueretur inquisiuit. Cui confiteri episcopus temptationem suam uerecundatus noluit. Cum uero ille diceret quod in illa tali Dei famula praui amoris oculos iniecisset atque
65 adhuc episcopus negaret, adiunxit dicens : « Quare negas quod inquireris, qui ad hoc usque uespere hesterno perductus es, ut posteriora illius alapa ferires ? » Ad quae nimirum uerba deprehensum se episcopus intuens, humiliter confessus est quod prius pertinaciter negauit.

70 8. Cuius ruinae et uerecundiae isdem Iudaeus consulens, qualiter hoc agnouisset, uel quae in conuentu malignorum spirituum de eo audisset, indicauit. Quod ille

51 palpitaret *bm*^{v} *GH* : pauitaret *m* || 54 Quem *bm GH* : ad quem *m*^{v}(*z*) || 55 subtiliter *mz* : subtilius *bm*^{v} *GH* || 65 negaret *bm*^{v} *GH* : -rit *m* || 66 qui *bm G* : quia *m*^{v} *H* || 70 isdem *m G* : eisdem *H* idem *bm*^{v} || 71 agnouisset *m* : cognouisset *bm*^{v} *GH* || 72 audisset *m GH* : audiuisset *b*

homme plus saint. Le démon qui faisait ce rapport ajouta que, la veille au soir, il avait entraîné son âme jusqu'à lui faire donner une tape amicale dans le dos de cette religieuse. Alors l'esprit mauvais, le vieil adversaire du genre humain, l'incita amicalement à parfaire ce qu'il avait en train : s'il obtenait la déconfiture de l'évêque, il gagnerait du coup la palme d'honneur sur tous les autres.

6. Cependant le Juif qui était venu là assistait à cette séance toujours éveillé, tremblant de peur dans une grande anxiété. L'esprit qui était à la tête de toute sa cour leur enjoignit de chercher quel était l'homme qui avait eu l'audace de coucher dans ce temple. Les mauvais esprits se mirent à l'examiner de fort près et virent qu'il était marqué du mystère de la croix. Ébahis, ils s'écrièrent : « Aïe, aïe, une bouteille vide et cachetée ! » A cette nouvelle, toute cette troupe de mauvais esprits disparut.

7. Le Juif qui avait vu cela se leva aussitôt et se rendit chez l'évêque en toute hâte. Il le trouva dans son église, le prit à part et lui demanda quelle tentation l'avait pressé. L'évêque, par respect humain, ne voulut pas lui confesser sa tentation. Alors le Juif précisa qu'il avait jeté des regards d'amour dépravé sur telle servante de Dieu, et comme l'évêque niait encore, il ajouta : « A quoi bon nier ce qu'on vous demande, vous qui, hier soir, vous êtes laissé aller jusqu'à lui donner une tape sur le postérieur ? » A ces mots, comme on pouvait s'y attendre, l'évêque, se voyant pris, confessa humblement ce qu'il avait nié auparavant avec ténacité.

8. Le Juif, veillant au bien de cet homme failli et couvert de honte, lui fit connaître comment il avait été informé et lui indiqua le rapport entendu à son sujet dans l'assemblée des mauvais esprits. Quand il eut appris

6. Chez CASSIEN, *Conl.* 18, 16, 4, les démons disparaissent à l'aurore. Le trait du signe de croix qui les effraie est propre à Grégoire. *

7. Le moine voyageur de Cassien se rend de même chez son confrère séduit par l'esprit impur, et constate sa chute. — Discussion entre le voyant et le pécheur, qui nie d'abord sa faute : II, 12, 2. *

cognoscens, sese in terram protinus in orationem dedit, moxque de suo habitaculo non solum eandem Dei famu-
75 lam, sed omnem quoque feminam, quae in eius illic obsequio habitabat, expulit, in eodem uero templo Apollinis beati Andreae apostoli repente oratorium fecit, atque omni illa temptatione carnis funditus caruit.

9. Iudaeum uero, cuius uisione atque increpatione sal-
80 uatus est, ad aeternam salutem traxit. Nam sacramentis fidei imbutum atque aqua baptismatis emundatum ad sanctae ecclesiae gremium perduxit. Sicque factum est, ut Hebreus isdem, dum saluti alienae consulit, perueniret ad suam, et omnipotens Deus inde alterum ad bonam
85 uitam perduceret, unde in bona uita alterum custodisset.

10. Petrvs. Res haec gesta, quam audiui, et metum mihi praebet et spem.

Gregorivs. Vtique sic oportet et de Dei nos semper miseratione confidere, et de nostra infirmitate formidare.
90 Ecce enim paradisi cedrum concussam audiuimus, sed non euulsam, quatenus infirmis nobis et de eius concussione nascatur timor, et de eius stabilitate fiducia.

VIII. Vir quoque uenerabilis uitae Constantius Aquini episcopus fuit, qui nuper prodecessoris mei tempore beatae memoriae Iohannis papae defunctus est. Hunc prophe-

73 cognoscens *m H* : agnoscens *b G* ‖ sese *m H* : se *bm*ᵛ *G* ‖ in terram *m GH* : ad ter. *b* ‖ 75 omnem... feminam *bmz G* : omnes... feminas *m*ᵛ *H* ‖ 76 habitabat *bm G*ᵃᶜ : -bant *m*ᵛ *G*ᵖᶜ*H* ‖ Apollinis *bm*ᵛ : Apollenis *m*ᵛ Apollonis *m GH*
VIII, 1 Aquini *m H* : -ne *G* Aquinae ciuitatis *bm*ᵛ*z* ‖ 2 prodecessoris *m GH* : praed- *bm*ᵛ

8. Voir *Reg.* 13, 38-39 = *Ep.* 13, 35-36 : les prêtres ne doivent pas habiter *cum mulieribus extraneis.* — Temple d'Apollon transformé en oratoire comme en II, 8, 11. Selon *Reg.* 11, 56 = *Ep.* 11, 76, les missionnaires en Angleterre ne doivent pas détruire les temples païens, mais les convertir en églises. — L'apôtre André était déjà le premier des saints titulaires de la basilique édifiée à Fondi par Paulin de Nole, *Ep.* 32, 17. *

cela, l'évêque immédiatement se jeta à terre en prière, et bientôt, non content d'expulser de sa demeure cette servante de Dieu, il écarta aussi toute femme qui vivait là à son service. De ce temple d'Apollon il fit sur-le-champ un oratoire au bienheureux Apôtre André, et il fut débarrassé radicalement de toute cette tentation charnelle.

9. Quant au Juif qui l'avait sauvé par sa vision et son reproche, il l'amena au salut éternel. Car il l'instruisit des mystères de la foi, le lava de l'eau du baptême et l'introduisit au sein de l'Église. Il arriva ainsi que cet Hébreu, en veillant au salut d'autrui, parvint à son propre salut, et que Dieu tout-puissant conduisit l'un à une vie bonne, parce qu'il avait gardé l'autre dans une vie bonne.

10. Pierre. Cet épisode que je viens d'entendre me cause à la fois crainte et espoir.

Grégoire. Oui, c'est bien cela, il faut toujours avoir confiance en la pitié de Dieu, et en même temps redouter notre propre faiblesse. Nous avons entendu qu'un cèdre du paradis fut ébranlé, mais non arraché, afin que nous autres, débiles, nous concevions de la crainte pour son ébranlement, et de la confiance pour sa stabilité.

VIII. Constance, homme d'une vie vénérable, fut évêque d'Aquin. Il mourut récemment au temps de mon prédécesseur de sainte mémoire, le pape Jean. Beaucoup

9. Cette conclusion fait penser à celle de l'histoire de l'enfant païen (*V. Patr.* 5, 5, 39) sous sa forme grecque (*Apophtegme* Nau 191) : à la suite de sa vision, il devient moine. Cf. *V. Patr.* 5, 15, 89 : un prêtre païen, ayant entendu le rapport d'un démon au sujet de moines, se fait moine lui-même. — Grégoire a constamment recommandé de convertir les Juifs par la persuasion et la douceur (*Reg.* 1, 34.45 et 13, 15 = *Ep.* 1, 35.47 et 13, 12 ; cf. *Reg.* 9, 38. 195 = *Ep.* 9, 55.6), sans exclure, pour les sujets de l'Église, certaines pressions économiques (*Reg.* 2, 38 et 5, 7 = *Ep.* 2, 32 et 5, 8). *

10. Allier crainte et confiance : *Mor.* 2, 1 ; *Hom. Ez.* II, 7, 15.20. *Paradisi cedrum* : allusion à Ez 31, 8 ?

VIII, 1. Constance d'Aquin, un successeur d'Asterius (conciles de 501-502), fut voisin et contemporain de Benoît : II, 16, 1. Sa mort se place sous Jean III (561-574; cf. III, 38, 1 : *Iohannis iunioris prodecessoris mei tempore*), époque qualifiée de «récente» (*nuper*). Sa prophétie à l'article de la mort fait penser à celle de Cerbonius (III, 11, 4).

tiae habuisse spiritum multi testantur, qui eum familiariter scire potuerunt. Cuius inter multa hoc ferunt religiosi ueracesque uiri, qui praesentes fuerunt, quod in die obitus sui, cum a circumstantibus ciuibus, utpote discessurus, pater tam amabilis amarissime plangeretur, eum flendo requisiuere, dicentes : « Quem post te, pater, habebimus ? » Quibus ipse pater per prophetiae spiritum respondit, dicens : « Post Constantium mulionem, post mulionem fullonem. O te, Aquine, et hoc habes. »

2. Quibus prophetiae uerbis editis, uitae exhalauit spiritum. Quo defuncto, eius ecclesiae pastoralem suscepit curam Andreas diaconus illius, qui quondam in stabulis itinerum cursum seruauerat equorum, atque hoc ex uita subducto, ad episcopatus ordinem Iouinus accitus est, qui in eadem urbe fullo fuerat. Quo adhuc superstite, ita cuncti habitatores ciuitatis illius et barbarorum gladiis et pestilentiae inmanitate uastati sunt, ut post mortem illius nec quis episcopus fieret, nec quibus fieret, potuisset inueniri. Sicque conpleta est uiri Dei sententia, quatenus post excessum duorum se sequentium eius ecclesia pastorem minime haberet.

VIIII. Sed neque hoc sileam, quod narrante uiro uenerabili Venantio, Lunensi episcopo, me ante biduum con-

9 requisiuere *m* : -sierunt *b GH* ‖ requirere m^{v} ‖ 12 O te *bmz G* : mote *H* o tu m^{v} o m^{v} ‖ 17 ad *bmz G* : *om.* $b^{v}m^{v}$ *H* ‖ Iouinus *bm* : Iobinus $b^{v}m^{v}z$ *G* Iubinus m^{v} Iopenus *H* ‖ accitus $b^{v}m$: ascitus $b^{v}m^{v}$ accersitus *b G* assumptus b^{v} sortitus $b^{v}m^{v}$ *H* ‖ 19 habitatores *m G* : -ris *H* inhabitatores bm^{v} ‖ 21 fieret[1] bm^{v} : -rit *m* fuerit *GH* ‖ fieret[2] *bm GH* : fieri m^{v} ‖ 21-22 potuisset inueniri *m GH* : inu. pot. *b* inueniretur $m^{v}z$ ‖ 22 sicque *m GH* : sic itaque *bz* ‖ 23 excessum *m GH* : decessum *b*

---

2. André et Jovin ne sont pas connus autrement. Le second a-t-il, comme le premier, servi dans le clergé avant de devenir évêque ? Grégoire interdit sévèrement la promotion de laïcs à l'épiscopat (*Reg.* 2, 40 = *Ep.* 2, 39, etc. ; cf. *Reg.* 5, 59-60 = *Ep.* 5, 54-55). — La destruction d'Aquin par les Lombards peut dater de 577 (H. S. Brechter, « Monte Cassinos erste Zerstörung », p. 143).

assurent qu'il eut l'esprit de prophétie, et ils ont pu le connaître familièrement. Entre beaucoup d'anecdotes sur ce chapitre, voici ce que rapportent des hommes pieux et sincères, témoins du fait. Le jour de sa mort, il était entouré de ses concitoyens : ils pleuraient amèrement le père si aimable qui devait les quitter, et lui demandèrent avec des larmes : « Qui après vous, mon Père, aurons-nous ? » Le père répondit par esprit de prophétie : « Après Constance, le cocher ; après le cocher, le foulon. O ville d'Aquin, tu as ainsi ton compte ! » Quand il eut proféré cet oracle prophétique, il exhala son dernier souffle.

2. Après sa mort, André, son diacre, reçut la charge pastorale de son Église. Jadis il s'était occupé des roulements de chevaux aux relais de poste. Quand il eut été retiré de cette vie, Jovin fut appelé à l'ordre de l'épiscopat. Il avait été foulon en cette ville. Il vivait encore que toute la population de cette cité fut ravagée par les glaives des barbares et la fureur de la peste. Aussi, après sa mort, fut-il impossible de trouver un évêque pour le peuple et un peuple pour l'évêque. Ainsi fut accomplie la parole de l'homme de Dieu, comme quoi après la mort de ses deux successeurs, son Église n'aurait plus de pasteur.

VIIII. Mais je ne passerai pas non plus sous silence ce que j'ai appris il y a deux jours : c'est le vénérable Venance,

VIIII, 1. Narrateur des faits suivants (III, 9-10 et 11, 4-6) et d'un épisode ultérieur (IV, 55), Venance de Luna était auprès de Grégoire quand celui-ci rédigeait tous ces chapitres. Or d'après *Reg.* 4, 21-22 = *Ep.* 4, 21-22, il est à Rome et sur le point de rentrer à Luna en mai 594. Les Livres III et IV des Dialogues ont donc été écrits avant cette date, d'autant que la distance et la maladie de Venance rendent invraisemblable une autre visite du prélat à Rome avant septembre 594 (*Reg.* 5, 5.17 = *Ep.* 5, 7.3). — Un Frigdianus (ou Frigianus) figure sur des listes épiscopales et une inscription anciennes : voir H. Leclercq, art. « Lucques », dans *DACL* IX, 2675-2677. Irlandais d'origine d'après une *Vie* du viiie s. (*BHL* 3174) et évêque à une date récente (cf. 4, 4), il semble avoir succédé à l'un des sept évêques de *Tuscia Annonaria* — peut-être Laurent — auxquels s'adresse, sans préciser leurs sièges, Pélage Ier, *Ep.* 10 (16 avril 557). Voir F. Lanzoni, *Le diocesi d'Italia*, p. 589-593.

tigit agnouisse. Lucanae namque ecclesiae, sibimet propinquae, fuisse mirae uirtutis uirum Frigdianum nomine
5 narrauit episcopum.

2. Cuius hoc opinatissimum a cunctis illic habitantibus testatur memorari miraculum, quod Ausarit fluuius, qui iuxta urbis illius muros influebat, saepe inundatione facta cursus sui alueum egressus, per agros diffundi consueuerat,
10 et quaeque sata ac plantata repperiret euerteret. Cumque hoc crebro fieret et magna eiusdem loci incolas necessitas urgueret, dato studio operis, eum per loca alia deriuare conati sunt. Sed quamuis diutius laboratum fuisset, a proprio alueo deflecti non potuit.

15 3. Tunc uir Domini Frigdianus rastrum sibi paruulum fecit, ad alueum fluminis accessit et solus orationi incubuit, atque eidem flumini praecipiens ut sequeretur, per loca quaeque ei uisa sunt rastrum per terram traxit. Quem, relicto alueo proprio, tota fluminis aqua secuta est,
20 ita ut funditus locum consueti cursus desereret, et ibi sibi alueum, ubi tracto per terram rastro uir Domini signum fecerat, uindicaret, et quaeque essent alimentis hominum profutura sata uel plantata ultra non laederet.

X. Huius quoque uenerabilis uiri Venantii episcopi aliud miraculum relatione cognoui, quod in Placentina urbe perhibet gestum. Quod uir quoque ueracissimus Iohannes, in hac modo Romana ciuitate locum praefec-
5 torum seruans, qui in eadem Placentina urbe est ortus et

VIIII, 3 propinquae *bm* : -que *GH* -quum *b*ᵛ*m*ᵛ ‖ 4 Frigdianum *bmz GH* : Frigidianum *b*ᵛ*m*ᵛ Fragidianum *m*ᵛ ‖ 5 narrauit *bm*ᵛ*z G*ᵃᶜ*H* : narrat *m G*ᵖᶜ *om. m*ᵛ ‖ 7 Ausarit *m H* : -ret *m*ᵛ *G* Ausaris *b*ᵛ*z* Ausari *etc. m*ᵛ Auseris *b* ‖ 10 et *m GH* : ut *b* ‖ repperiret *bm* : repererit *GH* reperit *m*ᵛ ‖ euerteret *bm*ᵛ : -rit *m GH* -re *m*ᵛ ‖ 15 Domini *bm GH* : Dei *m*ᵛ*z* ‖ Frigdianus *bmz GH* : Frigidianus *m*ᵛ ‖ 17 ut *m GH* : se *add. bm*ᵛ*z* ‖ 21 Domini *bm GH* : Dei *z*

X 1, Venantii *bm*ᵛ : -ti *m GH* ‖ 4 Iohannes *bm*ᵛ : -nis *m GH* ‖ praefectorum *bm GH* : -rium *b*ᵛ -rii *b*

évêque de Luna, qui me l'a raconté. Il me dit que dans l'Église de Lucques, près de chez lui, il y avait un évêque d'une puissance merveilleuse nommé Frigdianus.

2. A son actif, il atteste un miracle très célèbre, présent à la mémoire de tous les habitants de la ville. La rivière Ausarit, qui coulait auprès des murs de cette localité, débordait souvent, et régulièrement s'épandait sur les champs, où elle arrachait tout ce qu'elle trouvait de semé ou de planté. Cela devenait habituel et réduisait les gens de la cité à toute extrémité. Ils s'appliquèrent à des travaux pour essayer de dériver la rivière par d'autres lieux. Mais malgré un long labeur, on ne put la détourner de son lit.

3. Alors l'homme du Seigneur, Frigdianus, se fit un petit râteau, gagna le lit du cours d'eau et se mit en prière tout seul. Puis il ordonna à la rivière de le suivre, et par l'itinéraire qu'il avait en tête il tira son râteau sur le sol. Quittant son lit, toute l'onde fluviale le suivit, désertant complètement les lieux de son cours habituel. Elle revendiqua pour son lit le tracé assigné au sol par le râteau de l'homme du Seigneur et ne lésa plus les semis et plantations qui servaient à nourrir les hommes.

X. J'ai connu un autre miracle par le récit de ce vénérable évêque Venance. Il le situe dans la ville de Plaisance. Un homme hautement sincère, Jean, actuellement vice-préfet dans notre ville de Rome, né et élevé à Plaisance, garde mémoire de ce que dit l'évêque et s'en porte

2. L'Ausaris ou Auser, l'actuel Serchio, se jetait alors dans l'Arno, tandis qu'il débouche aujourd'hui dans la mer.

3. Cette dérivation d'un fleuve rappelle le déplacement du rocher par Nonnosus (I, 7, 2), mais ici le thaumaturge joint le geste à la prière.

X, 1. Ce Jean est de nouveau cité, avec le titre de *magnificus* et le même éloge, en IV, 54, 1, juste avant une autre référence à l'évêque Venance (IV, 55, 1). Il est sans doute le vicaire à Rome du préfet du prétoire d'Italie, qui réside à Ravenne (cf. Th. MOMMSEN, « Nachträge zu den Ostgothischen Studien », dans *Neues Archiv* 15 [1889], p. 181-183), fonction dans laquelle il aura pour successeur Dulcitius (*Reg.* 10, 8 = *Ep.* 10, 8 ; cf. *Reg.* 9, 5 = *Ep.* 10, 52).

nutritus, ita ut episcopus memorat quia gestum fuerit adtestatur.

2. In ea namque ciuitate Sabinum nomine fuisse asserunt mirae uirtutis episcopum. Cui dum die quadam suus diaconus nuntiasset, quod cursus sui Padus alueum egressus ecclesiae agros occupasset totaque illic loca nutriendis hominibus profutura aqua eiusdem fluminis teneret, uenerabilis uitae Sabinus episcopus respondit, dicens : « Vade, et dic ei : Mandauit tibi episcopus, ut te conpescas et ad proprium alueum redeas. » Quod diaconus audiens despexit et inrisit.

3. Tunc uir Domini, arcessito notario, dictauit dicens : « Sabinus Domini Iesu Christi seruus commonitorium Pado. Praecipio tibi in nomine Iesu Christi Domini, ut de alueo tuo in locis istis ulterius non exeas, nec terras ecclesiae laedere praesumas. » Atque eidem notario subiunxit dicens : « Vade, hoc scribe, et in aquam eiusdem fluminis proice. » Quo facto, sancti uiri praeceptum suscipiens, statim se a terris ecclesiae fluminis aqua conpescuit, atque ad proprium alueum reuersa, exire ulterius in loca eadem non praesumpsit.

4. Qua in re, Petre, quid aliud quam inoboedientium hominum duritia confunditur, quando in uirtute Iesu et elementum inrationabile sancti uiri praeceptis oboediuit ?

12 hominibus *bmz GH* : holeribus b^v seminibus $b^v m^v$ ‖ 14 Mandauit *m GH* : mandat $bm^v z$ ‖ 17 Domini *m H* : Dei $bm^v z$ *G* ‖ arcessito *m G* : arcersito bm^v accersito bm^v accito m^v ascito m^v ‖ 19 Iesu Christi Domini *m* : nostri *add. bz* Iesu Christi m^v Iesu Domini *G* Domini Iesu Christi $m^v z$ *H* ‖ 22 aquam *bmz G* : aqua m^v *H*

X, 3. Iesu Christi seruus : Rm 1, 1 ; Praecipio — Christi : Ac 16, 18.

2. Si, comme le veulent Moricca et F. Lanzoni, *op. cit.*, p. 815-816, ce Sabin est le correspondant d'Ambroise, *Ep.* 45-49 et 58,

garant. Tous deux affirment qu'il y eut dans cette cité un évêque, nommé Sabin, d'une merveilleuse puissance.

2. Un jour, son diacre lui annonça que le Pô débordé avait envahi le domaine de l'Église. Son eau couvrait toutes les terres qui auraient servi à nourrir des hommes. Sabin, évêque de vie vénérable, répondit : « Allez lui dire : l'évêque t'avertit de te maîtriser et de rentrer dans ton lit. » Le diacre entendit, n'en tint aucun compte et s'en moqua.

3. Alors l'homme du Seigneur fit venir son secrétaire et lui dicta ceci : « Sabin, serviteur du Seigneur Jésus-Christ, envoie au Pô cette instruction. Je t'ordonne au nom de Jésus-Christ de ne plus sortir de ton lit dans ces lieux désormais, et de ne plus avoir l'audace de léser des terres de l'Église. » Il ajouta pour le secrétaire : « Allez, mettez cela au net et le lancez à l'eau du fleuve. » Ainsi fut fait. L'eau du fleuve reçut l'ordre du saint, aussitôt se détourna du domaine de l'Église, et, rentrée dans son lit, n'eut plus l'audace de vaguer désormais dans ces lieux.

4. En cette affaire, Pierre, n'est-ce pas la dureté des hommes désobéissants qui est confondue, quand, par la puissance de Jésus, un élément non spirituel obéit aux ordres d'un saint ?

Grégoire manque à son propos de narrer des faits récents (4, 4). Aussi peut-on penser avec L. Duchesne, « Les évêchés d'Italie... », II, p. 389, qu'il s'agit ici d'un homonyme du vi[e] s. Le catalogue épiscopal de Plaisance, dépourvu de noms sûrs pour cette période, ne s'y oppose pas. — L'ordre de l'évêque paraît peu sensé : cf. I, 9, 3, où cependant le prêtre Constance obéit.

3. Au nom du Christ, défense est faite au fleuve de déborder : voir Eugippe, *V. Seu.* 15, 3, où Séverin préserve ainsi une église. Déjà Antoine et Martin commandaient aux bêtes *in nomine Domini* (Athanase, *V. Ant.* 50, 9 ; Sulpice Sév., *Dial.* 3, 9) ; cf. I, 9, 15. — Le recours à un document écrit pour intimer l'ordre rappelle les exorcismes par lettres de Rufin, *Hist. eccl.* 7, 25 ; *V. Patr. Iurensium* 143-144. Le secrétaire prend la dictée de l'évêque, puis établit une minute : cf. Grég. de Tours, *Mir. S. Mart.* 4, 10.

4. Même argument, fondé sur l'obéissance des bêtes, dans *Hist. mon.* 8, 421 b ; Sulpice Sév., *Dial.* 1, 14 et 3, 9 ; Eugippe, *V. Seu.* 12, 6.

XI. Vir quoque uitae uenerabilis Cerbonius, Populonii episcopus, magnam diebus nostris sanctitatis suae probationem dedit. Nam cum hospitalitatis studio ualde esset intentus, die quadam transeuntes milites hospitio
5 suscepit. Quos, Gothis superuenientibus, abscondit, eorumque uitam ab illorum nequitia abscondendo seruauit. Quod dum Gothorum regi perfido Totilae nuntiatum fuisset, crudelitatis inmanissimae uesania succensus, hunc ad locum qui octauo huius urbis milliario Merolis dicitur,
10 ubi tunc ipse cum exercitu sedebat, iussit deduci, eumque in spectaculo populi ursis ad deuorandum proici.

2. Cumque isdem rex perfidus in ipso quoque spectaculo consedisset, ad aspiciendam mortem episcopi magna populi turba confluxit. Tunc episcopus deductus in medio
15 est, atque ad eius mortem inmanissimus ursus exquisitus, qui, dum humana membra crudeliter carperet, saeui regis animum satiaret. Dimissus itaque ursus ex cauea est. Qui accensus et concitus episcopum petiit, sed subito suae feritatis oblitus, deflexa ceruice summissoque humiliter
20 capite, lambere episcopi pedes coepit, ut patenter omnibus daretur intellegi, quia erga illum uirum Dei et ferina corda essent hominum, et quasi humana bestiarum.

3. Tunc populus, qui ad spectaculum uenerat mortis, magno clamore uersus est in admiratione uenerationis.

XI bmwz GH 1 Populonii *bmwz* : -lunii *H* -laniii *w*ᵛ *G* -linii *etc. m*ᵛ Populoniensis *w*ᵛ ‖ 9 octauo *mw GH* : ab oct. *bz* ‖ Merolis *mw GH* : Merulis *bm*ᵛ*w*ᵛ*z* Merulus *m*ᵛ ‖ 11 spectaculo *bm*ᵛ*w*ᵛ : expect- *mw H* expectaculum *m*ᵛ*w*ᵛ *G* ‖ 12 isdem *mw GH* : idem *bm*ᵛ hisdem *m*ᵛ eisdem *w*ᵛ ‖ spectaculo *bm*ᵛ*w*ᵛ : expect- *mw GH* ‖ 13 aspiciendam *mw GH* : inspiciendam *bm*ᵛ*w*ᵛ ‖ 14 deductus *bmw GH* : *post* medio *transp. m*ᵛ *w*ᵛ ‖ medio *mwz H* : medium *bm*ᵛ*w*ᵛ *G* ‖ 23 spectaculum *bm*ᵛ*w*ᵛ *H* : expect- *mw G* ‖ 24 admiratione *mw GH* : -nem *bm*ᵛ*w*ᵛ

XI, 1. *Diebus nostris* désigne le temps de Totila comme en 4, 4. Grégoire aurait-il conscience de s'en être éloigné au chapitre précédent ? — Sur Populonium et l'évêque Cerbonius, auquel une *Vie* du VIIIᵉ s. prête une origine africaine (*BHL* 1728-1729), voir F. LANZONI, *op. cit.*, p. 554-557. — *Nequitia* : ici comme ailleurs, Grégoire

XI. Également Cerbonius, homme de vie vénérable, évêque de Populonia, donna de nos jours une grande preuve de sainteté. Il était très zélé pour la vertu d'hospitalité. Un jour, il logea des soldats de passage. Des Goths survinrent. Il cacha ces soldats, et en les cachant il leur sauva la vie, car ces Goths étaient méchants. Il fut dénoncé à Totila, roi des Goths hérétique ; celui-ci, brûlant d'une cruauté atroce et folle, ordonna de l'amener où il campait avec son armée, au lieu dit Merolis, à huit milles de cette ville de Rome, pour le jeter à dévorer aux ours en spectacle pour le peuple.

2. A ce spectacle, le roi hérétique vint siéger en personne. Pour voir mourir un évêque, une grande foule de peuple afflua. Alors l'évêque fut amené au milieu de l'arène, et pour sa mort on rechercha un ours aussi sauvage que possible : en multipliant ses attaques sur un corps humain, il comblerait de plaisir l'âme brutale du roi. On lâcha l'ours hors de sa cage. Très excité, en hâte il fonça sur l'évêque. Mais soudain, oubliant sa férocité, il courba l'échine, baissa la tête humblement et se mit à lécher les pieds de l'évêque, pour faire entendre à tous manifestement que, devant cet homme de Dieu, si le cœur d'un homme pouvait être d'un fauve, le cœur d'une bête pouvait montrer une sorte d'humanité.

3. Alors le peuple, qui était venu pour un spectacle de mort, passa avec une grande clameur à l'admiration et à

ne cache pas son aversion pour les Goths et ses sentiments romains. Sur la cruauté de Totila, voir II, 15, 2 et note. *Merulis*, au 8e mille, correspond sans doute au *pons Meruli* du VIIe s. (*Lib. Pont.* I, 346) et au *campus Meruli* médiéval, qui s'étendait du 9e au 11e mille de la Voie de Porto (*ibid.*, p. 347, n. 5). Les Goths paraissent s'y être établis quand ils assiégeaient Rome en 546 (PROCOPE, *BG* 3, 13). Après la prise de la ville, ils s'installèrent plus loin de Rome, à proximité de Porto (*BG* 3, 22). *

2. L'animal féroce respecte l'homme de Dieu : la scène rappelle plus d'un récit de martyr condamné aux bêtes. Outre Dn 6, 17-25, voir IGNACE D'ANTIOCHE, *Ep. Rom.* 5, 2. Cf. *Pass. Perpet. et Felic.* 19, 3 : un ours refuse d'attaquer Saturus. La réflexion finale rappelle 10, 4. *

3. Réaction des spectateurs barbares : cf. 37, 15. *Deum sequi* comme en Dt 13, 4 ; 1 S 12, 14, etc. (cf. *RM* 7, 52 et note). Totila lui-même est touché : voir 5, 2 ; 6, 2. *

25 Tunc ad eius reuerentiam colendam rex ipse permotus
est, quippe cum quo superno iudicio actum fuerat, ut qui
Deum sequi prius in custodienda uita episcopi noluit,
saltem ad mansuetudinem bestiam sequeretur. Cui rei
hii qui tunc praesentes fuerunt, adhuc nonnulli supersunt,
30 eamque cum omni illic populo se uidisse testantur.

4. De quo etiam uiro aliud miraculum, Venantio
Lunensi episcopo narrante, cognoui. In ea namque Populonii ecclesia, cui praeerat, sepulcrum sibi praeparauit.
Sed cum Langobardorum gens, in Italiam ueniens, cuncta
35 uastasset, ad Helbam insulam recessit. Qui inruente aegritudine ad mortem ueniens, clericis suis sibique obsequentibus praecepit, dicens : « In sepulcro meo, quod mihi Populonii paraui, me ponite. » Cui illi cum dicerent : « Corpus
tuum illuc reducere qualiter possumus, qui a Langobardis
40 teneri loca eadem et ubique illic eos discurrere scimus ? »,
ipse respondit : « Reducite me securi. Nolite metuere, sed
festine me sepelire curate. Mox autem sepultum corpus
meum fuerit, ex loco eodem sub omni festinatione disce-
dite. »

45 5. Defuncti igitur corpus inposuerunt naui. Cumque
Populonium tenderent, collecto in nubibus aere, inmensa
nimis pluuia erupit. Sed ut cunctis patesceret, cuius uiri
corpus nauis illa portaret, per illud maris spatium quod ab
Helba insula usque Populonium duodecim millibus distat,
50 circa utraque nauis latera procellosa ualde pluuia descendit, et in naui eadem una pluuiae gutta non cecidit.

26 fuerat *mw GH* : erat *b* || 29 hii *mw GH* : hi $bm^{v}w^{v}$ || 31 aliud $mw^{v}z$ *G* : quoque *add.* $bm^{v}w$ *H* || 32 Lunensi *bmw* : -se $m^{v}w^{v}$ *GH* || 35 uastasset $bm^{v}wz$ *GH* : -sent mw^{v} || Helbam $b^{v}mw$ *GH* : Elbam $b^{v}m^{v}$ Eluam m^{v} Iluam *b*(*z*) || inruente *mw GH* : ingruente *b* || 37 Populonii *mwz GH* : *post* paraui *transp. b* || 38 paraui *mw GH* : praeparaui bm^{v} || 39 reducere qualiter *mw H* : qual. red. *b G* || 40 illic eos *mw GH* : eos il. *b* || 42 festine me sepelire *mw H* : fest. sep. me *bz* festinanter sepellire w^{v} *G* || autem $m^{v}m^{o}w^{v}$ *G* : ut *add.* $bm^{v}w^{v}$ *H* cum *add.* *mw* || 47 cunctis patesceret *mw GH* : pat. omnibus *b* || 49 Helba *mw GH* : Elba m^{v} Elua m^{v} Ilua *b*(*z*) || 51 naui eadem *mw GH* : nauem eandem $bm^{v}w^{v}$ eadem w^{v} || cecidit *bmwz H* : descendit w^{v} *G*

la vénération. Alors le roi lui-même se sentit incité à lui témoigner du respect à la suite de ce jugement de Dieu. Le roi d'abord n'avait pas voulu suivre Dieu en respectant la vie de l'évêque ; maintenant — on fait comme on peut — il suivait une bête qui l'apprivoisait. Parmi les témoins de cet événement, certains vivent encore et peuvent attester ce qu'ils ont vu là avec tout un peuple.

4. J'ai su un autre miracle à l'actif de Cerbonius par Venance, évêque de Luna. Cerbonius se prépara un tombeau dans l'église de Populonia qu'il présidait. Mais comme le peuple lombard, venant en Italie, dévastait tout, il se retira dans l'île d'Elbe. Il tomba malade et, approchant de la mort, il fit à ses clercs et à ceux qui le secondaient cette recommandation : « Dans mon tombeau que je me suis préparé à Populonia, placez-moi. » A l'objection : « Pouvons-nous ramener là votre corps comme vous le désirez, sachant que les Lombards occupent le pays et qu'ils sillonnent toute la région ? », il répondit : « Ramenez-moi en toute sécurité. N'ayez pas peur, ayez soin seulement de m'ensevelir rapidement. Dès que mon corps sera enseveli, quittez ce lieu en toute hâte. »

5. Ils mirent donc le corps du défunt sur un navire. Comme ils cinglaient vers Populonia, l'air s'amassa en nuées et une averse tout à fait énorme se déchaîna. Mais pour que chacun pût constater quel était le personnage dont le navire portait le corps, pendant tout le trajet — et il y a douze milles entre l'île d'Elbe et Populonia — à bâbord comme à tribord autour du bateau s'abattit une pluie tempétueuse, et sur le pont pas une goutte ne tomba.

4. Récit de Venance comme en 9-10. Luna était relativement proche de Populonium (120 km). — La fuite de Cerbonius à l'île d'Elbe doit se placer au temps de la pénétration des Lombards en Toscane, entre 571 et 574 (cf. I, 4, 21 et note). En 591, le diocèse de Populonium reste à l'abandon, et Grégoire en confie la visite à l'évêque de Rusellae (*Reg.* 1, 15 = *Ep.* 1, 15).

5. Miracle fréquent chez GRÉG. DE TOURS, *Hist. Franc.* 3, 28 (Clotaire) ; 4, 34 (moine anonyme) ; 10, 20 (Aredius ; cf. *V. Patr.* 17, Prol.) ; *Glor. mart.* 44 (reliques de Vital et Agricola). — Les funérailles du saint ne sont pas empêchées par la tempête : IV, 28, 2. *

6. Peruenere itaque ad locum clerici, et sepulturae tradiderunt corpus sacerdotis sui. Cuius praecepta seruantes, ad nauem sub festinatione reuersi sunt. Quam mox ut
55 intrare potuerunt, in eodem loco, ubi uir Domini sepultus fuerat, Langobardorum dux crudelissimus Gumari aduenit. Ex cuius aduentu uirum Dei habuisse prophetiae spiritum claruit, qui ministros suos a sepulturae suae loco sub festinatione discedere praecepit.

XII. Hoc autem quod diuisa pluuia factum narraui miraculum, etiam in alterius episcopi ueneratione monstratum est.

2. Nam quidam clericus senex, qui adhuc superest,
5 eidem rei praesto se fuisse testatur, dicens : « Fulgentius episcopus, qui Vtriculensi ecclesiae praeerat, regem crudelissimum Totilam infensum omnimodo habebat. Cumque ad easdem partes cum exercitu propinquasset, curae fuit episcopo per clericos suos exenia mittere, eiusque
10 furoris insaniam, si posset, muneribus mitigare. Quae ille ut uidit, protinus spreuit, atque iratus suis hominibus iussit, ut eundem episcopum sub omni asperitate constringerent, eumque eius examini seruarent. Quem dum feroces Gothi, ministri scilicet crudelitatis illius, tenuis-
15 sent, circumdantes eum, uno in loco stare praeceperunt,

52 Peruenere *mw G* : -runt *bm*ᵛ *H* ‖ 54 nauem *bmw GH* : nauim *m*ᵛ*w*ᵛ ‖ 55 eodem loco *mw H* : eundem locum *bw*ᵛ *G* ‖ 56 Gumari *m*ᵒ*w* : Gummarith *bw*ᵛ Gummarit *etc. m*ᵛ Gumaret *etc. w*ᵛ Gumares *G* Gummaris *z* Grimarit *m om. H* ‖ 57-58 prophetiae spiritum *mw GH* : spir. prop. *b(z)*
XII, 1 autem *mwGH* : uero *b* ‖ diuisa *mw GH* : de diu. *bm*ᵛ de uisa *b*ᵛ ‖ 1-2 narraui miraculum *bmw G* : mir. nar. *w*ᵛ *H* ‖ 7 infensum *bm*ᵛ*w*ᵛ *H* : offensum *mw* infestum *w*ᵛ *G* ‖ 9 exenia *b*ᵛ*mw GH* : xenia *bm*ᵛ*w*ᵛ ei xenia *w*ᵛ ‖ mittere *mw H* : transmittere *w*ᵛ *G* ei transmittere *b* ‖ eiusque *bmw*ᵛ *GH* : eius *m*ᵛ*w* ‖ 10 posset *bm*ᵛ*w*ᵛ *H*ᵖᶜ : possit *mw GH*ᵃᶜ

6. Le duc Gumari est inconnu par ailleurs. Cerbonius « a eu l'esprit de prophétie » comme Benoît (II, 14, 1) et Sabinus (III, 5, 1).

6. Parvenus à destination, les clercs donnèrent la sépulture au corps de leur évêque et, suivant ses instructions, ils regagnèrent leur bateau en toute hâte. A peine avaient-ils pu entrer dans leur navire qu'à l'endroit même où l'homme de Dieu était enseveli arriva le chef lombard, le très cruel Gumari. D'après sa venue, il est clair que l'homme de Dieu avait eu l'esprit de prophétie, puisqu'il avait recommandé à ses seconds de quitter en toute hâte le lieu de sa sépulture.

XII. Ce miracle que j'ai conté, et qui consiste dans une pluie qui se divise, s'est produit aussi pour rendre vénérable un autre évêque.

2. Car un clerc âgé, qui vit encore, atteste qu'il assista à un phénomène identique : « L'évêque Fulgence, qui était à la tête de l'Église d'Otricoli, avait le très cruel roi Totila comme ennemi déclaré. Comme celui-ci approchait de cette région avec son armée, l'évêque eut grand soin de lui faire parvenir au moyen de ses clercs des présents d'hospitalité, afin de désamorcer par des cadeaux, si possible, sa fureur insensée. Dès qu'il les vit, il le repoussa, et dans sa colère il ordonna à ses hommes de ligoter étroitement cet évêque et de le garder jusqu'à ce qu'il le jugeât. Les Goths féroces, ministres en l'occurrence de sa cruauté, appréhendèrent Fulgence, l'entou-

XII, 1. Les deux miracles se ressemblent non seulement par le trait de la pluie (cf. 9-10 : fleuves), mais aussi parce qu'ils sont des victoires sur la cruauté de Totila.

2. Ce vieux clerc fait penser à celui de I, 9, 16 (cf. I, 10, 11 : vieux pauvre). Peut-être ces témoins sont-ils de condition trop modeste pour que Grégoire juge utile de citer leur nom. L'évêque Fulgence est connu par une inscription où il dit avoir découvert le corps du martyr Victor et élevé un autel sur sa tombe (F. LANZONI, *op. cit.*, p. 400). Dernier évêque d'Otricoli, son successeur Dominique signe au concile de 595 comme *episcopus ciuitatis Vtricolanae.* Ici Grégoire préfère l'adjectif *Vtriculensis*. Comparer les variantes *Fundensis* (I, 2, 1) et *Fundanae* (III, 7, 1). — Totila a pu passer à Otricoli à l'époque où il est venu à Narni (6, 1), c'est-à-dire en 542 ou en 545. Voir aussi I, 9, 12 et note (552). — Cercle tracé sur le sol : on songe à celui où Popilius enferma le roi Antiochus (TITE LIVE, *Hist.* 45, 12).

eique in terra circulum designauerunt, extra quem pedem tendere nullo modo auderet. »

3. « Cumque uir Dei in sole nimio staret, ab eisdem Gothis circumdatus et designatione circuli inclausus, repente coruscus et tonitruus et tanta uis pluuiae erupit, ut hii, qui eum custodiendum acceperant, inmensitatem pluuiae ferre non possent. Et dum magna nimis inundatio fieret, intra eandem designationem circuli, in qua uir Dei Fulgentius stetit, ne una quidem pluuiae gutta descendit. Quod dum regi crudelissimo nuntiatum fuisset, illa mens effera ad magnam eius reuerentiam uersa est, cuius poenam prius insatiabili furore sitiebat. »

4. Sic omnipotens Deus contra elatas carnalium mentes potentiae suae miracula per despectos operatur, ut, qui se superbe contra praecepta ueritatis eleuant, eorum ceruicem ueritas per humiles premat.

XIII. Nuper quoque Floridus uenerabilis uitae episcopus narrauit quoddam memorabile ualde miraculum, dicens : « Vir sanctissimus Herculanus nutritor meus Perusinae ciuitatis episcopus fuit, ex conuersatione monasterii ad sacerdotalis ordinis gratiam deductus. Totilae autem perfidi regis temporibus eandem urbem annis septem continuis Gothorum exercitus obsedit, ex qua multi

16 pedem $bm^{v}w^{v}z$ *H* : pede *mw* *G* ‖ 18 staret $b^{v}mwz$ *G* : aestuaret $bm^{v}w^{v}$ *H* ‖ 19 inclausus *mw* : inclusus $bm^{v}w^{v}$ *GH* ‖ 20 coruscus $b^{v}mw$ *GH* : coruscationes *b*(*z*) ‖ tonitruus *m GH* : -trus $b^{v}w$ -trua *bz* ‖ 21 hii *mw G* : hi $bm^{v}w^{v}$ *H* ‖ inmensitatem $bm^{v}w$ *H* : -te *m G* ‖ 22 possent $bm^{v}w^{v}$ *G* : possint *mw H* ‖ 23 Dei *mwz H* : Domini $bm^{v}w^{v}$ *G* ‖ 25 fuisset *mw GH* : esset *b* ‖ 28 Sic *bmwz* $G^{pc}H$: sic *add.* $m^{v}w^{v}$ G^{ac} ‖ 29 se *mwz H* : *om.* bw^{v} *G* ‖ 30 ueritatis *mwz GH* : se *add. b* ‖ 31 humiles $bm^{o}w$ *G* : -lis *m* humibs *H*

XIII, 3 Herculanus $bm^{v}w^{v}z$ G^{pc} : Hercol- *m* $G^{ac}H$ Ercul- m^{v} Ercol- *w* ‖ 5 deductus $bmw^{v}z$ *GH* : deuotus $m^{o}w$ perductus w^{v}

---

3. Comparer la description de l'orage soudain en II, 33, 3. — La dernière phrase ressemble à 6, 2 (*illa mens effera*) et 11, 3 (*ad eius reuerentiam*).

rèrent en lui enjoignant de se tenir en un point qu'ils lui désignèrent en traçant un cercle sur le sol, avec défense absolue d'oser mettre un pied au dehors.

3. L'homme de Dieu était donc là, transpirant sous un soleil de feu, entouré de ses Goths, circonscrit dans son cercle, quand soudain, avec éclairs et tonnerres, une pluie se dégorgea avec une telle violence que ceux qui avaient assumé de le garder ne purent supporter un cataclysme pareil. Pendant ce déluge colossal, à l'intérieur du cercle dans lequel se tenait l'homme de Dieu Fulgence, pas la moindre goutte de pluie ne descendit. Quand on apprit cela au roi si cruel, son esprit farouche se sentit porté à un grand respect envers Fulgence, lui qui, l'instant d'avant, avait soif de son sang avec une insatiable fureur. »

4. Ainsi Dieu tout-puissant opère par les méprisés les miracles de sa puissance contre les esprits hautains des charnels, afin que ceux qui s'élèvent avec orgueil contre les préceptes de la Vérité, la Vérité leur écrase la nuque sous le pied des humbles.

XIII. Récemment, Floridus, évêque de vie vénérable, me conta un miracle tout à fait digne de mémoire : « Le très saint Herculanus, qui m'a élevé, fut évêque de la cité de Pérouse. Il passa de la vie monastique à la grâce de l'ordre épiscopal. Au temps du roi hérétique Totila, l'armée des Goths assiégea cette ville sept ans de suite.

4. Contraste entre orgueilleux et humbles comme en II, 8, 9 (cf. Lc 1, 51-52).

XIII, 1. Sur Floridus, évêque de Tifernum Tiberinum, voir 35, 1 et note. — L'évêque Herculanus est un ancien moine, comme son collègue mentionné en I, 5, 1. On connaît un de ses prédécesseurs, Maximien (502), et son successeur Jean (556 : voir *Lib. Pont.* I, 303). Le siège de Pérouse a commencé dans la seconde moitié de 545 (Procope, *BG* 3, 12 ; *Auctar. Marc.*, a. 545, 4), atteint une phase critique dans la seconde moitié de 547 (*BG* 3, 25) et pris fin vers décembre 548 (*BG* 3, 35). Il n'a donc duré que trois ans. Les sept années que compte Grégoire représentent plutôt la durée du règne de Totila lors de la prise de la ville. Le supplice d'Herculanus et l'invention de son corps peuvent se placer au début de 549.

ciuium fugerunt, qui famis periculum ferre non poterant. Anno uero septimo necdum finito obsessam urbem Gotho-
10 rum exercitus intrauit. »

2. « Tunc comes, qui eidem exercitui praeerat, ad regem Totilam nuntios misit, exquirens quid de episcopo uel populo fieri iuberet. Cui ille praecepit, dicens : ‘ Episcopo prius a uertice usque ad calcaneum corrigiam tolle, et tunc
15 caput illius amputa. Omnem uero populum, qui illic inuentus est, gladio extingue. ’ Tunc isdem comes uenerabilem uirum Herculanum episcopum, super urbis murum deductum, capite truncauit, eiusque cutem iam mortui a uertice usque ad calcaneum incidit, ut ex eius corpore
20 corrigia sublata uideretur, moxque corpus illius extra murum proiecit. Tunc quidam, humanitatis pietate conpulsi, abscisum caput ceruici adponentes, cum uno paruulo infante, qui illic extinctus inuentus est, iuxta murum corpus episcopi sepulturae tradiderunt. »

25 3. « Cumque post eandem caedem die quadragesimo rex Totila iussisset, ut ciues urbis illius, qui quolibet dispersi essent, ad eam sine aliqua trepidatione remearent, hii, qui prius famem fugerant, uiuendi licentia accepta reuersi sunt. Sed, cuius uitae eorum episcopus fuerat
30 memores, ubi sepultum esset corpus illius quaesierunt, ut hoc iuxta honorem debitum in ecclesia beati Petri apostoli humarent. Cumque itum esset ad sepulcrum, effossa terra inuenerunt corpus pueri pariter humati utpote iam die

8 fugerunt $bm^{v}w^{v}$ *G* : fugierunt *mw H* ‖ 9 necdum *mw GH* : nondum *b* ‖ 11 comes $bm^{v}w^{v}$: comis *mw GH* ‖ 12 nuntios $bm^{v}w^{v}$ G^{pc} : -tius *mw* $G^{ac}H$ ‖ uel *bmwz GH* : de *add.* $m^{v}w^{v}$ ‖ 16 isdem *mw GH* : idem bm^{v} ‖ comes $bm^{v}w^{v}$: comis *mw GH* ‖ 17 Herculanum *bmwz* : Hercolw^{v}*GH* ‖ 22 abscisum $b^{v}mz$ *GH* : abscissum *b* ‖ 23 inuentus est *bmw H* : est inu. $m^{v}w^{v}$ *G* ‖ 28 hii *mw G* : hi $bm^{v}w^{v}$ *H* ‖ fugerant *bmw GH* : fugierant m^{v}

2. Cet ordre d'écorcher vif le prélat, qui marque le paroxysme de la cruauté de Totila, est sans doute postérieur à sa rencontre avec Benoît, à partir de laquelle il fut « moins cruel » (II, 15, 2). *

De nombreux habitants s'en échappèrent, qui ne pouvaient supporter l'épreuve de la faim. La septième année n'était pas terminée que l'armée des Goths fit son entrée dans la ville assiégée.

2. Alors le comte commandant cette armée envoya au roi Totila des agents de liaison pour s'informer de ses intentions au sujet de l'évêque et de la population. Le roi lui donna cet ordre : ' L'évêque, enlevez-lui premièrement une lanière de peau, du crâne au talon, puis coupez-lui la tête. Et toute la population qui se trouve là, passez-la au fil de l'épée. ' Le comte fit mener le vénérable évêque Herculanus sur un rempart de la ville, et décapiter. Une fois mort, on lui coupa de la peau du crâne au talon, si bien qu'on voyait la lanière prélevée sur son corps. Cela fait, on jeta son corps à l'extérieur du rempart. Alors quelques-uns, mus par la pitié et l'humanité, donnèrent sépulture au corps de l'évêque auprès du mur. Ils avaient mis sa tête coupée auprès de la nuque, et près de son corps celui d'un petit enfant qu'on trouva là tué.

3. Après ce massacre, au bout de quarante jours, le roi Totila ordonna aux gens de Pérouse dispersés çà et là de réintégrer sans crainte leur cité. Ils avaient fui la faim, ils avaient licence de vivre, ils revinrent. Mais ceux qui se rappelaient la vie exemplaire de leur évêque cherchèrent où l'on avait enterré son corps, pour l'inhumer avec les honneurs convenables en l'église du Bienheureux Apôtre Pierre. On alla au tombeau, on enleva la terre, on trouva le corps de l'enfant, conjointement enterré

3. *Die quadragesimo* : au début de 547 (cf. II, 15, 3), Totila a pareillement laissé Rome déserte pendant quarante jours (*Auctar. Marc.*, a. 547, 5 ; cf. PROCOPE, *BG* 3, 22). — L'église Saint-Pierre se trouvait hors les murs, sur le Monte Caprario, au S.-E. de Pérouse. Cette cathédrale suburbaine a fait place à une grande abbatiale du xe s. — Le corps d'Herculanus est retrouvé intact, comme celui du martyr Nazaire à Milan, lui aussi décapité, selon PAULIN, *V. Ambros.* 32. Nombreux faits de ce genre chez GRÉG. DE TOURS, *Glor. conf.* 80 (Ursin de Bourges), 84 (Valerius de Conserans), 102 (Félix de Bourges) ; *Glor. mart.* 63 (Mallosus de Cologne) ; *Mir. S. Iul.* 2 (Ferréol, décapité à Vienne) ; *V. Patr.* 7, 4 (Grégoire de Langres).

quadragesimo tabe corruptum et uermibus plenum, cor-
35 pus uero espicopi ac si die eodem esset sepultum, et quod est adhuc magna admiratione uenerandum, quia ita caput eius unitum fuerat corpori, ac si nequaquam fuisset abscisum, sic uidelicet ut nulla uestigia sectionis apparerent. Cumque hoc et in terga uerterent, exquirentes si quod
40 signum uel de alia monstrari incisione potuisset, ita sanum atque intemeratum omne corpus inuentum est, ac si nulla hoc incisio ferri tetigisset. »

4. Petrvs. Quis non obstupescat talia signa mortuorum, quae fiunt pro excitatione uiuentium ?

XIIII. Gregorivs. Prioribus quoque temporibus Gothorum fuit iuxta Spolitanam urbem uir uitae uenerabilis, Isaac nomine, qui usque ad extrema paene Gothorum tempora peruenit. Quem nostrorum multi nouerunt,
5 et maxime sacra uirgo Gregoria, quae nunc in hac Romana urbe iuxta ecclesiam beatae Mariae semper uirginis habitat. Quae dum adolescentiae suae tempore, constitutis iam nuptiis, in ecclesiam fugisset et sanctimonialis uitae conuersationem quaereret, ab eodem uiro defensa atque
10 ad eum quem desiderabat habitum, Domino protegente, perducta est. Quae, quia sponsum fugit in terra, habere sponsum meruit in caelo. Multa autem de eodem uiro, narrante uenerabili patre Eleutherio, agnoui, qui et hunc familiariter nouerat, et eius uerbis uita fidem praebebat.
15 2. Hic itaque uenerabilis Isaac ortus ex Italia non fuit, sed ea illius narro miracula, quae in Italia conuersatus

37 abscisum *mw GH* : abscissum *b* ‖ 38 apparerent *bmw*[v] *H* : -ret *m*[v]*w G*

4 bmz GH 44 excitatione *mz H* : exercitatione *bm*[v] *G*

XIIII, 1-2 temporibus Gothorum *m H* : Goth. temp. *bm*[v] *G* ‖ 2 Spolitanam *m*[v] *GH* : Spolet- *b* Spolitinam *m*[v] Spoletinam *m*[v] ‖ 8 sanctimonialis *bm*[v] *GH* : sanctaem- *m* ‖ 16 in Italia conuersatus *mz GH* : con. in It. *b*

XIIII, 1. Provinciale vivant à Rome, Gregoria s'y est sans doute

quarante jours auparavant, en pleine décomposition et grouillant de vers, le corps de l'évêque comme s'il avait été enterré le jour même, et chose plus digne de vénération admirative, sa tête était unie au corps comme si elle n'avait jamais été tranchée, et même il n'y avait nulle trace apparente de sectionnement. On le retourna pour voir le dos, cherchant s'il pouvait présenter quelque marque de l'autre incision, et le corps entier fut trouvé sain et intact comme si aucun fer ne l'eût touché pour une incision. »

4. PIERRE. Qui resterait sans admiration devant de tels signes chez les morts, qui se font pour éveiller les vivants ?

XIIII. Au début de l'occupation gothique, il y eut près de Spolète un homme de vie vénérable nommé Isaac, qui vécut presque jusqu'aux derniers jours de cette occupation. Beaucoup d'entre nous l'ont connu, spécialement la vierge sacrée Gregoria, qui habite dans cette ville de Rome près de l'église de la Bienheureuse Marie toujours Vierge. Quand elle était jeune, on avait fixé le jour de son mariage, mais elle se réfugia dans l'église pour demander à vivre en religieuse. Elle fut défendue par Isaac et amenée, Dieu la protégeant, à cet habit qu'elle désirait. Pour avoir fui un époux terrestre, elle mérita d'avoir un époux céleste. J'ai appris bien des choses sur cet Isaac, que m'a racontées le vénérable Père Éleuthère. Il l'avait bien connu, et sa vie cautionnait ses paroles.

2. Donc ce vénérable Isaac n'était pas originaire d'Italie, mais je conte les miracles qu'il accomplit durant sa

réfugiée pour échapper aux Lombards, comme ce Castor, de la ville voisine de Nursie, *qui nunc nobiscum in Romana urbe demoratur* (I, 4, 8). Elle habite près de Sainte-Marie-Majeure, de même que les trois moniales de IV, 16, 1. Son « désir de l'habit religieux » fait penser à celui de Benoît (II, *Prol.* 1). Comme celui-ci a reçu l'habit du moine Romain, elle y a été « conduite » par l'abbé Isaac. Par son refus du mariage et son union avec « l'époux céleste », elle ressemble à Galla (IV, 14, 1-2) et à la moniale de Spolète, restée anonyme, que dirigeait l'abbé Éleuthère (III, 21, 1). Celui-ci figure justement ici comme second témoin (cf. III, 33, 1 ; IV, 36, 1).

2. Appartiennent à l'Italie les miracles que le Syrien Isaac y a

fecit. Cum primo de Syriae partibus ad Spolitanam urbem
uenisset, ingressus ecclesiam a custodibus petiit, ut sibi
quantum uellet licentia concederetur orandi, eumque
20 horis secretioribus egredi non urguerent. Qui mox ad
orandum stetit diemque totum peregit in oratione, cui
sequentem continuauit et noctem. Secundo etiam die cum
nocte subsequenti indefessus in precibus perstitit. Diem
quoque tertium in oratione coniunxit.

25 3. Cumque hoc unus ex custodibus superbiae spiritu
inflatus cerneret, unde proficere debuit, inde ad defectus
damna peruenit. Nam hunc simulatorem dicere et uerbo
rustico coepit inpostorem clamare, qui se tribus diebus et
noctibus orare ante oculos hominum demonstraret. Qui
30 protinus currens, uirum Dei alapa percussit, ut quasi religiosae uitae simulator de ecclesia cum contumelia exiret.
Sed hunc repente ultor spiritus inuasit atque ad uiri Dei
uestigia strauit, ac per os illius clamare coepit : « Isaac
me eicit, Isaac me eicit. » Vir quippe peregrinus quo cen-
35 seretur nomine nesciebatur, sed eius nomen ille spiritus
prodidit, qui se ab illo posse eici clamauit. Mox autem
super uexati corpus uir Dei incubuit, malignus spiritus
qui eum inuaserat abscessit.

4. In tota urbe tunc statim quid in ecclesia factum
40 fuisset innotuit. Currere uiri et feminae nobiles atque ignobiles pariter coeperunt, certatimque eum in suis rapere

17 primo de *m H* : primum de *bm*ᵛ *G* primo die e *m*ᵛ ‖ Spolitanam *m*ᵛ *H* : Spolet- *bm*ᵛ Spulit- *G* Spolitinam *m* ‖ 19 uellet *bm*ᵛ *H*ᵖᶜ : uellit *m GH*ᵃᶜ uelit *m*ᵛ ‖ concederetur *bm*ᵛ *GH* : concid- *m* ‖ 29 demonstraret *bm*ᵛ *GH* : -rit *m* ‖ 33-34 Isaac me eicit *bis m GH* : *semel bm*ᵛz ‖ 37 incubuit *m G* : et *add. bm*ᵛ *H* ‖ 38 inuaserat *bm*ᵛz *GH* : tenuerat *m*

faits, aussi bien que ceux que des saints italiens ont faits en d'autres régions (III, 1-4). Le cadre géographique posé en I, *Prol.* 7 demeure donc sauf. — Selon GRÉG. DE TOURS, *V. Patr.* 3, 1, un autre moine syrien, Abraham, s'est établi à Clermont près d'une basilique. La prière continuelle d'Isaac fait penser à l'exploit de Macaire d'Alexandrie chez les Tabennésiotes (PALLADE, *Hist. Laus.* 18, 14-15 = *HP* 6, 327

période italienne. D'emblée, quand il arriva de Syrie à Spolète, il entra dans l'église et demanda aux gardiens la permission d'y prier tout le temps qu'il voudrait, et qu'on ne l'obligeât pas à sortir aux heures de fermeture. Là-dessus, il se mit à prier debout, et passa tout le jour en oraison ; il continua le jour suivant et la nuit ; le second jour qui s'ensuivit, infatigable, il persista dans ses prières ; il enchaîna encore un troisième jour en oraison.

3. Voyant cela, l'un des gardiens, enflé de l'esprit d'orgueil, tomba dans une faute là où il aurait dû profiter. Car il se mit à traiter Isaac d'hypocrite, à crier que c'était un imposteur, comme on dit vulgairement, qui s'exhibait en prières des trois jours et des trois nuits en spectacle pour les gens. Il se précipita pour frapper l'homme de Dieu d'un soufflet, afin qu'il sortît de l'église en perdant la face, comme un simulateur de la vie religieuse. Mais aussitôt un esprit justicier envahit le gardien et le jeta aux pieds d'Isaac en criant par sa bouche : « Isaac me chasse ! Isaac me chasse ! » Cet étranger, personne ne savait son nom, mais cet esprit le livra en criant par qui il pouvait être chassé. Dès que l'homme de Dieu se coucha sur le corps du torturé, le méchant esprit qui le possédait s'éloigna.

4. Immédiatement dans toute la ville se répandit le bruit de ce qui s'était passé à l'église ; des hommes et des femmes, de la société et du peuple, se mirent à affluer

bc), et surtout à la spiritualité des Messaliens ou Euchites de Syrie, qui rejetaient le travail pour s'adonner exclusivement à la prière. *

3. La prière ininterrompue de Macaire avait aussi provoqué une réaction hostile des Tabennésiotes. D'après la *Vie de S. Pachôme* (G^1 69 = G^2 54), la volonté de prier sans cesse peut être inspirée par la jactance et le démon. — *Inpostor* est un terme « rustique » (cf. I, 12, 1). De fait, AUGUSTIN, *Serm.* 44, 7, l'emploie pour expliquer le mot *planus* de Mt 27, 63 (Vulgate : *seductor*). Sur le recours à ce vocabulaire familier dans les Dialogues, voir I, *Prol.* 10. — Isaac s'étend sur le corps du possédé, comme Benoît sur celui de l'enfant mort (II, 32, 3). *

domibus conabantur. Alii ad construendum monasterium praedia, alii pecunias, alii subsidia quaeque poterant offerre uiro Dei suppliciter uolebant, sed seruus omnipo-
45 tentis Domini horum nihil accipiens, egressus urbem non longe desertum locum repperit ibique sibi humile habitaculum construxit.

5. Ad quem dum multi pergunt, exemplo illius aeternae uitae accendi desiderio coeperunt, atque sub eius magis-
50 terio in omnipotentis se Domini seruitio dederunt. Cumque ei crebro discipuli humiliter inminerent, ut pro usu monasterii possessiones quae offerebantur acciperet, ille sollicitus suae paupertatis custos fortem sententiam tenebat, dicens : « Monachus, qui in terra possessionem quaerit,
55 monachus non est. » Sic quippe metuebat paupertatis suae securitatem perdere, sicut auari diuites solent perituras diuitias custodire.

6. Ibi itaque prophetiae spiritu magnisque miraculis cunctis longe lateque habitantibus uita eius inclaruit.
60 Nam die quadam ad uesperum in horto monasterii fecit iactari ferramenta, quae usitato nos nomine uangas uocamus. Dixit itaque discipulis suis : « Tot uangas in horto proicite, et citius redite. » Nocte uero eadem, dum ex more cum fratribus ad exhibendas laudes Domino surrexisset,
65 praecepit dicens : « Ite, et operariis nostris pulmentum coquite, ut mane primo paratum sit. » Facto autem mane, fecit deferri pulmentum quod parari iusserat, atque hortum cum fratribus ingressus, quot uangas iactari praece-

45 Domini *bm*ᵛ *GH* : Dei *mz* ‖ 46 humile *bm*ᵛ *G* : -lem *m H* ‖ 50 seruitio *m GH* : -tium *bm*ᵛ*z* ‖ 51 inminerent *bm GH* : innuerent *b*ᵛ exorarent *b*ᵛ ‖ 52 acciperet *bm*ᵛ *GH* : acceperit *m* ‖ 60 horto *m*ᵛ *G* : -tu *m* -tum *bm*ᵛ *H* ‖ 62 horto : -tu *m*ᵛ -tum *bm*ᵛ

4. En 558-559, Pélage Ier, *Ep.* 68, correspond avec l'évêque Paulin de Spolète au sujet d'un *monasterium sancti Iuliani*. Un monastère de ce nom a existé sur le Monte Luco, au S.-E. de la ville, là où se voit encore l'église romane de San Giuliano. Ce serait celui que fonda Isaac (cf. Kehr, *Italia Pontificia*, t. IV, p. 11-12).

également, s'efforçant à l'envi de l'attirer chez eux. Avec des supplications, les uns voulaient offrir à l'homme de Dieu leurs propriétés pour y construire un monastère, les autres des sommes d'argent, d'autres enfin les secours qu'ils pouvaient découvrir. Mais le serviteur de Dieu tout-puissant n'accepta rien de tout cela, sortit de la ville, trouva non loin un lieu désert et s'y construisit une modeste habitation.

5. Beaucoup de gens vinrent à lui ; à son exemple, ils commencèrent à brûler du désir de l'éternelle vie, et sous sa direction ils se donnèrent au service du Seigneur tout-puissant. Souvent ses disciples le pressaient respectueusement d'accepter les possessions offertes à l'usage du monastère, mais lui, gardien scrupuleux de sa pauvreté, tenait cette maxime énergique : « Le moine qui sur terre cherche une possession n'est pas moine. » Il redoutait de perdre la pauvreté, cette sécurité, comme les avares ont accoutumé de garder les périssables richesses.

6. Alors sa vie brilla de l'esprit de prophétie et de miracles éclatants devant toute la population, même lointaine. Un beau jour, sur le soir, il fit jeter dans le jardin du monastère des outils ferrés, de ceux qu'on appelle chez nous des bêches. Il avait dit à ses disciples : « Jetez tant de bêches dans le jardin et rentrez vite. » Cette nuit-là, comme il s'était levé selon la coutume avec les frères pour célébrer les louanges du Seigneur, il donna cet ordre : « Allez mettre sur le feu un ragoût pour nos ouvriers, et qu'il soit prêt au petit jour. » Au matin, il fit porter le ragoût commandé, entra au jardin avec les

5. Cette pauvreté intransigeante rappelle de nouveau les Messaliens, dont Épiphane, *Haer.* 80, 9, signale déjà la volonté de désappropriation radicale : « Ils n'ont pas, disent-ils, de possession sur terre ». Voir surtout la *Vie d'Alexandre l'Acémète* 7 et 18, *PO* 6, 662 et 671. — D'après Grég. de Tours, *V. Patr.* 1, 5, l'abbé Lupicin refusa les champs et vignes que lui offrait le roi Chilpéric, *quia non decet monachos facultatibus mundanis extolli*, mais il demanda et obtint des revenus annuels.

6. S'il refuse les *possessiones*, Isaac admet tout de même que le monastère ait son jardin. — *Vsitato nomine* rappelle le *uerbum rusticum* mentionné plus haut (3), ainsi que les termes « vulgaires »

perat, tot in eo laborantes operarios inuenit. Ingressi
70 quippe fures fuerant, sed mutata mente per spiritum
adprehenderunt uangas quas inuenerunt, et ab ea hora
qua ingressi sunt quousque uir Domini ad eos ueniret,
cuncta horti illius spatia quae inculta fuerant coluerunt.

7. Quibus uir Domini, mox ut ingressus est, ait : « Gau-
75 dete, fratres, multum laborastis, iam quiescite. » Quibus
ilico alimenta quae detulerat praebuit, eosque post tanti
laboris fatigationem refecit. Sufficienter autem refectis
ait : « Nolite malum facere. Quotiens de horto aliquid
uultis, ad horti aditum uenite, tranquille petite, cum
80 benedictione percipite, et a furti prauitate cessate. » Quos
statim collectis holeribus onustari fecit, actumque est,
ut qui ad hortum nocituri uenerant, cum laboris sui prae-
mio et repleti ab eo et innocui redirent.

8. Alio quoque tempore accesserunt ad eum peregrini
85 quidam misericordiam postulantes, scissis uestimentis,
pannis obsiti, ita ut paene nudi uiderentur. Cumque hunc
uestimenta peterent, eorum uerba uir Domini tacitus
audiuit. Qui unum ex discipulis suis protinus silenter
uocauit, eique praecepit, dicens : « Vade, atque in illa
90 silua, in loco tali, cauam arborem require, et uestimenta
quae in ea inueneris defer. » Cumque discipulus abisset,
arborem, sicut fuerat iussus, exquisiuit, uestimenta repperit et latenter detulit magistro. Quae uir Dei suscipiens,

69 operarios *bm*^{v}*z G* : -rius *m H* ‖ 78 facere *m GH* : sed *add. bm*^{v} ‖ horto *bm*^{v} *GH* : -tu *m* -ti *m*^{v} ‖ 85 uestimentis *m H* : uestibus *bm*^{v} *om. m*^{v} *G* ‖ 89 praecepit *bm*^{v}*z GH* : praecipit *m* ‖ 90 require *bm*^{v} *GH* : exquire *m* ‖ 92 iussus *m*^{o} *GH* : -sum *b* missus *m* ‖ 93 Dei *bmz H* : Domini *m*^{v} *G*

de II, 2, 1 et 18, 1. — Voleurs changés en jardiniers : scène comique dans le goût de certaines Passions légendaires.

7. Isaac fait manger les voleurs comme Ammon (*Hist. mon.* 8, 421 b) et les paie de leur peine comme Spiridion (Rufin, *Hist. eccl.* 10 [1], 5). La semonce qu'il leur adresse rappelle celle du moine de Fondi en I, 3, 4, où ce moine jardinier leur donne pareillement des légumes à emporter (de même chez Grég. de Tours, *V. Patr.* 14, 2).

frères et y trouva autant d'ouvriers au travail qu'il avait fait jeter de bêches. Il y avait eu irruption de voleurs, mais l'Esprit les avait fait changer d'idée ; ils empoignèrent les bêches qu'ils trouvèrent, et à partir de leur entrée jusqu'à la venue de l'homme du Seigneur, ils mirent en état tous les terrains qui étaient incultes.

7. Dès son arrivée, l'homme du Seigneur leur cria : « Bravo, frères ! Vous avez bien travaillé, maintenant, repos ! » Aussitôt il leur fit servir les aliments apportés, pour qu'ils pussent se refaire après la fatigue d'un tel travail. Quand ils eurent mangé en suffisance, il leur dit : « Ne faites pas ce qui est mal, mais toutes les fois que vous voudrez quelque chose du jardin, venez à l'entrée du jardin, demandez tranquillement et vous recevrez avec une bénédiction. Cessez de voler, ce n'est pas bien. » Là-dessus, il les fit charger de légumes qu'on avait cueillis. Et ainsi il fit en sorte que ceux qui étaient venus au jardin dans un dessein offensif s'en retournèrent avec la récompense de leur travail, bien repus grâce à Isaac, et inoffensifs.

8. Une autre fois vinrent à lui quelques étrangers demandant une aumône. Leurs hardes étaient déchirées, ils avaient des haillons pour les couvrir, en sorte qu'ils paraissaient presque nus. Ils lui demandèrent des vêtements. L'homme de Dieu les écouta sans rien dire, appela sans bruit un de ses disciples et lui commanda : « Va dans la forêt, à tel endroit, cherche dans l'arbre creux, et apporte les vêtements que tu auras trouvés dans le tronc. » Le disciple s'en alla, rechercha l'arbre, conformément à l'ordre reçu, trouva les vêtements et les rapporta au maître en cachette. L'homme de Dieu les prit, les pré-

8. On songe à la supercherie des Gabaonites, venus à Josué avec des outres déchirées et des vêtements usés (Jos 9, 4-5), ainsi qu'à la feinte des gyrovagues, qui se présentent en haillons pour obtenir des habits neufs (*RM* 1, 45-46). Mais l'épisode rappelle surtout *Hist. mon.* 2, 407 b : *cum falsus quidam frater ad se uenisset et ut uideretur nudus uestimenta sua occultasset, arguit eum coram omnibus et in medium quae occultauerat protulit.* Ce miracle de Hor est raconté de façon bien plus sèche que celui d'Isaac.

peregrinis nudis atque petentibus ostendit et praebuit,
95 dicens : « Venite, quia nudi estis, ecce tollite et uestite uos. » Haec illi intuentes recognouerunt quae posuerant, magnoque pudore consternati sunt, et qui fraudulenter uestimenta quaerebant aliena, confusi receperunt sua.

9. Alio quoque tempore quidam se eius orationibus
100 conmendans, sportas duas plenas alimentis ei per puerum transmisit. Quarum unam isdem puer subripuit atque in itinere abscondit, unam uero ad Dei hominem detulit, et petitionem illius qui se ei per exenium conmendauerat enarrauit. Quam uir Domini benigne suscipiens, eundem
105 puerum admonuit, dicens : « Gratias agimus. Sed uide sportam, quam in itinere posuisti, ne incaute tangere praesumas, quia in eam serpens ingressus est. Esto ergo sollicitus, ne, si tollere incaute uolueris, a serpente feriaris. » Quibus uerbis puer ualde confusus, exultauit quidem
110 quod mortem euaserit, sed tristis ad modicum factus est quia, quamuis salubrem poenam, tamen pertulit uerecundiam suam. Qui reuersus ad sportam, caute ac sollicite adtendit, sed eam iam, sicut uir Dei praedixerat, serpens tenebat.

115 10. Hic itaque, cum uirtute abstinentiae, contemptu rerum transeuntium, prophetiae spiritu, orationis intentione esset incomparabiliter praeditus, unum erat quod in eo reprehensibile esse uidebatur, quia nonnumquam

101 isdem *m GH* : idem *bm*v ‖ 103 exenium *m GH*ac : xenium *bm*v ‖ 107 eam *bm H* : ea *m*vz eo *G* ‖ 110 ad modicum *bmz GH* : admodum *b*v

---

9. Ce récit, dont l'acteur reste anonyme, est un doublet de l'histoire d'Exhilaratus (II, 18) ; voir Introduction, ch. V, n. 68. Pour A. Haggerty Krappe, « Sur un récit des Dialogues de Grégoire le Grand », dans *Le moyen âge*, 3e série, 8 (1937), p. 272-275, il s'agit d'un conte indien qui a passé dans les littératures chinoise, thibétaine, juive et arabe. Cependant ce conte oriental diffère beaucoup du récit grégorien — on n'y trouve pas le trait de la tromperie démasquée —, et le trait commun du serpent qui se glisse dans le

senta et les tendit aux étrangers nus qui en réclamaient : « Venez, vous qui êtes nus. Voilà : prenez et habillez-vous. » En les voyant ils reconnurent les nippes qu'ils avaient déposées. Une honte indicible les suffoqua. Eux qui cherchaient frauduleusement des vêtements d'autrui, confus ils reçurent les leurs.

9. Une autre fois, quelqu'un se recommandant à ses prières lui envoya par un serviteur deux corbeilles pleines de bonnes choses. Le garçon en détourna une et la cacha en chemin ; l'autre, il la remit à l'homme de Dieu et lui exposa la demande de celui qui s'était recommandé par ce présent. L'homme du Seigneur le reçut avec affabilité et avertit le domestique en ces termes : « Grand merci ! Mais sois regardant pour la corbeille que tu as déposée en chemin. Ne la prends pas sans précaution, car un serpent est entré dedans. Fais donc bien attention, car si tu voulais l'emporter sans précaution, tu pourrais être blessé par le serpent. » A ces mots, le garçon demeura tout interdit. Il exulta d'avoir échappé à la mort, mais s'attrista un peu de ce châtiment qui l'avait sauvé en lui faisant perdre la face. Il revint à sa corbeille, et là fit bien attention, prit des précautions, mais comme l'avait prédit l'homme de Dieu, un serpent l'occupait déjà.

10. Donc Isaac était incomparablement doué de la vertu d'abstinence, du mépris des choses éphémères, de l'esprit prophétique, de l'intensité dans la prière ; il n'y avait qu'une chose qui paraissait répréhensible chez lui :

panier n'est pas aussi caractéristique de l'Inde qu'il ne paraît (voir notre note sous II, 18). — Sentiments mêlés du *puer* : voir III, 5, 2. *Tristis ad modicum* : cf. 2 Co 7, 8.

10. La gaieté est répréhensible : même condamnation en IV, 61, 2, où cependant Grégoire vise plus précisément la *uana laetitia* (de même *Hom. Eu.* 10, 7 et 11, 5 ; cf. *Hom. Ez.* I, 12, 25 : *inepta laetitia*), appelée ailleurs *temporalis laetitia* (*Hom. Eu.* 11, 5). Selon *Mor.* 22, 12, il faut même se garder de cette *laetitia* spirituelle, accompagnée d'un sentiment de sécurité, qu'inspire la vue des bonnes actions qu'on a faites. Des appréciations plus positives de la *laetitia* se rencontrent dans *Hist. mon.* 1 (395 b ; 396 c), 6 (409 d) et surtout 7 (418 bc) ; *V. Patr. Iurensium* 168, etc. La présente condamnation rappelle *RM* 11, 76. *

tanta ei laetitia inerat, ut, illis tot uirtutibus nisi sciretur
120 esse plenus, nullo modo crederetur.

11. PETRVS. Quidnam, quaeso te, hoc esse dicimus ? Sponte sibi laetitiae frena laxabat, an, tot uirtutibus pollens, aliquando ad praesens gaudium etiam renitens eius animus trahebatur ?

125 12. GREGORIVS. Magna est, Petre, omnipotentis Dei dispensatio, et plerumque contingit ut, quibus maiora bona praestat, quaedam minora non tribuat, ut semper eorum animus habeat unde se ipse reprehendat, quatenus, dum appetunt perfecti esse nec possunt, et laborant in
130 hoc quod non acceperunt nec tamen elaborando praeualent, in his quae accepta habent se minime extollant, sed discant quia ex semetipsis maiora bona non habent, qui in semetipsis uincere parua uitia atque extrema non possunt.

135 13. Hinc est enim quod perducto Dominus ad terram promissionis populo, cunctos fortes atque praepotentes aduersarios eius extinguens, Philisteos atque Chananeos diutius reseruauit, *ut*, sicut scriptum est, *in eis experiretur Israel*, quia nonnumquam, ut dictum est, eis etiam quibus
140 magna dona tribuit parua quaedam reprehensibilia relinquit, ut semper habeant contra quod bellum gerant, et deuictis magnis hostibus mentem non erigant, quando eos adhuc aduersarii etiam minimi fatigant. Fit itaque miro modo ut una eademque mens et uirtute polleat et

119 tanta ei laetitia *bm*[v]*z GH* : tantae laetitiae *m* tanta laetitia *m*[v] ‖ 121 hoc *bz G* : quid hoc *m*[v] quidnam hoc *m*[v] quid *H* quidnam *m* ‖ 130 elaborando *m GH*[ac] : lab- *b G*[pc] ‖ 132 bona *bm GH* : dona *b*[v] ‖ 144 miro modo ut *m* : ut miro modo *bm*[o] *GH*

XIV, 13. Jg 3, 1-4.

---

11. Cf. *Mor.* 24, 20 : *linguam in laetitia relaxat* (un homme imparfait). *Praesens gaudium* précise ce que Grégoire entendait plus haut par *laetitia* ; cf. *Hom. Eu.* 11, 5 : *temporalis laetitia.*

il était parfois d'une gaieté si grande que, si on ne l'eût pas su plein de tant de vertus, on se serait refusé à le croire.

11. PIERRE. Une question : ici, que faut-il penser exactement ? Est-ce spontanément qu'il donnait libre cours à sa gaieté, ou bien, lui qui était fort de tant de vertus, son âme était-elle entraînée malgré elle parfois à la joie d'ici-bas ?

12. GRÉGOIRE. Elle est grande, Pierre, la providence de Dieu tout-puissant, et souvent il arrive qu'elle accorde à certains des dons considérables, mais leur refuse de bien moindres. C'est pour que leur esprit ait toujours de quoi se réprimander en ce qu'ils désirent être parfaits et qu'ils n'y arrivent pas ; ils se donnent du mal pour ce qu'ils n'ont pas reçu, et malgré des efforts ils ne réussissent pas. Ainsi ils ne peuvent s'enorgueillir de ce qu'ils ont reçu, mais ils apprennent que par eux-mêmes ils sont bien incapables d'avoir des dons considérables, eux qui n'arrivent pas à vaincre des défauts petits et vils.

13. C'est la raison pour laquelle le Seigneur, ayant introduit son peuple en Terre Promise, fit périr tous ses adversaires puissants et imposants, mais lui réserva les Philistins et les Cananéens assez longtemps, pour que, comme il est écrit, « par eux Israël fût mis à l'épreuve ». Car quelquefois, comme on l'a dit, ceux à qui Dieu a fait de grands dons, il leur laisse quelques petits défauts répréhensibles, pour qu'ils aient toujours contre quoi guerroyer, et, après avoir défait des ennemis d'importance, ils ne s'élèvent pas en esprit quand des adversaires, même de rien, suffisent encore à les fatiguer. Il arrive ainsi cette chose surprenante qu'un seul et même esprit est de vertu

12-13. En leur refusant certains dons, Dieu garde ses saints dans l'humilité : même thème, introduit de même (*Quod omnipotens Deus ex magnae pietatis dispensatione disposuit...*), en II, 21, 4. Dans *Mor.* 28, 20 et 34, 44, il est généralisé et les analogies verbales avec le présent passage abondent. Voir aussi *Mor.* 19, 9-12 (Élie et Paul gardés par leur infirmité). — Citation et commentaire de Jg 3, 1-4 paraissent uniques chez Grégoire. Pour l'idée, voir *In I Reg.* 5, 153. *

145 ex infirmitate lassescat, quatenus et ex parte constructa sit et ex parte se conspiciat esse destructam, ut per bonum quod quaerit et habere non ualet, illud seruet humiliter quod habet.

14. Sed quid mirum quod hoc de homine dicimus, 150 quando illa superna regio in ciuibus suis ex parte damna pertulit et ex parte fortiter stetit, ut electi angelorum spiritus, dum alios per superbiam cecidisse conspicerent, ipsi tanto robustius quanto humilius starent ? Illi ergo regioni sua etiam detrimenta profecerunt, quae ad aeter- 155 nitatis statum ex parte suae destructionis est solidius instructa. Sic ergo et in unaquaque anima agitur, ut in humilitatis custodia aliquando ad lucra maxima ex minimo damno seruetur.

PETRVS. Placet quod dicis.

XV. GREGORIVS. Neque hoc sileam, quod ex regione eadem uenerabilis uiri Sanctuli presbiteri narratione cognoui, de cuius uerbis ipse non dubitas, quia eius uitam fidemque minime ignoras.

5 2. Eodem quoque tempore in Nursinae partibus prouinciae duo uiri in uita atque habitu sanctae conuersationis habitabant, quorum unus Euthicius, alter uero Florentius dicebatur. Sed isdem Euthicius in spiritali zelo atque

145-146 constructa sit *bm GH* : constructam *b*ᵛ*z* || 146 destructam *bm*ᵛ *GH* : -ta *m* || 147 seruet *bm*ᵛ*(z) G* : seruit *m H* || 154 sua *bm* : suam *G* suae *m*ᵛ *H* || 156 unaquaque *bm*ᵛ *G* : unaquaeque *m H* || ut in *bm*ᵛ*z GH* : ut *m* || 157 custodia *mz GH* : -diam *b*

XV, 2 narratione *bm*ᵛ*z GH* : relatione *m* || 5 Nursinae *m H* : Nursiae *bm*ᵛ *G* || partibus *bm*ᵛ*z* : partis *m H* parte *m*ᵛ *G* partes *m*ᵛ || prouinciae *m H* : *ante* partibus *transp. b* -cia *m*ᵛ *G* || 7 Euthicius *m H* : Euticius *G* Eutychius *bm*ᵛ*z et sic deinceps* || 8 isdem *m GH* : idem *bm*ᵛ || spiritali *m GH*ᵖᶜ : -tale *H*ᵃᶜ -tuali *bm*ᵛ || atque *m G* : in *add. bm*ᵛ *H*

14. Introduction comme en I, 9, 16 (*Sed quid mirum quod haec*, etc.). Même méditation sur le sort des anges, en termes fort semblables, dans *Mor.* 34, 12-13, mais l'application qui en est faite ensuite aux hommes diffère.

robuste et se laisse aller par faiblesse. D'un côté il se voit construit et d'un autre détruit. Ainsi par ce bien qu'il recherche et qu'il ne parvient pas à obtenir, il conserve humblement ce qu'il a.

14. Mais qu'y a-t-il là de surprenant, que nous disions cela de l'homme, quand le royaume céleste vit ses citoyens en partie subir des dommages, et en partie tenir bon courageusement ? Ainsi l'élite des esprits angéliques, voyant les autres tomber par orgueil, tint bon avec autant de vigueur que d'humilité. De la sorte, les pertes de ce royaume des anges tournèrent à son profit, car du fait de sa destruction partielle il se trouva pour son salut éternel plus solidement structuré. Il en va de même en chaque âme : grâce à la sauvegarde de l'humilité, elle est parfois conservée pour des gains immenses au prix d'un dommage minime.

Pierre. D'accord !

XV. Je ne passerai non plus sous silence ce que je sais par une relation du vénérable Sanctulus, prêtre de la même région. Vous ne doutez pas de ses paroles, vous qui n'ignorez nullement sa vie et sa bonne foi.

2. A cette même époque, dans la province de Nursie habitaient deux hommes dans la vie et l'habit de la sainte religion. Ils s'appelaient l'un Euthicius et l'autre Florent. Euthicius avait grandi dans le zèle spirituel, la vertu fer-

XV, 1. Sur le prêtre Sanctulus, voir III, 37. Nursie, où il habite, est à quelque cinquante km de Spolète.

2. *Nursia* est aussi une province, annexe de la Valérie, selon *De term. prou. Italiae* 13 ; Paul Diacre, *Hist. Lang.* 2, 20. Cf. I, 4, 8 et note. — La vie des deux moines correspond à leur habit : 17, 1. Cet abbé et cet ermite font penser à d'autres paires analogues : Paèsios et Isaie (Pallade, *Hist. Laus.* 14 = *HP* 3, 264 b) ; Paesius et Jean (Cassien, *Inst.* 5, 27 ; cf. Sulpice Sév., *Dial.* 1, 12) ; Hilarion et Épiphane (Apophtegme *Épiphane* 4) ; Sébastien et Benoît (Paulin de Nole, *Ep.* 26). — Zèle d'Euthicius : cf. I, 4, 10 ; simplicité et oraison de Florent : IV, 14, 3. Euthicius est pris pour abbé d'un

feruore uirtutis excreuerat, multorumque animas ad
10 Deum perducere exhortando satagebat, Florentius uero
simplicitati atque orationi deditam ducebat uitam. Non
longe autem erat monasterium, quod rectoris sui fuerat
morte destitutum. Ex quo sibi monachi eundem Euthicium praeesse uoluerunt. Qui eorum precibus adquiescens,
15 multis annis monasterium rexit, discipulorumque animas
in studio sanctae conuersationis exercuit. Ac ne oratorium, in quo prius habitauerat, solum remanere potuisset,
illic uenerabilem uirum Florentium reliquit.

3. In quo dum solus habitaret, die quadam sese in ora-
20 tionem prostrauit, atque ab omnipotente Domino petiit,
ut ei illic ad habitandum aliquod solatium donare dignaretur. Qui mox ut conpleuit orationem, oratorium egressus, ante fores ursum repperit stantem. Qui dum ad terram caput deprimeret nihilque feritatis in suis motibus
25 demonstraret, aperte dabat intellegi, quod ad uiri Dei
obsequium uenisset. Quod uir quoque Domini protinus
agnouit, et quia in eadem cella pecudes quatuor uel
quinque remanserant, quas omnino deerat qui pasceret
et custodiret, eidem urso praecepit, dicens : « Vade, atque
30 has oues ad pastum eice, ad sextam uero horam reuertere. »

4. Coepit hoc itaque indesinenter agi. Iniungebatur
urso cura pastoris, et quas manducare consueuerat, pascebat oues bestia ieiuna. Cum uir Domini ieiunare uoluisset, ad nonam praecipiebat horam urso cum ouibus
35 reuerti, cum uero noluisset, ad sextam, atque ita in omni-

9 excreuerat *bmz GH* : se ex. *b*ᵛ ‖ 19 orationem *bmz G* : -ne *m*ᵛ *H* ‖ 20 omnipotente *m G* : -ti *b H* ‖ 22 conpleuit *m GH* : impleuit *b* ‖ 23 stantem *bm*ᵛ *GH* : *ante* ursum *transp. m* ‖ 24 deprimeret *bm GH* : reclinaret *b*ᵛ ‖ 27 pecudes *mz GH* : *post* quinque (l. 28) *transp. b* ‖ 30 has oues *m GH* : oues has *b* ‖ sextam uero horam *m GH* : horam uero sextam *b* ‖ 31 hoc itaque *m H* : it. hoc *bm*ᵛ*z* it. hec *G* ‖ agi *m GH* : agere *bm*ᵛ*z* ‖ 32 pastoris *m G* : pastoralis [-les *H*] *b H* ‖ 34 horam *m* : *ante* praecipiebat *transp. b*(*z*) eadem *praem. H* *om. m*ᵛ *G* ‖ urso *bm*(*z*) *G* : ursum *m*ᵛ *H*

---

monastère voisin, tout comme Benoît (II, 3, 2). Sur ce monastère,

vente, et il s'efforçait d'amener beaucoup d'âmes à Dieu par ses exhortations. Florent menait une vie toute de simplicité et de prière. Dans le voisinage il y avait un monastère qui avait été privé de son recteur par la mort ; ses moines voulurent à leur tête Euthicius. Celui-ci acquiesça à leurs prières et régit le monastère durant bien des années, tenant en haleine les âmes de ses disciples dans le zèle de la sainte vie ; et pour que l'oratoire où il logeait auparavant ne vînt à rester désert, il y laissa le vénérable Florent.

3. Celui-ci y habita donc tout seul. Un jour, il se prosterna en prière et demanda au Seigneur tout-puissant de daigner lui donner quelque compagnon pour habiter là. La prière finie, il sort de l'oratoire et trouve devant la porte un ours. Celui-ci baisse la tête vers le sol : nulle démonstration de férocité dans ses gestes. Évidemment il veut faire comprendre qu'il vient offrir ses services à l'homme de Dieu. De son côté, l'homme du Seigneur comprend tout de suite, et comme il restait dans cet enclos quatre ou cinq brebis, absolument privées de berger et de gardien, il donne à l'ours cette consigne : « Va paître ces brebis, et à midi reviens. »

4. Ainsi fut fait, de cet instant, jour après jour. L'ours est chargé d'un soin pastoral, et cette bête à jeun paît les brebis qu'il avait l'habitude de croquer. Quand l'homme du Seigneur veut jeûner, il commande à l'ours de rentrer avec les brebis pour 15 heures ; sinon, il lui prescrit de rentrer à midi. Dans tous les cas l'ours obéit à la con-

situé entre Campi et Preci, à une quinzaine de kilomètres au N. de Norcia, voir P. Pirri, *L'Abbazia di Sant'Eutizio in Val Castoriana presso Norcia*, Rome 1960 (*Studia Anselmiana* 45). Nous reviendrons sur ses rapports avec ceux de Spes (IV, 11, 1). *

3. On trouve un autre ours serviable, mais seulement en passant, chez Eugippe, *V. Seu.* 29, 2-3. Le compagnon de Florent fait surtout penser aux lions qui gardent les laitues de Cyriaque, à l'âne de Flavius (Cyrille de Scyth., *V. Cyr.* 15-16 ; *V. Sab.* 49), à l'âne de Gérasime (Jean Moschus, *Pré spir.* 107).

4. Repas à sexte ou à none suivant les jours : *RM* 28 ; *RB* 41. L'ours comprend les ordres de son maître, comme le chien et l'âne de Jean Moschus, *Pré spir.* 157-158. Voir aussi II, 8, 3.

bus mandato uiri Dei obtemperabat ursus, ut neque ad sextam iussus rediret ad nonam, neque ad nonam iussus rediret ad sextam.

5. Cumque diu hoc ageretur, coepit in loco eodem tan-
40 tae uirtutis longe lateque fama crebrescere. Sed quia antiquus hostis, unde bonos cernit enitescere ad gloriam, inde peruersos per inuidiam rapit ad poenam, quatuor uiri ex discipulis uenerabilis Euthicii, uehementer inuidentes quod eorum magister signa non faceret et is qui solus ab
45 eo relictus fuerat tanto hoc miraculo clarus appareret, eundem ursum insidiantes occiderunt.

6. Cumque hora qua iussus fuerat non rediret, uir Dei Florentius suspectus est redditus. Quem usque ad horam uesperis expectans, adfligi coepit quod is, quem ex sim-
50 plicitate multa fratrem uocare consueuerat, ursus minime reuerteretur. Die uero altera perrexit ad agrum, ursum pariter ouesque quaesiturus. Quem occisum repperit, sed sollicite inquirens, citius a quibus fuerat occisus inuenit. Tunc sese in lamentis dedit, fratrum magis malitiam quam
55 mortem ursi deplorans.

7. Quem uenerandus uir Euthicius ad se deductum consolari studuit, sed isdem uir Domini coram eo, doloris magni stimulis accensus, inprecatus est dicens : « Spero in omnipotente Deo, quia in hac uita ante oculos omnium
60 ex malitia sua uindictam recipiant, qui nil se laedentem ursum meum occiderunt. » Cuius uocem protinus ultio diuina secuta est. Nam quatuor monachi, qui eundem ursum occiderant, statim elefantino morbo percussi sunt, ut membris putrescentibus interirent.

40 fama *mz GH* : *ante* longe *transp. b* || 41 enitescere *bmz GH* : peruenire *b*ᵛ crescere *m*ᵛ || 49 uesperis *m GH* : -ri *bm*ᵛ uespertinam *m*ᵛ || 55 mortem ursi *m* : ursi mortem *bm*ᵛ*z GH* || 57 isdem *m GH* : idem *bm*ᵛ || 58 in *bmz GH* : ab *b*ᵛ || 59 omnipotente *m*ᵛ *GH* : -ti *b* -tem *b*ᵛ*mz* || Deo *bm*ᵛ *GH* : Deum *b*ᵛ*mz* || 60 malitia sua *m GH* : sua mal. *b* || nil *m H* : nihil *bm*ᵒ *G*

5. La première phrase rappelle II, 8, 1. Jalousie des cénobites :

signe de l'homme de Dieu : quand elle dit midi, il ne rentre pas à 15 heures, et quand elle dit 15 heures, il ne rentre pas à midi.

5. Comme cela dure depuis longtemps, le bruit d'un tel miracle se répand dans le pays au loin. Mais parce que le vieil adversaire, lorsqu'il voit les bons commencer à briller pour la gloire, attire par l'envie les pervers au châtiment, quatre disciples du vénérable Euthicius, dévorés de jalousie en voyant leur maître incapable de miracles tandis que celui qu'il a laissé tout seul apparaît en belle lumière grâce à un tel prodige, tendent un piège à l'ours et le mettent à mort.

6. Comme il n'est pas revenu à l'heure réglementaire, l'homme de Dieu Florent conçoit des craintes ; il l'attend jusqu'à l'heure du soir, commence à s'affliger en voyant que l'ours ne revient pas, celui que dans sa grande simplicité il avait l'habitude d'appeler son frère. Le lendemain il va aux champs rechercher l'ours et les brebis ; il le trouve tué ; par une enquête bien menée, il découvre vite ses meurtriers. Alors il s'adonne à des lamentations, déplorant la méchanceté des frères encore plus que la mort de l'ours.

7. Le vénérable Euthicius le fait venir pour le consoler, mais en sa présence, cet homme du Seigneur, exaspéré par les élancements de la grande douleur, profère cette imprécation : « J'espère en Dieu tout-puissant que dans cette vie, aux yeux de tous, ils recevront le châtiment de leur méchanceté, ceux qui ont tué mon ours qui ne leur faisait aucun mal. » Ces paroles sont suivies aussitôt de la punition divine, car les quatre moines qui ont tué cet ours sont frappés immédiatement d'éléphantiasis ; leur corps pourrit et ils meurent.

la rivalité de deux genres de vie est le nerf de toutes les histoires parallèles citées plus haut (note sous 15, 2), sauf la dernière. De nouveau ces moines méchants font penser à II, 3, 3-4. *

6. Grande est la simplicité de Florent, comme celle de Paul (PALLADE, *Hist. Laus.* 22, 1.9 = *HP* 10, 284 a. 286 a ; cf. *Hist. mon.* 31). Il s'afflige plus pour les frères que pour l'ours : II, 11, 1 (cf. II, 8 4).

7. Éléphantiasis : voir II, 26. Ce châtiment rappelle 2 R 5, 27. *

65 8. Quod factum uir Dei Florentius uehementer expauit, seque ita fratribus maledixisse pertimuit. Omni enim uitae suae tempore flebat, quia exauditus fuerat, se crudelem, se in eorum morte clamabat homicidam. Quod idcirco omnipotentem Deum fecisse credimus, ne uir mirae sim-
70 plicitatis, quantolibet dolore commotus, intorquere ultra praesumeret iaculum maledictionis.

9. PETRVS. Numquidnam ualde graue esse credimus, si fortasse cuilibet, exagitati iracundia, maledicamus ?

GREGORIVS. De hoc peccato cur me percunctaris, an
75 graue sit, cum Paulus dicat : *Neque maledici regnum Dei possidebunt* ? Pensa itaque quam grauis culpa est, quae separat a regno uitae.

10. PETRVS. Quid, si homo non fortasse ex malitia, sed ex linguae incuria maledictionis in proximum iacu-
80 latur uerbum ?

GREGORIVS. Si apud districtum iudicem, Petre, otiosus sermo reprehenditur, quanto magis noxius. Pensa ergo quantum sit damnabilis qui a malitia non uacat, si et ille sermo poenalis est qui a bonitate utilitatis uacat.

85 PETRVS. Adsentio.

11. GREGORIVS. Isdem uir Dei egit aliud, quod sileri non debeat. Cum enim magna eius opinio longe lateque crebresceret, quidam diaconus longe positus ad eum per-

66 ita *bm G* : itaque *m*v *H* ‖ 69 mirae *bm*v*z GH* : tantae *m* ‖ 73 exagitati *mz GH* : exagitanti *bm*v ‖ 79-80 in proximum [-mo *G*] iaculatur uerbum *m GH* : uer. iac. in prox. *b* ‖ 82 magis *mz GH* : et *add. b* ‖ 86 isdem *m GH* : idem *bm*v ‖ sileri *bmz* : -re *m*v *GH* ‖ 87 debeat *bm H* : debeam *m*v *G* debet *m*v debeo *m*v

XV, 9. 1 Co 6, 10

8. Cette faute de Florent fait penser à la gaieté « répréhensible » du saint précédent, Isaac (14, 10).

9. D'après *Mor.* 4, 2, qui cite 1 Co 6, 10 sous la même forme abrégée, la malédiction motivée par un désir de vengeance est mauvaise. Telle n'est pas la malédiction des hommes de Dieu, qui procède d'un jugement juste comme celle de Dieu lui-même. Et

8. Ce fait bouleverse complètement l'homme de Dieu Florent, qui tremble d'avoir maudit des frères. Tout le reste de sa vie il pleura d'avoir été pris au mot. Il criait qu'il avait été cruel, homicide, en les faisant mourir. Nous croyons que Dieu tout-puissant a fait cela pour qu'un homme d'une si grande simplicité, même surexcité par la douleur, ne se permît plus désormais de lancer le dard de la malédiction.

9. Pierre. Devons-nous croire que c'est une faute très grave si par hasard, exaspérés par la colère, nous maudissons quelqu'un ?

Grégoire. Vous me demandez si ce péché est grave, alors que Paul déclare : « Ni ceux qui maudissent ne posséderont le royaume de Dieu » ? Pensez donc combien lourde est la faute qui sépare du royaume de vie.

10. Pierre. Mais si un homme, peut-être sans méchanceté, mais par incontinence de langage, lance contre son prochain un mot de malédiction ?

Grégoire. Si le juge sévère sanctionne une parole oiseuse, combien plus une parole nocive ! Pensez donc combien est condamnable la parole qui n'est pas exempte de méchanceté, si l'on pénalise la parole qui est dépourvue du bien de l'utilité.

Pierre. D'accord !

11. Grégoire. Cet homme de Dieu fit autre chose qu'on ne doit point passer sous silence. Comme son grand prestige allait croissant au loin, un diacre très éloigné

de citer Pierre (Ac 8, 20) et Élie (2 R 1, 10), dont la pureté d'intention est démontrée par l'efficacité que Dieu accorde à leur malédiction (c'est pour une autre raison que Dieu rend efficace la malédiction de Florent ; cf. 8).

10. Condamnation du *sermo otiosus* : Mt 12, 36. On s'achemine déjà vers les considérations développées plus loin (§ 13-16). Même raisonnement, concluant de la malice des propos oiseux à celle de fautes plus graves, dans *Mor.* 7, 58 et *Past.* 3, 14 (74 a) ; *Reg.* 1, 33 = *Ep.* 1, 34 (487 cd).

11. *Longe lateque crebresceret* comme plus haut (§ 5). Un diacre vient se recommander aux prières du moine : cf. Athanase, *V. Ant.* 67, 2. Coup de tonnerre dans un ciel serein, à la demande du saint : c'est le miracle de Scholastique (II, 33, 4).

gere studuit, ut eius se orationibus conmendaret. Qui ad
90 eius cellulam ueniens, omnem locum per circuitum inuenit
innumeris serpentibus plenum. Cumque uehementer
expauisset, clamauit dicens : « Serue Domini, ora. » Erat
autem tunc mira serenitas. Egressus uero Florentius, ad
caelum oculos et palmas tetendit, ut illam pestem, sicut
95 sciret, Dominus auferret. Ad cuius uocem subito caelum
intonuit, atque isdem tonitruus omnes illos, qui eundem
locum occupauerant, serpentes interemit.

12. Quos dum uir Dei Florentius interemptos aspiceret,
dixit : « Ecce occidisti illos, Domine. Quis eos hinc leuat ? »
100 Moxque ad eius uocem tantae aues uenerunt, quanti serpentes occisi fuerant, quae asportantes singulos et longius proicientes, locum habitationis illius mundum omnimodo a serpentibus reddiderunt.

13. PETRVS. Quid uirtutis, quid fuisse meriti dicimus,
105 quod eius ori tantum factus est proximus omnipotens
Deus ?

GREGORIVS. Apud omnipotentis Dei singularem munditiam atque eius simplicem naturam multum, Petre,
humani cordis munditia atque simplicitas ualet. Hoc
110 ipsum namque quod eius famuli, a terrenis actionibus
segregati, otiosa loqui nesciunt et mentem per uerba
spargere atque inquinare deuitant, auctoris sui prae ceteris exauditionem impetrant, cui, in quantum est possibile,
ipsa puritate ac simplicitate cogitationis quasi ex quadam
115 iam similitudine concordant.

14. Nos autem turbis popularibus admixti, dum frequenter otiosa, nonnumquam uero etiam grauiter noxia
loquimur, os nostrum omnipotenti Deo tanto longinquum

89 conmendaret *bm*^{v} *G* : -rit *m H* || 92 Domini *m GH* : Dei *bm*^{v}*z* || 96 isdem *m GH* : idem *bm*^{v} || tonitruus *m G* : -trus *bm*^{v} -truos *m*^{v} *H* || 99 occidisti illos *mz GH* : illos oc. *b* || 102 omnimodo *m H* : *post* serpentibus (l. 103) *transp.* *b G* || 110 actionibus *bm*^{v} *GH* : actibus *m* || 118-119 tanto... quanto *bm* : tantum... quantum *m*^{v} *GH*

voulut venir à lui pour se recommander à ses prières. Arrivé à sa cellule, il trouva tout le terrain d'alentour plein d'une infinité de serpents. Extrêmement ému, il s'écria : « Serviteur du Seigneur, faites une prière ! » Le temps était alors d'une sérénité admirable. Florent sortit et leva les yeux et les mains vers le ciel pour que le Seigneur ôtât cette peste de la manière qu'il voudrait. A sa voix, aussitôt le ciel tonna, et ce tonnerre tua tous les serpents qui occupaient ce terrain.

12. Quand l'homme de Dieu Florent les vit foudroyés, il dit : « Voilà que tu les as tués, Seigneur ; qui les ôtera de là ? » Bientôt à sa voix arrivèrent autant d'oiseaux qu'il y avait de serpents tués. Chacun emporta le sien et le jeta au loin. Ils rendirent le terrain de son habitation absolument net de serpents.

13. Pierre. Quelle vertu, quel mérite lui attribuer, pour que, à sa voix, Dieu tout-puissant se soit fait tellement proche ?

Grégoire. Pierre, auprès de Dieu tout-puissant, la pureté même dans la simplicité de sa nature, la pureté et la simplicité d'un cœur d'homme peuvent beaucoup. Les serviteurs de Dieu, par le fait même qu'ils sont séparés des agissements terrestres, qu'ils ignorent les paroles inutiles et qu'ils évitent de dissiper et de salir leur esprit en vains propos, obtiennent d'être entendus mieux que les autres de leur Créateur. En effet, autant qu'il est possible, par la pureté et la simplicité de leur pensée, selon une sorte d'analogie ils s'accordent déjà sur lui.

14. Tandis que nous, mêlés aux tourbes populaires, nous proférons souvent des propos inutiles, parfois même gravement nocifs, et notre bouche est d'autant plus éloignée de Dieu tout-puissant qu'elle est plus proche de ce

12. Le corbeau de Benoît avait de même emporté et jeté au loin le pain empoisonné (II, 8, 3).

13-14. Cette belle page fait écho à l'exorde de l'ouvrage, où Grégoire se plaint d'être mêlé aux affaires des séculiers et occupé aux « actions terrestres », qui lui « dispersent l'esprit » (I, *Prol.* 4), tandis que ceux qui mènent une vie cachée sont exempts de ces misères et plaisent à Dieu (I, *Prol.* 6).

fit, quanto huic mundo proximum. Multum quippe deor-
120 sum ducimur, dum locutione continua saecularibus admiscemur.

15. Quod bene Esaias, postquam regem Dominum exercituum uidit, in semetipso reprehendit et paenituit, dicens : *Vae mihi, quia tacui, quia uir pollutus labiis ego*
125 *sum.* Qui cur polluta labia haberet aperuit, cum subiunxit : *In medio populi polluta labia habentis ego habito.* Pollutionem namque labiorum habere se doluit, sed unde hanc contraxerit indicauit, cum in medio populi polluta labia habentis se habitare perhibuit.

130 16. Valde enim difficile est, ut lingua saecularium mentem non inquinet quam tangit, quia, dum plerumque eis ad quaedam loquenda condescendimus, paulisper adsueti hanc ipsam locutionem, quae nobis indigna est, etiam delectabiliter tenemus, ut ex ea iam redire non libeat, ad
135 quam uelut ex condescensione uenimus inuiti. Sicque fit ut ab otiosis ad noxia, a leuibus ad grauiora uerba ueniamus, et os nostrum ab omnipotente Domino tanto iam minus exauditur in prece, quanto amplius inquinatur stulta locutione, quia, sicut scriptum est, *qui auertit aurem*
140 *suam ne audiat legem, oratio eius erit execrabilis.*

17. Quid ergo mirum si postulantes tarde a Domino audimur, qui praecipientem Dominum aut tarde aut nullo modo audimus, et quid mirum si Florentius in prece sua citius est auditus, qui in praeceptis suis Dominum citius
145 audiuit ?

122 Esaias *m H* : Is- *b G* Ys- *m*v ‖ 125 aperuit *bmz GH* : apparuit *b*v ‖ 135 condescensione *mz* : ducti *add. bm*v *GH* ‖ 137 omnipotente *m H* : -ti *bm*v *G* ‖ 138 minus — quanto *om. G* ‖ exauditur *m*(*z*) : -diatur *bm*v *H*

15. Is 6, 5 ‖ 16. Pr 28, 9.

15. Is 6, 5, réduit à *Vae mihi quia tacui*, est cité par Grégoire pour prouver la malice de certain silence et l'obligation de prêcher (*Past.* 3, 25 [97 a] : *magna uoce poenitentiae se reprehendit dicens...* ;

monde. Nous sommes grandement entraînés vers le bas, tant que nous nous mêlons aux gens du monde par un babil perpétuel.

15. C'est bien cela qu'Isaïe, après avoir vu le roi Seigneur des armées, s'est reproché personnellement avec regret quand il a dit : « Malheur à moi ! Je reste tout interdit, je suis un homme aux lèvres souillées. » Cette souillure de ses lèvres, il marque où il l'a contractée quand il précise : « J'habite au milieu d'un peuple qui a les lèvres souillées. »

16. En effet, il est très difficile que la langue des gens du monde ne salisse pas l'esprit qu'elle touche, car plus d'une fois nous condescendons à leur parler un peu, puis insensiblement nous prenons goût à ces propos indignes de nous, nous les tenons avec plaisir, en sorte que nous ne quittons qu'avec peine des entretiens auxquels nous sommes venus par condescendance, à contrecœur. Ainsi l'on passe de l'inutile au nocif, du léger au grave, et notre bouche est d'autant moins écoutée du Seigneur tout-puissant dans la prière qu'elle est plus salie par une folle conversation. Car, comme il est écrit, « qui détourne son oreille pour ne pas entendre la loi, sa prière sera exécrable ».

17. Dans ces conditions, quoi d'étonnant si dans nos demandes nous sommes entendus tardivement par le Seigneur, nous qui écoutons les préceptes du Seigneur tardivement ou pas du tout, et quoi d'étonnant si Florent fut vite exaucé en sa prière, lui qui exauça vite le Seigneur en ses prescriptions ?

Mor. 3, 17 et 7, 60). Ailleurs la citation est plus complète et vise à montrer que la vue de Dieu engendre la conscience d'être impur (*Mor.* 35, 3 ; *Hom. Ez.* I, 8, 19). Le présent commentaire est inédit.

16-17. Cette analyse de la chute par degrés rappelle I, *Prol.* 5, mais surtout *Hom. Ez.* I, 11, 6, qui a le même objet précis : les conversations avec les séculiers, où la répugnance aux paroles oiseuses se change peu à peu en plaisir. — Le même texte (Pr 28, 9) est cité aux mêmes fins dans *Mor.* 5, 76 ; 10, 27 ; 16, 26 ; 18, 15 (*clamorem eius... Deus non audit, quia... in praeceptis suis ipse clamantem Dominum non audiuit*). Cf. *V. Caesarii* 1, 36 : *Potuit ille impetrare a Deo, cuius praeceptum numquam praeteriuit.* Dieu exauce vite ses amis : II, 33, 3.

PETRVS. Nihil est quod responderi ualeat apertae rationi.

18. GREGORIVS. Euthicius uero, qui praedicti Florentii in uia Dei socius fuerat, magis post mortem claruit in
150 uirtute signorum. Nam cum multa ciues urbis illius de eo soleant narrare miracula, illud tamen est praecipuum, quod usque ad haec Langobardorum tempora omnipotens Deus per uestimentum illius assidue dignabatur operari. Nam quotiens pluuia deerat et aestu nimio terram
155 longa siccitas exurebat, collecti in unum ciues urbis illius eius tunicam leuare atque in conspectu Domini cum precibus offerre consueuerant. Cum qua dum per agros exorantes pergerent, repente pluuia tribuebatur, quae plene terram satiare potuisset.

160 19. Ex qua re patuit eius anima quid uirtutis intus, quid meriti haberet, cuius foris ostensa uestis iram conditoris auerteret.

XVI. Nuper quoque in parte Campaniae uir ualde uenerabilis, Martinus nomine, in monte Marsico solitariam uitam duxit, multisque annis in specu angustissimo inclausus fuit. Quem multi ex nostris nouerunt, eiusque
5 actibus praesentes extiterunt. De quo multa ipse, et beatae memoriae papa Pelagio decessore meo et aliis religiosissimis uiris narrantibus, agnoui.

149 magis *b*^{v}*m*^{v}*z G* : magnus *bm*^{v} *H* maius *m* ‖ 157-158 exorantes pergerent *mz GH* : perg. ex.

XVI, 1 parte *bm G* : -tes *m*^{v} *H* -tibus *m*^{v}*z* ‖ 4 inclausus *m*^{v} *G* : inclusus *bm H* ‖ nouerunt *bmz G* : -rant *m*^{v} *H* ‖ 5 extiterunt *bm*^{v} *H* : extet- *m G* steterunt *m*^{v}

---

18. Double mention de l'*urbs* qu'est Nursie, appelée plus haut *prouincia* (§ 2). *Vsque ad haec Langobardorum tempora* : voir II, 1, 2 (autre objet miraculeux). — Les miracles posthumes d'Euthicius rappellent ceux de Fortunat (I, 10, 19) et de Benoît (II, 38, 1). LANZONI, *op. cit.*, p. 626, compare sa tunique au voile de sainte Agathe, brandi par les païens contre une éruption de l'Etna (*BHL*

PIERRE. Il n'y a rien à répondre à une raison évidente.

18. GRÉGOIRE. Quant à Euthicius, qui avait été le compagnon de Florent sur le chemin de Dieu, c'est plutôt après sa mort qu'il brilla par la puissance des miracles. Mais comme les citoyens de sa ville se plaisent à raconter à son actif quantité de merveilles, une cependant tranche sur les autres, que jusqu'à ce temps des Lombards Dieu tout-puissant a daigné opérer régulièrement par son vêtement. Car chaque fois que la pluie manquait et qu'une longue sécheresse brûlait la terre d'un feu excessif, les citoyens de sa ville s'assemblaient pour élever sa tunique et la présenter avec des prières à la face du Seigneur. Avec cette relique, comme ils allaient priant à travers champs, subitement la pluie leur était accordée, suffisante pour saturer pleinement la terre.

19. Voilà qui montrait évidemment la vertu et le mérite intérieurs de l'âme d'Euthicius, puisque, extérieurement, l'ostension de sa tunique détournait la colère du Créateur.

XVI. Récemment aussi, au pays de Campanie, sur le mont Marsique, un homme très vénérable nommé Martin mena une vie solitaire, et pendant bien des années il fut reclus dans une grotte très étroite. Beaucoup d'entre nous l'ont connu et furent présents à ses actions. Sur lui j'ai appris beaucoup par le pape Pélage, mon prédécesseur de bienheureuse mémoire, et par d'autres hommes très pieux.

133-136). Voir aussi GRÉG. DE TOURS, *Hist. Franc.* 3, 29 : la tunique de saint Vincent, portée en procession sur les murs de Saragosse, obtient le retrait des assiégeants francs.

19. Le miracle manifeste la vertu : I, *Prol.* 9.

XVI, 1. Pélage II (679-690), dont on voit le portrait sur l'arc de Saint-Laurent-hors-les-murs, est aussi appelé *beatae memoriae decessoris mei* en IV, 59, 2 (cf. III, 36, 1). En dépit de MORICCA (p. 175, n. 2) et de KEHR (t. IV, p. 267), Grégoire ne dit pas que Martin vécut jusqu'à son pontificat. La « grotte très étroite » du Mont-Marsique, qui rappelle celle de Subiaco (II, 1, 4), appartenait à l'évêché de Forum Popilii, transféré plus tard à Forum Claudii et à Carinola (aujourd'hui à Suessa).

2. Cuius hoc miraculum primum fuit, quod, mox se in praedicti montis foramine contulit, ex petra eadem, quae in semetipsa concaua augustum specum fecerat, aquae stilla prorupit, quae Martino Dei famulo in usu cotidiano sufficeret, et nec plus adesset nec necessitati deesset. Qua in re ostendit omnipotens Deus quantam sui famuli curam gereret, cui uetusto miraculo potum in solitudine ex petrae duritia ministraret.

3. Sed antiquus hostis humani generis, eius uiribus inuidens, hunc usitata arte pellere ex eo specu molitus est. Nam amicam sibi bestiam, serpentem scilicet, ingressus, hunc ab eadem habitatione eicere facto terrore conatus est. Coepit etenim serpens in spelunca inueniri solus cum solo, eoque orante se ante illum sternere, et cum cubante pariter cubare. Sed uir sanctus omnino inperterritus eius ori manum uel pedem extendebat, dicens : « Si licentiam accepisti ut ferias, ego non prohibeo. »

4. Cumque hoc continue per triennium gereretur, die quadam antiquus hostis, tanta hac eius fortitudine uictus, infremuit, seque per deuexum montis latus in praecipitium serpens dedit, omniaque arbusta loci illius flamma ex se exeunte concremauit. Qui in eo quod montis latus omne conbussit, cogente omnipotente Deo monstrare conpulsus est, quantae uirtutis fuerat qui uictus absce-

8 mox *m* : ut *add. bm*^{v} *GH* ‖ 10 in semetipsa *bm*^{v} *G* : in semetipsam *m H* ex semetipsam *m*^{v} ‖ 11 usu *bm*^{v} : uso *m GH* ‖ 18 amicam sibi bestiam serpentem *bmz GH* : cum amica bestia serpente *b*^{v} ‖ 20 spelunca *b*^{v}*m GH* : -cam *b* ‖ inueniri *b*^{v}*mz* : -re *GH* uenire *bm*^{v} ‖ 21 illum *bm*^{v} *GH* : illo *m* ‖ 27 deuexum *bm*^{v} : diu- *m GH* ‖ 31 fuerat *bm H* : -rit *m*^{v} *G* ‖ qui *b*^{v}*mz GH* : per quem *b* a quo *b*^{v}

XVI, 2. Nb 20, 7-11.

2. Cette eau jaillissant dans la grotte de l'ermite rappelle *V. Charitonis* 13, et surtout Grég. de Tours, *V. Patr.* 11, 2 : le reclus auvergnat Caluppan en obtient juste la quantité nécessaire chaque jour à lui-même et à son serviteur ; et d'évoquer le précédent de Nb 20, 11.

2. Son premier miracle fut que, à peine retiré dans une excavation de la susdite montagne, du rocher même qui avait formé une caverne étroite en s'incurvant en concavité, de l'eau coula goutte à goutte, suffisante pour la consommation quotidienne de Martin le serviteur de Dieu : il avait le nécessaire sans excès ni défaut. En la circonstance Dieu tout-puissant montra quel soin il avait de son serviteur par un vieux miracle, en lui servant à boire dans la solitude à travers la pierre dure.

3. Mais le vieil ennemi du genre humain, jaloux de ses forces, entreprit de le chasser de cette caverne par un procédé qui avait fait ses preuves. Il entra dans une bête qui était son amie, le serpent, et s'efforça de chasser Martin de sa demeure par la peur. Le serpent commença à lui apparaître dans l'antre seul à seul, à s'allonger devant Martin durant sa prière, à partager sa couche. Mais le saint, parfaitement impavide, tendait vers sa bouche la main ou le pied en disant : « Si tu as reçu licence de me piquer, moi je ne t'empêche pas. »

4. Ce petit jeu durait depuis trois ans quand un beau jour le vieil ennemi, vaincu par tant de courage, frémit. Rampant par le flanc incliné de la montagne, le serpent se jeta dans le gouffre, et toute la végétation de ce lieu brûla de la flamme qui sortait de son corps. En brûlant ainsi tout un flanc de la montagne, forcé par Dieu tout-puissant, il fut contraint de révéler quelle avait été sa puissance, lui, ce vaincu en déroute. Appréciez, je vous

3. Le même Caluppan (GRÉG. DE TOURS, *V. Patr.* 11, 1) a de fréquents démêlés avec les serpents, qui cherchent à l'empêcher de prier. Le mot de Martin au serpent ressemble à celui d'Antoine aux bêtes (ATHANASE, *V. Ant.* 52, 3), surtout d'après la version d'Évagre (*PL* 73, 149 d : *Si a Domino in me uobis est tributa licentia...*), et à celui de Sabas au démon déguisé en lion (CYRILLE DE SCYTH., *V. Sab.* 12). *

4. Ces trois années d'épreuve dans la grotte font penser à Benoît (II, 1, 4). Dans *V. Patr.* 5, 11, 51, les démons se dévoilent en mettant le feu à une natte. La phrase finale se retrouve dans *Hom. Ez.* II, 6, 9, à propos de saint Pierre : *Pensate, rogo, ... in quo mentis*

debat. Perpende, quaeso, iste uir Domini in quo mentis uertice stetit, qui cum serpente per triennium iacuit securus.

35 PETRVS. Auditu paueo.

5. GREGORIVS. Vir iste uitae uenerabilis, inclausionis suae tempore primo, decreuerat ut ultra mulierem non uideret, non quia aspernabatur sexum, sed ex contemplata specie temptationis incurrere metuebat uitium. 40 Quod quaedam mulier audiens, audacter ascendit montem atque ad eius specum inpudenter prorupit. At ille, paulo longius intuens et uenientis ad se muliebria indumenta conspiciens, sese in orationem dedit, in terram faciem depressit, et eo usque prostratus iacuit, quo inpu- 45 dens mulier a fenestra cellulae illius fatigata recederet. Quae die eodem, mox ut de monte descendit, uitam finiuit, ut ex mortis eius sententia daretur intellegi, quia ualde omnipotenti Deo displicuit, quod eius famulum ausu inprobo contristauit.

50 6. Alio quoque tempore, dum multi ad hunc religiosa deuotione concurrerent atque arcta esset semita quae in deuexo montis latere ad eius cellulam properantes ducebat, puer paruulus incaute gradiens ex eodem monte cecidit et usque ad uallem corruit, quae sub monte eodem sita 55 quasi in profundo conspicitur. In loco quippe eodem tanta mons ipse altitudine excreuit, ut arbusta ingentia, quae ex eadem ualle prodeunt, ex monte aspicientibus quasi

32 iste *bm*^{v}*z GH* : te *m* || mentis *bm*^{v}*z* : montis [-tes *H*] *m GH* || 36 inclausionis *m G* : -ne *H* inclusionis *bm*^{v} || 38 uideret *bm*^{v} *G* : -rit *m H* || 43 terram *bm* : -ra *m*^{v}*z GH* || 52 deuexo *bm*^{v} : diu- *m GH*

---

uertice stetit qui... Cf. III, 31, 3 (*in magno mentis culmine stabat securus*) ; IV, 20, 3. *

5. Même propos de ne voir aucune femme chez le reclus Jean de Lyco (*Hist. mon.* 1, 391 b ; PALLADE, *Hist. Laus.* 35, 13 = *HP* 22, 302 d) et l'abbé Paul de Panephysis (CASSIEN, *Conl.* 7, 26 : il ne veut même pas apercevoir des vêtements féminins). Le cas de Benoît (II, 2, 1) montre quelle tentation peut résulter, pour un solitaire,

prie, sur quel sommet spirituel se tint l'homme du Seigneur, qui pendant trois ans se coucha en sécurité avec un serpent.

PIERRE. J'entends bien. J'en frémis.

5. GRÉGOIRE. Cet homme de vie vénérable, au début de sa réclusion, avait décidé de ne plus voir de femme, non qu'il eût du mépris pour le sexe, mais en contemplant la beauté il craignait d'encourir les inconvénients de la tentation. Une femme apprit cela. Hardiment, elle fit l'ascension de la montagne et s'élança impudemment vers sa grotte. Mais lui, regardant un peu loin et constatant que ce qui se présentait à lui était une femme, vu ses vêtements, se mit à prier, abaissant sa face contre terre. Il resta gisant, prosterné, jusqu'à ce que cette femme impudente eût quitté, fatiguée, la fenêtre de sa cellule. Le jour même, à peine descendue de la montagne, elle cessa de vivre, en sorte que la sentence de sa mort donna à penser que Dieu tout-puissant avait vu d'un très mauvais œil cette tentative perverse pour contrister son serviteur.

6. Une autre fois, une foule de gens pieux affluaient vers lui par dévotion ; ils se hâtaient par un étroit sentier qui menait à sa cellule sur la pente rapide de la montagne. Un petit enfant, marchant sans regarder, tomba de la montagne, culbuta jusque dans le vallon situé sous la montagne et qu'on aperçoit dans un abîme. La montagne est tellement élevée à cet endroit que de grands arbres qui pointent de cette vallée apparaissent à qui les voit de la

de la vue d'une femme. — La grotte est appelée *cellula* (ici et 6) ou *cella* (7). Elle ne communique avec l'extérieur que par une fenêtre : *Hist. mon.* 1, 391 b ; GRÉG. DE TOURS, *V. Patr.* 11, 2, etc. — Dieu punit de mort celui qui contriste son serviteur : I, 9, 9. *

6. Comme Jean de Lyco (*Hist. mon.* 1, 391 a) et Caluppan (GRÉG. DE TOURS, *V. Patr.* 11, 1), Martin habite un lieu difficile d'accès. —

frutecta esse uideantur. Perturbati itaque sunt cuncti qui ueniebant, summaque cura quaesitum est, sicubi corpus
60 elapsi pueri potuisset inueniri. Quis enim aliud nisi extinctum crederet ? Quis uel corpus ad terram integrum peruenisse suspicaretur, dum interpositis ubique scopulis in partibus discerpi potuisset ? Sed requisitus puer in ualle inuentus est, non solum uiuus, sed etiam incolumis. Tunc
65 cunctis patenter innotuit, quod ideo laedi non potuit, quia hunc in casu suo Martini oratio portauit.

7. In specu uero illius magna desuper rupis eminebat, quae, cum ex parte exigua monti uideretur adfixa, Martini cellae prominens, casum suum cotidie et illius interi-
70 tum ruitura minabatur. Ad hunc Mascator, inlustris uiri Armentarii nepos, cum magna rusticorum multitudine ueniens, precabatur ut uir Dei de specu eodem dignaretur exire, quatenus ipse ruituram rupem ex monte potuisset euellere, atque in specu suo Dei famulus iam
75 securus habitaret. Cumque hoc uir Dei nequaquam adquiesceret, ei quod posset ut faceret praecepit, et ipse in cellae suae remotiori parte se contulit. Si tamen moles rueret, dubium non erat quod simul et specum destrueret et Martinum necaret.

80 8. Itaque dum ea quae uenerat multitudo conaretur, si posset, sine periculo uiri Dei ingens illud quod desuper incubuerat saxum leuare, cunctis uidentibus repente res ualde admirabilis contigit, quia moles ipsa, quam conabantur euellere, subito ab eisdem laborantibus euulsa, ne
85 speluncae Martini tectum tangeret, saltum dedit et quasi

58 frutecta $b^{v}m$ *H* : frud- *G* fruteta bm^{v} fructecta m^{v} ‖ 62 interpositis *bm GH* : impos- b^{v} ‖ 63 partibus *m GH* : -tes bm^{v} ‖ 67 rupis *m* : rupes bm^{v} *GH* ‖ 70 hunc *mz H* : hanc *b* huc *G* ‖ 73 ipse *bm GH* : ipsi b^{v} ipsam m^{v} ‖ 74 potuisset *bm GH* : -sent b^{v} ‖ 75 Dei *bmz H* : Domini m^{v} *G* ‖ 76 posset bm^{v} *H* : -sit *m G* ‖ 77 parte se *mz GH* : se parte *b* ‖ contulit *bm G* : -lerit m^{v} *H* ‖ tamen *m GH* : ingens *add. bz* ‖ moles bm^{v} *H* : -lis *m G* ‖ 78 rueret bm^{v} : -rit *m GH* ‖ 79 necaret bm^{v} : -rit *m* negaret *GH* ‖ 81 posset bm^{v} : possit *m GH* ‖ 83 moles bm^{v} *H* : -lis *m G*

montagne comme de jeunes pousses. Alors tous les pèlerins sont bouleversés, cherchent avec le plus grand soin où pourra se trouver le corps de l'enfant qui a basculé. Qui pourrait croire qu'il ne soit pas mort ? Qui oserait même imaginer que son corps entier ait atteint le sol, car l'intervalle est tout hérissé de rocs qui ont pu le déchiqueter ? Mais dûment recherché, l'enfant est trouvé dans le val, je ne dis pas vivant : en très bonne santé ! Alors tous virent clairement qu'il n'avait pu être blessé parce que, dans sa chute, la prière de Martin l'avait porté.

7. La grotte était surplombée par un roc colossal qui adhérait à la montagne pour une part exiguë. Dominant la cellule de Martin, il menaçait tous les jours de choir, et sa chute l'aurait tué. Mascator, neveu de l'Illustre Armentarius, vint avec une grande foule de paysans prier l'homme de Dieu de vouloir bien évacuer sa caverne : on pourrait ainsi arracher le roc de la montagne, et après, le serviteur de Dieu pourrait habiter en sécurité dans sa grotte. L'homme de Dieu refusa net, et dit qu'on fasse le possible ; puis il se porta à l'endroit le plus retiré de sa cellule. Si la masse venait à choir, sans aucun doute d'un seul coup elle détruirait la grotte et tuerait Martin.

8. Alors cette foule qui était venue s'efforce de soulever, si possible sans dommage pour l'homme de Dieu, ce roc colossal qui surplombait. Et tout d'un coup, aux yeux de tous, ô merveille ! cette masse qu'ils voulaient arracher, déracinée par leur effort commun, sans toucher la voûte de la grotte de Martin fait un saut, comme pour

L'enfant sauvé de l'écrasement rappelle le jeune homme de Troas (Ac 20, 12) et le moinillon du Mont-Cassin (II, 11, 2 : *incolumem*). Mais ici la prière de Martin a même prévenu l'accident, comme dans le cas de l'énergumène qui se précipite du haut d'un échafaudage et que la « vertu » du grand saint Martin dépose doucement à terre (GRÉG. DE TOURS, *Mir. S. Mart.* 1, 38).

7-8. Rocher en surplomb : I, 8, 2. Il menace la cellule du moine, mais l'épargne : I, 1, 4. Déplacement miraculeux : I, 7, 2. — Mascator et Armentarius ne sont pas connus autrement. Sur le titre d'*illustris* (cf. II, 26 ; IV, 37, 5), voir Th. MOMMSEN, « Ostgotische Studien », dans *Neues Archiv* 14 (1889), p. 487 et 509 : toujours attaché à une fonction déterminée, il désigne la première classe de

serui Dei laesionem fugiens longius cecidit. Quod ad iussum omnipotentis Dei angelico ministerio actum intellegit, qui diuina prouidentia disponi omnia fideliter credit.

9. Hic, cum prius in eodem monte se contulit, necdum
90 clauso specu habitans, catena sibi ferrea pedem ligauit, eamque saxo ex parte altera adfixit, ne ei ultra liceret progredi, quam catenae eiusdem quantitas tendebatur. Quod uir uitae uenerabilis Benedictus audiens, cuius superius memoriam feci, ei per discipulum suum mandare
95 curauit : « Si seruus es Dei, non te teneat catena ferri, sed catena Christi. » Ad quam uocem Martinus protinus eandem compedem soluit, sed numquam postmodum solutum tetendit pedem ultra locum, quo ligatum hunc tendere consueuerat, atque in tanto se spatio sine catena
100 coercuit, in quanto et antea ligatus mansit.

10. Qui dum se postmodum in eiusdem loci conclusisset, coepit etiam discipulos habere, qui ab eius specu seorsum habitantes, ad usum uitae aquam de puteo haurire consueuerant. Sed funis, in quo ad hauriendam
105 aquam situla dependebat, crebro rumpebatur. Vnde factum est, ut eandem catenam, quam Domini uir ex pede suo soluerat, eius discipuli peterent eamque funi adiungerent, atque in illam situlam ligarent. Ex quo iam tempore contigit, ut isdem funis et cotidie tingueretur

87 intellegit *m GH* : -ligit *bm*v cognoscit *m*v ‖ 89 prius *b*v*m GH* : primum *b* primus *b*v ‖ in — se *mz GH* : se in eundem montem *b* ‖ 90 catena — pedem *bmz GH* : catenam sibi ferream ad pedem *b*v ‖ 95 te teneat *mz GH* : ten. te *b* ‖ ferri *bm G* : ferrea *m*v*z H* ‖ 106-107 Domini — suo *m* : ex pede suo uir Domini *bm*v*z GH* ‖ 108 atque — ligarent *om. G* ‖ illam *m H* : illa *bm*v ‖ 109 isdem *m GH* : idem *bm*v

---

sénateurs, qui vient après les patrices et les ex-consuls. — Ministres de Dieu pour le salut des hommes (He 1, 14), les anges portent l'univers : *Mor.* 9, 26 (cf. Jb 9, 13).

9. Selon Théodoret, *Hist. rel.* 26, 10, Syméon Stylite, avant de monter sur sa colonne, s'était attaché le pied droit avec une chaîne de 20 coudées. Le chorévêque Mélèce lui fit rompre ce lien, inutile à un être raisonnable. Les porteurs de chaînes sont blâmés par

éviter de blesser le serviteur de Dieu, et va tomber plus loin. On comprend que cela s'est fait sur l'ordre de Dieu par le ministère des anges, lorsqu'on croit fidèlement que tout est disposé par la divine Providence.

9. Martin, au début de son séjour sur cette montagne, quand il n'était pas encore reclus en grotte, s'était lié le pied à une chaîne de fer qu'il avait fixée au rocher par l'autre extrémité pour qu'il ne pût aller plus loin que la longueur de la chaîne. Benoît, l'homme de vie vénérable que j'ai déjà commémoré, apprit cela. Il lui fit dire par un de ses disciples : « Si tu es serviteur de Dieu, ne sois pas retenu par une chaîne de fer, mais par la chaîne du Christ. » A ces mots, Martin sur-le-champ dénoua cette entrave, mais jamais par la suite il ne porta son pied délié plus loin que le rayon d'action auquel son lien l'avait habitué. Dégagé, il se cantonna dans l'espace où il était demeuré auparavant attaché.

10. Lorsque ensuite il se fut reclus dans la caverne de cette montagne, il commença aussi à avoir des disciples qui habitaient en dehors de sa caverne. Pour l'usage de la vie courante, ils tiraient l'eau d'un puits. Mais la corde à laquelle le seau pour puiser l'eau était accrochée se rompait souvent. Et voici ce qui arriva à ce sujet. Cette chaîne que l'homme du Seigneur avait détachée de son cied, ses disciples la demandèrent, l'adjoignirent à la porde et la lièrent au seau. A partir de ce moment, il arriva que la corde trempa chaque jour dans l'eau sans

Jérôme, *Ep.* 22, 28 (?) ; *Hist. mon.* 7, 419 b (« ostentation »), mais un reclus « chargé de fer » est loué par Pallade, *Hist. Laus.* 45, 2 = *HP* 32, 318 a. Autres cas en Syrie (A. J. Festugière, *Antioche païenne et chrétienne*, Paris 1959, p. 293 suiv.) et en Gaule (Grég. de Tours, *Hist. Franc.* 6, 6 ; *V. Patr.* 15, 1, etc.). — Ce passage, où l'on voit Martin en rapport avec Benoît, l'a fait identifier avec le « juste » du Mont-Cassin dont parle le Poème de Marc, v. 36-37. Due à Pierre Diacre, *V. Placidi* 12, cette identification se retrouve chez Moricca (p. 175, n. 2) et I. Schuster, *S. Benoît et son temps*, p. 164. En réalité, rien n'indique que le reclus du Monte Marsico ait d'abord vécu au Mont-Cassin.

10. Groupe de disciples vivant à proximité d'un reclus, qui est leur abbé : voir Grég. de Tours, *Hist. Franc.* 6, 6 (Hospitius de Nice) ; 6, 8 (Eparchius d'Angoulême) ; 7, 1 (Salvius d'Albi), etc.

110 aqua et nullo modo rumperetur. Quia enim catenam uiri Dei funis ille contigit, ipse quoque ad tolerandam aquam ferri in se fortitudinem traxit.

11. PETRVS. Facta haec placent, quia mira, et multum, quia recentia.

XVII. GREGORIVS. Nostris modo temporibus quidam Quadragesimus nomine Baxentinae ecclesiae subdiaconus fuit, qui ouium suarum gregem pascere in eiusdem Aureliae partibus solebat. Cuius ualde ueracis uiri narratione
5 res mira innotuit, quae secreto fuerat gesta. Is namque, ut praediximus, dum gregis sui in Aurelia curam gereret, in diebus eiusdem uir fuit e monte, qui Argentarius uocatur, uenerabilis uitae, qui habitum monachi, quem praetendebat specie, moribus explebat. Hic itaque ad eccle-
10 siam beati Petri apostolorum principis ab eodem monte Argentario annis singulis uenire consueuerat, atque ad hunc, quem praedixi, Quadragesimum subdiaconem, sicut ipse narrauit, hospitalitatis gratia declinabat.

2. Quadam uero die, dum eius hospitium, quod non
15 longe ab ecclesia aberat, intrasset, cuiusdam pauperculae mulieris maritus iuxta defunctus est. Quem ex more lotum, uestimentis indutum et sabano constrictum, super-

111 tolerandam *bm* : toller- *GH* tollendam b^v tolerantiam m^v
XVII, 2 Baxentinae $b^v m$: Bux- $bm^v m^o z$ *GH* Buxantine m^v ‖ 7 e *bmz G* : in m^v *H* ‖ 8 habitum bm^v *G* : -tu m^v -to *m H* ‖ 12 subdiaconem *m GH* : -num bm^v ‖ 15 aberat *bm GH* : habebat b^v erat m^v ‖ 16 maritus *bmz GH* : matris filius b^v ‖ 17 sabano *bmz GH* : -na m^v sabbato b^v

XVII, 1. L'*ecclesia Baxentina* (ou *Buxentina*) se trouve *in Aureliae partibus*, c'est-à-dire dans la région traversée par la Voie Aurélienne, qui longe la mer au N.-O. de Rome et passe à proximité du Monte Argentaro. Cette Église ne peut donc être Buxentum en Lucanie (*Reg.* 2, 24 = *Ep.* 2, 43), au S.-E. de Rome, comme le veulent les Mauristes. S'agit-il de Visentium (Bisenzio) à l'O. du Lac de Bolsena (*CIL* XI, 2914), comme le conjecture L. DUCHESNE,

jamais se rompre. Car une fois que la corde eut touché la chaîne de l'homme de Dieu, elle attira en elle, pour supporter l'eau, toute la force du fer.

11. PIERRE. Voilà des faits qui font plaisir parce qu'ils sont admirables, et spécialement parce qu'ils sont récents.

XVII. De nos temps justement un certain Quadragesimus fut sous-diacre de l'Église de Baxentium. Il paissait son troupeau de brebis dans la même région d'Aurelia. Cet homme très sincère a divulgué par son récit un fait merveilleux qui s'était accompli dans le secret. Donc, comme je disais, il faisait valoir son troupeau en Aurelia, et dans le même temps il y avait un homme sur le mont Argentaro, de vie vénérable, qui portait l'habit monastique et lui faisait honneur par son genre de vie. Il avait pris l'habitude de venir chaque année du mont Argentaro à l'église du Bienheureux Pierre Prince des Apôtres, et il descendait pour trouver l'hospitalité chez ce sous-diacre Quadragesimus dont je parlais et qui a raconté cela.

2. Un jour qu'il était entré dans son logis, situé non loin de l'église, le mari d'une pauvre femme vint à mourir dans le voisinage. Selon l'usage on le lava, on l'habilla,

« Le sedi episcopali », p. 487 et 489 ? Assez éloignée de la Via Aurelia (35 km au point le plus proche, 80 km au Monte Argentaro), cette localité n'est connue comme évêché que par la mention incertaine d'un *Bisuntianus episcopus* au concile de 743, car c'est à tort que DUCHESNE, « Les évêchés d'Italie », p. 390 (n° 64), lui rattache le *Candidus episcopus ciuitatis Bulsinensis* du concile de 595 et trois lettres de Grégoire qui concernent en réalité Volsinii-Orvieto (n° 65), comme il l'avait lui-même noté plus haut (p. 91). Mais on peut se demander si Grégoire parle ici d'une Église épiscopale. Cette *Baxentina ecclesia* pourrait n'être autre que l'*ecclesia beati Petri* mentionnée plus loin, c'est-à-dire une paroisse rurale analogue à celle de I, 12, 1, d'autant que Quadragesimus, sous-diacre et berger, fait penser au clergé campagnard de III, 22, 1. Il peut donc s'agir d'une localité quelconque de l'Aurelia, telle que Volci où la situe notre carte. — « Habit » monastique et « mœurs » correspondantes : voir *Hom. Eu.* 17, 18. *

2. *Sabanum* comme dans *RM* 17, 10 ; 19, 23. Le soir empêche d'inhumer le mort : I, 10, 17.

ueniente uespere, sepelire nequiuerunt. Iuxta defuncti igitur corpus uiduata mulier sedit, quae in magnis fletibus
20 noctem ducens, continuis lamentorum uocibus satisfaciebat dolori.

3. Cumque hoc diutius fieret et flere mulier nullo modo cessaret, uir Dei, qui receptus hospitio fuerat, Quadragesimo subdiacono conpunctus ait : « Dolori huius mulieris
25 anima mea conpatitur. Rogo, surge et oremus. » Perrexerunt igitur utrique ad uicinam ecclesiam, seseque pariter in orationem dederunt. Cumque diutius orassent, conplere orationem Quadragesimum subdiaconum seruus Dei petiit. Qua conpleta, ab altaris crepidine puluerem
30 collegit, atque cum eodem Quadragesimo ad defuncti corpus accessit, seseque ibidem in orationem dedit.

4. Cumque diutius orasset, iam non, sicut prius fecerat, conpleri orationem per subdiaconum uoluit, sed ipse benedictionem dedit statimque surrexit, et quia dextera manu
35 collectum puluerem gestabat, sinistra pallium quo facies defuncti uelabatur abstulit. Quod cum mulier fieri cerneret, contradicere uehementer coepit et mirari quid uellet facere. Ablato itaque pallio, diu eo quem collegerat puluere defuncti faciem fricauit. Qui dum diutius frica-
40 retur, recepit animam, oscitauit, oculos aperuit, seseque eleuans resedit, quid erga se ageretur miratus est, ac si de graui somno fuisset excitatus.

19 igitur *m GH* : *ante* iuxta (l. 18) *transp. b* || 25 Perrexerunt *bm H* : -re *m*ᵛ *G* || 26 seseque *bm*ᵛ *GH* : seque *m* || 28 subdiaconum *bm H* : -nem *m*ᵛ *G* || 33 conpleri [-re *GH*] orationem *m GH* : or. comp. *b* || subdiaconum *bm H* : -nem *m*ᵛ *G* || 34 dextera [-tra *m*ᵛ *H*] manu *m GH* : manu dext. *b* || 38 uellet *bm*ᵛ : uellit *m GH* uelit *m*ᵛ || 40 recepit *bm*ᵛ*z GH* : recipit *m*

---

3. Cf. Pallade, *Hist. Laus.* 68 = *HP* 56, 338 c : les plaintes d'une femme en travail dans le portique adjacent tirent de son

on l'enserra dans une pièce de toile. Mais le soir tombait, on ne put l'ensevelir. Près du corps du défunt, la veuve s'assit. Elle passa la nuit dans de grands sanglots, satisfaisant sa douleur par des cris de lamentation continuels.

3. Comme cela se prolongeait, la femme ne cessant pas de pleurer, l'homme de Dieu qui avait été reçu en hôte fut touché de compassion et dit au sous-diacre Quadragesimus : « Je compatis à la douleur de cette femme. Je vous en prie, venez et prions. » Ils allèrent tous deux à l'église voisine et se mirent à prier. Quand ils eurent prié longtemps, le serviteur de Dieu demanda au sous-diacre Quadragesimus de conclure la prière. Après cette conclusion, il ramassa la poussière de la base de l'autel, et avec Quadragesimus se rendit auprès du cadavre. Là il se mit en prière.

4. Il pria longuement, mais cette fois il ne proposa pas, comme la première fois, que la prière fût conclue par le sous-diacre ; non, ce fut lui-même qui donna la bénédiction, puis aussitôt il se leva, et, comme sa main droite était prise par la poussière qu'il avait ramassée, de la gauche il écarta le voile qui couvrait la face du défunt. A la vue de cette manigance, le premier mouvement de la femme fut de mettre le holà violemment, et de trouver incompréhensible ce qu'il faisait. Le voile étant écarté, longtemps, avec cette poussière qu'il avait ramassée, il frictionna le défunt. Celui-ci, tandis qu'on le frictionnait longuement, retrouva son âme, bâilla, ouvrit les yeux, se redressa, s'assit, regarda ébahi ce qu'on lui administrait, comme si on l'avait tiré d'un sommeil écrasant.

oraison un moine qui priait dans l'église. Touché de compassion, il lui sert d'accoucheur. — Le moine laisse le clerc prononcer la collecte finale : Athanase, *V. Ant.* 67, 2 ; *Reg. IV Patr.* 4, 16 ; *RM* 83, 5, etc. Chez Eugippe, *V. Seu.* 16, 4, c'est aussi le prêtre qui conclut l'oraison avant la résurrection opérée par le moine Séverin.

4. *Benedictionem dare* équivaut à *orationem conplere* (§ 3). La poussière du tombeau des saints opère des miracles selon Grég. de Tours, *Hist. Franc.* 8, 15 ; *Glor. conf.* 64, etc. Le défunt bâille et ouvre les yeux : 2 R 4, 35.

5. Quod dum mulier lamentis fatigata conspiceret, coepit ex gaudio magis flere et uoces amplius edere. Quam uir
45 Domini modesta prohibitione conpescuit, dicens : « Tace, tace, sed si quis uos requisierit qualiter factum sit, hoc solummodo dicite, quia Dominus Iesus Christus opera sua fecit. » Dixit hoc, atque ab eius hospitio exiit, Quadragesimum subdiaconum protinus reliquit, et in loco eodem
50 ultra non apparuit. Temporalem namque honorem fugiens, egit ut ab his a quibus uisus in tanta uirtute fuerat, numquam in hac uita iam uideretur.

6. PETRVS. Quid alii sentiant, ignoro. Ego autem cunctis miraculis hoc potius existimo esse miraculum,
55 quo ad uitam mortui redeunt, eorumque animae ad carnem ex occulto reuocantur.

7. GREGORIVS. Si uisibilia adtendimus, ita necesse est credamus. Si uero inuisibilia pensamus, nimirum constat quia maius est miraculum praedicationis uerbo atque
60 orationis solacio peccatorem conuertere, quam carne mortuum resuscitare. In isto etenim resuscitatur caro iterum moritura, in illo uero anima in aeternum uictura.

8. Cum enim propono duos, in quo horum existimas maiori factum uirtute miraculum ? Lazarum quippe,
65 quem iam fidelem fuisse credimus, carne Dominus, Saulum uero resuscitauit in mente. Et quidem post resurrec-

43 dum *m GH* : cum *b* ‖ 45 modesta *bm*^{v} *GH* : moderata *m* ‖ 46 requisierit *m*^{v} *GH* : -siuerit *bm* ‖ 48 exiit *m*: exiuit *bm*^{v} *GH* ‖ 49 subdiaconum *bm H* : -nem *m*^{v} *G* ‖ 52 iam *m* : *ante* in hac *transp.* *bm*^{v}*z GH* ‖ 55 quo *bm G* : quod *m*^{v}*z H* ‖ 60 carne *bmz G*^{pc} : carnem *b*^{v} *G*^{ac} in carne *H* ‖ mortuum *bmz GH* : -tuam *b*^{v} ‖ 65 Dominus *m* : suscitauit *praem.* *m*^{v} *add.* *bz GH* ‖ 66 resuscitauit *bm*^{v}*m*^{o} *G* : suscitauit *m H*

XVII, 8. Jn 11, 1-44 ; Ac 9, 1-19

5. D'après EUGIPPE, *V. Seu.* 16, 4-5, la résurrection du mort, qualifiée de *opus solitae maiestatis*, émerveille tellement les assistants que Séverin peut à peine les empêcher de crier. — Fuite de la

5. Quand la femme, fatiguée de se lamenter, vit cela, elle se mit à pleurer, mais de joie, et de plus belle à crier. L'homme du Seigneur la retint par une douce interdiction : « Taisez-vous, taisez-vous. Et si quelqu'un vous demande comment cela s'est fait, dites seulement : le Seigneur Jésus-Christ a agi comme il sait le faire. » Il dit, et sortit de la maison de la femme. Il laissa là le sous-diacre Quadragesimus, et par la suite ne reparut plus dans ce lieu. Pour fuir l'honneur temporel, il fit en sorte que ceux qui l'avaient vu doué d'une telle puissance ne le vissent jamais plus en cette vie.

6. Pierre. Les autres, ce qu'ils pensent, je ne sais pas ; pour ma part, au-dessus de tous les miracles, je mets de préférence le miracle qui fait revenir les morts à la vie et qui rappelle de sa cachette leur âme dans sa chair.

7. Grégoire. Si l'on s'en tient au visible, il faut penser ainsi. Mais si l'on considère l'invisible, il apparaît certainement qu'il y a miracle plus grand à convertir un pécheur par la parole de la prédication et le concours de la prière qu'à ressusciter un mort de chair. Ici en effet est ressuscitée une chair qui mourra de nouveau, là une âme qui éternellement vivra.

8. Je vous propose deux hommes : pour lequel estimez-vous que le miracle a comporté la plus grande puissance ? Lazare qui était déjà un fidèle, nous le croyons, le Seigneur l'a ressuscité dans sa chair, et Saul dans son âme. Or, après sa résurrection de la chair, on n'entend

gloire temporelle résultant du miracle : II, 1, 3. Cf. Ferrand, *V. Fulg.* 50. *

6. Même type de phrase dans *Mor.* 27, 77 : *Quid... ab aliis sentiatur ignoro* ; *ego ... plus... stupeo...*

7. Supériorité de la résurrection de l'âme, miracle invisible : voir *Hom. Eu.* 29, 4, où Grégoire suit Augustin, *Serm.* 44, 2 (ces résurrections spirituelles, que l'Église opère chaque jour, sont la réalité mystérieuse que signifient les résurrections corporelles narrées dans les évangiles). Voir aussi *Mor.* 27, 37 ; *Hom. Eu.* 4, 3 (des miracles visibles aux objets invisibles), ainsi que *In I Reg.* 5, 34. Cf. Ferrand, *V. Fulg.* 50. *

8. Cette comparaison de la résurrection de Lazare et de la conversion de Saul ne se rencontre pas ailleurs chez Grégoire.

tionem carnis de Lazari uirtutibus tacetur. Nam post resurrectionem animae capere nostra infirmitas non ualet, quanta in sacro eloquio de Pauli uirtutibus dicuntur :
70 9. quod illae eius crudelissimae cogitationes ad pietatis mollia conuersae sunt uiscera ; quod mori cupit pro fratribus, in quorum prius morte gaudebat ; 10. quod plenus omni scripturae scientia, nihil se *scire* iudicat, *nisi Christum Iesum et hunc crucifixum* ; quod pro Christo
75 uirgis libenter caeditur, quem gladiis insequebatur ; quod apostolatus honore sublimis est, sed tamen sponte fit paruulus in medio discipulorum ; 11. quod ad caeli tertii secreta ducitur, et tamen mentis oculum per conpassionem reflectit ad disponendum cubile coniugatorum,
80 dicens : *Vxori uir debitum reddat, et uxor uiro* ; quod admiscetur in contemplatione coetibus angelorum, et tamen non aspernatur cogitare atque disponere facta carnalium ; 12. quod gaudet in infirmitatibus sibique in contumeliis placet ; quod ei *uiuere Christus est et mori lucrum* ;
85 quod totum iam extra carnem est hoc ipsum quod uiuit in carne.

13. Ecce qualiter uiuit, qui ab inferno mentis ad uitam pietatis rediit. Minus est ergo quempiam in carne suscitari, nisi forte cum per uiuificationem carnis ad uitam
90 reducitur mentis, ut hoc ei agatur per exterius miraculum, quatenus conuersus interius uiuificetur.

70 illae [-li *G*] eius *b*^{v}*mz G* : illius *H* illius praedicatione *b* illae etiam *b*^{v} *om. m*^{v} || cogitationes *bm*^{v}*z* : -nis *m GH* || 71 mollia *bm*^{v} *GH* : mollitiam *m* *om. z* || conuersae *bm* : -si*G* -sa *m*^{v} *H* || 73 omni *m*(*z*) *G* : omnis *bm*^{v} *H* || nihil *m GH* : nil *b* || 80 reddat *m* : similiter *add. bm*^{v}*z GH* || 88 rediit *bm*^{v}*m*^{o} *GH* : redit *mz* || suscitari *bm* : -re *m*^{v}*z H* *deperd. ap. G* || 89 cum *b*^{v}*m GH* : *om. b* || per uiuificationem *bmz H* : uiuificatione *m*^{v} *G* || 90 reducitur *b*^{v}*m GH* : -catur *b* || hoc ei *m GH* : ei hoc *b*

---

9. mori — fratribus : 1 Th 2, 8 ; 2 Co 12, 15 ; Ph 2, 17 ; morte gaudebat: cf. Ac 9, 1 ; 22, 19-20 ; 26, 10-11 || 10. 1 Co 2, 2 ; 2 Co 11, 25 ; 1 Th 2, 7 || 11. 2 Co 12, 2 ; 1 Co 7, 3 || 12. 2 Co 12, 10 ; Ph 1, 21 ; Ga 2, 20.

pas parler de miracles opérés par Lazare ! Mais après la résurrection de l'âme, notre faiblesse n'arrive pas à saisir tout ce qui est dit dans le discours sacré au sujet des miracles de Paul. 9. Ses préméditations très cruelles sont transformées en douceur et en bonté, il veut mourir pour ses frères alors que naguère il se réjouissait de leur mort. 10. Rempli de toute science de l'Écriture, il « estime qu'il ne sait rien sinon le Christ Jésus, et Jésus crucifié ». Pour le Christ, avec joie il se laisse flageller — et naguère il le persécutait appuyé sur la force armée. Il est suprêmement honorable par l'apostolat, et pourtant il se fait spontanément tout petit au milieu des disciples. 11. Il est introduit aux secrets du troisième ciel et pourtant par compassion il abaisse l'œil de son esprit à s'occuper de l'union des conjoints en disant : « Que le mari rende ce qu'il doit à sa femme et la femme à son mari. » Il est admis par la contemplation dans les chœurs des anges, et pourtant il ne dédaigne pas de songer à régler les actes de ceux qui vivent dans la chair. 12. Il se réjouit de ses infirmités et se complaît dans les humiliations. Pour lui « vivre est Christ et mourir est un gain. » Elle est déjà toute hors de la chair, cette vie même qu'il vit dans la chair.

13. Voilà comment il vit, celui qui est revenu de l'enfer de l'esprit à la vie de l'amour. C'est donc une moindre chose, de ressusciter quelqu'un dans sa chair, à moins que cette chair ravivée ne ramène à la vie de l'esprit, en sorte que par ce miracle extérieur l'homme intérieur soit ravivé et converti.

9-12. Cette page éloquente combine deux morceaux antérieurs : d'une part *Mor.* 11, 16, où la conversion de Paul est célébrée par cinq antithèses dont on trouve ici l'écho en 9 ab, 10 bc, 12 b ; d'autre part *Past.* 2, 5, reproduit dans *Reg.* 1, 24 = *Ep.* 1, 25, qui développe longuement le thème esquissé ici en 11 ab. Les membres 10 a et 12 ac sont originaux, au moins par rapport à ces deux précédents. — La « connaissance du Christ crucifié » est un savoir inférieur : *Mor.* 29, 54 et 31, 104 ; *Hom. Ez.* I, 9, 31, etc. *

13. La résurrection de Lazare signifie nos résurrections morales : *Mor.* 22, 31 ; *Hom. Eu.* 26, 6 ; *In I Reg.* 4, 83. Miracle extérieur et effet intérieur : *Mor.* 27, 37 ; *Hom. Eu.* 4, 3.

14. Petrvs. Valde infra credidi hoc, quod modo quam sit inconparabiliter superius agnoui. Sed, quaeso, coepta persequere, ut dum tempus uacat, sine aedificatione hora 95 non transeat.

XVIII. Gregorivs. Frater quidam mecum est in monasterio conuersatus, in scriptura sancta studiosissimus, qui me aetate praeibat et ex multis quae nesciebam me aedificare consueuerat. Huius itaque narratione didici 5 quod fuit quidam in Campaniae partibus intra quadragesimum Romanae urbis milliarium, nomine Benedictus, et quidem aetate iuuenis, sed moribus grandaeuus et in sanctae conuersationis regula se fortiter stringens.

2. Quem Totilae regis tempore cum Gothi repperissent, 10 hunc incendere cum sua cella moliti sunt. Ignem namque posuerunt, sed in circuitu arserunt omnia, cella uero illius igne conburi non potuit. Quod uidentes Gothi magisque saeuientes atque hunc ex suo habitaculo trahentes, non longe aspexerunt succensum clibanum, qui coquen-15 dis panibus parabatur, eumque in illo proiecerunt clibanumque clauserunt. Sed die altero ita inlaesus inuentus est, ut non solum eius caro ab ignibus, sed neque extrema ullo modo uestimenta cremarentur.

3. Petrvs. Antiquuum trium puerorm miraculum 20 audio, qui proiecti in ignibus laesi non sunt.

94 persequere *m GH* : prosequere *bm*^{v}
XVIII 1-2 bmwz GH 2 sancta *mw* : sacra *bm*^{v}*w*^{v}*z GH* || 3 et *bmw*^{v} *GH* : *om. m*^{v}*wz* || 11 posuerunt *mw GH* : supposuerunt *bm*^{v}*z* || 11-12 cella... conburi... potuit *bmw GH* : cellam... comburere... potuerunt *b*^{v} || 12 igne *bmw H* : igni *m*^{v}*w*^{v} *G* *om. m*^{v} || 14 succensum *bm*^{v}*w*^{v}*z GH* : -so *mw* || 15 illo *bmwz GH* : illum *m*^{v}*w*^{v} || 18 ullo *bmw GH* : nullo *m*^{v}*w*^{v}

XVIII, 3. Dn 3, 23-24.91-94.

XVIII, 1. Mentionné en I, *Prol.* 3, le monastère de Grégoire apparaît ici pour la première fois dans le corps de l'ouvrage. — La

14. Pierre. J'étais persuadé que la conversion était fort inférieure, mais maintenant je reconnais qu'elle est incomparablement supérieure. Cependant je vous prie de continuer ce que vous avez entrepris. Le temps est libre : que l'heure ne s'écoule pas sans rien pour nous édifier.

XVIII. Grégoire. Un frère qui vécut avec moi au monastère, passionné d'Écriture sainte, plus âgé que moi, avait l'habitude de m'édifier sur bien des choses que j'ignorais. C'est ainsi que j'ai appris par un récit de lui, qu'il y avait au pays de Campanie, en deçà du quarantième mille de Rome, un nommé Benoît, jeune par l'âge, mais en pleine vieillesse par son comportement, qui s'assujettissait vigoureusement à la règle de sainte vie.

2. Au temps du roi Totila, les Goths mirent la main sur lui, et ils entreprirent de le brûler avec sa cellule. Ils y mirent le feu, mais tandis que tout brûla aux alentours, la cellule de Benoît ne put être entamée par la combustion. A cette vue, les Goths, au comble de l'exaspération, le tirèrent de sa demeure et, voyant à proximité un four allumé, tout prêt à cuire des pains, ils le fourrèrent dedans et refermèrent le four. Le lendemain, on le retrouva intact. Sa chair n'avait pas été touchée par le feu, ni même les extrémités de son habit.

3. Pierre. C'est le vieux miracle des trois jeunes gens que j'entends ! Jetés au feu, ils n'en furent pas touchés.

distance de 40 milles de Rome rappelle le site valérien de Subiaco (II, 1, 3), où vécut plus tôt un autre Benoît, lui aussi précocement mûr (II, *Prol.* 1 : *aetatem moribus transiens*). Elle délimite le cercle où s'étend la juridiction du Vicaire de Rome (Cassiodore, *Var.* 6, 15 : *Intra quadragesimum sanctissimae Vrbis iura custodis*).

2. Ces violences des Goths en Campanie, spécialement contre un moine, font penser à II, 31, 1. — Grégoire paraît se souvenir de Sulpice Sév., *Dial.* 1, 18, où un postulant, sur l'ordre de son abbé, se jette dans un four à pain embrasé (*clibanus... qui... succensus coquendis panibus parabatur*) et y demeure intact comme les *pueri Hebraei* (Dn 3, 91-94). Le même précédent biblique est évoqué par Grég. de Tours, *Glor. mart.* 10, à propos d'un enfant juif mis au four par son père pour avoir reçu l'eucharistie, et miraculeusement préservé. *

3. Pierre relève la correspondance scripturaire comme en II, 8, 8

GREGORIVS. Illud, ut opinor, miraculum ex parte aliqua dissimiliter gestum est. Tunc quippe tres pueri ligatis pedibus ac manibus in igne proiecti sunt, quos die altero rex requirens, in camino inlaesis uestibus deambulantes
25 repperit. Ex qua re collegitur, quia ignis in quo iactati fuerant, qui eorum uestimenta non contigit, eorum uincula consumpsit, ut uno eodemque tempore in obsequium iustorum et haberet flamma uirtutem suam ad solacium et non haberet ad tormentum.

XVIIII. Huic tam antiquo miraculo diebus nostris res similis e contrario euenit elemento. Nam nuper Iohannes tribunus relatione sua me docuit, quod Pronuulfus comes, cum ilico adesset, se cum rege Authari eo tempore in loco
5 eodem ubi mira res contigit adfuisse, eamque se cognouisse testatus est.

2. Praedictus etenim tribunus narrauit dicens, quia ante hoc fere quinquennium, quando apud hanc Romanam urbem alueum suum Tiberis egressus est, tantumque
10 crescens ut eius unda super muros urbis influeret atque in ea maximas regiones occuparet, apud Veronensem urbem fluuius Atesis excrescens ad beati Zenonis martyris atque pontificis ecclesiam uenit. Cuius ecclesiae dum essent

3 bmz GH 23 igne *mz GH* : ignem *bm*v ‖ altero *m GH* : -ra *bm*v
XVIIII 1-3 bmwz GH 2 e *bmw H* : ex *m*v*w*v *G* ‖ Iohannes *bm*v*w*v : -nis *mw GH* ‖ 3 Pronuulfus *m*o*w H* : Pronulfus *m G* Pronulphus *b*(*z*) ‖ comes *bm*v : comis *mw GH* ‖ 4 ilico *mw GH* : illic *bm*v illum *b*v ‖ adesset *bmwz GH* : adiisset *b*v*w*v ‖ Authari *mw* : Autharic *H* Autarie *w*v *G* Autharico *b* Autharit *etc.* *m*v Autario *etc.* *w*v ‖ 9 tantumque *mw GH* : tantum *b* ‖ 10 influeret *bm*v*w G* : -rent *m*v -rit *m* -rint *H* ‖ 11 in ea *mw G* : in eum *H* inde (...) in ea *z* inde in ea iam *b* inde iam *m*v*w*v ‖ occuparet *bw G* : -rit *m H* ‖ 12 Atesis *mw GH* : Ath- *bm*v Athasis *m*v*w*v ‖ martyris *bmwz GH* : confessoris *m*v*w*v

---

et 13, 4. Il est piquant d'observer que ce miracle si semblable à celui de Dn 3 fut conté à Grégoire par un frère « très versé dans

Grégoire. Ce miracle-là, à mon sens, comporta une particularité. Les trois jeunes gens furent jetés dans le feu pieds et mains liés. Le lendemain, le roi vint aux nouvelles et les retrouva dans la fournaise, leurs vêtements intacts, en train de se promener. Cela montre que le feu où ils avaient été jetés ne toucha pas leurs vêtements, mais dévora leurs liens. En un même temps, pour servir les justes, la flamme avait de la force pour les soulager, mais elle n'en avait pas pour les tourmenter.

XVIIII. Ce miracle si vieux a eu de nos jours son symétrique, provenant de l'élément opposé. Car récemment le tribun Jean m'apprit en causant que le comte Pronulf, qui était là, assista avec le roi Authari, au moment même, sur place, à la merveille ; il en eut connaissance et il l'a attesté.

2. Le tribun m'a donc dit qu'il y a environ cinq ans, quand le Tibre déborda dans cette ville de Rome et monta tellement que son eau coula par-dessus les remparts et inonda de vastes quartiers, il y eut en même temps à Vérone une crue de l'Adige qui vint jusqu'à l'église du Bienheureux Zénon Martyr et Pontife. L'église avait ses portes

l'étude de l'Écriture » (§ 1). — Effets contrastés du feu, au bénéfice des justes : voir *Mor.* 9, 102 (cf. Sg 16, 18-19 ; 19, 19-20).

XVIIII, 1. Un *Iohannes tribunus*, lié d'amitié avec Grégoire, commande à Siponte en 600 (*Reg.* 9, 112 et 174 = *Ep.* 9, 46 et 11, 24). Le comte Pronulf (lombard ?) n'est pas connu autrement. Authari (584-590) fut le premier mari de la reine Théodelinde, à laquelle Grégoire devait envoyer les Dialogues (Paul Diacre, *Hist. Lang.* 3, 16.29.34 ; 4, 5). Mentionné sans bienveillance dans *Reg.* 1, 17 = *Ep.* 1, 17, il aurait, d'après *Reg.* 7, 23 = *Ep.* 7, 26, assisté à un autre miracle dans une ville au N. du Pô.

2. L'inondation du Tibre eut lieu en novembre 589 (Grég. de Tours, *Hist. Franc.* 10, 1 ; cf. *Lib. Pont.* I, 309), celle de l'Adige le 17 octobre (Paul Diacre, *Hist. Lang.* 3, 23). La rédaction de ce chapitre, « quelque cinq ans » plus tard, daterait donc de l'automne 594. — Huitième évêque de Vérone et auteur de Sermons (*PL* 11, 253-328), Zénon ne fut pas martyr (même erreur, en IV, 13, 3, au sujet de Juvénal). Sise près du fleuve (rive droite), son église était hors les murs selon Paul Diacre.

ianuae apertae, aqua in eam minime intrauit. Quae pau-
15 lisper crescens, usque ad fenestras ecclesiae quae erant tectis proximae peruenit, sicque stans aqua ecclesiae ianuam clausit, ac si illud elementum liquidum in soliditatem parietis fuisset inmutatum.

3. Cumque essent multi interius inuenti, sed, aquarum
20 magnitudine ecclesia omni circumdata, qua possent egredi non haberent, ibique se siti ac fame deficere formidarent, ad ecclesiae ianuam ueniebant, ad bibendum hauriebant aquam, quae, ut praedixi, usque ad fenestras excreuerat et tamen intra ecclesiam nullo modo defluebat. Hauriri
25 itaque ut aqua poterat, sed defluere ut aqua non poterat. Stans autem ante ianuam ad ostendendum cunctis meritum martyris, et aqua erat ad adiutorium et quasi aqua non erat ad inuadendum locum.

4. Quod ego antiquo antedicti ignis miraculo uere
30 praedixi non fuisse dissimile, qui trium puerorum et uestimenta non contigit et uincula incendit.

5. Petrvs. Mira sunt ualde sanctorum facta, quae narras, et praesenti infirmitati hominum uehementer stupenda. Sed quia tantos nuper in Italia fuisse audio
35 admirandae uirtutis uiros, nosse uelim : nullas eos contigit antiqui hostis insidias pertulisse, an ex insidiis profecisse ?

Gregorivs. Sine labore certaminis non est palma uictoriae. Vnde ergo uictores sunt, nisi contra antiqui hostis
40 insidias decertauerunt ? Malignus quippe spiritus cogitationi, locutioni atque operi nostro semper insistit, si

18 inmutatum *mw GH* : iam mutatum w^{v} mutatum bm^{v} || 19 interius inuenti *mw*(*z*) *GH* : inu. int. *b* || sed *mw GH* : sed et *b* et m^{v} || 20 magnitudine $b^{v}mw$ *G* : -nem *H* multitudine $bm^{v}w^{v}$ || ecclesia omni *mw GH* : om. eccl. bw^{v} || 24 ecclesiam bmw^{v} *GH* : -sia $m^{v}m^{o}w$ || defluebat [-ibat *G*] $m^{v}w^{v}$ *GH* : deffl- m^{v} diffluebat *bmw* || Hauriri $bm^{v}wz$ *G*: -re mw^{v} *H* || 25 defluere $m^{v}w^{v}$ *H* : defluire G^{pc} diffluere $bm^{v}w^{v}$(*z*) difflui *mw* eflui G^{ac} || 27 martyris *bmwz GH* : confessoris $m^{v}w^{v}$ || et aqua *mwz GH* : ut aqua bm^{v}

4 bmz GH 31 contigit $bm^{v}z$ *GH* : contingit *m* || 35 uelim bm^{v} :

ouvertes. L'eau ne pénétra point. En peu de temps elle monta jusqu'aux fenêtres de l'église, proches de la toiture. S'arrêtant alors, l'eau ferma les portes de l'église, comme si cet élément liquide s'était changé en une paroi solide.

3. Plusieurs se trouvèrent bloqués à l'intérieur. L'église était entourée entièrement par la masse des eaux : ils ne pouvaient sortir et craignaient de mourir de soif et de faim. Ils venaient à la porte de l'église prendre de l'eau pour boire. Elle montait, comme j'ai dit, jusqu'aux fenêtres, et pourtant elle ne se répandait pas dans l'église. Elle pouvait être eau potable, mais non pas eau d'inondation. S'arrêtant à la porte pour montrer à tous les mérites du martyr, elle était eau pour secourir, mais n'était pas eau pour envahir le saint lieu.

4. Je disais vrai tout à l'heure : que ce n'était pas différent du vieux miracle de la fournaise, qui ne toucha pas aux vêtements des trois jeunes gens et brûla leurs liens.

5. PIERRE. Ils sont tout à fait merveilleux, les saints, dans les événements que vous contez, et très prodigieux pour la médiocrité des gens d'aujourd'hui. Mais s'il y a eu naguère en Italie tant d'hommes d'une puissance admirable, j'aimerais savoir... Ne leur est-il pas arrivé de recevoir des coups sournois du vieil ennemi ? Ou bien ont-ils tiré parti de ses sournoiseries ?

GRÉGOIRE. Sans peine au combat, point de palme au vainqueur. Comment être vainqueur, si l'on ne s'est pas mesuré avec les coups perfides du vieil adversaire ? Le mauvais esprit épie sans cesse notre pensée, notre parole, notre action : si d'aventure il pouvait trouver matière

uellim *m H* uellem *m*ᵛ uelle *G* ‖ nullas *m GH* : si nullas *bm*ᵛ*z* ‖ 36 an *bm GH* : atque *b*ᵛ ‖ 39 nisi *m GH* : nisi quod *b*(*z*) nisi quia *m*ᵛ

---

3. Cf. JÉRÔME, *V. Hil.* 40 : à Épidaure, un raz de marée s'arrête devant Hilarion (*incredibile dictu est in quantam altitudinem intumescens mare ante eum steterit*), les eaux devenant dures comme pierre.

5. *Tantos nuper... uiros* : en fait, le dernier « homme » mentionné, Zénon, appartient à un passé reculé ; c'est son sanctuaire qui a été honoré d'un miracle « récemment ». — Sans combat, pas de victoire : voir II, 8, 13 (les *certamina* suscités par le diable sont pour Benoît des occasions de victoire).

fortasse quid inueniat, unde apud examen aeterni iudicis accusator existat. Vis etenim nosse, quomodo ad decipiendum semper adsistat ?

XX. Quidam, qui nunc nobiscum sunt, rem quam narro testantur, quod uir uitae uenerabilis, Stephanus nomine, Valeriae prouinciae presbiter fuit, huius nostri Bonifatii diaconi atque dispensatoris ecclesiae agnatione proximus. 5 Qui quadam die, de itinere domum regressus, mancipio suo neglegenter loquens praecepit, dicens : « Veni, diabole, discalcia me. » Ad cuius uocem mox coeperunt se caligarum corrigiae in summa uelocitate dissoluere, ut aperte constaret, quod ei ipse qui nominatus fuerat ad extra- 10 hendas caligas diabolus oboedisset.

2. Quod mox ut presbiter uidit, uehementer expauit, magnisque uocibus clamare coepit, dicens : « Recede, miser, recede. Non enim tibi, sed mancipio meo locutus sum. » Ad cuius uocem protinus recessit. Ita ut inuentae 15 sunt, magna iam ex parte dissolutae corrigiae remanserunt. Qua in re college, antiquus hostis, qui tam praesto est factis corporalibus, quam nimiis insidiis nostris cogitationibus insistat.

3. PETRVS. Laboriosum ualde atque terribile est 20 contra inimici insidias semper intendere et continue quasi in aciem stare.

XX, 2 testantur *bmz H* : nouerunt atque *praem. m*^{v} *G* || quod *b*^{v}*m GH* : *om. bz* || 3 Bonifatii *m*^{v} : -cii *bm*^{v} *GH*   Bonefatii [-cii *m*^{v}] *m*^{v} Bonefati *m* || 6 neglegenter *m H* : neglig- *bm*^{v} *G* || 7 discalcia *m GH* : discalcea *b* || 10 caligas diabolus *m GH* : diab. cal. *b* || 14 recessit *m H* : et *add. bm*^{o}*z*   *om. m*^{v} *G* || 16 college [collige *m G*] *m*^{v}*z GH* : colligi potest *bm*^{v} || 20 inimici *bmz GH* : perfidi *praem. b*^{v} || 21 in aciem *m GH* : in acie *bm*^{v} innocue *m*^{v}

XX, 1. Ce diacre Boniface, dont un parent est prêtre en Valérie, pourrait être le futur Boniface IV (608-615), originaire de cette

d'accusation à l'examen de l'éternel Juge ! Voulez-vous savoir comment, pour nous tromper, il est toujours à nos côtés ?

XX. Quelques-uns, qui sont présentement avec nous, attestent ce que je vais raconter. Un homme de vie vénérable, nommé Étienne, fut prêtre en la province de Valérie, proche parent par sa naissance de notre diacre Boniface, administrateur de l'Église. Un jour, rentrant chez lui après un voyage, il ordonna à son esclave, sans penser à ce qu'il disait : « Ici, diable ! Déchausse-moi. » A ces mots, aussitôt les courroies de ses chaussures se mirent à se délier à toute vitesse. Ainsi il apparut avec évidence que celui qui avait été appelé pour tirer les bottes, le diable, obéissait.

2. A cette vue, aussitôt le prêtre frémit d'horreur. Il se mit à crier à tue-tête : « Va-t-en, misérable, va-t-en ! Ce n'est pas à toi, c'est à mon esclave que je parlais ! » A ce cri, immédiatement il s'en alla. Les courroies restèrent comme elles étaient, en grande partie déjà dénouées. Par cet exemple vous pouvez juger combien notre vieil adversaire, si présent déjà dans le domaine corporel, poursuit à outrance et insidieusement nos pensées.

3. Pierre. C'est très pénible, c'est terrible d'être toujours tendu contre les pièges de l'ennemi et de faire front continuellement comme sur un champ de bataille.

province d'après *Lib. Pont.* I, 317. Sa fonction de *dispensator ecclesiae* suggère aussi de l'identifier avec le diacre Boniface qui joue un rôle administratif important selon *Reg.* 1, 50 ; 4, 2 ; 6, 31 ; 9, 72 (= *Ep.* 1, 52 ; 4, 2 ; 6, 61 ; 10, 9). Les autres rapprochements opérés par A. Dufourcq, *Les Gesta Martyrum romains*, t. I, p. 167-168, et Moricca, p. 187, n. 1, ne peuvent être retenus. — Le langage « négligent » du saint prêtre Étienne fait penser à la malédiction de Florent (15, 7-10). Obséquiosité du diable : cf. Pallade, *Hist. Laus.* 25, 2 = *HP* 13, 290 ab (il fait de la lumière pour Valens).

2. Cris contre le diable : 4, 2 et 21, 3 (*miser*). Les œuvres extérieures du diable sont le signe de celles qu'il fait invisiblement : même dialectique, en 19, 7-13, à propos des œuvres de Dieu.

3. Comme plus haut (7, 10), Grégoire équilibre crainte et confiance.

GREGORIVS. Laboriosum non erit, si custodiam nostram non nobis, sed gratiae supernae tribuimus, ita tamen ut et ipsi, quantum possumus, sub protectione uigilemus. 25 Si autem antiquus hostis a mente coeperit expelli, ex diuina largitate plerumque agitur, ut non solum iam timeri non debeat, sed ipse etiam bene uiuentium uirtute terreatur.

XXI. Rei namque, quam narro, uir sanctissimus Eleutherius senex pater, cuius superius memoriam feci, testis extitit, mihique hoc intimare curauit, quod in Spolitana urbe puella quaedam iam nubilis, cuiusdam primarii 5 filia, caelestis uitae desiderio exarsit, eique pater resistere ad uiam uitae conatus est, sed contempto patre conuersationis habitum suscepit. Qua ex re factum est, ut eam pater suae substantiae exheredem faceret, nihilque illi aliud nisi sex uncias unius possessiunculae largiretur. 10 Eius uero exemplo prouocatae, coeperunt apud eam multae nobilioris generis puellae conuerti atque omnipotenti Domino dicata uirginitate seruire.

2. Quadam uero die isdem Eleutherius abbas, uir uitae uenerabilis, ad eam gratia exhortationis atque aedifica- 15 tionis accesserat et cum ea de uerbo Dei conloquens sedebat, cum repente ex eodem fundo, quem in sex uncias a patre perceperat, cum exenio rusticus uenit. Qui dum ante eos adsisteret, maligno spiritu correptus cecidit, fatigarique nimiis stridoribus atque balatibus coepit.

22 Laboriosum non erit [est *z*] *bmz GH* : labor utilis est *b*ᵛ ‖ 23 tribuimus *bm G* : tribuemus *m*ᵛ *H* tribuamus *m*ᵛ ‖ 24 protectione [-nem *G*] *m GH* : eius *praem. bz* diuina *add. m*ᵛ Dei *add. m*ᵛ

XXI, 2 superius memoriam *mz GH* : mem. sup. *b* ‖ 3 Spolitana *m GH* : Spolet- *b* Spolitina *m*ᵛ Spoletina *m*ᵛ ‖ 4 puella *bmz GH* : pudica *b*ᵛ ‖ quaedam iam nubilis : quae iam dicebatur nuptialis *b*ᵛ ‖ iam *bmz G* : etiam *m*ᵛ *om. b*ᵛ*m*ᵛ *H* ‖ nubilis *bmz* : nobilis *b*ᵛ*m*ᵛ *GH* ‖ 5 resistere *m GH* : *post* uitae *transp. b* ‖ 7 conuersationis *m GH* : sanctae *add. b* ‖ suscepit *bm*ᵛ*z GH* : suscipit *m* quaesiuit *b*ᵛ ‖ 9 illi *m GH* : ei *b* ‖ 11 nobilioris *bmz* : -res *m*ᵛ nubiliores *m*ᵛ *GH* ‖ generis *bmz H* : genere *m*ᵛ *G* *om. m*ᵛ ‖ 12 dicata *m*

GRÉGOIRE. Ce ne sera pas pénible si nous confions notre garde, non pas à nous, mais à la grâce d'en haut, en faisant en sorte cependant que personnellement, autant que possible, nous soyons vigilants sous cette protection. Et si l'on s'est mis à expulser de l'esprit le vieil adversaire, il arrive souvent, grâce à la générosité de Dieu, qu'il ne fasse plus peur et, mieux encore, qu'il soit terrifié par la puissance de ceux qui vivent bien.

XXI. De ce que je vais raconter, le très saint Éleuthère, ce vieil abbé évoqué plus haut, fut témoin, et il prit la peine de m'en faire part. A Spolète, une jeune fille en âge d'être mariée — c'était la fille d'un notable — brûla du désir de la vie céleste, et son père se mit en devoir de lui résister sur la voie de la vie. Mais elle ne tint pas compte de son père et reçut l'habit de la religion. Le résultat fut que son père la déshérita. Il ne lui accorda que le demi-arpent d'une petite propriété. Mais provoquées par son exemple, plusieurs filles de souche noble embrassèrent la vie religieuse auprès d'elle au service du Seigneur tout-puissant, à qui elles vouaient leur virginité.

2. Un jour, cet abbé Éleuthère, homme de vie vénérable, vint la voir pour l'encourager et l'affermir. Il s'était assis pour un colloque avec elle sur la parole de Dieu. Soudain arriva, muni d'un cadeau, un paysan de ce lopin de terre d'un demi-arpent qu'elle avait reçu de son père. Tandis qu'il se présentait devant eux, saisi par un esprit méchant il tomba, obsédé par des cris stridents d'animaux et des bêlements.

GH : dedicata *bm*^{v} ‖ 13 isdem *m GH* : idem *bm*^{v} ‖ 16 uncias *b*^{v}*m H* : unciis *bm*^{v} *G* ‖ 17 exenio *b*^{v}*m GH* : xenio *bm*^{v} ‖ 19 nimiis *bm* : nimis *m*^{v} *GH*

XXI, 1. L'abbé Éleuthère a été nommé en 14, 1, où il est question comme ici d'une moniale de Spolète qui eut à lutter contre les siens pour « parvenir à l'habit ». — *Viam uitae* : Ps 15, 10 (cf. *RM* Ths 16 = *RB* Prol 20). La dernière phrase ressemble à II, 3, 13-14.

2. Le moine vient exhorter la moniale : cf. II, 19, 1. Présent (*xenium*) comme en 12, 2 et 14, 9. Grognements et bêlements du démon : 4, 2.

20 3. Tunc sanctimonialis femina surrexit, atque irato uultu magnis clamoribus imperauit, dicens : « Exi ab eo, miser. Exi ab eo, miser. » Ad cuius uocem mox per os uexati diabolus respondit, dicens : « Et si de eo exeo, in quem intrabo ? » Casu autem iuxta porcus paruulus pas-
25 cebatur. Tunc sanctimonialis femina praecepit, dicens : « Exi ab eo, et in hunc porcum ingredere. » Qui statim de homine exiit, porcum quem iussus fuerat inuasit, occidit et recessit.

4. Petrvs. Velim nosse, si saltem porcum concedere
30 spiritui inmundo debuit.

Gregorivs. Propositae regulae nostrae actioni sunt facta ueritatis. Ipsi etenim redemptori nostro a legione, quae hominem tenebat, dictum est : *Si eicis nos, mitte nos in gregem porcorum.* Qui hanc et ab homine expulit, et in
35 porcos ire eosque in abyssum mittere concessit. Ex qua re hoc etiam collegitur, quod absque concessione omnipotentis Dei nullam malignus spiritus contra hominem potestatem habeat, qui in porcos intrare non potuit nisi permissus. Illi ergo nos necesse est sponte subdi, cui et
40 aduersa omnia subiciuntur inuita, ut tanto nostris hostibus potentiores simus, quanto cum auctore omnium unum efficimur per humilitatem.

5. Quid autem mirum, si electi quique in carne positi

20-25 sanctimonialis... sanctimonialis *b m*ᵛ *H* : -les... -les *G* sanctaem-... sanctaem- *m* ‖ 29 Velim *bm*ᵛ : uellim *m H* uellem *G* ‖ 31 Propositae *bm G* : praep- *m*ᵛ *H* ‖ actioni *bm G* : -nis *m*ᵛ*z H* ‖ 36 hoc etiam *m H* : et. hoc *bm*ᵛ *G* ‖ 37 nullam *bm*ᵛ*z H* : nulla *m G* ‖ 39 cui *bmz GH* : *om.* *b*ᵛ ‖ 40 subiciuntur inuita *bmz GH* : subiiciendo committere *b*ᵛ

XXI, 3. Exi ab eo : Lc 4, 35 ‖ 4. Mt 8, 31.

3. Cris courroucés contre le démon, traité de *miser* : 4, 2 ; 20, 2. Le porc est associé aux pensées impures en II, 3, 9 (cf. Lc 15, 16). Voir aussi III, 30, 3. — Femme expulsant le démon : cas très rare,

3. Alors la religieuse se leva avec un air irrité et commanda d'une voix forte : « Sors de lui, misérable ! Sors de lui, misérable ! » A ces mots, le démon répondit sur-le-champ par la bouche de l'homme torturé : « Et si je sors de lui, chez qui entrerai-je ? » Il se trouvait par hasard qu'à proximité paissait un petit goret. Alors la religieuse commanda : « Sors de lui et entre dans ce goret. » Immédiatement il sortit de l'homme, envahit le goret selon l'injonction reçue, le tua et s'en alla.

4. PIERRE. Je voudrais savoir si elle devait concéder ne fût-ce qu'un goret à un esprit immonde.

GRÉGOIRE. Les faits et gestes de la Vérité sont les règles proposées à notre action. Il a été dit à notre Rédempteur par la Légion qui possédait un homme : « Si tu nous chasses, envoie-nous dans le troupeau de porcs. » Et il expulsa la Légion de l'homme, lui concédant d'aller dans les porcs et de les précipiter dans l'abîme. D'où l'on peut conclure que sans permission de Dieu tout-puissant l'esprit méchant n'a aucun pouvoir contre l'homme, puisqu'il n'aurait pu entrer dans les porcs sans autorisation. Il est donc nécessaire que nous nous soumettions spontanément à Celui auquel tous ses adversaires sont assujettis malgré eux, pour que nous soyons d'autant plus puissants contre nos ennemis que nous nous rendons plus un par l'humilité avec le Créateur de l'univers.

5. Au reste, il n'y a rien de surprenant que les élus encore en cette chair puissent agir souvent avec une effi-

peut-être unique. Il met en relief la faiblesse du démon, qui va être illustrée par le commentaire de Mt 8, 31.

4. L'exemple du Christ fait loi : I, 9, 7. — Même usage de Mt 8, 31 en *Mor.* 2, 16 et 32, 50, conjointement à l'exemple de Job, pour montrer que le diable ne peut rien sans la permission de Dieu. Grégoire s'inspire de CASSIEN, *Conl.* 7, 22, 1, qui dépend lui-même d'ATHANASE, *V. Ant.* 29, 4-5 (grec et ancienne version latine). L'idée, sans la citation, se retrouve dans *In I Reg.* 5, 16. — Les derniers mots rappellent II, 16, 4 : *unus fit cum Domino spiritus qui Domino adhaeret* (cf. 1 Co 6, 17).

5. Des miracles opérés par les vivants à ceux que font leurs « ossements morts » : même passage en I, 10, 19.

multa facere mirabiliter possunt, quorum ipsa quoque
45 ossa mortua plerumque in multis miraculis uiuunt ?

XXII. In Valeriae namque prouincia res est haec gesta, quam narro, mihique beatae memoriae abbatis mei Valentionis relatione cognita. Ibi etenim quidam uenerabilis sacerdos erat, qui cum clericis suis, Dei laudibus bonisque
5 operibus intentus, sanctae conuersationis uitam ducebat. Superueniente autem uocationis die defunctus est atque ante ecclesiam sepultus. Eidem uero ecclesiae caulae inhaerebant ouium, atque isdem locus, in quo sepultus est, ad easdem oues tendentibus peruius erat.
10 2. Quadam autem nocte, cum clericis intra ecclesiam psallentibus fur uenisset, ut ingressus caulas furtum faceret, ueruecem tulit et concitus exiit. Cum uero peruenisset ad locum, ubi uir Domini sepultus erat, repente haesit et gressum mouere non potuit. Veruecem quidem
15 de collo deposuit eumque dimittere uoluit, sed manum laxare non ualuit. Coepit igitur stare miser cum praeda sua reus et ligatus. Volebat ueruecem dimittere, nec ualebat. Volebat egredi cum ueruece, nec poterat. Miro itaque modo fur qui a uiuis uideri timuerat, hunc mortuus tene-
20 bat, cumque ita gressus manusque illius fuisset obstricta, inmobilis perstitit.

3. Facto autem mane expletisque laudibus Dei, ab ecclesia egressi sunt clerici, et inuenerunt ignotum hominem ueruecem tenentem manu. Res uenit in dubium,
25 utrum ueruecem tolleret an offerret, sed culpae reus citius

XXII, 1 Valeriae *mz G* : -ria *bm*v *H* ‖ 6 uocationis *m GH* : sua *add. b*(*z*) eius *add. m*v ‖ 8 isdem *m GH* : idem *bm*v ‖ 9 tendentibus *bmz GH* : custodiae mancipandas *b*v ‖ 15 dimittere *bmz* : dem- *GH* ‖ manum *bmz H* : manu *m*v *G* ‖ 16 laxare *bmz H* : -ri *G* ‖ 17 dimittere *bm*v*z* : dem- *m GH* ‖ 20 fuisset *m G* : -sent *bm*v *ante* manusque *transp. H*

XXII, 1. « Mon abbé Valentio » comme en I, 4, 20, où il s'agit aussi de la Valérie. — *Sanctae conuersationis uitam ducebat* assimile

cacité surprenante, puisque bien des fois les simples ossements morts de certains vivent en de multiples miracles.

XXII. Dans la province de Valérie s'est passé ce fait que je vais raconter. Je l'ai connu par un récit de mon abbé Valentio de bienheureuse mémoire. Il y avait là un prêtre vénérable qui, avec ses clercs, tout adonné aux louanges de Dieu et aux bonnes œuvres, menait la sainte vie religieuse. Survint le jour de son appel. Il mourut et fut enterré devant l'église. A cette église étaient accolés des parcs à brebis et le lieu où il était enterré se trouvait sur le passage de ceux qui allaient aux brebis.

2. Une nuit que les clercs psalmodiaient dans l'église, un voleur arriva pour pénétrer dans les parcs et y opérer un vol. Il s'empara d'un mouton et bien vite sortit. Comme il passait à l'endroit où l'homme de Dieu était enterré, soudain il se sentit retenu : impossible de faire un pas ! Il déposa le mouton qu'il portait sur son cou et voulut le lâcher : pas moyen de desserrer sa main ! Il resta donc là debout, misérable, avec sa proie, coupable et lié. Voulait-il lâcher le mouton, il n'y réussissait pas. Voulait-il sortir avec le mouton, il n'y parvenait pas. De façon curieuse, le voleur qui avait eu peur d'être vu par des vivants, un mort le retenait, et comme ses jambes et sa main étaient bloquées, il demeurait immobile.

3. Au matin, les louanges de Dieu terminées, les clercs sortirent de l'église et trouvèrent un inconnu tenant par la main un mouton. On pouvait se demander si ce mouton était emporté ou apporté, mais le coupable expliqua vite

ces clercs à des moines (cf. 15, 1), leur bergerie faisant penser à Quadragesimus (17, 1). Grég. de Tours, *Glor. mart.* 101, montre une petite communauté cléricale sous un *senior*, en Limousin, psalmodiant dans un oratoire de bois l'office nocturne.

2-3. Cette histoire de voleur cloué sur place (cf. note sous I, 2, 2-3) rappelle Rufin, *Hist. Eccl.* 10 (1), 5 : l'évêque-berger Spiridion trouve un matin des voleurs immobilisés dans sa bergerie. Ses « mérites » les ont liés, sa parole les délie. Voir aussi *Hist. mon.* 6 (Théon) ; Cyrille de Scyth., *V. Euth.* 59, etc. — On se demande si l'homme apporte le mouton ou l'enlève : trait d'humour comme en 14, 6.

indicauit poenam. Mirati omnes, quia ingressus fur uiri Dei merito ad praedam suam stabat ligatus. Qui se pro eo protinus in orationem dederunt, suisque precibus uix obtinere ualuerunt, ut qui res eorum uenerat rapere, sal-
30 tem uacuus exire mereretur. Itaque fur, qui diu steterat cum praeda captiuus, quandoque exiit uacuus et liber.

4. PETRVS. Apparet quantae sit super nos dulcedinis omnipotens Deus, cuius erga nos fiunt tam iucunda miracula.

XXIII. GREGORIVS. Praenestinae urbi mons praeeminet, in quo beati Petri apostoli monasterium situm est uirorum Dei. Quorum relatione adhuc in monasterio positum audisse me contigit magnum hoc quod narro mira-
5 culum, quod eiusdem monasterii monachi se nosse testabantur. In eo namque monasterio fuit pater uitae uenerabilis, qui quendam monachum nutriens usque ad reuerendos prouexit mores. Cumque eum in timore Domini uideret excreuisse, in eodem sibi monasterio tunc presbi-
10 terum fecit ordinari.

2. Cui post ordinationem suam, quia non longe abesset eius exitus, reuelatione indicatum est. A praedicto autem patre monasterii petiit, quatenus ei concederet, ut sibi sepulcrum pararet. Cui ille respondit : « Ante te quidem
15 moriturus sum, sed tamen uade, et sicut uis praepara sepulcrum tuum. » Recessit igitur et praeparauit. Cum non post multos dies senex pater, febre praeuentus,

32 sit *bm GH* : sunt b^{v} sint m^{v} ‖ dulcedinis *b* : dulcid- *m* $G^{ac}H$ -nes $b^{v}m^{v}$ dulcido G^{pc} ‖ 33 omnipotens Deus *bmz* G^{ac} *H* : omnipotentis Dei b^{v} G^{pc} Dei omnipotentis m^{v}

XXIII, 1 urbi bm^{o} : urbis *m*(z) *GH* ‖ 2 beati *bmz GH* : in honorem sancti b^{v} ‖ 3 Quorum *bm GH* : quoque $b^{v}m^{v}$ ‖ positum $b^{v}m$: -tus bm^{v} *GH* ‖ 5 se nosse *m GH* : nosse se *b* ‖ 8 mores *bmz GH* : annos b^{v} ‖ 9 uideret bm^{v} *G* : -rit *m H*

---

4. Voir *Mor.* 16, 33 : *Fit... nobis omnipotens Deus dulcis in miraculis* ; *Hom. Eu.* 26, 3 : *miraculorum suorum dulcedinem.*

XXIII, 1. Les monts de Préneste furent aussi habités par la

que c'était un châtiment. Tout le monde admira comment le voleur entré dans le parc était resté lié à sa proie par le mérite de l'homme de Dieu ; ils se mirent aussitôt en prière pour lui et par leurs supplications ils réussirent à obtenir non sans peine que celui qui était venu ravir leur bien s'en tirât tout juste en partant les mains vides. C'est ainsi que le voleur, après être longtemps resté captif avec sa proie, partit enfin les mains vides, mais libre.

4. Pierre. On voit clairement quelle est au-dessus de nous la douceur de Dieu tout-puissant, puisque à notre profit s'opèrent des miracles aussi plaisants.

XXIII. La ville de Préneste est dominée par une montagne sur laquelle est situé le monastère du Bienheureux Apôtre Pierre. Il se trouve que j'ai entendu de ses hommes de Dieu, quand je me trouvais encore dans le cloître, le récit de ce grand miracle que je vais raconter. Les moines de ce monastère s'en portaient garants. Dans ce monastère il y eut un Père de vie vénérable qui forma un moine et le fit monter à un style de vie digne de respect. Quand il le vit grandi dans la crainte du Seigneur, il se le fit ordonner prêtre dans son monastère.

2. Après son ordination, ce prêtre apprit par une révélation que sa mort n'était pas éloignée. Il demanda au Père du monastère la permission de se préparer un tombeau. Ce dernier répondit : « Bien avant toi je serai mort ! Pourtant va, et comme tu le désires, prépare ta tombe. » Il se retira donc, et fit ses préparatifs. Au bout de peu de jours, le vieux Père, pris de fièvre, se trouva à toute extré-

moniale ermite Herundo (IV, 16, 1). En 1298, le souvenir du monastère de Saint-Pierre reste attaché à l'église du *castrum* au-dessus de Préneste, dont les Colonna déplorent la destruction par Boniface VIII (P. A. Petrini, *Memorie Prenestine*, Rome 1795, p. 429) et qui sera relevée (*ibid.*, p. 242, 273, 290, etc.). — Ordination d'un moine digne du sacerdoce, à la demande de son abbé : voir *RB* 62, 1. Cf. *Conc. d'Agde* (506), can. 27 ; Aurélien, *Reg. mon.* 46.

2. Fins prochaines connues par révélation : I, 8, 2 ; II, 37, 1 ; IV, 27, 4.7 et 49, 3.4.6.7. La suite fait penser à II, 34, 2 : Benoît, qui « a lui-même préparé sa tombe », y fait déposer Scholastique avant lui.

ad extrema peruenit, atque adsistenti presbitero iussit, dicens : « In tuo sepulcro me pone. » Cumque ille diceret :
20 « Scis quia ego modo secuturus sum. Vtrosque capere non potest », abbas protinus respondit, dicens : « Ita fac ut dixi, quia sepulcrum tuum ambos nos capit. »

3. Defunctus itaque est atque in sepulcro eodem, quod sibi presbiter parauerat, positus. Mox quoque et presbi-
25 terum corporis languor secutus est, quo languore crescente citius presbiter uitam finiuit. Cumque ad sepulcrum, quod sibi ipse parauerat, corpus illius fuisset a fratribus deportatum, aperto eodem sepulcro, uiderunt omnes qui aderant locum non esse ubi poni potuisset, quia corpus
30 patris monasterii, quod illic ante positum fuerat, omne illud sepulcrum tenebat. Cumque fratres, qui presbiteri corpus detulerant, factam sibi sepeliendi difficultatem uiderent, unus eorum exclamauit, dicens : « E, pater, ubi est quod dixisti, quia sepulcrum istud ambos uos
35 caperet ? »

4. Ad cuius uocem subito, cunctis uidentibus, abbatis corpus, quod illic ante humatum fuerat et supinum iacebat, sese uertit in latere et uacantem sepulcri locum ad sepeliendum corpus presbiteri praebuit, et quia utrosque
40 ille locus caperet, sicut uiuus promiserat, mortuus inpleuit.

5. Sed quia hoc, quod praedixi, apud Praenestinam urbem in beati Petri apostoli monasterio gestum est, uisne aliquid etiam in hac urbe de eius ecclesiae custodibus, ubi sacratissimum corpus illius est positum, audire ?

45 PETRVS. Volo, atque id ut fiat magnopere deprecor.

19 me pone *mz GH* : pone me *b* || 20 modo *m GH* : te *add. bm*^{v} || sum *bm G* : te *add. z H* || 33 e [eh *m*^{v} he *G*] *mz GH* : o *bm*^{v} || 37 humatum *m GH* : positum *bm*^{v} || 39 corpus presbiteri *m GH* : presbyteri corpus *bz*

---

3. Disciple enterré dans la tombe de son maître, par-dessus celui-ci : JEAN MOSCHUS, *Pré spir.* 90. Chez GRÉG. DE TOURS, *Hist. Franc.* 4, 12 (277 b), un vivant est ainsi placé sur un mort. — *Facta difficultate* : cf. II, 9. Comme en I, 4, 21, *E* introduit une question

mité et indiqua ses dernières volontés au prêtre venu l'assister : « Dans ta tombe dépose-moi. » Comme celui-ci se récriait : « Vous savez que je vous suivrai bientôt : elle ne peut tenir deux corps ! », l'abbé conclut net : « Fais comme j'ai dit, car ta tombe nous contiendra tous deux. »

3. Il mourut donc et fut déposé dans la tombe que le prêtre s'était préparée. Bientôt après, une fatigue s'attacha au prêtre, elle s'aggrava et il termina bientôt sa vie. Son corps fut porté par les frères au tombeau qu'il s'était préparé. On ouvrit la tombe. Tous ceux qui étaient là purent voir qu'il n'y avait point de place pour le mettre, car le corps du Père du monastère, déposé auparavant, occupait toute cette tombe. Les frères qui avaient apporté le corps du prêtre virent que l'ensevelissement se faisait difficile. Alors l'un d'eux s'écria : « Eh ! Père, où est-elle, votre parole que ce tombeau vous contiendrait tous deux ? »

4. A ce cri, brusquement, aux yeux de tous, le corps de l'abbé, qui avait été enterré là récemment et gisait sur le dos, se tourna sur le côté, laissant une place vide dans le tombeau pour ensevelir le corps du prêtre. Cette tombe les contiendrait tous les deux : vivant, il l'avait promis ; mort, il tenait parole.

5. Mais puisque ce fait que je viens de raconter s'est passé près de Préneste au monastère du Bienheureux Apôtre Pierre, voulez-vous entendre aussi ce qui arriva dans notre ville aux gardiens de son église où son corps sacré repose ?

PIERRE. Volontiers, et même je vous en prie vivement.

ironique posée par un moine à son abbé défunt, qui répond par un prodige.

4. Même miracle déjà chez TERTULLIEN, *De anima* 51 : *Est et alia relatio apud nostros in coemeterio corpus corpori iuxta collocando spatium accessui communicasse.* Voir aussi GRÉG. DE TOURS, *Glor. conf.* 75 : quand on dépose Reticius près de sa femme, *mirum in modum commotum sepulcrum, uno in loco ossa uirginis conglobantur* ; LÉONCE DE NEAP., *V. Ioh. Eleem.* 50 : deux évêques défunts placés côte à côte se séparent pour faire place à Jean. Cf. GRÉG. DE TOURS, *Hist. Franc.* 1, 42 et *Glor. conf.* 32 (les « Deux Amants » se rapprochent) ; *Glor. conf.* 42 (Hilaire embrasse sa femme).

5. Il s'agit de Saint-Pierre de Rome (Basilique Vaticane).

XXIIII. GREGORIVS. Adhuc supersunt aliqui, qui Theodorum eius ecclesiae custodem nouerunt. Cuius narratione innotuit res quae ei contigit ualde memorabilis, quod quadam nocte, dum citius ad melioranda iuxta
5 ianuam lumina surrexisset, ex more ligneis gradibus sub lampade positis, stabat et lampadis refouebat lumen, cum repente beatus Petrus apostolus in stola candida deorsum in pauimento constitit, eique dixit : « Conliberte, quare tam citius surrexisti ? »

10 2. Quo dicto ab oculis aspicientis euanuit, sed tantus in eum pauor inruit, ut tota in illo corporis uirtus deficeret et per dies multos de stratu suo surgere non ualeret. Qua in re quid isdem beatus apostolus seruientibus sibi uoluit nisi praesentiam sui respectus ostendere, quia
15 quicquid pro eius ueneratione agerent, ipse hoc pro mercede retributionis sine intermissione semper uideret ?

3. PETRVS. Mihi hoc non tam apparet mirum, quia uisus est, sed quia is qui eum uidit, cum sanus esset, aegrotauit.

20 GREGORIVS. Quid super hac re miraris, Petre ? Numquidnam menti excedit, quia, cum Daniel propheta magnam illam ac terribilem uisionem uidit, ex qua etiam uisione contremuit, protinus adiungit : *Et ego elangui et aegrotaui per dies plurimos* ? Caro enim ea quae sunt spi-
25 ritus capere non ualet, et idcirco nonnumquam, cum mens humana ultra se ad uidendum ducitur, necesse est ut hoc

XXIIII, 5 lumina *m GH* : luminaria *bm*v || ligneis *m GH* : in *praem. bz* || 6 cum *m GH* : tunc *b* || 9 citius *bmz GH* : cito *m*v || 11 eum *bm*v*z G* : eo *m H* illo *m*v || illo *bm*v *G* : illum *m H* || 12 stratu *bm*v : -to *m GH* || 13 isdem *m GH* : idem *bm*v || 14 praesentiam *bm*v *GH* : -tia *m* || 21 menti *bm* : -te *m*v *GH* || excedit *m H* : excidit *bm*v *G* || 23 adiungit *mz H* : adiunxit *bm*v *G*

XXIIII, 3. Dn 8, 27.

XXIIII, 1. Ce *custos* romain est le collègue de ceux de Spolète (III, 14, 2-3) et du *mansionarius* Constance d'Ancône (I, 5, 2),

XXIIII. Grégoire. Ils sont encore quelques-uns à avoir connu Théodore, gardien de son église. Par un récit de lui, on a connaissance d'une chose très mémorable qui lui arriva. Une nuit, il se leva plus tôt pour arranger les lampes près de la porte. Comme d'habitude, il était juché sur des degrés en bois placés sous une lampe et ranimait la lumière, quand soudain le Bienheureux Apôtre Pierre en robe blanche se dressa en bas sur le pavement en lui disant : « Camarade, pourquoi t'es-tu levé si tôt ? »

2. Cela dit, il disparut aux yeux de Théodore, qui fut pris d'une peur intense. Toute force lui manqua, et pendant plusieurs jours il ne put se lever de sa couche. Ainsi le Bienheureux Apôtre avait voulu marquer à ses serviteurs sa présence, son regard reconnaissant. Tout ce qu'on faisait pour son culte, sans cesse il le voyait, afin d'en tenir compte pour la récompense éternelle.

3. Pierre. Pour moi, l'étonnant, ce n'est pas qu'il se soit rendu visible, mais que celui qui l'a vu, étant en bonne santé, en soit tombé malade.

Grégoire. Pourquoi vous étonner, Pierre ? Avez-vous oublié cette grande et terrible vision du prophète Daniel ? Il en fut si remué qu'il conclut : « Et je fus languissant et malade pendant de nombreux jours. » La chair, en effet, ne peut recevoir ce qui est de l'esprit, et quand l'âme, quelquefois, est amenée à voir au-delà de soi, il arrive

comme le montre la synonymie des deux termes en 25, 1. Comme Constance (I, 5, 4), il monte sur un escabeau de bois pour arranger les lampes. — Pierre et Paul sont habillés de blanc sur les mosaïques romaines, à la différence d'autres saints tels que Cosme et Damien. *Conliberte* (cf. Ga 5, 1) : en 551, un acte de clercs ariens à Ravenne mentionne *conliuertorum comministrorum nostrorum... colliuertis uel conministris meis* (Marini, *I papiri diplomatici*, nº CXIX, cité par M. Bloch, « Les *colliberti...* », dans *Rev. Hist.* 53 [1928], p. 226).*

2. Saint Pierre réchauffe le zèle du personnel de la basilique vaticane.

3. Même citation de Dn 8, 27, avec un commentaire analogue, dans *Mor.* 4, 67 (dans *Hom. Ez.* I, 8, 19, l'interprétation est plus morale et allégorique). Ici le commentaire s'inspire de 1 Co 2, 14 : *Animalis homo non percipit ea quae sunt spiritus Dei... et non potest intelligere* (cf. Rm 8, 5-13 : *caro... spiritus*). « Talent » : cf. Mt 25, 14-30.

carneum uasculum, quod ferre talenti pondus non ualet, infirmetur.

PETRVS. Scrupulum cogitationis meae aperta ratio
30 dissoluit.

XXV. GREGORIVS. Alius illic non ante longa tempora, sicut nostri seniores ferunt, custos ecclesiae Acontius dictus est magnae humilitatis atque grauitatis uir, ita omnipotenti Deo fideliter seruiens, ut isdem beatus Petrus
5 apostolus signis ostenderet, quam de illo haberet aestimationem. Nam, cum quaedam puella paralitica in eius ecclesia permanens manibus reperet et dissolutis renibus corpus per terram traheret, diuque ab eodem beato Petro apostolo peteret ut sanari mereretur, nocte quadam ei per
10 uisionem adstitit, et dixit : « Vade ad Acontium mansionarium et roga illum, atque ipse te saluti restituit. »

2. Cumque illa de tanta uisione certa esset, sed quis esset Acontius ignoraret, coepit huc illucque per ecclesiae loca se trahere, ut quis esset Acontius inuestigaret. Cui
15 repente ipse factus est obuiam quem quaerebat, eique dixit : « Rogo te, pater, indica mihi quis est Acontius custos. » Cui ille respondit : « Ego sum. » At illa inquit : « Pastor et nutritor noster, beatus Petrus apostolus, ad te me misit, ut ab infirmitate ista liberare me debeas. » Cui ille
20 respondit : « Si ab eo missa es, surge », eiusque manum

XXV, 2 Acontius *bm GH* : Abundius $b^v m^v z$ ‖ 4 isdem *m GH* : idem bm^v ‖ 7 renibus *bmz GH* : genibus b^v ‖ 10 Acontium *bm GH* : Abundium $m^v z$ ‖ 11 te saluti [-te *GH*] *bm GH* : tibi salutem $b^v z$ ‖ restituit *mz GH* : -tuet bm^v ‖ 13-14 Acontius$^{1-2}$ *bm GH* : Abundius $m^v z$ ‖ 15 obuiam *m GH* : obuius *b* ‖ 16 Acontius *bm GH* : Abundius $m^v z$ ‖ 20 eiusque manum *m GH* : manumque eius *b*

XXV, 1. *Nostri seniores* comme en III, *Prol.* et 2, 3. La jeune fille « demeure à l'église », entendez qu'elle habite dans ses dépendances comme Benoît à S. Pierre d'Affile (II, 1, 1), et qu'elle y est « nourrie » (ci-dessous, § 2) par la charité de l'Église comme Benoît

nécessairement que cette petite bascule charnelle, inapte à porter le poids d'un talent, vient à se détraquer.

PIERRE. Cette difficulté que j'avais dans ma tête, un argument clair la résout.

XXV. Il y eut là un autre gardien de l'église, il n'y a pas bien longtemps, à ce que disent nos anciens. Il s'appelait Acontius, homme de grande humilité et gravité. Il servait Dieu tout-puissant si fidèlement que le Bienheureux Pierre marqua par des signes quelle estime il avait pour lui. En effet, une petite paralytique demeurait dans son église, rampant sur les mains et se traînant par terre, car ses reins étaient sans force. Longtemps elle demanda au Bienheureux Apôtre Pierre d'être jugée digne de guérir. Une nuit, il lui apparut en vision et lui dit : « Va trouver le sacristain Acontius, présente-lui ta prière, et il te rendra la santé. »

2. Elle était bien assurée d'une si belle vision, mais qui était Acontius, elle ne le savait pas. Elle se mit à se traîner çà et là dans toutes les parties de l'église, à la recherche de qui pouvait bien être Acontius. Soudain se présenta celui qu'elle cherchait, et elle lui dit : « S'il vous plaît, Père, indiquez-moi qui est le gardien Acontius. » Il répondit : « C'est moi. » Elle reprit : « Notre Pasteur et Nourricier, le Bienheureux Apôtre Pierre, m'a envoyée à vous pour que vous me libériez de mon infirmité. » Il répondit : « Si c'est par lui que vous êtes envoyée,

l'était par celle des bourgeois du lieu. — La vision de la paralysée rappelle celle de l'aveugle Félix d'après VICTOR DE VITE, *De persec. Vand.* 2, 17 : *Hic uisitatur a Domino diciturque ei nocte per uisum... Surge et uade ad seruum meum Eugenium episcopum et dices ei quia ego te ad illum direxi. Et...continget oculos tuos et aperientur*. Cf. POSSIDIUS, *V. Aug.* 29.

2. Ce sacristain est appelé « Père » comme le prêtre de I, 12, 1 et le vieux pauvre de I, 10, 11. — S'agissant de Pierre, *pastor* fait peut-être allusion à Jn 21, 15-17 (sur *nutritor*, voir note précédente). Comme en 3, 2, le miracle est accompli *ex auctoritate Petri*. De plus,

tenuit et eam in statu suo protinus erexit. Sicque ex illa hora omnes in eius corpore nerui ac membra solidata sunt, ut solutionis illius signa ulterius nulla remanerent.

3. Sed si cuncta, quae in eius ecclesia gesta cognoui-
25 mus, euoluere conamur, ab omnium iam procul dubio narratione conticescimus. Vnde necesse est, ut ad modernos patres, quorum uita per Italiae prouincias claruit, narratio se nostra retorqueat.

XXVI. Nuper in Samnii prouincia quidam uenerandus uir, Menas nomine, solitariam uitam ducebat, qui, nostrorum multis cognitus, ante hoc fere est decennium defunctus. De cuius operis narratione unum auctorem non
5 infero, quia paene tot mihi in eius uita testes sunt, quot Samnii prouinciam nouerunt.

2. Hic itaque nihil ad usum suum aliud, nisi pauca apium uascula possidebat. Huic cum Langobardus quidam in eisdem apibus rapinam uoluisset ingerere, prius
10 ab eodem uiro uerbo correptus est, et mox per malignum spiritum ante eius uestigia uexatus. Qua ex re factum est, ut sicut apud omnes incolas, ita etiam apud eandem barbaram gentem eius celebre nomen haberetur, nullusque ultra praesumeret eius cellulam nisi humilis intrare.

15 3. Saepe uero ex uicina silua uenientes ursi apes eius comedere conabantur, quos ille deprehensos ferula, quam portare manu consueuerat, caedebat. Ante cuius uerbera

21 statu [-to *G*] suo *mz GH* : statum suum *b* ‖ 26 modernos *bmz G* : modestos *b*v *H*

XXVI 1-2 bmwz GH 1 Samnii *bm*v*w*v *GH* : Samniae *b*v*mw* Samnia *m*v*z* ‖ prouincia *bmw*v*z G* : -ciae *m*v*w H* ‖ 2 Menas *bmwz GH* : Mennas *m*v*w*v ‖ 3 est *mw GH* : *post* defunctus *transp. b* ‖ 4 auctorem *bmwz GH* : *om. m*v*w*v ‖ 6 Samnii *bmw GH* : Samniae *b*v*w*v*z* Samniam *m*v ‖ 8 apium *b*v*mw GH* : apum *bm*v*w*v ‖ 9 eisdem *bmw G* : eiusdem *b*v *G* ‖ 14 humilis *bmw GH* : humiliter *b*v(*z*)

---

il fait penser à Ac 3, 6-7, où Pierre dit au boiteux : *Surge... Et apprehensa manu eius dextera alleuauit eum et protinus consolidatae sunt bases eius et plantae.* Plus de trace du mal : I, 10, 5 et note.

levez-vous », et il lui prit la main. Il la redressa aussitôt dans sa stature et dès lors toute sa charpente, membres et nerfs, fut consolidée. Aucun signe de paralysie ne subsistait.

3. Mais si nous entreprenons de dérouler tout ce qui s'est passé, à notre connaissance, dans son église, nous devrons nous taire sans aucun doute sur tout le reste. Il faut donc que notre récit retourne aux Pères contemporains qui par leur vie ont illuminé les provinces d'Italie.

XXVI. Récemment, dans la province de Samnium, un homme vénérable nommé Menas menait la vie solitaire. Beaucoup d'entre nous l'ont connu. Il est mort il n'y a guère plus de dix ans. En racontant son œuvre, je ne cite aucun auteur particulier, car j'ai presque autant de témoins de sa vie qu'il y a de personnes connaissant la province.

2. Il n'avait rien à son usage personnel, ne possédant que quelques ruches d'abeilles. Un Lombard voulut s'emparer d'elles. Tout d'abord, notre homme le semonça, et bientôt l'esprit méchant le tourmenta à ses pieds. Cela rendit son nom célèbre dans tout le pays et même chez ce peuple barbare. Dès lors personne n'osa plus entrer dans sa cellule sans égards.

3. Souvent, de la proche forêt venaient des ours qui tentaient de manger les abeilles. Il les prenait sur le fait et, avec une baguette qu'il avait toujours en main, il les

3. Les deux récits précédents concernaient des personnages romains et un peu anciens. On va quitter Rome pour la province et se rapprocher du temps présent.

XXVI, 1. *Ante hoc fere decennium* : vers le printemps ou l'automne 584 (cf. 9, 1 ; 19, 2) ? Pour s'excuser de ne citer aucun témoin, Grégoire reprend la formule utilisée en 7, 1 (*paene tanti in ea testes sunt quanti et eius loci habitatores existunt*). *

2. Le Samnium a pu tomber aux mains des Lombards, avec la Campanie, après leur victoire sur Baduarius, gendre de l'empereur Justin, en 576 (JEAN DE BICLAR, *Chron.*, p. 214 ; cf. PAUL DIACRE, *Hist. Lang.* 2, 32). — Déprédation sacrilège punie par la possession : I, 4, 21. Voir ensuite II, 3, 1 (*celebre nomen eius habebatur*) ; *RM* 1, 72 (*cellas ut humiles intrant*).

inmanissimae bestiae rugiebant et fugiebant, et quae gladios formidare uix poterant, ex eius manu ictus ferulae
20 pertimescebant.

4. Huius studium fuit nihil in hoc mundo habere, nihil quaerere, omnes qui ad se caritatis causa ueniebant ad aeternae uitae desideria accendere, si quando autem quorumlibet culpas agnosceret, numquam ab increpatione
25 parceret, sed amoris igne succensus studebat in eis per linguam saeuire. Consuetudinem uero uicini uel longe positi eiusdem loci accolae fecerant, ut diebus certis per ebdomadem unusquisque ei oblationes suas transmitteret, ut esset quod ipse ad se uenientibus offerre potuisset.

30 5. Quodam uero tempore possessor quidam Carterius nomine, inmundo desiderio deuictus, quandam sanctimonialem feminam rapuit sibique inlicito matrimonio coniunxit. Quod mox ut uir Domini cognouit, ei per quos potuit quae fuerat dignus audire mandauit. Cumque ille
35 sceleris sui conscius timeret atque ad uirum Dei accedere nequaquam praesumeret, ne forte hunc aspere, ut delinquentes solebat, increparet, fecit oblationes suas easque inter aliorum oblationes misit, ut eius munera saltem nesciendo susciperet.

40 6. Sed cum coram eo fuissent oblationes omnium deportatae, uir Dei tacitus sedit, singillatim omnes considerare

3 bmz GH 18 gladios *bm* : -dius *H* -dio *m*ᵛ *G* -dium z ‖ 19 uix *bm GH* : non *m*ᵛz ‖ 25 parceret *mz GH* : -re *bm*ᵛ ‖ eis *mz* : uehementer *add.* *bm*ᵛ *GH* ‖ 27 certis *m G* : singulis *bm*ᵛz *H* ‖ 28 ebdomadem *m GH* : -dam *bm*ᵛ ‖ 30 Carterius *bmz* : Cast- *GH* Caract- *m*ᵛ ‖ 31 sanctimonialem *bm*ᵛ *G* : sanctaem- *m H* ‖ 35-36 accedere nequaquam *m GH* : neq. acc. *b* ‖ 38 aliorum oblationes *m GH* : obl. al. *b* ‖ 41 singillatim *m GH* : sig- *bm*ᵛ

---

3. Ours craintifs comme en 11, 2 (Cerbonius) et 15, 3 (Florent). *
4. Le dépouillement de Menas rappelle Isaac (14, 4-5), et ses exhortations aux séculiers Euthicius (15, 2). Comme Equitius (I, 4, 4.10), il éveille les désirs d'en haut. Comme Benoît (II, 1, 8), il reçoit de ses visiteurs des aliments en échange de ses paroles. — Souci de

frappait. Sous ses coups, ces bêtes si féroces rugissaient et fuyaient. Elles que des épées pouvaient à peine intimider, elles redoutaient de sa main un coup de houssine.

4. Son point d'honneur fut de n'avoir rien dans ce monde, de ne rien réclamer, d'animer au désir de l'éternelle vie tous ceux qui venaient à lui par un motif de charité. Si parfois il venait à connaître les fautes de qui que ce fût, il n'hésitait jamais à réprimander, mais, brûlant d'amour, il avait soin de sévir en paroles. Les gens qui habitaient près ou loin de sa résidence avaient pris l'habitude de se fixer tel ou tel jour de la semaine, chacun de son côté, où ils lui envoyaient leurs dons, pour qu'il eût de quoi offrir aux visiteurs.

5. Une fois, un propriétaire nommé Carterius, vaincu par un désir immonde, enleva une religieuse et se l'attacha par un mariage illicite. Dès que l'homme du Seigneur connut ce rapt, il fit parvenir à Carterius, par les messagers qu'il put trouver, les reproches qu'il méritait d'entendre. Et lui, conscient de sa mauvaise action, fut pris de peur et n'osa pas se présenter devant l'homme de Dieu par crainte d'être repris vigoureusement, comme il faisait toujours pour les pécheurs. Carterius prépara donc ses offrandes et les envoya mêlées aux offrandes des autres, pour qu'il reçût ses dons malgré tout à son insu.

6. Mais quand les offrandes de tous furent déposées devant lui, l'homme de Dieu s'assit en silence, se mit à les considérer toutes attentivement. Se réservant toutes

corriger : dans *Hom. Eu.* 17, 8, Grégoire déplore la mollesse des évêques à cet égard. Ils craignent de perdre les offrandes des fidèles (*oblationes*). C'est là « manger les péchés du peupe » (Os 4, 8).

5. Moniale enlevée et épousée par un riche séculier : cf. Grég. de Tours, *Hist. Franc.* 10, 8 (Eulalius à Lyon).

6. D'après *Reg.* 6, 40-41 = *Ep.* 6, 43-44, l'évêque Jean de Syracuse refuse de recevoir les *oblationes* de Venance, patrice et ex-moine. Grégoire l'invite à les accepter avec douceur. D'autres fautes que l'apostasie de Venance, qui est déjà ancienne (*Reg.* 1, 33 = *Ep.* 1, 34), ont motivé le refus de l'évêque. Le souci des moines de ne rien recevoir d'un riche méchant perce chez Pallade, *Hist. Laus.*

studuit, et omnes alias eligens atque seorsum ponens, oblationes quas isdem Carterius transmiserat per spiritum cognouit, spreuit et abiecit, dicens : « Ite, et dicite
45 ei : Oblationem suam omnipotenti Domino tulisti, et mihi tuas oblationes transmittis ? Ego tuam oblationem non accipio, quia suam abstulisti Deo. » Qua ex re actum est, ut praesentes quoque magnus timor inuaderet, cum uir Domini tam scienter de absentibus iudicaret.
50 7. Petrvs. Multos horum suspicor martyrium subire potuisse, si eos tempus persecutionis inuenisset.

Gregorivs. Duo sunt, Petre, martyrii genera : unum in occulto, alterum quoque in publico. Nam et si persecutio desit exterius, martyrii meritum in occulto est, cum
55 uirtus ad passionem prompta flagrat in animo.

8. Quia enim esse possit et sine aperta passione martyrium, testatur in euangelio Dominus, qui Zebedaei filiis, adhuc prae infirmitate mentis maiora sessionis loca quaerentibus, dicit : *Potestis bibere calicem, quem ego bibiturus*
60 *sum* ? Cui uidelicet cum responderent : *Possumus*, utrisque ait : *Calicem quidem meum bibetis, sedere autem ad dexteram meam uel ad sinistram non est meum dare uobis.* Quid autem calicis nomen nisi passionis poculum signat ? Et cum nimirum constet, quia Iacobus in passione occubuit,
65 Iohannes uero in pace ecclesiae quieuit, incunctanter

43 isdem *m GH* : idem *bm*ᵛ ‖ Carterius *bmz* : Cast- *GH* Caract- *m*ᵛ ‖ 44 cognouit *mz GH* : *ante* per *transp. b* ‖ et[1] *m*(*z*) : atque *b* *om.* *m*ᵛ *GH* ‖ 45 Domino *bm GH* : Deo *m*ᵛ*z* ‖ tulisti *m GH* : abstulisti *b* ‖ 46 tuam oblationem *m GH* : obl. tuam *b* ‖ 47 actum *m GH* : factum *b* ‖ 48 quoque *m GH* : quosque *b* ‖ 49 Domini *bm G* : Dei *m*ᵛ*z* *H* ‖ 51 tempus persecutionis *bmz GH* : eo tempore pers. tempestas *b*ᵛ ‖ 60 utrisque *mz GH* : *post* ait *transp. b* utrique *m*ᵛ ‖ 61 dexteram *bm H* : dextram *m*ᵛ *G* ‖ 62 ad *mz GH* : *om. bm*ᵛ ‖ 65 Iohannes *bm*ᵛ : -nis *m GH*

XXVI, 8. Mt 20, 20-23 ; Ac 12, 2.

71, 4 = *HP* 58, 342 ab. — *Praesentes... absentibus* : cf. II, 11, 3. De même Hilarion avait flairé la mauvaise odeur du vice dans une botte de pois offerte par un frère avare (Jérôme, *V. Hil.* 28).

les autres, il mit de côté les offrandes que lui avait expédiées Carterius, reconnues par intuition spirituelle. Il les méprisa et les rejeta avec ces mots : « Allez, dites-lui : ' Tu as pris à Dieu tout-puissant son oblate, et tu m'expédies tes oblats ? Je n'accepte pas ton offrande, parce que tu as ravi la sienne à Dieu. ' » Il en résulta que les assistants eux-mêmes furent pris d'une grande inquiétude : l'homme du Seigneur était si bien renseigné pour juger les absents !

7. PIERRE. Je pense que beaucoup de ces saints auraient pu subir le martyre, si le temps de la persécution était venu pour eux.

GRÉGOIRE. Pierre, il y a deux genres de martyre : l'un en secret, l'autre aussi en public. Même si la persécution ne se présente pas extérieurement, le mérite du martyr existe en secret quand l'âme est prête à souffrir et brûle d'un courage ardent.

8. Il peut en effet y avoir un martyre sans souffrance externe. Le Seigneur l'affirme dans l'Évangile quand il dit aux fils de Zébédée, qui par petitesse d'esprit convoitent encore de siéger en haut lieu : « Pouvez-vous boire le calice que je boirai ? » Comme ils répondent oui, il leur dit : « Mon calice, vous le boirez. Mais siéger à ma droite et à ma gauche, cela ne dépend pas de moi de vous le donner. » Le mot calice évoque la coupe de la Passion. Il est trop évident que si Jacques mourut dans sa passion, Jean s'endormit dans la paix de l'Église. On peut

7. Un peu inattendue, cette question sur le martyre semble amenée par le courage avec lequel Menas corrigeait les coupables. Selon CÉSAIRE, *Serm.* 52, 1, reprendre les pécheurs est un « martyre pour notre temps ».

8. Ce thème du martyre en temps de paix se rencontre chez SULPICE SÉV., *Ep.* 2, 9-11 ; LÉON, *Serm.* 47, 1 ; *RM* 7, 59 et 90, 29, etc. Grégoire lui-même le développe dans *Hom. Eu.* 3, 4 et 11, 3 (cf. *Mor.* 29, 15-17). Mais le présent passage ressemble surtout à *Hom. Eu.* 35, 7, où le même argument est tiré de Mt 20, 22-23. Chose curieuse, cette Homélie fut prononcée pour la fête de S. Menas, qui avait un sanctuaire sur la Voie d'Ostie (*Itin. Einsid.*, *CC* 175, p. 332, 30 ; *Lib. Pont.* II, 2, 12 et 59, 19). En racontant ici l'histoire du solitaire Menas, Grégoire semble donc s'être souvenu d'avoir prêché, en la fête de son homonyme, sur les deux sortes de martyre. Voir aussi *Hom. Eu.* 27, 4. *

collegitur esse et sine aperta passione martyrium, quando et ille calicem Domini bibere dictus est, qui ex persecutione mortuus non est.

9. De his autem talibus tantisque uiris, quorum superius memoriam feci, cur dicamus quia, si persecutionis tempus existeret, martyres esse potuissent, — qui occulti hostis insidias tolerantes, suosque in hoc mundo aduersarios diligentes, cunctis carnalibus desideriis resistentes, per hoc quod se omnipotenti Deo in corde mactauerunt, etiam pacis tempore martyres fuerunt, — dum nostris modo temporibus uilis quoque et saecularis uitae personas, de quibus nil coelestis gloriae praesumi posse uidebatur, oborta occasione contigit ad coronam martyrii peruenire ?

XXVII. Nam ante hos fere annos quindecim, sicut hii testantur qui interesse potuerunt, quadraginta rustici a Langobardis capti carnes immolaticias comedere compellebantur. Qui cum ualde resisterent et contingere cibum sacrilegum nollent, coepere Langobardi qui eos tenuerant, nisi immolata comederent, eis mortem minari. At illi, aeternam potius quam praesentem uitam ac transitoriam diligentes, fideliter perstiterunt atque in sua constantia simul omnes occisi sunt. Quid itaque isti nisi ueritatis martyres fuerunt, qui ne uetitum comedendo

71 existeret *m GH* : exstitisset *b* ‖ 76 uilis *m GH* : uiles *bm*ᵛ ‖ 78 coronam martyrii *mz* : coronas mart. *m*ᵛ *GH* mart. coronas *b* ‖ 79 peruenire *m* : peruenisse *bm*ᵛ *GH*

XXVII bmwz GH 1 fere *mw H* : ferre *G* ferme *b* ‖ hii *mw G* : hi *bm*ᵛ *H* ‖ 6 eis *mw G* : eorum *H* *post* mortem *transp. bz* ‖ 7 uitam *mw GH* : *ante* quam *transp. bz*

9. La conduite en temps de paix montre si l'on est capable de subir le martyre en temps de persécution : *Hom. Eu.* 27, 3. *Occulti hostis insidias tolerantes* rappelle 19, 5 et 20, 3 (cf. Léon, *Serm.* 47, 1) ; *suosque in hoc mundo aduersarios diligentes* : *Hom. Eu.* 35, 7-9 ;

en conclure sans hésiter qu'il y a un martyre sans passion externe, puisque Jean est dit « boire le calice du Seigneur » et qu'il n'est pas mort de la persécution.

9. Ces grands héros dont j'ai fait mention plus haut, nous avons dit qu'ils étaient de taille à être martyrs, puisqu'ils ont enduré les manœuvres souterraines de l'adversaire, aimé leurs ennemis en ce monde, résisté à tous leurs désirs charnels, et que, en s'immolant à Dieu dans leur cœur, ils furent martyrs même en temps de paix. Ce que nous disons là est certain, car de nos jours, des gens d'apparence bien ordinaire menant leur vie dans le monde, qui ne semblaient nullement pouvoir être candidats à la gloire céleste, une occasion s'est présentée et ils ont eu le bonheur de parvenir à la couronne du martyre.

XXVII. Ainsi, il y a quinze ans à peu près, comme l'attestent ceux qui ont pu être témoins, quarante paysans pris par les Lombards étaient sommés de manger des chairs immolées aux idoles. Comme ils résistaient vigoureusement et se refusaient à prendre une nourriture sacrilège, les Lombards qui les avaient capturés les menacèrent de mort s'ils ne mangeaient pas de ces bêtes immolées. Mais eux, qui préféraient la vie éternelle à cette vie présente et transitoire, persistèrent fidèlement et furent tous ensemble exécutés dans leur constance. Ainsi ces hommes furent martyrs de la Vérité. Pour ne pas offenser

cunctis carnalibus desideriis resistentes : *Hom. Eu.* 3, 4 et 11, 9. « S'immoler à Dieu dans son cœur » annonce IV, 61, 1. — *Nostris modo temporibus* comme en 17, 1. Les séculiers ne semblent pas destinés à la gloire céleste. De fait, on n'en trouve pas, sauf trois sacristains, parmi les thaumaturges mentionnés jusqu'ici.

XXVII. Daté de 579 environ, cet épisode rappelle 2 M 6, 18 (*compellebatur carnem porcinam manducare*) et *Passio Anastasiae* 17 (chrétiens contraints de manger des viandes immolées aux idoles). On songe aussi aux Quarante Martyrs de Sébaste, dont Gaudence déposa les reliques dans une basilique de Brescia vers 400 (*PL* 20, 964 ; cf. GRÉG. DE TOURS, *Hist. Franc.* 10, 24 et *Glor. mart.* 96, qui en compte 48), ainsi qu'aux *XL martires* honorés sur la Via Lauicana près de Rome (*Not. eccl.* 16, *CC* 175, p. 307, 86). — Aucun miracle n'accompagne ce martyre et le suivant.

conditorem suum offenderent, elegerunt gladiis uitam finire ?

XXVIII. Eodem quoque tempore, dum fere quadringentos captiuos alios Langobardi tenuissent, more suo immolauerunt caput caprae diabolo, hoc ei currentes per circuitum et carmine nefando dedicantes. Cumque illud 5 ipsi prius submissis ceruicibus adorarent, eos quoque quos ceperant hoc adorare pariter conpellebant. Sed ex eisdem captiuis maxima multitudo, magis eligens moriendo ad uitam inmortalem tendere quam adorando uitam mortalem tenere, obtemperare iussis sacrilegis noluit, et cerui- 10 cem quam semper creatori flexerat creaturae inclinare contempsit. Vnde factum est, ut hostes qui eos ceperant, graui iracundia accensi, cunctos gladiis interficerent, quos in errore suo participes non haberent.

2. Quid ergo mirum, si erumpente persecutionis tem- 15 pore illi martyres esse potuissent, qui in ipsa quoque pace ecclesiae semetipsos semper adfligendo angustam martyrii tenuerunt uiam, quando inruente persecutionis articulo hii etiam meruerunt martyrii palmas accipere, qui in pace ecclesiae latas huius saeculi uias sequi uidebantur ?

20 3. Nec tamen hoc, quod de eisdem electis uiris dicimus, de cunctis iam quasi in regulam tenemus. Nam cum persecutionis apertae tempus inruit, sicut plerique subire mar-

XXVIII, 3 currentes *mw GH* : *post* circuitum *transp. bz* ‖ 6 ceperant *bm*v*w*(*z*) *G* : coep- *mw*v *H* ‖ 9 noluit *mw GH* : noluerunt *b* nolunt *m*v ‖ 10 flexerat *mw GH* : -rant *bm*v*z* ‖ 11 contempsit *mw GH* : -serunt *bz* contemnunt *m*v ‖ ceperant *bm*v*w*(*z*) *G* : coep- *mw*v *H* acceperant *m*v

2 bmz GH 17 uiam *bm*v*z GH* : uitam *m* ‖ 18 hii *m GH* : hi *bm*v ‖ 21 regulam *bm H* : -la *m*v *G*

XXVIII, 1. Décuple du précédent, ce nouveau groupe a subi le martyre à la même époque et en un lieu pareillement inconnu. De part et d'autre, les Lombards agissent en païens, non en hérétiques comme au chapitre suivant.

leur Créateur en mangeant une chair interdite, ils choisirent de mourir égorgés.

XXVIII. En ces années-là, les Lombards avaient fait quatre cents autres prisonniers environ. Selon leur rite, ils offrirent une tête de chèvre au diable, menant une ronde en courant et chantant des abominations pour la lui dédier. Après l'avoir adorée les premiers en courbant la nuque, ils sommaient leurs captifs de l'adorer semblablement. Mais de ces captifs, une très grande foule choisit de tendre par la mort à la vie immortelle plutôt que de retenir une vie mortelle par cette adoration. Elle ne voulut pas obtempérer à des ordres sacrilèges et dédaigna d'incliner pour une créature cette nuque toujours fléchie pour le Créateur. Résultat : les ennemis qui avaient pris ces hommes, tout brûlants d'une lourde colère, les égorgèrent tous, puisqu'ils n'avaient pu les faire participer à leur erreur.

2. Alors quoi d'étonnant à ce que, en temps de persécution, ils eussent pu être martyrs, ces gens qui, même dans la paix de l'Église, se mortifiaient continuellement et suivaient la voie étroite du martyre, puisque ceux-ci, sous le coup d'une mesure de persécution, méritèrent eux aussi de recevoir les palmes du martyre, après avoir semblé suivre, dans la paix de l'Église, les voies larges de ce siècle ?

3. Cependant, ce que nous disons de ces hommes d'élite, nous n'en faisons pas une règle générale pour tous. Car lorsque survient un temps de persécution ouverte, de même que certains peuvent subir le martyre,

2. Voie étroite et voie large (Mt 7, 13-14) : voir *Hom. Eu.* 25, 2, où Grégoire note que même certains séculiers donnent des exemples à imiter. Cette assimilation des deux voies à la vie consacrée et à la vie séculière, la première équivalant au martyre, se retrouve dans *RM* 7, 24 (*latam uiam saecularium*) et 7, 47-59 (*angustam uiam... uelut in martyrio*).

3. La tribulation fait apparaître des faiblesses et des forces insoupçonnées : voir *Mor.* 34, 20 (persécution de l'Antéchrist). L'attitude finale de chacun est imprévisible : *Hom. Eu.* 38, 14-16.

tyrium possunt, qui esse in pace ecclesiae despicabiles uidentur, ita nonnumquam in debilitatis formidine cor-
25 ruunt, qui in pace prius ecclesiae fortiter stare credebantur.

4. Sed eos de quibus praediximus fieri martyres potuisse fidenter fatemur, quia hoc iam ex eorum fine collegimus. Cadere enim nec in aperta persecutione poterant hii, de quibus constat quia et usque ad finem uitae
30 in occulta animi uirtute perstiterunt.

5. Petrvs. Vt adstruis, ita est. Sed super indignos nos diuinae misericordiae dispensationem miror, quia Langobardorum saeuitiam ita moderatur, ut eorum sacerdotes sacrilegos, qui esse se fidelium quasi uictores uident,
35 orthodoxorum fidem persequi minime permittat.

XXVIIII. Gregorivs. Hoc, Petre, facere plerumque conati sunt, sed eorum saeuitiae miracula superna restiterunt. Vnde unum narro, quod per Bonifatium, monasterii mei monachum, qui usque ante quadriennium cum
5 Langobardis fuit, adhuc ante triduum agnoui.

2. Cum ad Spolitanam urbem Langobardorum episcopus, scilicet arrianus, uenisset, et locum illic ubi sollemnia sua ageret non haberet, coepit ab eius ciuitatis episcopo ecclesiam petere, quam suo errori dedicaret. Quod

24 debilitatis *bm GH* : imbecillitatis *b*^{v} aduersitatis *b*^{v} ‖ formidine *b*^{v}*m H* : -nem *bm*^{v}*z G* ‖ 28 collegimus *m H* : collig- *bm*^{v} *G* ‖ 29 hii *m G* : hi *b H* ‖ 31 adstruis *m G* : asseris *bm*^{v} *H* ‖ 32 quia *mz GH* : qui *b* ‖ 34 se *m*(*z*) : *om.* *bm*^{v} *GH* ‖ uictores *bm*^{v}*z GH* : rectores *m* ‖ uident *m GH* : uidentur *b*(*z*)

XXVIIII bmw (*inde ab* unum) **z GH** 3 unum *mwz GH* : miraculum *add.* *b* ‖ Bonifatium *mw*^{v}*z* : -cium *b H* Bonefatium [-cium *G*] *m*^{v}*w G* ‖ 6 Spolitanam *m*^{v}*w*^{v} *H* : Spolet- *b* Spolitinam [Spul- *G*] *mw G* Spoletinam *m*^{v}*w*^{v} ‖ 7 locum *bm*^{v}*w*(*z*) *GH* : loco *mw*

5. On passe des Lombards païens aux ariens. Leur clergé a la réputation d'être tolérant : noter cet aveu.

XXVIIII, 1. Ce moine Boniface, distinct du diacre de 20, 1, est venu à Rome vers 590, après avoir vécu en pays lombard, vraisemblablement à Spolète. Son cas ressemble à celui de Gregoria et d'Éleuthère de Spolète (14, 1), celui-ci réfugié à Rome plus tôt (cf. 33, 1). —

qui lors de la paix de l'Église semblaient négligents, de même parfois il y en a qui s'écroulent par faiblesse et peur, alors qu'auparavant, dans la paix de l'Église, on les croyait courageux et solides.

4. Mais ceux-là dont nous parlions, nous affirmons avec confiance qu'ils auraient pu devenir des martyrs, parce que nous le concluons de leur fin même. En effet, ils ne pouvaient faiblir même dans une persécution ouverte, ces hommes qui, de toute évidence, ont persisté jusqu'à la fin de leur vie dans une secrète force d'âme.

5. PIERRE. Votre affirmation se tient. Mais j'admire la conduite de la divine miséricorde à l'égard de nous autres indignes. Elle règle la brutalité des Lombards en sorte que leurs prêtres sacrilèges, qui se considèrent comme vainqueurs des fidèles, n'ont pas licence de persécuter leur foi orthodoxe.

XXVIIII. GRÉGOIRE. Cela, Pierre, ils ont essayé bien des fois de le faire, mais les miracles d'en-haut ont fait barrage à leur brutalité. J'en dis un, que j'ai connu à nouveau il y a trois jours, grâce à Boniface, moine de mon monastère, qui vivait encore il y a quatre ans avec les Lombards.

2. Un évêque lombard, un arien, vint à Spolète et il n'y trouva pas de lieu pour célébrer sa liturgie. Il entreprit de demander à l'évêque de la cité une église pour la dédier à son erreur. L'évêque refusa énergiquement. L'intrus arien déclara qu'il entrerait de force le jour suivant

Adhuc paraît signifier « de nouveau » comme en I, 10, 20. Grégoire reste en rapport avec les moines de son monastère.

2. Sous Rothari, un demi-siècle après les Dialogues, il y avait deux évêques, l'un catholique et l'autre arien, dans presque toutes les villes, d'après PAUL DIACRE, *Hist. Lang.* 4, 44. L'évêque catholique ici mentionné se place entre Paulin (PÉLAGE Ier, *Ep.* 68 et 82 : 559-561) et Chrysanthe, déjà en fonction en 597 (*Reg.* 9, 166 = *Ep.* 3, 64 : *ante biennium*), à moins qu'il ne s'identifie avec l'un de ceux-ci. Sur le nom de Pierre qu'on lui attribue, voir F. LANZONI, *op. cit.*, p. 445. — L'église Saint-Paul ne semble pas connue autrement. Elle n'a qu'un *custos*, à la différence de celle où pria Isaac (14, 2-3). *

10 dum ualde episcopus negaret, isdem qui uenerat arrianus beati Pauli apostoli illic ecclesiam comminus sitam se die altero uiolenter intraturum esse professus est. Quod eiusdem ecclesiae custos audiens, festinus cucurrit, ecclesiam clausit, seris muniuit. Facto autem uespere, lampades 15 omnes extinxit seque in interioribus abscondit.

3. In ipso autem subsequentis lucis crepusculo arrianus episcopus, collecta multitudine, aduenit, clausas ecclesiae ianuas effringere paratus. Sed repente cunctae simul regiae diuinitus concussae, abiectis longius seris, apertae sunt, 20 atque cum magno sonitu omnia ecclesiae claustra patuerunt. Effuso desuper lumine omnes quae extinctae fuerant lampades accensae sunt, arrianus uero episcopus, qui uim facturus aduenerat, subita caecitate percussus est atque alienis iam manibus ad suum habitaculum reductus.

25 4. Quod dum Langobardi in eadem regione positi omnes agnoscerent, nequaquam ulterius praesumpserunt catholica loca temerare. Miro etenim modo res gesta est, ut, quia eiusdem arriani causa lampades in ecclesia beati Pauli fuerant extinctae, uno eodemque tempore et ipse 30 lumen perderet et in ecclesia lumen rediret.

XXX. Sed neque hoc sileam, quod ad eiusdem arrianae hereseos damnationem in hac quoque urbe ante biennium pietas superna monstrauit. Ex his quippe quae narro, aliud populus agnouit, alia autem sacerdos et custodes ecclesiae 5 se audisse, se uidisse testantur.

10 isdem *mw GH* : idem *b* ‖ 11 illic ecclesiam *mw GH* : ec. il. *b(z)* ‖ 18 cunctae [-tis *G*] simul *bmz GH* : sim. cunctae $m^{v}w^{v}$ ‖ cunctae simul regiae b^{v}*mw GH* : c. sim. portae *b* c. ianuae regiae b^{v} sim. iam c. ianuae regiae w^{v} ‖ 27 etenim *mw GH* : enim *b* ‖ 28 ecclesia *bmw* : -siae w^{v} *GH* ‖ 30 ecclesia *mw GH* : -siam $bm^{v}w^{v}$
XXX, 3 aliud *mw GH* : alia *bz* ‖ 4 alia *bmwz GH* : aliud $m^{v}w^{v}$ alii m^{v} ‖ 5 se² *mw G* : et $bm^{v}w^{v}z$ *H* et se w^{v}

3. Le trait final rappelle la cécité soudaine dont fut frappé le mage Elymas qui résistait à Paul (Ac 13, 11), mais l'ensemble

dans l'église du Bienheureux Apôtre Paul, située là à proximité. Apprenant cela, le gardien de cette église accourut en hâte, la ferma et la verrouilla. Le soir venu, il éteignit toutes les lampes et se cacha à l'intérieur.

3. A l'aube du jour suivant, l'évêque arien, ayant convoqué une grande foule, se présenta, prêt à faire enfoncer les portes fermées de l'église. Mais soudain, toutes ensemble, les portes, ébranlées par Dieu, rejetèrent au loin leurs barres et s'ouvrirent ; dans un grand fracas, tous les accès de l'église devinrent praticables. Une lumière s'épandit d'en-haut et toutes les lampes qui avaient été éteintes s'éclairèrent. L'évêque arien, venu pour faire violence, fut frappé subitement de cécité, et par la main d'autrui il fut ramené à son logis.

4. Quand tous les Lombards de la région eurent appris cela, ils n'osèrent plus dorénavant profaner les lieux catholiques. L'étonnant de l'affaire est bien que, à cause de cet arien, les lampes avaient été éteintes dans l'église du Bienheureux Paul, et que, au même instant, l'arien perdit la lumière et dans l'église la lumière revint.

XXX. Je ne passerai pas non plus sous silence ce que, dans cette ville aussi, la bonté céleste a montré il y a deux ans pour condamner cette hérésie arienne. Des faits que je vais raconter, l'un est connu du peuple, les autres sont attestés par le prêtre et les gardiens de l'église qui ont entendu et vu.

ressemble surtout à la conversion de Paul lui-même : lumière du ciel (Ac 9, 3 ; 22, 6 ; 26, 13), aveuglement du persécuteur obligé de se faire conduire (Ac 9, 8 : *ad manus illum trahentes* ; 22, 11 : *ad manum deductus*, cf. 13, 11 : *quaerebat qui ei manum daret*). Or l'église de Spolète dont il s'agit est précisément dédiée à Saint Paul. L'Arien prêt à violer le sanctuaire de l'Apôtre subit donc le même sort que celui-ci devant Damas. Cf. 25, 2 : à Saint-Pierre s'accomplit un miracle rappelant celui de Pierre à Jérusalem.

4. Les Lombards apprennent à ne pas violer les lieux saints : I, 4, 21 (cf. III, 26, 2).

XXX, 1. Passage de la province à Rome comme en 23, 5 (*etiam in hac urbe*). L'affaire date de 591-592. Plusieurs *custodes* comme en 14, 2-3.

2. Arrianorum ecclesia, in regione urbis huius quae Subura dicitur, cum clausa usque ante biennium remansisset, placuit ut in fide catholica, introductis illic beati Sebastiani et sanctae Agathae martyrum reliquiis, dedi-
10 cari debuisset. Quod factum est. Nam cum magna populi multitudine uenientes atque omnipotenti Domino laudes canentes, eandem ecclesiam ingressi sumus.

3. Cumque in ea iam missarum sollemnia celebrarentur et prae eiusdem loci angustia populi se turba conpri-
15 meret, quidam ex his qui extra sacrarium stabant, porcum subito intra suos pedes huc illucque discurrere senserunt. Quem dum unusquisque sentiret et iuxta se stantibus indicaret, isdem porcus ecclesiae ianuas petiit et omnes per quos transiit in admirationem conmouit, sed
20 uideri nil potuit, quamuis sentiri potuisset. Quod idcirco diuina pietas ostendit, ut cunctis patesceret, quia de loco eodem inmundus habitator exiret.

4. Peracta igitur missarum celebratione, recessimus. Sed adhuc nocte eadem magnus in eiusdem ecclesiae tec-
25 tis strepitus factus est, ac si in haec aliquis errando discurreret. Sequenti autem nocte grauior sonitus excreuit. Cum subito tanto terrore insonuit, ac si omnis illa ecclesia a fundamentis fuisset euersa, et protinus recessit, ac nulla illic ulterius inquietudo antiqui hostis apparuit,

7 Subura *bm*ᵛ*z G* : Subora *mw H* Sabura *w*ᵛ

3 bmz GH 15 extra *bmz GH* : iuxta *b*ᵛ ‖ 18 isdem *m GH* : idem *bm*ᵛ ‖ 19 admirationem *bm* : -ne *m*ᵛ*z GH* ‖ 20 uideri *bmz G* : -re *m*ᵛ *H* ‖ nil *m* : non (*z*) *H* a nullo *b G* ‖ sentiri *bm*ᵛ : -re *m GH* ‖ 23 missarum celebratione *m H* : cel. mis. *b G* ‖ 25 in haec *m G* : hac in *H* in eis *bm*ᵛ*z* ‖ 27 omnis *bm*ᵛ : omnes *m H* oms̄ *G* ‖ 28 ac *m GH* : et *b*

2. La dédicace de cette église arienne est mentionnée dans *Reg.* 4, 19 = *Ep.* 4, 19 ; *Lib. Pont.* I, 312, qui nomment seulement sainte Agathe. Ce nom lui est demeuré. Sainte-Agathe se trouve sur le Quirinal, non à Subure même, mais au-dessus. Une autre église arienne, sur l'Esquilin, fut dédiée par Grégoire à Saint Séverin (*Reg.* 3, 19 = *Ep.* 3, 19).

2. L'église des ariens dans le quartier de notre ville appelé Subure était restée fermée jusqu'à ces deux dernières années. Il nous parut bon de procéder à sa dédicace dans la foi catholique en y introduisant des reliques du Bienheureux Sébastien et de Sainte Agathe Martyrs : ce qui fut fait. Venus avec une grande foule de peuple, chantant des louanges au Seigneur tout-puissant, nous entrâmes dans cette église.

3. Comme on y célébrait la messe solennelle, la foule populaire s'entassait en raison de l'exiguïté du lieu. Quelques-uns de ceux qui se tenaient hors du sanctuaire sentirent soudain un goret entre leurs pieds qui se faufilait çà et là. Chacun le sentait, prévenait ses voisins. Ce goret gagna les portes de l'église. Chez tous ceux entre lesquels il se glissait, il provoqua l'ahurissement, mais personne ne put le voir, bien qu'on pût le sentir. Ainsi la divine bonté marqua d'une manière évidente à tous que de cette église l'immonde habitant sortait.

4. Une fois terminée la célébration de la messe, nous nous retirâmes. Mais de plus, cette nuit-là, il y eut sur les toits de l'église un grand vacarme, comme si quelqu'un, égaré, eût couru çà et là. La nuit suivante, le fracas s'aggrava en crescendo. Soudain, ce fut un son terrifiant, toute l'église sembla renversée depuis ses fondations. Brusquement il s'évanouit, et désormais aucune agitation due au vieil adversaire ne se manifesta. Par le fracas terrifiant

3. La messe suit l'introduction des reliques, selon le rite bien connu de la dédicace (*Ordo Rom.* 42, etc.). — Structurellement intacte sous sa décoration moderne, Sainte-Agathe est une petite basilique à trois nefs, dont 10 des 14 arcades sont encore visibles. Elle fut sinon bâtie, au moins ornée, entre 459 et 472, par l'Arien Ricimer, qui semble l'avoir dédiée aux saints Apôtres. Voir J. Zeiler, « Les églises ariennes de Rome », dans *Mél. d'arch. et d'hist.* 24 (1904), p. 17-33. — Porc symbolisant le diable : cf. 21, 3-4 (Mt 8, 31). Dans une vision rapportée par Victor de Vite, *De persec. Vand.* 2, 6, ces animaux représentent les Ariens remplissant la basilique de Fauste à Carthage (cf. Athanase, *V. Ant.* 82, 6-10).

4. Deuxième manifestation du diable qui s'en va : du toucher on passe à l'ouïe. Les deux prodiges suivants (5-6), qui attesteront la venue de Dieu, concerneront la vue et l'odorat. *Tanto terrore* sera répété (5).

30 sed per terroris sonitum quem fecit innotuit, a loco quem diu tenuerat quam coactus exiebat.

5. Post paucos uero dies in magna serenitate aeris super altare eiusdem ecclesiae nubes caelitus descendit, suoque illud uelamine operuit, omnemque ecclesiam tanto 35 terrore ac suauitate odoris repleuit, ut patentibus ianuis nullus illic praesumeret intrare, et sacerdos atque custodes, uel hi qui ad celebranda missarum sollemnia uenerant, rem uidebant, ingredi minime poterant, et suauitatem mirifici odoris trahebant.

40 6. Die uero alio, cum in ea lampades sine lumine dependerent, emisso diuinitus lumine sunt accensae, atque post paucos iterum dies, cum expletis missarum sollemniis, extinctis lampadibus, custos ex eadem ecclesia egressus fuisset, post paululum intrauit et lampades quas extinxe- 45 rat lucentes repperit. Quas neglegenter extinxisse se credidit, atque eas iam sollicitius extinxit. Qui exiens ecclesiam clausit, sed post horarum trium spatium regressus lucentes lampades quas extinxerat inuenit, ut uidelicet ex ipso lumine aperte claresceret, quia locus ille de tene- 50 bris ad lucem uenisset.

7. PETRVS. Etsi in magnis sumus tribulationibus positi, quia tamen a conditore nostro non sumus omnino despecti, testantur ea quae audio eius stupenda miracula.

8. GREGORIVS. Quamuis sola quae in Italia gesta sunt 55 narrare decreueram, uisne tamen ut pro ostendenda

31 exiebat *m GH* : exibat *b* ‖ 36 et sacerdos atque *mz GH* : sac. quoque et *b.* ‖ 41 atque *mz GH* : *om. b* ‖ 46 atque *m GH* : itaque *m*ᵛ *om. b* ‖ sollicitius *bmz H* : -tus *m*ᵛ *G* ‖ Qui *m GH* : et *bm*ᵛ ‖ ecclesiam *m GH* : atque eccl. sollicitius *b* ‖ 48 lampades *bm* : -das *m*ᵛ *GH*

---

5. Reproduction des scènes de 1 Ch 21, 26 (feu du ciel sur l'autel) ; 1 R 8, 10-11 et 2 Ch 5, 13-14 (la nuée remplit le sanctuaire et empêche les prêtres d'officier) ; 2 Ch 7, 1-3 (*ignis descendit de caelo... maiestas Domini impleuit domum, nec poterant sacerdotes ingredi... omnes filii Israel uidebant...*) ; cf. GRÉG. DE TOURS, *Mir. S. Iul.* 34 : à l'entrée des reliques de Julien, la basilique de Tours est rem-

qu'il avait causé, il rendait notoire qu'il était sorti, bien contraint et forcé, du lieu qu'il avait longtemps occupé.

5. Quelques jours après, le ciel était parfaitement serein, une nuée descendit sur l'autel de cette église, le couvrit de son voile, remplit tout l'édifice d'une atmosphère terrifiante et d'un parfum suave. Si bien que, les portes étant ouvertes, personne n'osait entrer ; le prêtre et les gardiens, ou ceux qui venaient célébrer la messe voyaient la chose, mais ils ne pouvaient entrer et respiraient la suavité du parfum merveilleux.

6. Le jour suivant, les lampes pendaient, éteintes, dans l'église. Une lumière divine fut envoyée et elles s'allumèrent. Quelques jours après, une fois la messe solennelle terminée et les lampes éteintes, le gardien de l'église sortit. Il rentra bientôt et trouva rayonnantes les lampes qu'il avait éteintes. Il se dit qu'il les avait éteintes trop vite, et il les éteignit en redoublant de soin. Puis il sortit en fermant l'église. Au bout de trois heures, il revint et trouva fulgurantes les lampes qu'il avait éteintes. Cette illumination montrait clairement que ce temple était passé des ténèbres à la lumière.

7. Pierre. Nous sommes dans de grandes tribulations. Et pourtant nous ne sommes pas absolument oubliés par notre Créateur. La preuve ? Ce que j'entends, ces miracles étonnants.

8. Grégoire. Je pensais raconter seulement ce qui s'est passé en Italie. Mais voulez-vous que, pour montrer

plie d'une lumière céleste. Chez Victor de Vite, *De persec. Vand.* 2, 6, une vision antérieure à celle des porcs mentionnée plus haut (note du § 3) associe la puanteur aux ténèbres pour signifier l'invasion de la basilique de Fauste par les Ariens.

6. Allumage miraculeux de lampes : voir I, 5, 2 (huile remplacée par l'eau) ; III, 29, 3 et 31, 5 (apparition de lampes allumées). Dans la vision de Victor de Vite (note précédente), les lampes dont brillait la basilique carthaginoise s'éteignent subitement ; ces divers phénomènes, annonciateurs de la profanation arienne, sont l'exact opposé de ceux que Grégoire rapporte ici. *

7. Cette réflexion dévoile un des buts des Dialogues : consoler un peuple accablé en lui montrant que Dieu ne l'abandonne pas.

8. La polémique contre l'arianisme entraîne Grégoire hors d'Italie.

eiusdem arrianae hereseos damnatione transeamus uerbo ad Hispanias, atque inde per Africam ad Italiam redeamus ?

PETRVS. Perge quo libet. Nam laetus ducor, laetus
60 reducor.

XXXI. GREGORIVS. Sicut multorum qui ab Hispaniarum partibus ueniunt relatione cognouimus, nuper Herminigildus rex, Leuuigildi regis Wisigotharum filius, ab arriana herese ad catholicam fidem, uiro reuerentis-
5 simo Leandro Hispalitano episcopo, dudum mihi in amicitiis familiariter iuncto, praedicante, conuersus est.

2. Quem pater arrianus, ut ad eandem heresem rediret, et praemiis suadere et minis terrere conatus est. Cumque ille constantissime responderet, numquam se ueram fidem
10 posse relinquere quam semel agnouisset, iratus pater eum priuauit regno rebusque omnibus expoliauit. Cumque nec sic uirtutem mentis illius emollire ualuisset, in arcta illum custodia concludens collum manusque illius ferro religauit. Coepit itaque isdem Herminigildus rex iuuenis,
15 terrenum regnum despiciens et forti desiderio caeleste quaerens, in ciliciis iacere uinculatus, omnipotenti Deo ad confortandum se preces effundere, tantoque sublimius

XXXI bmwz GH 3 Herminigildus *bm*^v*w*^v *G* : -geldus *m*^v *H* Hermenigeldus *mw* Hermigildus *z* ‖ Leuuigildi *bm*^v : -geldi *mw H* Liuuigildi [-de *G*] *m*^v*w*^v *G* ‖ Wisigotharum *mw G* : -thorum *b m*^v*w*^v *H* ‖ 4 herese *mw G* : -si *m*^v*w*^v *H* haeresi *b* ‖ catholicam fidem *mw GH* : fid. cath. *b* ‖ 5 Hispalitano *bmw* : Spal- *m*^v*w*^v Spol- *b*^v *H* Espol- *w*^v *G* ‖ 7 heresem *mw G* : -sim *m*^v *H* haeresim *b* ‖ 11 omnibus expoliauit *mwz GH* : exsp. omn. *b* ‖ 13 religauit *m*^v*w* *H* : releg- *mw*^v ligauit *bm*^v*w*^v *G* ‖ 14 isdem *mw GH* : idem *bm*^v ‖ Herminigildus *bm*^v *G* : -geldus *m*^v *H* Hermenigeldus *mw* Hermigildus *z* ‖ 15 despiciens *m*^v*w*^v : disp- *mw GH* despicere *bz* ‖ 16 iacere uinculatus *mw GH* : uinc. iac. *b*

XXXI, 1. D'après GRÉG. DE TOURS, *Hist. Franc.* 5, 39, Herménégilde fut amené au catholicisme par sa femme, la princesse franque Ingunde, et il se fit confirmer sous le nom de Jean. Puisqu'il résidait à Séville (JEAN DE BICLAR, *Chron.*, a. 579 ; cf. ISIDORE, *Hist. Goth.*

la condamnation de cette hérésie arienne, nous passions en paroles dans les Espagnes, et de là par l'Afrique nous revenions en Italie ?

PIERRE. Allez où vous voudrez. Je me félicite de l'aller comme du retour.

XXXI. GRÉGOIRE. De nombreux visiteurs venus des Espagnes nous ont appris que récemment le roi Herminigild, fils de Leuvigild, roi des Wisigoths, se convertit de l'hérésie arienne à la foi catholique, instruit par le très révérend Léandre, évêque de Séville, avec qui je suis lié depuis longtemps par une amitié familière.

2. Le père arien entreprit de le faire revenir à cette hérésie, avec des avantages pour le persuader et des menaces pour l'effrayer. Il répondit très fermement qu'il n'abandonnerait pas la vraie foi maintenant qu'il la connaissait. Mécontent, son père le destitua de la royauté et le spolia de tous ses biens. Même après cela, comme il n'arrivait pas à ébranler sa force d'âme, il l'enferma dans un cachot étroit avec des fers au cou et aux poignets. Le jeune roi Herminigild méprisait le royaume terrestre, cherchant le céleste d'un puissant désir. Il gisait, enchaîné, sur un cilice, à prier avec effusion Dieu tout-puissant de lui donner cœur. Il dédaignait avec d'autant plus de

49), cette confirmation, qui scella sa conversion, dut être l'œuvre de l'évêque Léandre. Celui-ci était son oncle maternel. La part que lui attribue Grégoire dans la conversion du prince n'a rien que de vraisemblable. — Grégoire et Léandre se sont connus à Constantinople : voir *Reg.* 5, 53 = *Ep.* 5, 49. Cf. *Reg.* 9, 227 = *Ep.* 9, 121.

2. Grégoire ne dit rien des vicissitudes politiques et militaires de la lutte entre père et fils, rapportées non seulement par Jean de Biclar et Isidore, qui ignorent la conversion de Herménégilde, mais encore par Grégoire de Tours. D'après celui-ci, c'est à la suite d'une défaite que Herménégilde fut dépouillé de tout par Léovigilde (*Hist. Franc.* 5, 39), et c'est au terme d'une guerre (*Hist. Franc.* 6, 18 et 29) qu'il fut incarcéré (*ibid.* 6, 40 ; autres péripéties en 6, 43). Selon Jean de Biclar, le mariage et la révolte de Herménégilde eurent lieu en 579, sa collusion avec les Byzantins, sa capture à Cordoue et son exil à Valence en 584. Du prince rebelle de ces historiens, Grégoire fait un pur martyr de la foi, semblable aux victimes des Lombards (27-28).

gloriam transeuntis mundi despicere, quanto et religatus agnouerat nihil fuisse quod potuit auferri.

3. Superueniente autem paschalis festiuitatis die, intempestae noctis silentio ad eum perfidus pater arrianum episcopum misit, ut ex eius manu sacrilegae consecrationis communionem perciperet atque per hoc ad patris gratiam redire mereretur. Sed uir Deo deditus arriano episcopo uenienti exprobrauit, ut debuit, eiusque a se perfidiam dignis increpationibus repulit, quia, etsi exterius iacebat ligatus, apud se tamen in magno mentis culmine stabat securus.

4. Ad se itaque reuerso episcopo, arrianus pater infremuit, statimque suos apparitores misit, qui constantissimum confessorem Dei illic ubi iacebat occiderent. Quod factum est. Nam mox ut ingressi sunt, securem cerebro illius infigentes, uitam corporis abstulerunt, hocque in eo ualuerunt perimere, quod ipsum quoque qui peremptus est in se constiterat despexisse.

5. Sed pro ostendenda uera eius gloria, superna quoque non defuere miracula. Nam coepit in nocturno silentio psalmodiae cantus ad corpus eiusdem regis et martyris audiri, atque ideo ueraciter regis quia martyris. Quidam etiam ferunt quod illic nocturno tempore accensae lampades apparebant. Vnde factum est, quatenus corpus illius, ut uidelicet martyris, iure a cunctis fidelibus uenerari debuisset.

18 religatus *bwz G* : releg- *m H* ‖ 19 nihil *mw GH* : nil *bw*^{v} ‖ potuit *mw GH* : potuerit *b* poterat *m*^{v} possit *m*^{v} ‖ 20 Superueniente *bm*^{v}*w H* : -ti *m G* ‖ 27 ligatus *bm*^{v}*w G* : leg- *mw*^{v} *H* ‖ 29 arrianus *bmw GH* : -no *b*^{v}*z* arriano *praem.* *m*^{v} ‖ 31 Quod *mw H* : quo *G* et *add.* *bz* ‖ 32 securem *bmw H* : -rim *m*^{v} -re *G* ‖ 34 ipsum *b*^{v}*mw GH* : ipse *bm*^{v} ‖ 35 constiterat *mw GH* : constituerat *bm*^{v} ‖ 39 martyris *mw GH* : et *praem.* *b* ‖ 40 ferunt *bmw GH* : fuerunt *m*^{v}*w*^{v} asserunt *m*^{v} ‖ 41 Vnde *mw GH* : et *add.* *bz* ‖ 42 iure *bm*^{v}*m*^{o}*w GH* : iuste *mw*^{v}

---

3. Ces circonstances de la mort de Herménégilde, qui en font un

grandeur la gloire de ce monde transitoire, que, chargé de chaînes, il connaissait le néant des biens susceptibles d'être confisqués.

3. Quand vint la fête de Pâques, dans le silence au cœur de la nuit, son mécréant de père lui envoya un évêque arien pour recevoir de sa main une communion consacrée de façon sacrilège. De cette manière, il mériterait de rentrer en grâce auprès de son père. Mais l'homme tout donné à Dieu fit à l'évêque arien venu à lui les remontrances qu'il lui devait. Il repoussa sa mécréance avec les reproches qui convenaient, car si extérieurement il gisait enchaîné, en son for intérieur, à la haute altitude de son âme, il se dressait en sécurité.

4. Au retour de l'évêque, le père arien frémit de rage, et aussitôt il dépêcha ses appariteurs avec ordre de mettre à mort l'inébranlable confesseur de Dieu là où il gisait. Ce qu'ils firent. A peine entrés, ils lui fichèrent une hache dans le crâne, lui ôtant ainsi la vie corporelle. Ils réussirent à massacrer en lui ce que cet homme massacré avait lui-même, de toute évidence, méprisé.

5. Mais pour révéler sa véritable gloire, les signes d'en-haut ne manquèrent pas. On entendit dans le silence nocturne le chant d'une psalmodie au corps de ce roi et martyr : oui, vraiment roi parce que martyr. Certains rapportent aussi que là, pendant la nuit, des lampes allumées apparaissaient. Il s'ensuivit que son corps fut à juste titre, comme celui d'un martyr, vénéré par tous les fidèles.

vrai martyr, ne sont mentionnées que par Grégoire. Les derniers mots rappellent III, 16, 4 (*in quo mentis uertice stetit*) et IV, 20, 3 (*in quo uirtutis culmine sedebat... qui... tam secura perdebat mente*).

4. D'après JEAN DE BICLAR, *Chron.*, a. 585, Herménégilde aurait été tué à Tarragone par Sisbert. GRÉG. DE TOURS, *Hist. Franc.* 8, 28, dit simplement qu'il fut mis à mort par Léovigilde.

5. Déjà appelé « roi » ci-dessus (1-2), Herménégilde avait en effet « régné » avec Ingunde sur Séville selon GRÉG. DE TOURS, *Hist. Franc.* 5, 39 (*Leuuichildus... dedit eis unam de ciuitatibus in qua residentes regnarent*). Le titre de « martyr », qu'il reçoit ici et dans la suite, succède à ceux d'« homme donné à Dieu » (3) et de « confesseur » (4). *Psalmodiae cantus* : IV, 16, 7. Apparition de lampes : cf. 30, 6 et note.

6. Pater uero perfidus et parricida, conmotus paeni-
45 tentia, hoc fecisse se doluit, nec tamen usque ad obtinendam salutem. Nam quia uera esset catholica fides agnouit, sed gentis suae timore perterritus ad hanc peruenire non meruit. Qui oborta aegritudine ad extrema perductus, Leandro episcopo, quem prius uehementer adflixerat,
50 Reccharedum regem filium, quem in sua heresi relinquebat, conmendare curauit, ut in ipso quoque talia faceret, qualia in fratre illius suis exhortationibus fecisset. Qua uidelicet conmendatione expleta, defunctus est.

7. Post cuius mortem Reccharedus rex, non patrem
55 perfidum, sed fratrem martyrem sequens, ab arrianae hereseos prauitate conuersus est, totamque Wisigotharum gentem ita ad ueram perduxit fidem, ut nullum suo regno militare permitteret, qui regno Dei hostis existere per hereticam perfidiam non timeret.

60 8. Nec mirum quod uerae fidei praedicator factus est, qui frater est martyris. Cuius hunc quoque merita adiuuant, ut ad omnipotentis Dei gremium tam multos reducat. Qua in re considerandum nobis est, quia totum hoc agi nequaquam posset, si Herminigildus rex pro ueritate
65 mortuus non fuisset. Nam, sicut scriptum est : *nisi granum frumenti cadens in terra mortuum fuerit, ipsum solum manet ; si autem mortuum fuerit, multum fructum adfert,*

50 Reccharedum *mw H* : Rech- *bm*ᵛ*w*ᵛz Rich- *w*ᵛ Richaridum *w*ᵛ *G* ‖ 52 qualia *mw GH* : et *add. bz* ‖ exhortationibus *mw GH* : cohortationibus *b* ‖ 54 Reccharedus *mw H* : Rech- *bm*ᵛz Rich- *w*ᵛ *G* ‖ 56 Wisigotharum *mw* : -tarum *G* -thorum *bm*ᵛ*w*ᵛ *H*

8 bmw (*usque* fuisset) **z GH** 60 uerae *bwz* : uere *m GH* ‖ 63 hoc *bmwz GH* : *om. m*ᵛ*w*ᵛ ‖ 64 posset *bm*ᵛ*w*ᵛz : possit *mw GH* ‖ Herminigildus *bm*ᵛ *G* : -geldus *H* Hermenigeldus *mw* Hermigildus *m*ᵛz ‖ 66 terra *m GH* : -ram *bm*ᵛz

---

XXXI, 8. Jn 12, 24.

---

6. L'attitude de Léovigilde décrite par Grégoire est identique à celle de Gondebaud selon Grég. de Tours, *Hist. Franc.* 2, 34 : ce roi burgonde s'était secrètement rallié au catholicisme, mais n'osait

6. Son père hérétique et parricide fut secoué d'un sentiment de pénitence. Il se repentit de son action, mais n'alla pas jusqu'à obtenir le salut, car il reconnut que la foi catholique est la vraie, mais arrêté par la crainte des réactions de son peuple, il ne mérita pas d'y accéder. Tombé malade, arrivé à toute extrémité, il eut soin de recommander à l'évêque Léandre, que naguère il avait vivement persécuté, son fils le roi Recared, qu'il laissait dans son hérésie : que l'évêque fît avec lui, par ses instructions, comme pour son frère Herminigild. Cette recommandation faite, il mourut.

7. Après sa mort, le roi Recared ne suivit pas son père hérétique, mais son frère martyr. Il se convertit de la mauvaise hérésie arienne et conduisit à la vraie foi toute la nation des Wisigoths : il ne permit à personne d'être employé au service de son royaume, s'il osait être hostile au royaume de Dieu par la mécréance hérétique.

8. Ne nous étonnons pas qu'il soit devenu héraut de la vraie foi, ce frère d'un martyr. Celui-ci, par ses mérites, aide Recared à ramener tant d'hommes dans le sein de Dieu tout-puissant. Dans ce retournement, il nous faut bien voir que tout cela n'aurait pas pu se produire si le roi Herminigild n'était pas mort pour la vérité. Car comme il est écrit : « Si le grain de froment tombant en terre ne meurt, il demeure seul ; s'il meurt, il porte beaucoup de fruit », nous voyons s'accomplir dans les membres ce qui

l'embrasser publiquement par crainte de son peuple ; malgré les remontrances de l'évêque Avit, il mourut dans l'hérésie. — Le même Grég. de Tours, *Hist. Franc.* 8, 46, rapporte que Léovigilde se convertit à la foi catholique sur son lit de mort et pleura pendant sept jours la persécution qu'il avait déchaînée. Il aurait aussi adjuré les siens d'abandonner l'arianisme. Ces informations, que le chroniqueur franc donne avec réserve (*ut quidam asserunt*), sont absentes de Jean de Biclar, *Chron.*, a. 586, et d'Isidore, *Hist. Goth.* 52 (585), qui notent simplement la mort du roi.

7. Selon Jean de Biclar, *Chron.*, a. 587, Récarède passa au catholicisme le dixième mois de son règne et entraîna le peuple à sa suite (cf. Isidore, *Hist. Goth.* 52 ; Grég. de Tours, *Hist. Franc.* 9, 15). Dans *Reg.* 1, 41 = *Ep.* 1, 43, Grégoire félicite Léandre de ce succès (cf. *Reg.* 9, 227a-229 = *Ep.* 9, 61 et 122).

hoc fieri uidemus in membris, quod factum scimus in capite. In Wisigotharum etenim gente unus est mortuus,
70 ut multi uiuerent, et dum unum granum fideliter cecidit ad obtinendam fidem, animarum seges multa surrexit.

PETRVS. Res mira et nostris stupenda temporibus.

XXXII. GREGORIVS. Iustiniani quoque augusti temporibus, dum contra catholicorum uitam exorta a Wandalis arriana persecutio in Africa uehementer insaniret, quidam in defensione ueritatis episcopi fortiter persis-
5 tentes ad medium sunt deducti. Quos Wandalorum rex uerbis ac muneribus flectere ad perfidiam non ualens, tormentis frangere posse se credidit. Nam cum eis in ipsa defensione ueritatis silentium indiceret, nec tamen ipsi contra perfidiam tacerent, ne tacendo forsitan consen-
10 sisse uiderentur, raptus in furore, eorum linguas abscidi radicitus fecit. Res mira et multis nota senioribus, quia ita post pro defensione ueritatis etiam sine lingua loquebantur, sicut prius loqui per linguam consueuerant.

2. PETRVS. Mirandum ualde et uehementer stupendum.
15 GREGORIVS. Scriptum, Petre, est de Vnigenito summi Patris : *In principio erat Verbum, et Verbum erat apud*

69 Wisigotharum *m H* : -tarum *G* -thorum *bm*v*m*o ‖ est mortuus *m GH* : mort. est *b* ‖ 71 fidem *b*v*mz GH* : uitam *b* ‖ seges *bm*v *G* : segis *m H*

XXXII bmwz GH 2 uitam *mw GH* : fidem *bz* ‖ a *bmw H* : ab *m*v*w*v apud *G* ‖ 3 arriana persecutio *mw GH* : pers. ar. *b* ‖ 6 flectere *mw GH* : *post* perfidiam *transp. bz* ‖ 7 posse se *bmw GH* : posse *m*v se posse *w*v ‖ 8 indiceret *bmwz GH* : imponere conatus esset *b*v ‖ 10 furore *mw GH* : -rem *bm*v*w*v

XXXII, 2. Jn 1, 1.3.

8. *Vnus... multi* : ce beau commentaire de Jn 12, 24 rappelle 1,8 (*solus... multis*) et 37, 17 (*unus... multos*). Cf. *Reg.* 11, 36 (305, 15-16) = *Ep.* 11, 28 (1138 c).

XXXII, 1. Grégoire date du temps de Justinien (527-565) un fait qui se rapporte à la persécution de Huneric (477-484) d'après VICTOR DE VITE, *De persec. Vand.* 5, 6; MARCELLIN, *Chron.*, a. 484 ; PROCOPE, *BV* 1, 8 ; VICTOR DE TUNNUNA, *Chron.*, a. 479 ; cf. JUSTIs'est accompli, nous le savons, dans la tête. En effet, dans la nation des Wisigoths, un seul est mort pour que beaucoup aient la vie, et quand un seul grain est tombé dans sa fidélité pour garder la foi, une grande moisson d'âmes s'est levée.

PIERRE. Admirable ! Et bien étonnant pour notre époque.

XXXII. GRÉGOIRE. Au temps de l'empereur Justinien, une persécution arienne fut déclenchée par les Vandales contre la vie des catholiques en Afrique avec une violence extrême. Quelques évêques, qui tenaient bon courageusement pour la défense de la vérité, comparurent. Le roi des Vandales ne réussit pas à les incliner vers son hérésie par ses instances et les avantages qu'il offrait. Il pensa pouvoir les briser par des tourments. Il leur avait prescrit de se taire au lieu de défendre la vérité ; mais ils ne firent pas silence contre l'hérésie, car en se taisant ils auraient paru complices. Emporté par la fureur, il leur fit couper la langue jusqu'à la racine. O merveille, bien connue de beaucoup d'anciens ! Par la suite, ils parlaient même sans langue pour défendre la vérité, comme ils parlaient d'ordinaire auparavant quand ils avaient leur langue.

2. PIERRE. Admirable tout à fait, et très étonnant !

GRÉGOIRE. Il est écrit, Pierre, sur le Fils unique du

NIEN, *Cod.* I, 27, 4, et ÉNÉE DE GAZA, *Theophr.*, *PG* 85, 1000-1001 ; voir ci-dessous, § 3 et note. — Victor de Vite parle d'habitants de Tipasa qu'un évêque arien tenta de convertir d'abord par la séduction, puis par les menaces. Courageusement (*fortes in Domino permanentes*), ils se moquèrent de sa folie (*insaniam*) et célébrèrent la messe en public. Irrité de ces nouvelles, le roi leur fit « couper la langue jusqu'à la racine » ainsi que la main droite. Mais alors *ita locuti sunt... quomodo antea loquebantur*. Grégoire peut s'être inspiré de ce récit en le simplifiant (Procope et Victor de Tunnuna sont bien plus simples encore) et en changeant les fidèles en évêques. Cependant Énée parle aussi de *hiereas* (évêques ou prêtres).

2. Attribué par Victor de Vite à l'Esprit Saint, le miracle est rapporté par Grégoire au Verbe. Le début du Prologue johannique est cher à Grégoire, qui le cite souvent. La suite du même morceau a été utilisée en II, 8, 9 ; 23, 6 ; 30, 2.

Deum, et Deus erat Verbum. De cuius etiam uirtute subiungitur : *Omnia per ipsum facta sunt.* Quid igitur miramur, si uerba edere sine lingua potuit Verbum quod
20 linguam fecit ?

PETRVS. Placet quod dicis.

3. GREGORIVS. Hii itaque eo tempore profugi ad Constantinopolitanam urbem uenerunt. Eo quoque tempore, quo pro explendis responsis ecclesiae ad principem ipse
25 transmissus sum, seniorem quendam episcopum repperi, qui se adhuc eorum ora sine linguis loquentia uidisse testabatur, ita ut apertis oribus clamarent : « Ecce, uidete quia linguas non habemus et loquimur. » Videbatur enim a respicientibus, ut ferebat, quia abscisis radicitus lin-
30 guis quasi quoddam baratrum patebat in gutture, et tamen ore uacuo plena ad integrum uerba formabantur.

4. Quorum illic unus in luxuriam lapsus mox priuatus est dono miraculi, recto uidelicet omnipotentis Dei iudicio, ut qui carnis continentiam seruare neglexerat, sine
35 lingua carnea non haberet uerba uirtutis. Sed haec nos pro arrianae hereseos damnatione dixisse sufficiat. Nunc ad ea, quae nuper in Italia gesta sunt, signa redeamus.

XXXIII. Is autem, cuius superius memoriam feci, Eleutherius, pater monasterii beati euangelistae Marci quod in Spolitanae urbis pomeriis situm est, diu mecum est in hac urbe in meo monasterio conuersatus, ibique

2 bmz GH 20 linguam fecit *mz GH* : fecit linguam *b*
3 bmw (*usque* testabatur) **z GH** 22 Hii *mw G* : hi *bm*ᵛ *H* ‖ 23 Eo *bmwz G* : eodem *m*ᵛ *H* ‖ 29 ferebat *bm*ᵛ *GH* : referebat *m* ferebant *m*ᵛ(*z*)
XXXIII bmz GH 3 Spolitanae *m*ᵛ *H* : Spul- *G* Spolet- *b* Spolitinae *m*

3. Victor de Vite mentionne un seul réfugié à Constantinople, le sous-diacre Reparatus, mais Procope parle de plusieurs qui y vécurent jusqu'à son temps ; de même Justinien, Énée, Marcellin et Victor de Tunnuna. — Grégoire fut apocrisiaire de Pélage II (cf. 36, 1) à Constantinople vers 580-586. Si la mutilation des Afri-

Père suprême : « Au commencement était le Verbe, et le Verbe était avec Dieu, et le Verbe était Dieu ». Sur sa puissance on ajoute : « Tout par lui a été fait ». Quoi d'étonnant, dès lors, s'il a pu faire émettre des verbes sans langue, ce Verbe qui a fait la langue ?

PIERRE. D'accord !

3. GRÉGOIRE. Pendant cette persécution, ces évêques se réfugièrent à Constantinople. Et au temps où je fus envoyé à l'empereur comme chargé d'affaires de l'Église, j'y trouvai un évêque âgé qui assurait les avoir vu parler sans langue. La bouche grande ouverte, ils criaient : « Voilà, regardez ! Nous n'avons pas de langue et nous parlons. » C'était visible pour tous ceux qui regardaient, à ce qu'il disait. Comme leur langue avait été coupée à la racine, une sorte de trou béant s'ouvrait dans leur gorge, et malgré tout, dans cette bouche vidée, les mots étaient parfaitement formés.

4. L'un d'entre eux tomba dans une faute de luxure. Il fut aussitôt privé de ce don miraculeux par un juste jugement de Dieu tout-puissant. Puisqu'il avait négligé d'observer la continence charnelle, il n'aurait pas de paroles prodigieuses sans langue de chair.

5. Mais voilà qui suffit pour la condamnation de l'hérésie arienne. Maintenant revenons à ces signes qui se sont produits récemment en Italie.

XXXIII. Cet Éleuthère dont j'ai fait mention plus haut fut Père du monastère du Bienheureux Évangéliste Marc, dans les murs de Spolète. Longtemps avec moi, à Rome, il vécut dans mon monastère ; c'est là qu'il mourut. Ses

cains eut lieu un siècle plus tôt, le vieil évêque a pu « les voir » au début du règne de Justinien, dont la mention au début du récit (§ 1) pourrait se rapporter à ces derniers temps des confesseurs à Constantinople.

4. Seul de tous les narrateurs cités, Procope rapporte ce fait, mais selon lui les confesseurs fautifs sont au nombre de deux. Chez Grégoire, la faute charnelle de cet évêque fait penser à André de Fondi (7, 5).

XXXIII, 1. *Autem* surprend après l'annonce du retour en Italie (32, 4). Peut-être le présent chapitre suivait-il primitivement 30,

5 defunctus est. Quem sui discipuli ferebant orando mortuum suscitasse. Vir autem tantae simplicitatis erat et conpunctionis, ut dubium non esset, quod illae lacrimae ex tam humili simplicique mente editae apud omnipotentem Deum multa obtinere potuissent. Huius ergo ali-
10 quod miraculum narro, quod inquisitus mihi simpliciter et ipse fatebatur.

2. Quadam namque die dum iter carperet, facto uespere cum ad secedendum locus deesset, in monasterium uirginum deuenit, in quo quidam paruulus puer erat,
15 quem malignus spiritus omni nocte uexare consueuerat. Sed sanctimoniales feminae, ut uirum Dei susceperunt, eum rogauerunt dicentes : « Tecum, pater, hac nocte puer iste maneat. » Quod ipse benigne suscepit, secumque eum nocte eadem iacere permisit.

20 3. Facto autem mane, coeperunt sanctimoniales feminae eundem patrem uigilanter inquirere, si quid se puero quem dederant nocte eadem fecisset. Qui miratus cur ita requirerent, respondit : « Nihil ». Tunc illae eiusdem pueri innotuerunt causam, et quod malignus spiritus nulla ab
25 eo nocte recederet indicauerunt, summopere postulantes, ut hunc secum ad monasterium tolleret, quia iam uexationem illius uidere ipsae non possent. Consensit senex, puerum ad monasterium duxit.

4. Qui cum multo tempore in monasterio fuisset atque
30 ad hunc antiquus hostis accedere minime praesumpsisset, eiusdem senis animus de salute pueri inmoderatius per laetitiam tactus est. Nam coram positis fratribus dixit :

5 ferebant *m GH* : referebant *b* ‖ 13 secedendum *bmz* : succedendum *b*ᵛ*m*ᵛ *H* succendum *G* ‖ 14 paruulus puer *m GH* : puer paru. *b* ‖ 16 sanctimoniales *bm*ᵛ *G* : sanctaem- *m H* ‖ 18 Quod *mz GH* : quem *b* ‖ suscepit *bm*ᵛ*z GH* : suscipit *m* ‖ 20 sanctimoniales *bm*ᵒ *G* : sanctaem- *m H* ‖ 21 quid *bmz GH* : sibi *m*ᵛ ‖ se *m G*ᵃᶜ : de *H* ipse *m*ᵒ ei *b* *om.* *m*ᵛ ‖ puero *mz GH* : puer *bm*ᵛ ‖ 22 quem *bm GH* : sibi *add.* *m*ᵛ ‖ fecisset *bm*(*z*) *GH* : -sent *m*ᵛ ‖ 32 tactus *bm GH* : factus *m*ᵛ hilaris factus *b*ᵛ

disciples racontaient qu'en priant il avait ressuscité un mort. C'était un homme d'une telle simplicité et componction ! Nul doute que les larmes sorties d'un cœur si humble et si simple ne pussent obtenir beaucoup de Dieu tout-puissant. Je vais raconter un miracle de lui que, sur mes questions, il exposait lui-même avec simplicité.

2. Un jour qu'il cheminait, sur le soir, comme il ne trouvait pas d'endroit pour se retirer, il vint dans un monastère de vierges où se trouvait un petit enfant que le malin esprit tourmentait chaque nuit ponctuellement. Les religieuses accueillirent l'homme de Dieu et lui firent cette prière : « Ne pourriez-vous pas, Père, prendre avec vous, cette nuit, cet enfant ? » Il le reçut avec bonté et le fit coucher près de lui cette nuit-là.

3. Au matin les religieuses demandèrent anxieusement au Père si l'enfant qu'elles lui avaient confié avait eu quelque chose cette nuit-là. Surpris de la question, il répondit : « Rien à signaler. » Alors elles lui expliquèrent le cas : chaque nuit, le malin esprit ne le quittait pas. Elles lui demandèrent instamment de l'emmener avec lui au monastère, car elles ne pouvaient plus supporter de le voir ainsi torturé. Le vieillard accepta et emmena l'enfant au monastère.

4. Il fut longtemps au monastère, et comme le vieil adversaire n'osait plus l'aborder, l'âme du vieillard fut un peu trop chatouillée de liesse devant la bonne santé

7 ou même 26, 6. — Éleuthère : voir 14, 1 ; 21, 1. Son monastère existe encore d'après *Reg.* 9, 87 = *Ep.* 9, 30 : *Stephanus abbas monasterii sancti Marci quod constitutum iuxta muros Spolitanae ciuitatis esse dinoscitur.* A-t-il un rapport avec l'église San Marco sise à l'E. de la ville actuelle et au S. de la Rocca, à l'intérieur et près des murs ? En tous cas sa position *in pomeriis... iuxta muros* fait penser aux monastères de Rieti (*Hom. Eu.* 35, 8 : *iuxta... urbis moenia*) et d'Arles (Césaire, *Reg. uirg.* 73 : *iuxta pomerium*). — Simplicité et humilité : IV, 27, 6.

2. Voyageur dépourvu de gîte pour la nuit : 7, 3.

4. Comme Isaac, son compatriote et ami (14, 1), Éleuthère se laisse aller à une gaieté répréhensible (cf. 14, 10). Sa parole imprudente fait penser à celle de Florent (15, 7), lui aussi modèle de simplicité (15, 1.6.8.13).

« Fratres, diabolus sibi cum illis sororibus iocabatur. At uero ubi ad seruos Dei uentum est, ad hunc puerum acce-
35 dere non praesumpsit. » Post quam uocem hora eadem ac momento isdem puer coram cunctis fratribus, diabolo se inuadente, uexatus est.

5. Quo uiso senex se protinus in lamentum dedit. Quem dum lugentem diu fratres consolari uoluissent, respondit
40 dicens : « Credite mihi, quia in nullius uestrum ore hodie panis ingreditur, nisi puer iste a daemonio fuerit ereptus. » Tunc se in orationem cum cunctis fratribus strauit, et eo usque oratum est, quousque puer a uexatione sanaretur. Qui etiam tam perfecte sanatus est, ut ad hunc
45 malignus spiritus accedendi ausum ulterius non haberet.

6. Petrvs. Credo, quod ei elatio parua subrepserat, eius discipulos omnipotens Deus facti illius esse uoluit adiutores.

Gregorivs. Ita est. Nam pondus miraculi solus por-
50 tare non potuit. Diuidit hoc cum fratribus et portauit.

7. Huius uiri oratio quantae uirtutis esset, in memetipso expertus sum. Nam cum quodam tempore in monasterio positus incisionem uitalium paterer, crebrisque angustiis per horarum momenta ad exitum propinquarem —
55 quam medici molestiam graeco eloquio sincopin uocant —, et nisi me frequenter fratres cibo reficerent, uitalis mihi

33 sibi *b*ᵛ*m GH* : ibi *b* *om.* *m*ᵛ*z* ‖ 36 isdem *m GH* : idem *bm*ᵛ ‖ 38 lamentum *bmz* : -tis *m*ᵛ *G* ‖ 40 in *bmz H* : *om.* *G* ‖ ore *bmz H* : os *m*ᵛ ori *G* ‖ 41 ingreditur *bmz GH* : -dietur *m*ᵛ ‖ 44 etiam *m* : et *m*ᵛ *GH* *om.* *b*(*z*) ‖ 46 subrepserat *m H* : subripuerat *G* et ideo *add.* *bz* ideo *add.* *m*ᵛ ‖ 47 esse uoluit *bm*ᵛ *GH* : uol. esse *m* ‖ 49 Nam *m GH* : quia *add.* *bz* ‖ 50 Diuidit *m GH* : -sit *bm*ᵛ

5. *Credite mihi* : autorisée par l'exemple du Christ (Jn 4, 21), cette formule remplace le serment chez les moines. Voir *RM* 11, 68 ; *Mem. Qualiter* 4, *CCM* I, p. 241 ; *Capitulum de omnibus uitiis*, éd. H. Rochais, « Textes anciens sur la discipline monastique », dans *Rev. Mab.* 43 (1953), p. 42, 24 (cf. Sulpice Sév., *Dial.* 3, 3-4). — Dans *RM* 15, 19-27, l'abbé invite tous les moines à prier ensemble pour un frère tenté. Un jeûne collectif s'ajoute à la prière quand celle-ci n'a pas eu d'effet (*RM* 15, 39). De même dans *V. Alexandri*

de l'enfant. Il dit aux frères assemblés : « Mes frères, le diable se jouait de ces sœurs, mais maintenant qu'on a eu recours aux serviteurs de Dieu, il n'a plus eu l'audace d'approcher cet enfant. » Sur ces mots, à l'instant même, l'enfant, devant tous les frères, fut envahi par le diable et torturé.

5. A cette vue, le vieillard se lamente et pleure longuement ; les frères essaient de le consoler. Il leur répond : « Croyez-moi. Pas un morceau de pain aujourd'hui dans votre bouche avant que cet enfant soit arraché au démon ! » Alors il se prosterne en prière avec tous les frères et ils prient jusqu'à ce que l'enfant soit guéri de sa crise. Il fut même guéri si parfaitement que le malin esprit n'osa plus l'approcher par la suite.

6. Pierre. Je pense qu'Éleuthère avait eu un brin d'orgueil. Dieu tout-puissant a voulu que cette délivrance se fît avec l'aide de ses disciples.

Grégoire. Exactement ! Il n'aurait pu porter seul le poids du miracle : il le répartit sur les frères et le porta.

7. La prière de cet homme était d'une puissance ! Je l'ai expérimentée personnellement. A un certain moment, quand j'étais au monastère, j'avais des défaillances dans mes organes vitaux et à tout instant, en proie à des angoisses lancinantes, je frôlais la mort — c'est le malaise que les médecins appellent « syncope », d'un mot grec. Si les frères ne m'avaient alimenté souvent pour me ré-

8, *PO* 6, 663, l'higoumène fait prier la communauté pendant deux heures pour un frère tenté.

6. La « gaieté immodérée » (4) devient « élèvement ». *Pondus miraculi... portare non potuit* rappelle 24, 9 (*ferre talenti pondus non ualet*), où il s'agit d'une vision.

7. Terme « médical grec » (*sincopin*) comme en III, 35, 3 (*freneticum*) et IV, 16, 3 (*paralisin*). Cf. Orose, *Hist.* 7, 15 : *morbi quem apoplexiam Graeci uocant* ; Grég. de Tours, *Mir. S. Mart.* 2, 18 : *quod... epilepticum... medicorum uocitauit auctoritas* ; 2, 58 : *melancholia id est...* D'après Grég. de Tours, *Hist. Franc.* 10, 1, le pape souffre d'une grave « infirmité d'estomac » (cf. note suivante) due à ses austérités. Grégoire lui-même s'en plaint fréquemment (cf. IV, 57, 8 ; *Mor.* 14, 56 ; *Reg.* 5, 53[a] = *Mor.*, *Praef.* 5 : *horis momentisque*

spiritus funditus intercidi uideretur, paschalis superuenit dies. Et cum sacratissimo sabbato, in quo omnes et paruuli pueri ieiunant, ego ieiunare non possem, coepi plus moe-
60 rore quam infirmitate deficere.

8. Sed tristis animus consilium citius inuenit, ut eundem uirum Dei secreto in oratorium ducerem, eumque peterem, quatenus mihi, ut die illo ad ieiunandum uirtus daretur, suis apud omnipotentem Dominum precibus
65 obtineret. Quod factum est. Nam mox ut oratorium ingressi sumus, a me humiliter postulatus sese cum lacrimis in orationem dedit, et post paululum completa oratione exiit. Sed ad uocem benedictionis illius uirtutem tantam meus stomachus accepit, ut mihi funditus a memo-
70 ria tolleretur cibus et aegritudo.

9. Coepi mirari quis essem, quis fuerim, quia et cum ad animum rediebat infirmitas, nihil in me ex his quae memineram recognoscebam. Cumque in dispositione monasterii occupata mens esset, obliuiscebar funditus
75 aegritudinis meae. Sin uero, ut praedixi, rediret aegritudo ad memoriam, cum tam fortem me esse sentirem, mirabar si non comedissem. Qui ad uesperum ueniens, tantae me fortitudinis inueni, ut, si uoluissem, ieiunium usque ad diem alterum transferre potuissem. Sicque factum est,
80 ut in me probarem ea etiam de illo uera esse, quibus ipse minime interfuissem.

10. Petrvs. Quia eundem uirum magnae conpunctionis fuisse dixisti, ipsam lacrimarum uim largius addis-

57 intercidi *bm*(*z*) *GH* : interdici $b^{v}m^{v}$ || 59 possem bm^{v} : possim *m G* potuissem *H* || 63 uirtus *m GH* : *ante* ad *transp.* *bz* || 65 Quod *m H* : quod et *bz* ut quo G^{v} || 71 mirari *bm* : -re m^{v} *GH* || 72 rediebat *m GH* : redibat *bm* || 73 dispositione *bm G* : -nem *H* dispensatione b^{v} || 75 Sin *m* : si *b*(*z*) *GH* in m^{v}

---

omnibus fracta stomachi uirtute lassesco, etc.). — Jeûne du samedi saint : voir § 9 et note.

8. *Sese cum lacrimis in orationem dedit* comme en II, 1, 2. On « conclut l'oraison » par une « bénédiction » : cf. 17, 4. Estomac fortifié : voir note précédente.

conforter, le souffle vital m'eût été coupé radicalement. Le jour de Pâques approchait, avec le samedi très sacré où tout le monde jeûne, même les petits enfants. Moi qui ne pouvais jeûner, je fus pris de défaillance, plus de chagrin que de faiblesse.

8. Mais ma tristesse trouva vite un stratagème : amener secrètement cet homme de Dieu dans l'oratoire, lui demander qu'il m'obtienne par ses prières à Dieu tout-puissant la force de jeûner ce jour-là. Ainsi fut fait. Dès que nous sommes entrés dans l'oratoire, sur mon humble demande, il se met en prière avec larmes, et au bout d'un petit moment, sa prière achevée, il sort. Mais au son de sa conclusion, mon estomac reçoit une telle force que ma mémoire oublie totalement nourriture et maladie.

9. J'en suis ébahi : qu'est-ce que j'étais ? Qu'est-ce que je suis maintenant ? Lorsque mon malaise me revient à l'esprit, je ne reconnais plus rien en moi de ce que je me rappelle. L'esprit occupé des affaires du monastère, j'oublie totalement mon indisposition. Mais quand, comme j'ai dit, je me rappelle cette indisposition, je me sens si fort que je me demande si je n'ai pas mangé. Arrivé au soir, je me trouve une telle vigueur que, si je voulais, je pourrais prolonger le jeûne jusqu'au lendemain. Cela se fit pour que j'éprouvasse en ma personne qu'ils devaient être vrais aussi, les miracles d'Éleuthère auxquels je n'avais pas assisté.

10. Pierre. Vous avez dit que cet homme était d'une grande componction. Je voudrais savoir plus au long le

9. *In dispositione monasterii* se retrouve dans *Reg.* 7, 12 = *Ep.* 7, 12, où l'expression se rapporte au gouvernement d'une abbesse. Sur cet emploi de *dispositio* et de *disponere*, voir O. Porcel, *La doctrina monastica de San Gregorio Magno y la « Regula monachorum »*, Madrid 1950, p. 47-50, qui conclut que Grégoire était abbé de Saint-André à l'époque du miracle ici narré, lequel daterait de 589-590. Pour S. Brechter, « War Gregor der Grosse Abt... ? », dans *SMGBO* 57 (1939), p. 211-212, Grégoire serait ici occupé, comme simple moine, à une affaire quelconque, l'épisode étant antérieur à son ordination au diaconat et à sa légation (579). Une question analogue se posera au sujet de IV, 57, 8-16. — Le jeûne du samedi saint s'achève le soir, au lieu de continuer jusqu'à minuit comme chez Cassien, *Conl.* 21, 25, 3. Cf. IV, 33, 1. *

cere cupio. Vnde quaeso ut mihi quot sunt genera con-
85 punctionis edisseras.

XXXIIII. Gregorivs. In multis speciebus conpunctio diuiditur, quando singulae quaeque a poenitentibus culpae planguntur. Vnde ex uoce quoque paenitentium Hieremias ait : *Diuisiones aquarum deduxit oculus*
5 *meus*.

2. Principaliter uero conpunctionis genera duo sunt, quia Deum sitiens anima prius timore conpungitur, post amore. Prius enim sese in lacrimis afficit, quia, dum malorum suorum recolit, pro his perpeti supplicia aeterna
10 pertimescit. At uero cum longa moeroris anxietudine fuerit formido consumpta, quaedam iam de praesumptione ueniae securitas nascitur et in amore caelestium gaudiorum animus inflammatur, et qui prius flebat ne duceretur ad supplicium, postmodum flere amarissime incipit quia
15 differtur a regno. Contemplatur etenim mens qui sint illi angelorum chori, quae ipsa societas beatorum spirituum, quae maiestas internae uisionis Dei, et amplius plangit quia a bonis perennibus deest, quam flebat prius cum mala aeterna metuebat. Sicque fit, ut perfecta conpunctio
20 formidinis tradat animum conpunctioni dilectionis.

84 mihi *b*v*m GH* : *om. bz* || quot *bmz* : quod *GH* quae *b*v || sunt *bm GH* : sint *m*v *post* genera *transp. b*v(*z*)
XXXIIII, 1 multis speciebus *mz GH* : multas species *b* || 6 conpunctionis *bmz GH* : -num *m*v || 9 supplicia *m H* : et *add. G post* aeterna *transp. bm*v*z* || 14 flere amarissime *mz GH* : am. flere *b* || 17 internae *m G* : aeternae *bm*v *H* || 18 flebat *mz GH* : fleuit *b* || 20 tradat *b*v*m G* : trahat *bm*v *H*

XXXIIII, 1. Lm 3, 48

10. Trop précise, la seconde demande de Pierre est bien gauche.
XXXIIII, 1. Cassien, *Conl.* 9, 26-27, distinguait diverses componctions d'après leurs occasions et leurs manifestations. Grégoire suggère une autre distinction, selon les fautes regrettées. Même utilisation de Lm 3, 48 dans *Past.* 3, 29.

motif des larmes. Dites-moi donc, je vous prie, combien il y a de componctions.

XXXIIII. Grégoire. La componction se divise en diverses espèces selon que les différentes fautes sont déplorées une à une par les pénitents. C'est la voix des pénitents qui dit en Jérémie : « Divers flots de pleurs sont sortis de mon œil. »

2. Mais il y a principalement deux genres de componction : l'âme qui a soif de Dieu se sent poindre d'abord de crainte, puis d'amour. D'abord elle s'afflige dans les larmes, car au souvenir de ses méfaits, elle redoute d'avoir à souffrir pour eux les supplices éternels. Puis, lorsque la crainte a été absorbée par une longue anxiété de chagrin, une certaine sécurité naît de la présomption du pardon et l'esprit s'enflamme d'amour pour les joies célestes. Celui qui d'abord pleurait par crainte d'être mené au supplice, ensuite se met à pleurer très amèrement parce que l'entrée au royaume est différée. L'esprit contemple ce que sont les chœurs des anges, quelle est la société des esprits bienheureux, quelle est la majesté de la vision intérieure de Dieu. Plus ample est sa plainte de n'avoir pas les biens inaltérables qu'auparavant son sanglot quand il craignait les maux éternels. Il arrive ainsi que la parfaite componction de la crainte livre l'âme à la componction de l'amour.

2-5. Cette belle page sera reproduite presque mot pour mot dans *Reg.* 7, 23 = *Ep.* 7, 26.

2. Componction de crainte et componction d'amour : développements similaires dans *Mor.* 24, 10-11 (cf. 23, 41) ; *Hom. Ez.* II, 10, 20-21 ; *In I Reg.* 5, 148. Voir aussi *In Cant.* 18. — Déjà Cassien, *Conl.* 9, 29, 1-2, distinguait plusieurs sources de larmes : regret du péché, contemplation et désir des biens éternels, pensée du jugement et de l'enfer, etc., dont la première et la troisième sont ici réunies dans la componction de crainte. Quant au passage de la crainte à l'amour, voir Cassien, *Inst.* 4, 39 et 43 ; *Conl.* 11, 6-8, qui marque une ou plusieurs étapes intermédiaires. — Compagnie des anges : IV, 1, 1-2. Bel exemple de la componction d'amour en IV, 49, 2 (le moine Antoine).

3. Quod bene in sacra ueracique historia figurata narratione describitur, quae ait quod Axa filia Caleph, sedens super asinum, suspirauit. Cui dixit pater suus : « *Quid habes ?* », *atque illa respondit* : « *Da mihi benedictionem.*
25 *Terram australem et arentem dedisti mihi, iunge et inriguam.* » *Dedit ei pater suus inriguum superius et inriguum inferius.*

4. Axa quippe super asinum sedit, cum inrationabilibus carnis suae motibus anima praesedit. Quae suspi-
30 rans a patre terram inriguam petit, quia a creatore nostro cum magno gemitu quaerenda est lacrimarum gratia. Sunt namque nonnulli, qui iam in dono perceperunt libere pro iustitia loqui, oppressos tueri, indigentibus possessa tribuere, ardorem fidei habere, sed adhuc gratiam lacri-
35 marum non habent. Hi nimirum terram australem et arentem habent, sed adhuc inriguam indigent, quia in bonis operibus positi, in quibus magni atque feruentes sunt, oportet nimis ut aut timore supplicii aut amore regni caelestis mala etiam, quae antea perpetrauerunt, deplorent.
40 5. Sed quia, ut dixi, duo sunt conpunctionis genera, dedit ei pater suus inriguum superius et inriguum inferius. Inriguum quippe superius accipit anima, cum sese in lacrimis caelestis regni desiderio adfligit, inriguum uero inferius accipit, cum inferni supplicia flendo pertimescit. Et qui-
45 dem prius inferius ac post inriguum superius datur, sed

22 Caleph *m H* : Calep *m*^{v} Caleb *b* Kalep *G* ‖ 24 atque *m G* : et *b* ad quem *m*^{v} *H* ‖ 26 Dedit ei *m H* : dedit *G* deditque ei *bm*^{v}z ‖ inriguum$^{1-2}$ *bm GH* : -guam *b*^{v}*m*^{v}z ‖ 28 sedit *m GH* : sedet *bm*^{v} ‖ 29 praesedit *m GH* : praesidet *bm*^{v} ‖ 30 petit *bm G* : petiit *m*^{v}z *H* ‖ 33 iustitia loqui *bm G* : iust. eloqui *m*^{v} iustitiae loqui *H* ‖ 41 inrigum$^{1-3}$ *bm GH* : -guam *m*^{v}z ‖ 45 inriguum *bm GH* : -gua z

---

3. Jos 15, 18-19 ; Jg 1, 14-15.

3-4. Sans s'appuyer sur l'histoire d'Axa, Grégoire développe la même idée dans *Hom. Ez.* II, 8, 15-22 : il faut « laver l'holocauste »

3. Ce qui est bien symbolisé, dans l'histoire sacrée et véridique, au récit imagé qui nous dit : « Axa, fille de Caleb, assise sur son âne, soupira. Son père lui dit : ' Qu'as-tu ? ' Elle répondit : ' Donne-moi une bénédiction. Tu m'as donné une terre au midi qui est sèche. Ajoute une terre arrosée '. Et son père lui donna les sources d'en haut et les sources d'en bas. »

4. Axa est assise sur son âne quand l'âme gouverne les mouvements non raisonnés de sa chair. En soupirant elle demande à son père une terre arrosée, parce qu'il faut implorer de notre Créateur avec un grand gémissement la grâce des larmes. Car il en est qui ont déjà reçu le don de parler librement pour la justice, de défendre les opprimés, de donner leurs biens aux indigents, mais ils n'ont pas encore la grâce des larmes. Ils ont assurément la terre au midi qui est sèche, mais ils ont encore besoin d'une terre arrosée, car tout en s'adonnant aux bonnes œuvres, où ils sont grands et fervents, il importe au plus haut point que, soit par peur du supplice, soit par amour du royaume céleste, ils déplorent également le mal qu'ils ont commis auparavant.

5. Mais parce que, comme j'ai dit, il y a deux genres de componction, son père lui donna les sources d'en haut et les sources d'en bas. L'âme reçoit la source d'en haut lorsqu'elle s'afflige avec larmes au désir du royaume céleste ; la source d'en bas lorsqu'elle redoute en pleurant les supplices de l'enfer. Et c'est d'abord la source d'en

(Ez 40, 38) en joignant aux bonnes œuvres les larmes de l'amour et celles du repentir. Ces larmes sont motivées non seulement, comme ici, par les péchés commis avant la conversion (18), mais aussi par les impuretés qui se glissent continuellement dans les pensées (17). Plus délicate, cette seconde motivation se retrouve seule dans *Reg.* 7, 23, qui substitue à la dernière ligne de notre texte (*mala... deplorent*) les mots suivants : *peccata sine quibus uiuere non possunt quotidie plorent* (s'adresse à la pieuse Théoctiste). — L'âne signifie la chair : JÉRÔME, *V. Hil.* 5 et *Ep.* 107, 10 ; PAULIN, *Po.* 24, 617 ; *V. Patr. Iurensium* 76. Le midi signifie la ferveur : *Hom. Ez.* II, 10, 14, etc. *

quia conpunctio amoris dignitate praeeminet, necesse fuit ut prius inriguum superius et post inriguum inferius conmemorari debuisset.

6. PETRVS. Placet quod dicis. Sed postquam hunc uenerandae uitae Eleutherium huius meriti fuisse dixisti, libet inquirere si nunc in mundo esse credendum est aliquos tales.

XXXV. GREGORIVS. Floridus Tifernae Tiberinae episcopus cuius ueritatis atque sanctitatis est, dilectioni tuae incognitum non est. Hic mihi esse apud se presbiterum quendam, Amantium nomine, praecipuae simplicitatis narrauit uirum, quem hoc habere uirtutis perhibet, ut apostolorum more manum super aegros ponat et saluti restituat, et quamlibet uehemens aegritudo sit, ad tactum illius abscedat.

2. Quem hoc etiam habere miraculi adiunxit, quia in quolibet loco, quamuis inmanissimae asperitatis serpentem reppererit, mox eum signo crucis signauerit, extinguit, ita ut uirtute crucis, quam uir Dei digito ediderit, disruptis uisceribus moriatur. Quem si quando serpens in foramine fugerit, signo crucis os foraminis benedicit, statimque ex foramine serpens iam mortuus trahitur.

3. Quem tantae uirtutis uirum ipse etiam uidere curaui, eumque ad me deductum in infirmorum domo paucis

47 inriguum$^{1-2}$ *bm GH* : -guam *z*

XXXV, 1 Tifernae Tiberinae *m*^{v}*m*^{o} : Tif. Tyberianae urbis *m*^{o} Ferentinae *m* Tiberinae *z* Tibertinae *b*^{v}*m*^{v} Tiburtinae *b H* Tidurtinae *G* ‖ episcopus *mz GH* : ecclesiae *praem.* *b* urbis *praem.* *m*^{v} ‖ 6 saluti *bm* : -tem *b*^{v}*m*^{v} *H* -te *G* ‖ 7 quamlibet *m G*^{pc}*H* : quantumlibet *b* quaelibet *m*^{v} quamuis *G*^{ac} ‖ tactum *bm*^{v} *GH* : -tu *m* ‖ 11 mox *m G* : ut *add.* *bm*^{v} *H* ‖ 13 disruptis *m GH* : dir- *bm*^{v} ‖ 14 fugerit *bm*^{v} *GH* : fugiret *m* ‖ 17 domo *bm*^{v}*z G* : domum *m H*

5. Les deux derniers mots (*conmemorari debuisset*) sont remplacés, dans *Reg.* 7, 23, par *diceretur*.

6. Pierre ne se contente même pas du saint tout récent qu'est Éleuthère. Il lui en faut de vivants.

bas, puis la source d'en haut qui est donnée, mais parce que la componction d'amour l'emporte en dignité, il convenait de mentionner d'abord la source d'en haut, puis la source d'en bas.

6. Pierre. Fort bien, ce que vous dites. Mais maintenant que vous avez dit tout le mérite de cet Eleutherius si vénérable, on aimerait savoir s'il faut penser qu'il y a actuellement dans le monde d'autres hommes analogues.

XXXV. Grégoire. Floridus, évêque de Tifernum Tiberinum, sa véracité et sa sainteté ne sont pas inconnues de votre dilection. Il m'a raconté qu'il avait auprès de lui un prêtre nommé Amant, d'une simplicité extraordinaire. Sa puissance, paraît-il, est telle que, à la manière des Apôtres, il met la main sur les malades et les rend à la santé : si violent que soit le mal, à son toucher, il s'en va.

2. Floridus ajouta qu'il avait encore ce don miraculeux : en n'importe quel endroit, s'il trouve un serpent, même des plus furieux et des plus âpres, dès qu'il a fait sur lui un signe de croix, il le tue. Par la vertu de la croix que l'homme de Dieu trace de son doigt, le serpent meurt, les entrailles rompues. Si le serpent se réfugie dans son trou, il bénit l'orifice d'un signe de croix et sur-le-champ on peut retirer le reptile déjà mort de son trou.

3. J'ai tenu à voir moi-même un homme d'une si grande puissance. Je l'ai fait venir et je l'ai fait habiter quelques

XXXV, 1. Non mentionné en 13, 1, le siège épiscopal de Floridus est ici désigné diversement par les mss (voir *Introd.*, p. 181). Contrairement à ce qu'indique Moricca, quatre mss italiens ont *Tifernae Tiberinae* (Città di Castello), leçon critiquement probable, confirmée par la tradition qui localise Floridus et Amant en cette cité (F. Lanzoni, *op. cit.*, p. 482-483), et recommandée en outre par le voisinage de Tifernum Tiberinum avec Pérouse où Floridus fut élevé (13, 1). — Prêtre « simple » : cf. 37, 1.18. *Apostolorum more* fait allusion à Mc 16, 18 (*Super aegros manus imponent et bene habebunt*).

2. Ce pouvoir sur les serpents (cf. Mc 16, 17) fait penser à 15, 11-12 et 16, 3-4. Puissance du signe de la croix : voir II, 3, 4, etc. *

3. *Virtutis uirum* comme en 6, 2 ; 19, 5 (cf. II, 16, 9). *Freneticus*

diebus manere uolui, ubi, si qua adesset curationis gratia, citius probari potuisset. Ibi autem quidam inter aegros
20 alios mente captus iacebat, quem medicina graeco uocabulo freneticum appellat. Qui nocte quadam cum magnas uoces scilicet insanus ederet, cunctosque aegros inmensis clamoribus perturbaret, ita ut nulli illic capere somnum liceret, fiebat res ualde miserabilis, quia unde unus male,
25 inde omnes deterius habebant.

4. Sed sicut et prius a reuerentissimo Florido episcopo, qui tunc cum praedicto presbitero illic pariter manebat, et post a puero, qui nocte eadem aegrotantibus seruiebat, subtiliter agnoui, isdem uenerabilis presbiter, de proprio
30 stratu surgens, ad lectum frenetici silenter accessit et super eum positis manibus orauit. Moxque illum melius habentem tulit, atque in superiora domus secum ad oratorium duxit. Vbi pro eo liberius orationi incubuit, et statim eum sanum ad lectum proprium reduxit, ita ut nullas
35 ulterius uoces ederet, neque aegrotorum quempiam aliquo clamore turbaret. Nec iam aegritudinem auxit alienam, qui perfecte receperat mentem suam.

5. Ex quo eius uno facto didicimus, ut de eo illa omnia audita crederemus.

40 6. Petrvs. Magna uitae aedificatio est uidere uiros mira facientes, atque in ciuibus suis Hierusalem caelestem in terra conspicere.

18 curationis *bmz GH* : consolationis *b*ᵛ orationis *m*ᵛ ‖ 20-21 medicina... appellat *mz* : medici... appellant *bm*ᵛ *GH* ‖ 21 freneticum *m*ᵛ : phren- *b* freniticum *m*ᵛ *H* freniticus *G* friniticum *m* ‖ 22 scilicet *m GH* : ut *add. bm*ᵛ*z* ‖ 24 miserabilis *bmz* : mirabilis *b*ᵛ*m*ᵛ *GH* ‖ 26 reuerentissimo *m GH* : uiro *add. b om. z* ‖ 29 isdem *m GH* : idem *bm*ᵛ ‖ 30 frenetici *m*ᵛ : phren- *b* frenitici *m*ᵛ *GH* frinitici *m* ‖ 31-32 illum... habentem *bm*ᵛ*z GH* : illo... habente *m* ‖ 35 neque *mz GH* : nec iam *b* ‖ 36 turbaret *m GH* : pertubaret *b* ‖ aegritudinem *bm*ᵛ *GH* : -ne *m* ‖ auxit *bm*ᵛ*z G*ᵖᶜ*H* : ausit *m G*ᵃᶜ ‖ 41 mira *mz GH* : tam mira *bm*ᵒ

XXXV, 4. positis manibus — melius habentem : cf. Mc 16, 18.

reparaît dans *Hom. Eu.* 33, 4, sans la périphrase qui l'enveloppe

jours à l'hôpital. S'il avait une grâce pour guérir, il pourrait rapidement la montrer. Entre autres malades gisait là un aliéné que la médecine appelle, d'un mot grec, frénétique. Une nuit, ce fou poussait de grands cris et troublait tous les malades par ses clameurs intenses. Nul ne pouvait dormir. Quelle grande misère ! Un seul allait mal, et du coup l'état de tous empirait.

4. Comme je l'ai appris exactement d'abord du très révérend évêque Floridus, qui se trouvait alors à l'hôpital avec le prêtre Amant, puis du garçon qui cette nuit-là était au service des malades, ce vénérable prêtre se leva de son lit, vint silencieusement à la couche du frénétique et lui imposa les mains en priant. Aussitôt l'homme se trouva mieux. Amant l'emmena avec lui dans l'oratoire en haut de l'hôpital. Là, plus librement, il s'adonna pour lui à la prière. Sur ce, il le ramena guéri à son lit. Désormais, il ne poussa plus de cris, ne troubla plus aucun malade par quelque clameur qui augmentait le malaise des autres, car il avait parfaitement retrouvé ses propres idées.

5. Ce seul fait nous apprit que nous pouvions croire à tout ce que nous avions entendu dire de lui.

6. Pierre. C'est un grand réconfort pour les vivants de voir des hommes qui font des miracles et de contempler sur terre la Jérusalem du ciel présente dans ses citoyens.

ici (cf. III, 33, 7 et note). Sur cette aliénation, distincte de la possession, voir Augustin, *De Gen. ad lit.*, 12, 17, 35-36. *

4. Floridus est qualifié de *reuerentissimus* comme l'évêque Germain (II, 35, 4). Amant impose les mains et prie pour la guérison : cf. Ac 28, 8 (ordre inverse). Intéressante notation sur la situation de l'oratoire au dernier étage de l'hôpital. *Liberius orationi incubuit* rappelle II, 11, 2 (*orationi instantius... incubuit*).

5. Réflexion analogue en 33, 9.

6. Par lui-même, le miracle édifie. *Vitae aedificatio* rappelle II, 1, 8 (*alimenta... uitae*) et II, 35, 1 (*uitae uerba*). Première mention de la Jérusalem céleste (He 12, 22), annonçant le Livre IV (cf. III, 37, 22).

XXXVI. GREGORIVS. Neque hoc silendum puto, quod omnipotens Deus super Maximianum famulum suum, nunc Siracusanum episcopum, tunc autem mei monasterii patrem, dignatus est monstrare miraculum. Nam 5 dum iussione pontificis mei in Constantinopolitanae urbis palatio responsis ecclesiasticis deseruirem, illic ad me isdem uenerabilis Maximianus, caritate exigente, cum fratribus uenit.

2. Qui cum ad monasterium meum Romam rediret, in 10 mari Adriatico nimia tempestate deprehensus, inaestimabili ordine atque inusitato miraculo erga se cunctosque qui cum eo aderant, omnipotentis Dei et iram cognouit et gratiam. Nam cum in eorum mortem uentorum nimietatibus eleuati fluctus saeuirent, ex naui claui 15 perditi, arbor abscisa est, uela in undis proiecta, totumque uas nauis quassatum nimiis fluctibus ab omni fuerat sua conpage dissolutum.

3. Rimis itaque patentibus intrauit mare, atque usque ad superiores tabulas inpleuit nauem, ita ut non tam 20 nauis inter undas quam undae iam intra nauem esse uiderentur. Tunc in eadem naui residentes, non iam ex mortis uicinia, sed ex ipsa eius praesentia ac uisione turbati, omnes sibimet pacem dederunt, corpus et san-

XXXVI, 6 illic *m GH* : illuc *bm*° ‖ 7 isdem *m GH* : idem *bm*ᵛ ‖ 13 mortem *m G*ᵃᶜ : -te *bm*ᵛ *G*ᵖᶜ*H* ‖ 14-15 claui perditi *bm GH* : clauis perditis *b*ᵛ*m*ᵛ clauo perdito *b*ᵛ ‖ 16 nimiis *bm*ᵛ(z) *GH* : nimis *m* ‖ 18 Rimis *bm* : remis *m*ᵛ *GH* ‖ 19 inter *m GH* : intra *b* ‖ 22 mortis *b*ᵛ*m GH* : -te *bm*ᵛ ‖ uicinia *b*ᵛ*m G*ᵖᶜ : uicinam *G*ᵃᶜ uicinae *H* uicinio *b*ᵛ uicinitate *b*ᵛ

XXXVI. Sur Maximien, voir I, 7, 1 et note. Ses deux fonctions successives sont présentées dans les mêmes termes en *Hom. Eu.* 34, 18, qui ajoute cependant *atque presbitero* après « père de mon monastère ». Cette mention de la prêtrise de Maximien permet de l'identifier avec le prêtre que Pélage II demande à Grégoire, alors à Constantinople, de lui renvoyer sans tarder *quia et in monasterio tuo et in opus quod eum praeposuimus necessarius esse omnino cognoscitur* (JEAN DIACRE, *V. Greg.* 1, 32 ; *PL* 72, 703 ; *MGH*, *Ep.* II, p. 441). Cette lettre étant datée du 4 octobre 584, le retour de Maxi-

XXXVI. Grégoire. Je ne pense qu'il faille passer sous silence le miracle que Dieu tout-puissant a daigné faire paraître en faveur de son serviteur Maximien, maintenant évêque de Syracuse, alors Père de mon monastère. Par ordre de mon évêque, j'étais en service commandé à Constantinople au palais, chargé d'affaires pour l'Église. Poussé par la charité, le vénérable Maximien vint m'y retrouver avec des frères.

2. Comme il revenait à Rome à mon monastère, dans la mer Adriatique, il fut pris par une grosse tempête. Par un phénomène extraordinaire et un miracle inouï, il put connaître la colère du Dieu tout-puissant et sa bienveillance envers lui et ses compagnons. Pour leur mort, les flots soulevés par des vents pleins de démesure font rage, les chevilles du navire se perdent, le mât est arraché, les voiles sont jetées dans les ondes, tout le bâtiment est brisé violemment par les flots, toute sa carène est disloquée.

3. Par les fentes béantes, la mer pénètre et jusqu'au pont supérieur emplit le navire. Ainsi c'est moins un navire entre les ondes que les ondes dans un navire que l'on peut voir. Alors, dans ce navire, les passagers troublés non plus par l'approche de la mort, mais par sa présence même bien visible, se donnent mutuellement la paix, reçoivent le corps et le sang du Rédempteur, se

mien eut sans doute lieu quelques semaines plus tard. Dans *Reg.* 5, 53 a = *Mor.*, *Praef.* 1, Grégoire parle de ce séjour « charitable » des frères de son monastère auprès de lui. *

2. Selon Grég. de Tours, *Glor. mart.* 6, l'Adriatique était redoutée pour ses tempêtes et surnommée *uorago nauigantium* ; cependant elle serait plus calme depuis qu'Hélène, mère de Constantin, y a plongé des clous de la Passion. — *Inusitato miraculo* : pas de modèle scripturaire ou hagiographique. A la fin, on songe à Virgile, *Aen.* 1, 122-123 : ... *laxis laterum compagibus omnes Accipiunt inimicum imbrem rimisque fatiscunt.*

3. La tempête rend la mort présente comme chez Virgile, *Aen.* 1, 91 : *Praesentemque uiris intentant omnia mortem.* Baiser de paix avant la communion : cf. *RM* 21, 1.4 ; Eugippe, *V. Seu.* 43, 8, etc. Selon Ferrand, *V. Fulg.* 49, Fulgence donne la communion à ceux qui le visitent sur son bateau en partance ; il la porte donc avec lui en viatique. Noter ici que les voyageurs communient sous les deux espèces. *

guinem redemptoris acceperunt, Deo se singuli con-
25 mendantes, ut eorum animas benigne susciperet, quorum corpora in tam pauendam mortem tradiderat.

4. Sed omnipotens Deus, qui eorum mentes mirabiliter terruit, eorum quoque uitam mirabilius seruauit. Nam diebus octo nauis eadem usque ad superiores tabulas
30 aquis plena, iter proprium peragens, enatauit. Nono autem die in Cotronensis castri portu deducta est. Ex qua exierunt omnes incolumes, qui cum praedicto uenerabili Maximiano nauigabant.

5. Cumque post eos ipse quoque fuisset egressus, mox
35 in eiusdem portus profundum nauis demersa est, ac si illis egredientibus pro pondere subleuatione caruisset. Et quae plena hominibus in pelago aquas portauerat atque natauerat, Maximiano cum suis fratribus recedente, aquas sine hominibus in portu non ualuit portare, ut hinc omni-
40 potens Deus ostenderet quia hanc onustam sua manu tenuerat, quae ab hominibus uacua et derelicta super aquas non potuit manere.

XXXVII. Ante dies quoque fere quadraginta uidisti apud me eum, cuius superius memoriam feci, uenerabilis uitae presbiterum, Sanctulum nomine, qui ad me ex Nursiae prouincia annis singulis uenire consueuit. Sed ex
5 eadem prouincia quidam monachus ante triduum uenit, qui grauis nuntii moerore me perculit, quia eundem uirum obisse nuntiauit. Huius ergo uiri, etsi non sine gemitu

26 pauendam mortem [-te *G*] *m G* : pauenda morte *bm*v*z H* ‖ 31 Cotronensis *bmz* : Quotronensis *m*v *H* Chotronensis *m*v Crotoniensis *b*v Chotoninsis *G* ‖ portu *m*(*z*) : -to *m*v *GH* -tum *bm*v
XXXVII 1-2 bmw (*usque* sunt, l. 22) **z GH** 3 Nursiae *bmw H* : -sia *m*v *G* ‖ 7 obisse *mw*v *GH* : obiisse *bw* obisset *m*v

4. *Mirabiliter... mirabilius* rappelle la célèbre oraison romaine de Noël (*Sacram. Veron.* 1239 et 1258). Aujourd'hui sur la mer Ionienne, Crotone est alors *super Adriaticum mare... posita* (*Reg.* 7, 23 = *Ep.* 7, 26). *

recommandant chacun à Dieu. Qu'il reçoive leurs âmes avec bonté, lui qui a livré leurs corps à une mort si épouvantable.

4. Mais Dieu tout-puissant, qui avait terrifié si merveilleusement leurs esprits, conserva leurs vies plus merveilleusement encore. Pendant huit jours ce navire plein d'eau jusqu'au pont supérieur surnagea et garda sa direction. Le neuvième jour, il aboutit au port de Crotone. Ils en sortirent sains et saufs, tous ceux qui naviguaient avec ce vénérable Maximien.

5. Et lorsque ce dernier fut sorti après eux, aussitôt le navire sombra au fond du port, comme si, par suite de leur débarquement, la disparition de leur poids le privait de surnager. Cette nef qui, pleine d'hommes, avait porté des eaux sur mer et surnagé, n'eut plus désormais, après le départ de Maximien et de ses frères, la force de porter les eaux sans les hommes, une fois au port. Dieu tout-puissant montrait ainsi qu'il avait soutenu de sa main vaisseau et cargaison : évacué et délaissé par les hommes, il ne put rester au-dessus des eaux.

XXXVII. Il y a une quarantaine de jours, vous avez vu chez moi ce prêtre vénérable que j'ai nommé plus haut, appelé Sanctulus, qui venait me voir régulièrement chaque année du district de Nursie. Mais de ce district est arrivé il y a trois jours un moine avec une nouvelle qui m'a beaucoup peiné : Sanctulus était mort. Si je ne me rappelle pas sa douceur sans gémir, du moins je peux raconter sans scrupule ses miracles, que je connais par

5. Comportement paradoxal du navire au service des saints : cf. celui du feu en Dn 3 (ci-dessus, 18, 3). Par la grâce de Dieu, tous les passagers sont saufs : Ac 27, 24-44 (cf. II, 17, 2).

XXXVII, 1. Aux deux thaumaturges encore vivants dont il vient d'être question à la demande de Pierre (34, 6), Grégoire en joint un qui est mort il y a quelques jours. Sanctulus a été nommé en 15, 1. Sa visite annuelle à Grégoire rappelle II, 13, 1 ; III, 17, 1.

dulcedinis recolo, iam tamen sine formidine uirtutes narro, quas a uicinis eius sacerdotibus, mira ueritate et simpli-
10 citate praeditis, agnoui. Et sicut inter amantes se animos magnum caritatis familiaritas ausum praebet, a me plerumque ex dulcedine exactus, ipse quoque de his quae egerat extrema quaedam fateri cogebatur.

2. Hic namque quodam tempore, cum in praelo Lango-
15 bardi oliuam premerent, ut in oleum liquari debuisset, sicut iucundi erat et uultus et animi, utrem uacuum ad praelum detulit, laborantesque Langobardos laeto uultu salutauit, utrem protulit, et iubendo potius quam petendo eum sibi inpleri dixit. Sed gentiles uiri, quia toto iam die
20 laborauerant atque ab oliuis exigere oleum torquendo non poterant, uerba illius moleste susceperunt eumque iniuriis insectati sunt. Quibus uir Dei laetiori adhuc uultu respondit, dicens : « Sic pro me oretis. Istum utrem Sanctulo inpleatis, et sic a uobis reuertetur. » Cumque illi ex
25 oliuis oleum defluere non cernerent et uirum Dei ad inplendum utrem sibi insistere uiderent, uehementer accensi, maioribus hunc uerborum contumeliis detestari coeperunt.

3. Vir autem Dei, uidens quod ex praelo oleum nullo modo exiret, aquam sibi dari petiit, quam cunctis uiden-
30 tibus benedixit atque in praelo suis manibus iactauit. Ex qua protinus benedictione tanta ubertas olei erupit, ut Langobardi, qui prius diu incassum laborauerant, non solum sua uascula omnia, sed utrem quoque quem uir

8 dulcedinis $bm^{v}wz$ *GH* : -nes *m* ‖ iam *bm GH* : cum *w* ‖ 10 animos $bm^{v}w$: -mus mw^{v} *GH* ‖ 11 magnum *bmw GH* : *om.* $m^{v}(z)$ ‖ familiaritas *bmw GH* : -tatis $m^{o}w^{v}$ ‖ 15 oliuam *mw GH* : -uas $bm^{v}w^{v}z$ ‖ oleum *bmw* : oleo $m^{v}w^{v}$ *GH* ‖ debuisset *mw GH* : -sent bm^{v} ‖ 16 iucundi *bmw GH* : -dus $b^{v}m^{v}w^{v}(z)$ ‖ uultus et animi *bmw GH* : uultu et animo $b^{v}m^{v}w^{v}(z)$ ‖ 19 sibi inpleri [-re $m^{v}w^{v}$ *H*] *mw GH* : impl. sibi *b* ‖ quia *mwz GH* : qui *b* ‖ 20 exigere *bmwz H* : exire $b^{v}m^{v}w^{v}$ *G* ‖ 21 poterant *bmw GH* : -rat b^{v} ‖ 22 Dei *mz H* : Domini *b G* ‖ 23 sic *bmz GH* : si $b^{v}m^{v}$ ‖ pro me oretis *bmz GH* : mihi creditis b^{v} ‖ 24 reuertetur *bm* : -titur m^{v} *GH*

3 bmz GH 30 praelo *mz GH* : -lum bm^{v}

La « simplicité », qui orne les prêtres de son voisinage, était déjà

des prêtres, ses voisins, admirables par leur sens de la vérité et de la simplicité. Et comme, entre esprits qui s'aiment bien, la sympathie de la charité favorise une grande liberté, parfois, dans la douceur de l'amitié, je le poussais sur ce qu'il avait fait, et il était contraint d'avouer quelques-unes de ses œuvres mineures.

2. Une fois, des Lombards écrasaient de l'olive au pressoir pour obtenir de l'huile. Comme il était gai de visage et d'âme, il apporta une outre vide au pressoir, salua d'un air joyeux les Lombards en plein travail, exhiba son outre et, sur le ton du commandement bien plus que de la prière, il demanda qu'on la lui remplît. Ces barbares, qui avaient travaillé en vain toute la journée et n'arrivaient pas en pressurant à tirer l'huile de leurs olives, prirent très mal sa demande et l'accablèrent d'injures. A quoi l'homme de Dieu répondit, le visage encore plus joyeux : « Priez ainsi pour moi : emplissez cette outre pour Sanctulus, et alors il s'en retournera de chez vous. » Comme ils ne voyaient pas l'huile découler des olives et que l'homme de Dieu restait planté là pour qu'on lui emplît son outre, ils le maudirent, très irrités, avec des insultes de plus en plus grosses.

3. L'homme de Dieu, à la vue du pressoir d'où ne sortait pas une goutte d'huile, demanda qu'on lui donnât de l'eau. Aux yeux de tous, il la bénit, et de ses mains en chargea le pressoir. Sur cette bénédiction, ce fut une telle cataracte d'huile que les Lombards, jusque-là affairés sans résultat, remplirent tous leurs récipients et encore l'outre apportée par l'homme de Dieu. Ils lui ren-

la qualité saillante de ce Florent dont il a conté les miracles à Grégoire (15, 1-17). *Magnum caritatis familiaritas ausum praebet* rappelle II, 17, 1 (cf. I, 2, 1).

2. Sanctulus n'est pas blâmé pour sa *laetitia*, comme l'ont été Isaac (14, 10) et Éleuthère (33, 4). *Gentiles* : « barbares » plutôt que « païens ». Sur les pénuries d'huile en Italie, voir I, 5, 2 et note. Un peu énigmatique, le mot de Sanctulus aux Lombards paraît user de *sic* en deux sens différents : « ainsi » et « alors ». *

3. Miracle analogue en I, 5, 2 (cf. I, 7, 5-6 ; II, 29, 1). On songe à l'huile multipliée par Élisée (2 R 4, 1-7) et à l'eau changée en vin par le Christ (Jn 2, 1-10).

Dei detulerat inplerent, gratias agerent quia is, qui oleum
35 petere uenerat, benedicendo dedit quod postulabat.

4. Alio quoque tempore uehemens ubique famis incubuerat, et beati Laurentii martyris ecclesia a Langobardis fuerat incensa. Quam uir Dei restaurare cupiens, multos artifices ac plures subministrantes operarios adhibuit.
40 Quibus necesse erat ut cotidiani sumptus laborantibus sine dilatione praeberentur, sed exigente eiusdem famis necessitate panis defuit. Coeperunt laborantes instanter uictum quaerere, quia uires ad laborem per inopiam non haberent. Quod uir Dei audiens, eos uerbis consolabatur
45 foras promittendo quod deerat, sed ipse grauiter anxiabatur intus, exhibere cibum non ualens quem promittebat.

5. Cum uero huc illucque anxius pergeret, deuenit ad clibanum, in quo uicinae mulieres pridie coxerant panes, ibique incuruatus aspexit, ne fortasse panis a coquentibus
50 remansisset. Cum repente panem mirae magnitudinis atque insoliti candoris inuenit. Quem tulit quidem, sed deferre artificibus noluit, ne fortasse alienus esset et culpam uelut ex pietate perpetraret. Per uicinas itaque hunc mulieres detulit eumque omnibus ostendit, ac ne cui
55 earum remansisset inquisiuit. Omnes autem, quae pridie panem coxerant, suum hunc esse negauerunt, atque panes suos se integro numero a clibano retulisse professae sunt.

34 inplerent *m GH* : et *add. bz*

4 bmw (*usque* praeberentur, l. 41) **z GH** 36 famis *mw G* : fames *bm*[v] *H* ‖ 37 Laurentii *bm*[v]*w* : -ti *m GH* ‖ 38-39 multos artifices *mwz GH* : art. multos *b* ‖ 42 Coeperunt *m H* : coeperuntque *b* coepere *m*[v] *G* ‖ 43 per inopiam *bm G* : prae inopia [-iam *H*] *m*[v](*z*) *H* ‖ 45 foras *m GH* : foris *bm*[v] ‖ anxiabatur *bm*[v] *GH* : anxiebatur *m*

5 bmz GH 48 coxerant panes *m GH* : panes cox. *bm*[v]*z* ‖ 49 fortasse *m GH* : forte *b* ‖ a *bm H* : *om. m*[v] *G* ‖ 50 Cum *m GH* : cumque *m*[v] tunc *b* tum *m*[v] ‖ 51 tulit quidem *m GH* : quidem tulit *b* ‖ 57 se integro numero *m GH* : num. int. se *b*

4. Sur l'église San Lorenzo de Nursie, voir (sous toute réserve) F. Patrizi-Forti, *Memorie storiche di Norcia*, Norcia 1869, p. 121. Nursia étant appelée ici « province » (et non « ville » comme en

dirent grâces. Lui qui était venu demandeur d'huile avait donné par une bénédiction ce qu'il réclamait.

4. Une autre fois, la famine pesait lourdement sur tout le pays. L'église du Bienheureux Martyr Laurent avait été incendiée par les Lombards. L'homme de Dieu voulut la restaurer. Il employa plusieurs maîtres d'œuvre et de nombreux ouvriers travaillant sous leur direction. Il fallait fournir chaque jour sans retard le nécessaire à leur entretien, mais par l'effet de la famine le pain manqua. Les travailleurs demandaient instamment de quoi manger, car ils n'auraient pas de force pour leur tâche en raison de la pénurie. Entendant cela, l'homme de Dieu les consolait extérieurement par de bonnes paroles, promettant ce qui manquait, mais lui-même était gravement inquiet intérieurement, ne sachant d'où tirer cette nourriture qu'il promettait.

5. Comme il allait çà et là anxieusement, il vint au four où des femmes du voisinage avaient cuit des pains la veille. Il se courba pour voir si d'aventure il ne restait pas un pain oublié par ces femmes. Et soudain il trouva un pain d'une merveilleuse grandeur et d'une blancheur extraordinaire. Il le prit, mais se garda bien de le porter aux maîtres d'œuvre, par crainte qu'il fût à quelqu'un d'autre. Sous prétexte de charité, il aurait commis une faute. Il le porta donc chez les voisines, le montra à toutes, et demanda si l'une d'elles ne l'avait pas laissé dans le four. Toutes celles qui avaient cuit la veille dirent que ce pain n'était pas à elles et affirmèrent qu'elles avaient emporté leur fournée intégrale.

IV, 11, 1), il n'est même pas absolument certain que Grégoire pense à une église de la cité elle-même comme le San Lorenzo en question. L'incendie peut dater des années 571-574, au cours desquelles l'invasion lombarde s'accompagne de la famine (PAUL DIACRE, *Hist. Lang.* 2, 26). Pénurie de pain : cf. II, 21, 1.

5. La découverte du pain miraculeux rappelle *Hist. Mon.* 1, 401 d : *inueniebat panem... mirae suauitatis mirique candoris*, où le fait est quotidien (cf. *Hist. mon.* 9, 423 c : hebdomadaire ; 11, 431 c : occasionnel). Voir aussi SULPICE SÉV., *Dial.* 1, 11 : pain céleste de forme inusitée ; PALLADE, *Hist. Laus.* 51 et 71, 3 = *HP* 39, 326 b et 58, 341 cd (occasionnel).

6. Tunc laetus uir Domini perrexit ad multos artifices cum uno pane, ut omnipotenti Deo gratias agerent admo-
60 nuit, et quia eis annonam praebuerat indicauit, eisque ad refectionem protinus inuitatis inuentum panem adposuit. Quibus sufficienter pleneque satiatis, plura ex eo quam ipse panis fuerat fragmenta collegit. Quae die quoque altero eis ad refectionem intulit, sed id quod ex fragmentis
65 supererat ipsa quoque, quae adposita fuerant, fragmenta superabat.

7. Factumque est, ut per dies decem omnes illi artifices atque operarii, ex illo uno pane satiati, hunc et cotidie ederent, et ex eo cotidie quod edi posset in crastinum
70 superesset, ac si fragmenta panis illius per esum crescerent, et cibum comedentium ora repararent.

8. Petrvs. Mira res, atque in exemplo dominici operis uehementer stupenda.

Gregorivs. Ipse, Petre, multos de uno pane pauit per
75 seruum, qui ex quinque panibus quinque millia hominum satiauit per semetipsum ; qui pauca seminum grana in innumera segetum frumenta multiplicat ; qui ipsa quoque semina produxit ex terra, et simul omnia creauit ex nihilo.

9. Sed ne diutius mireris, quid in uirtute Domini uene-
80 randus uir Sanctulus exterius fecerit, audi ex uirtute Domini qualis interius fuit.

59 ut *bm*ᵛ *GH* : et *mz* et ut *m*ᵛ ‖ Deo *bm*ᵛ *GH* : ut *add. m* ‖ 66 superabat *bz*ᵛ : -bant *mz H* superant *G*ᵃᶜ supraerant *G*ᵖᶜ *ut uid.* ‖ 71 repararent *bm*ᵛ : -ret *m H* praepararent *G* ‖ 72 exemplo *m GH* : -plum *bm*ᵛ*z* ‖ 73 uehementer *mz GH* : omnibus *add. b* ‖ 76 seminum *mz GH* : -nis *b* ‖ 77 ipsa *bm*ᵛ*z GH* : ipse *m*

XXXVII, 6. fragmenta collegit — quod... supererat : Jn 6, 12 ‖ 8. Mt 14, 13-21 ; Gn 1, 1-31

6-7. Cf. Pallade, *Hist. Laus.* 51 = *HP* 39, 326 b : le moine palestinien Élie trouve inopinément trois pains, avec lesquels il rassasie vingt visiteurs ; du pain qui reste, il se nourrit pendant vingt-cinq

6. Alors tout joyeux l'homme du Seigneur alla trouver les nombreux maîtres d'œuvre avec son pain unique. Il les avertit de rendre grâces à Dieu tout-puissant, leur annonce qu'il a fourni la ration, les invite à se refaire tout de suite et sert le pain qu'il a trouvé. Ils mangent à suffisance et se rassasient pleinement. Après quoi, il ramasse plus de morceaux qu'il n'y avait eu de pain. Le lendemain il le sert pour le repas. Mais ce qui en reste dépasse à nouveau la quantité de morceaux servis.

7. Il arrive ainsi que pendant dix jours tous ces maîtres d'œuvre et ouvriers se rassasient de ce pain unique. Ils en mangent chaque jour, et chaque jour, de ce qu'ils mangent il reste pour le jour suivant, comme si les morceaux de ce pain se multipliaient par manducation et les bouches des convives renouvelaient la nourriture.

8. Pierre. Il y a là un prodige très frappant, sur le modèle d'un miracle du Seigneur.

Grégoire. Pierre, d'un seul pain, il a nourri plusieurs par son serviteur, celui qui par lui-même rassasia de cinq pains cinq mille hommes, celui qui multiplie quelques grains de semence pour d'innombrables moissons de froment, celui qui a aussi tiré de la terre les semences et a créé tout ensemble de rien.

9. Et pour que vous ne vous étonniez pas plus longtemps de ce que le vénérable Sanctulus a fait extérieurement par la puissance du Seigneur, écoutez ce qu'il fut intérieurement par cette même puissance.

jours. — Ce pain inépuisable rappelle aussi le vin intarissable de I, 9, 14.

8. Exclamation de Pierre comme en 31, 8 et 32, 1 ; cf. Augustin, *Tract. in Ioh.* 24, 1 : *opera Dei mira atque stupenda.* — En passant de la multiplication des pains au miracle quotidien, et partant inaperçu, de la multiplication des graines, puis à la production de ces semences et enfin à la création *ex nihilo*, Grégoire résume Augustin, *Tract. in Ioh.* 24, 1 (cf. *ibid.* 8, 1 ; 9, 1). Voir *Mor.* 6, 18, où le même exemple sert d'argument en faveur de la résurrection (cf. *Hom. Eu.* 26, 12 ; Augustin, *Serm.* 242, 1).

9. Des miracles extérieurs à la vertu intérieure : voir I, 5, 3-6 (humilité de Constance). Ici Grégoire souligne en outre l'action de la grâce (*uirtute Domini*).

10. Die etenim quadam a Langobardis captus quidam diaconus tenebatur ligatus, eumque ipsi qui tenuerant interficere cogitabant. Aduesperescente autem die, uir
85 Dei Sanctulus ab eisdem Langobardis petiit, ut relaxari eique uita concedi debuisset. Quod posse se facere omnino negauerunt. Cumque mortem illius deliberasse eos cerneret, petiit ut sibi ad custodiam tradi debuisset. Cui protinus responderunt : « Tibi quidem eum ad custodiendum
90 damus, sed ea condicione interposita, ut si iste fugerit, pro eo ipse moriaris. » Quod uir Domini libenter accipiens, praedictum diaconum in sua suscepit fide.

11. Quem nocte media, cum Langobardos omnes somno graui depressos aspiceret, excitauit et ait : « Surge, et
95 concitus fuge. Liberet te omnipotens Deus. » Sed isdem diaconus, promissionis eius non inmemor, respondit dicens : « Fugere, pater, non possum, quia si ego fugero, pro me sine dubio ipse morieris. » Quem uir Domini Sanctulus ad fugiendum conpulit, dicens : « Surge, et uade : te
100 omnipotens Deus eripiat. Nam ego in manu eius sum ; tantum in me possunt facere, quantum ipse permiserit. » Fugit itaque diaconus, et quasi deceptus in medio fideiussor remansit.

12. Facto igitur mane, Langobardi, qui diaconum ad
105 custodiendum dederant, uenerunt, quem dederant petierunt. Sed hunc uenerandus presbiter fugisse respondit. Tunc illi inquiunt : « Scis ipse melius, quid conuenit. » Seruus autem Domini constanter ait : « Scio. » Cui dixerunt : « Bonus homo es. Nolumus te per uarios cruciatus
110 mori. Elege tibi mortem quam uis. » Quibus uir Domini

10 bmwz GH 83 ligatus *bm*^{v}*w(z) G* : leg- *m H* ‖ qui *bmwz G*^{pc}*H* : quem *b*^{v} *G*^{ac} ‖ 84 aduesperescente *mw GH* : -riscente *m*^{v}*w*^{v} *G* -rascente *bm*^{v}*w*^{v} ‖ 85 Dei *bmwz G* : Domini *m*^{v}*w*^{v} *H* ‖ 88 custodiam *bmw G* : custodiendum *b*^{v}*m*^{v}*w*^{v}*z H* ‖ 92 diaconum *bmw H* : -nem *m*^{v}*w*^{v} *G* diacom̄ *H* ‖ sua... fide *mwz* : suam... fidem *bm*^{v}*w*^{v}*G* sua... fidem *H* ‖ 95 isdem *mw GH* : hisdem *m*^{v}*w*^{v} isdem *bm*^{v} ‖ 97 fugere *bm*^{v}*w* : fugire *m GH* ‖ fugero *bm*^{v}*w GH* : fugiero *m* ‖ 102 fugit *bm*^{v} *GH* : fugiit *mw* ‖ 104 diaconum *bm*^{v}*w H* : -nem *mw*^{v} *G* ‖

10. Un jour, un diacre captif était détenu, lié, par les Lombards, et ceux qui l'avaient pris pensaient le mettre à mort. Vers le soir, l'homme de Dieu Sanctulus demanda à ces Lombards qu'on le libérât en lui faisant grâce de la vie. Ils répondirent que c'était impossible. Quand il vit qu'on avait décidé son exécution, il demanda qu'on le confiât à sa surveillance. Et eux de répondre aussitôt : « Nous te le donnons à garder, mais à cette condition : s'il s'enfuit, tu mourras pour lui. » L'homme du Seigneur accepta avec empressement et sous sa garantie il reçut ce diacre.

11. Vers minuit, quand il vit tous les Lombards écrasés d'un lourd sommeil, il éveilla le diacre : « Debout ! Fuyez en hâte ! Que Dieu tout-puissant vous délivre ! » Mais le diacre, qui n'oubliait pas son engagement, répondit : « Fuir, Père, je ne puis. Car si je fuis, sans nul doute vous mourrez vous-même à ma place. » L'homme du Seigneur Sanctulus le força à fuir : « Debout ! Partez ! Que Dieu tout-puissant vous tire d'affaire ! Pour moi, je suis dans sa main. Ils ne peuvent me faire que ce qu'il permettra. » Donc le diacre s'enfuit, et son garant demeura planté là, comme dupé.

12. Au matin, les Lombards qui avaient donné le diacre à garder arrivèrent pour réclamer celui qu'ils avaient donné. Le vénérable prêtre répondit qu'il avait pris la fuite. Alors ils répliquèrent : « Tu sais fort bien la convention. » Le serviteur du Seigneur répondit courageusement : « Je sais. » Ils répliquèrent : « Tu es un brave homme. Nous ne voulons pas que tu meures dans trente-six supplices. Choisis-toi la mort que tu préfères. »

105 uenerunt $bm^{v}w^{v}z$ *GH* : illi *add. mw* ‖ 110 Elege mw^{v} *H* : elegi *G* elige $bm^{v}w$ ‖ Quibus *bmwz GH* : *om.* $m^{v}w^{v}$

10. Cf. Grég. de Tours, *Hist. Franc.* 9, 8 : un accusé est confié à un évêque en attendant d'être jugé.

11. Titre de « père » donné à un prêtre : I, 12, 1. Ici comme plus loin (§ 12), Sanctulus dit être « dans la main de Dieu » : cf. 36, 5.

12-13. Grégoire note expressément la cruauté des Lombards, mais leur reconnaît implicitement des sentiments d'humanité et le

respondit, dicens : « In manu Dei sum. Ea morte me occidite, qua me occidi ipse permiserit. » Tunc omnibus qui illic aderant Langobardis placuit, ut eum capite truncare debuissent, quatenus sine graui cruciatu uitam eius con-
115 pendiosa morte terminarent.

13. Cognito itaque quod Sanctulus, qui inter eos pro sanctitatis reuerentia magni honoris habebatur, occidendus esset, omnes qui in eodem loco inuenti sunt Langobardi conuenerunt, sicut sunt nimiae crudelitatis, laeti
120 ad spectaculum mortis. Circumsteterunt itaque acies. Vir autem Domini deductus in medio est, atque ex omnibus uiris fortibus electus est unus, de quo dubium non esset, quod uno ictu caput eius abscideret.

14. Venerandus igitur uir, inter armatos deductus, ad
125 sua arma statim cucurrit. Nam petiit, ut sibi paululum orandi licentia daretur. Cui dum concessum fuisset, in terram se strauit et orauit. Qui dum paulo diutius oraret, hunc electus interfector calce pulsauit ut surgeret, dicens : « Surge, et flexo genu tende ceruicem. » Surrexit autem uir
130 Domini, genu flexit, ceruicem tetendit. Sed tenso collo, eductam contra se spatam intuens, hoc unum fertur publice dixisse : « Sancte Iohannes, suscipe illam. »

15. Tunc electus carnifex, euaginatum gladium tenens, adnisu forti in altum brachium percussurus leuauit, sed
135 deponere nullo modo potuit. Nam repente diriguit, et erecto in caelo gladio brachium inflexibile remansit. Tunc

113 truncare *bmwᵛz H* : -ri *mᵛw G* ‖ 119 sicut *bmwz GH* : et sicut *bᵛ* ‖ 120 spectaculum *bmwᵛ* : exp- *mᵛw GH* ‖ itaque *bmwᵛ GH* : *om.* *mᵛw* inter ipsas *praem.* *bᵛ* ‖ 121 medio *mwᵛz GH* : medium *bmᵛ w* ‖ 123 quod *mw GH* : quin *b* ‖ abscideret *mᵛwz G* : -rit *mwᵛ H* abscind- *b* ‖ 128 interfector *bmwz GH* : carnifex *bᵛ* ‖ 131-132 fertur publice *mwz GH* : publ. fer. *b* ‖ 134 adnisu [an- *mᵛ*] *m* : -sum *GH* nisu *bw* ac nisu *mᵛ* ‖ 136 caelo *mwz H* : -lum *bmᵛwᵛ G*

---

respect de la sainteté. Ils s'attroupent pour assister à l'exécution : scène analogue en 11, 2 (Cerbonius et les Goths).

L'homme du Seigneur leur répondit : « Je suis dans la main de Dieu. Tuez-moi de la mort qu'il aura permise pour moi. » Alors tous les Lombards présents se prononcèrent pour la décapitation : on terminerait sa vie par une mort sans grave souffrance et rapide.

13. A la nouvelle que Sanctulus, qui était fort honoré chez eux par égard pour sa sainteté, allait être exécuté, tous les Lombards du pays affluèrent. Comme ils sont d'une extrême cruauté, joyeux ils accouraient à ce spectacle de mort. Leurs troupes formèrent le cercle. L'homme du Seigneur fut amené au milieu. Des hommes les plus vigoureux on choisit un qui sans nul doute trancherait sa tête d'un seul coup.

14. L'homme vénérable, amené parmi ces gens armés, recourut aussitôt à ses armes : il demanda qu'on lui donnât licence de prier un instant. Accordé. Il se prosterna par terre et pria. Comme la prière durait un peu trop longtemps, le bourreau choisi le poussa du pied en disant : « Debout ! A genoux ! Tends le cou ! » L'homme du Seigneur se releva, s'agenouilla, tendit le cou. Mais, le cou tendu, voyant l'épée tirée contre lui, on rapporte qu'il dit à haute voix cette seule parole : « Saint Jean, reçois-la. »

15. Alors le bourreau choisi, tenant son épée dégainée, leva son bras en l'air avec un effort puissant pour frapper, mais pas moyen de l'abaisser ! Car soudain il se figea et, l'épée dressée vers le ciel, ce bras resta raide.

14. Selon les Mauristes (*PL* 77, 312, n. *h*), l'invocation de Sanctulus à Jean-Baptiste s'explique par la dévotion que les Lombards avaient pour ce saint (cf. Paul Diacre, *Hist. Lang.* 4, 22 et 49 ; 5, 6). Il nous semble que Sanctulus songe simplement à la décollation de Jean-Baptiste.

15. Bras du bourreau raidi en l'air : même miracle chez Paulin, *V. Ambr.* 20 (un émissaire de Justine contre Ambroise) ; Pallade, *Hist. Laus.* 50 = *HP* 38, 326 a (Juif contre Gaddanas) ; Grég. de Tours, *Hist. Franc.* 2, 37 (Franc contre Maixent) et 6, 6 (Lombard contre Hospitius) ; Jean Moschus, *Pré sp.* 15 (Hébreux contre Conon) et 70 (barbare contre Addas). Cf. Sulpice Sév., *V. Mart.* 15, 2-3, où un meurtrier tombe à la renverse et l'autre voit son poignard disparaître. Le modèle scripturaire semble être 1 R 13, 4, où la main de Jéroboam tendue contre l'homme de Dieu

omnis Langobardorum turba, quae ad illud mortis spectaculum aderat, in laudis fauorem conuersa mirari coepit uirumque Dei cum timore uenerari, quia profecto claruerat cuius sanctitatis esset, qui carnificis sui brachium in aere ligasset.

16. Itaque postulatus ut surgeret, surrexit ; postulatus ut brachium sui carnificis sanaret, negauit dicens : « Ego pro eo nullo modo orabo, nisi mihi ante iuramentum dederit, quia cum manu ista christianum hominem non occidat. » Sed Langobardus isdem, qui, ut ita dicam, brachium contra Deum tendendo perdiderat, poena sua exigente conpulsus est iurare se christianum hominem numquam occidere. Tunc uir Domini praecepit, dicens : « Depone manum deorsum. » Qui statim deposuit. Atque ilico adiunxit : « Remitte gladium in uaginam. » Et statim remisit.

17. Omnes igitur tantae uirtutis hominem cognoscentes, boues et iumenta, quae depraedati fuerant, certatim ei offerre in munere uolebant. Sed uir Domini tale munus suscipere renuit, munus autem bonae mercedis quaesiuit, dicens : « Si mihi aliquid uultis concedere, omnes captiuos quos habetis mihi tribuite, ut habeam unde pro uobis debeam orare. » Factumque est, et omnes captiui cum eo dimissi sunt, atque superna gratia disponente, cum se unus pro uno morti obtulit, multos a morte liberauit.

18. Petrvs. Mira res, et quamuis hanc ab aliis et ipse

137 spectaculum [-lo *G*] *bmw*^{v} *GH* : exp- *m*^{v}*w* ‖ 138 aderat *bm*^{v}*w GH* : -rant *m*^{v} aduenerat *mw*^{v} ‖ fauorem *bmw(z)* : -re *m*^{v}*w*^{v} *G ut uid.* *H* ‖ 141 aere *bmwz G* : aera *m*^{v} *H* ‖ ligasset *bw G* : leg- *mw*^{v} *H* ‖ 145 manu ista *mw GH* : ista manu *bw*^{v} ‖ 146 isdem *mw GH* : hisdem *m*^{v}*w*^{v} idem *bm*^{v}*w*^{v} ‖ 147 tendendo *bmw*^{v}*z* : tenendo *m*^{o}*w* ‖ 151 uaginam *bm*^{v}*w*^{v}*z G* : -na *mw* uagina sua *H* ‖ Et *bmw GH* : qui *m*^{v}*w*^{v} ‖ 153 igitur *mw GH* : ergo *b* ‖ 159 debeam orare *bmwz GH* : or. deb. *m*^{v}*w*^{v} ‖ et *bmw(z) H* : ut *w*^{v} *G* ‖ 161 liberauit *bmw*^{v} *H* : -bit *m*^{v}*w G* liberaret *m*^{v}*w*^{v}*z*

---

exaruit nec ualuit retrahere eam ad se. — Retournement de la foule, qui admire et vénère le saint : 11, 3.

Alors toute la foule des Lombards qui était venue à ce spectacle de mort fut retournée, favorable, pleine d'éloges ; elle admira, vénéra l'homme de Dieu avec crainte, car certes on voyait clairement quelle était sa sainteté, capable de lier en l'air le bras de son bourreau.

16. On lui demanda de se lever, il se leva. On lui demanda de guérir le bras de son bourreau, il refusa : « Je ne prierai certainement pas pour lui avant qu'il m'ait juré qu'avec cette main il ne tuera plus un chrétien. » Le Lombard qui avait perdu son bras en le levant contre Dieu, si je puis dire, fut obligé par son châtiment à jurer qu'il ne tuerait jamais un chrétien. Alors l'homme du Seigneur lui commanda : « Abaisse ta main. » Il l'abaissa aussitôt. Le saint ajouta : « Remets ton épée au fourreau. » Il rengaina.

17. Alors tous, se rendant compte de la puissance prodigieuse de cet homme, rivalisèrent d'empressement pour lui offrir en don des bœufs et des chevaux qu'ils avaient volés. Mais l'homme du Seigneur refusa d'accepter un tel présent. Il demanda une offrande méritant une bonne récompense : « Si vous voulez m'accorder quelque chose, livrez-moi tous les captifs que vous avez. J'aurai ainsi de quoi prier pour vous. » Ce qui fut fait. Tous les captifs furent renvoyés avec lui et, par une disposition de la grâce divine, celui qui s'était offert seul à mourir pour un seul, délivra de la mort une multitude.

18. Pierre. Admirable ! Et bien que je connaisse cela

16. C'est aussi la prière de l'homme de Dieu qui guérit lc bras paralysé dans 1 R 13, 6 ; Jean Moschus, *Pré sp.* 15 et 70 (chez Grég. de Tours, le saint opère la guérison par un signe de eroix). Il est de règle, en ces affaires, que l'offensé délivre l'offenseur : voir I, 2, 3 et 10, 15 ; Pallade, *Hist. Laus.* 70, 5 = *HP* 57, 341 a, etc. — A la fin, cf. Jn 18, 11 (*mitte gladium tuum in uaginam*).

17. Déjà Paulin, refusant les présents offerts en réparation par son maître vandale, avait demandé seulement la libération de ses concitoyens captifs ; lui aussi s'était livré pour autrui et avait obtenu la libération d'un grand nombre (1, 7-8 ; cf. 31, 8). Le livre III s'achève donc comme il a commencé.

18. Pierre a déjà entendu raconter l'histoire de Sanctulus. Il n'est donc pas aussi ignorant qu'il le disait (I, *Prol.* 7). Autre aveu

cognouerim, uere tamen fateor quia mihi, quotiens narratur, innouatur.

165 GREGORIVS. Nihil in hac re in Sanctulo mireris, sed pensa, si potes, quis ille spiritus fuerit, qui eius tam simplicem mentem tenuit, atque in tanto uirtutis culmine erexit. Vbi enim eius animus fuit, quando mori pro proximo tam constanter decreuit, et pro temporali uita 170 fratris unius despexit suam, atque sub gladio ceruicem tetendit ? Quae ergo uis amoris illud cor tenuit, quod mortem suam pro unius salute proximi non expauit ?

19. Scimus certe quia isdem uenerabilis uir Sanctulus ipsa quoque elementa litterarum bene non nouerat. Legis 175 praecepta nesciebat, sed quia *plenitudo legis est caritas*, legem totam in Dei ac proximi dilectione seruauit, et quod foras in cognitione non nouerat, ei intus uiuebat in amore. Et qui numquam fortasse legerat, quod de redemptore nostro Iohannes apostolus dixit : *Quoniam ille pro nobis* 180 *animam suam posuit, sic et nos debemus pro fratribus animam ponere*, tam sublime apostolicum praeceptum faciendo magis quam sciendo nouerat.

20. Conparemus, si placet, cum hac nostra indocta scientia illius doctam ignorantiam, ubi haec nostra iacet, 185 ubi illius disciplina eminet. Nos de uirtutibus uacui loquimur, et quasi inter fructifera arbusta positi, odoramur

18 bmz GH 167 tanto... culmine *bm^{v}z GH* : tantum... culmen *m* ‖ 170 despexit suam *m GH* : suam desp. *bz* ‖ 171 illud cor tenuit *bm^v GH* : cor illud ten. *m* illum continuit *b^v* ‖ 173 isdem *m GH* : idem *bm^v* ‖ 177 foras *m GH* : foris *bm^v* ‖ ei *m GH* : *om. b* ‖ uiuebat *bmz GH* : uigebat *b^v* ‖ 179 nostro *mz GH* : *om. b* ‖ Iohannes *b* : -nis *m GH* ‖ ille *m GH* : sicut ille *bz* ‖ 180 animam² *m G* : -mas *bm^{v}z H* ‖ 185 ubi *mz GH* : ibi *b* ‖ 186 odoramur *m H* : -mus *bm^v G*

19. Rm 13, 10 ; 1 Jn 3, 16

similaire en IV, 59, 6. — La vertu de Sanctulus est attribuée successivement à l'« Esprit » et à la « puissance de l'amour » : cf. II, 38, 4 (*amor Spiritus*). En parlant de sa « simplicité » (cf. 1 et note), Grégoire paraît songer à son ignorance (§ 19).

par d'autres, je dois l'avouer vraiment : chaque fois que la chose m'est contée, elle a un air de nouveauté.

GRÉGOIRE. Il n'y a rien d'admirable, ici, en Sanctulus seul. Mais considérez, si vous le pouvez, quel était l'esprit qui posséda ce cœur si simple et l'éleva à un tel sommet de puissance. Où fut son âme, quand il décida si fermement de mourir pour son prochain et, pour la vie temporelle d'un seul frère, méprisa sa propre vie en tendant le cou sous l'épée ! Quelle force d'amour posséda ce cœur qui n'eut point peur de mourir pour sauver un seul prochain !

19. Nous savons, certes, que ce vénérable Sanctulus ne savait pas bien l'alphabet, qu'il n'était pas au fait des préceptes de la loi, mais parce que « la loi plénière est charité », il observa la loi totale par son amour de Dieu et du prochain. Ce qu'il ignorait extérieurement dans l'ordre de la connaissance, il en vivait intérieurement dans l'amour. Et lui qui peut-être n'avait jamais lu ce que l'Apôtre Jean dit de notre Rédempteur : « Il a donné sa vie pour nous ; de même nous devons donner notre vie pour nos frères », il savait ce précepte si sublime de l'Apôtre pratiquement plus que spéculativement.

20. Comparons, s'il vous plaît, sa docte ignorance avec notre science mal docte : où notre savoir n'est que platitude, sa sagesse prend son essor. Nous autres, nous sommes vides pour parler des vertus ; on dirait que nous sommes placés entre des arbres fruitiers : nous sentons le

19. Prêtre connaissant mal l'alphabet et la Bible : l'aveu est remarquable. — Rm 13, 10 est cité de même dans *Hom. Eu.* 34 11, (*est* manque dans *Mor.* 10, 7, qui change *caritas* en *dilectio*, et dans *Hom. Ez.* II, 1, 5). La citation de 1 Jn 3, 16 est unique chez Grégoire, semble-t-il, et rappelle celle de 1 Jn 4, 16 à la fin du Livre précédent (II, 33, 5). — Cf. JEAN MOSCHUS, *Pré sp.* 112 : un moine se livre aux barbares pour racheter trois frères captifs et meurt à la suite de ce geste héroïque ; il a accompli Jn 15, 3. *

20. Déjà AUGUSTIN, *Ep.* 130, 28, parlait de *docta ignorantia*, mais en un sens différent (cf. Rm 8, 26). Ici l'expression rappelle *scienter nescius et sapienter indoctus* (II, *Prol.* 1), qui qualifiait cet autre enfant de Nursie que fut Benoît. Voir aussi *Hom. Eu.* 35, 8 : *lingua rustica docta uita* (Étienne de Rieti). *

poma nec manducamus. Ille uirtutum fructus capere nouerat, quamuis hos in uerbis odorari nesciebat.

21. Petrvs. Quidnam, quaeso te, esse existimas, quod 190 boni quique subtrahuntur, et qui uiuere ad aedificationem multorum poterant, aut penitus inueniri nequeunt, aut certe omnimodo rarescunt ?

Gregorivs. Malitia remanentium meretur, ut hii qui prodesse poterant festine subtrahantur, et cum mundi 195 finis adpropinquat, electi tolluntur, ne deteriora uideant. Hinc etenim propheta ait : *Iustus perit, et nemo est qui recogitet in corde suo ; et uiri misericordiae colleguntur, quia non est qui intellegat.*

22. Hinc rursum scriptum est : *Aperite, ut exeant qui* 200 *conculcent eam ; tollite de uia lapides.* Hinc Salomon ait : *Tempus mittendi lapides, et tempus collegendi.* Quo igitur mundi finis urguet, eo necesse est ut uiui lapides ad aedificium caeleste collegantur, quatenus Hierusalem nostra in mensuram suae constructionis excrescat. Nec tamen 205 ita electos omnes subtrahi credimus, ut soli in mundo peruersi remaneant, quia numquam peccatores ad lamentum paenitentiae redirent, si nulla essent bonorum exempla quae eorum mentem traherent.

23. Petrvs. Incassum subtrahi bonos queror, qui 210 cateruatim perire et malos uideo.

187 capere *m GH* : carpere *bm*v || 188 odorari *b*v*m* : -re *bm*v *GH* || 192 certe *m GH* : iam *add.* *b* || 193 hii *m G* : hi *bm*v *H* || 196 etenim *m GH* : enim *b* || 199 rursum *m GH* : -sus *bm*v || 201 Quo *bm G* : quia *b*v || 202 mundi finis [-nes *G*] *b*v*m G* : finis mundi *b H* || urguet : urget *bm*v urguit *m GH* surgit *b*v || 205 electos omnes *m GH* : om. el. *b* || 210 cateruatim perire *mz GH* : per. cat. *b*

21. Is 57, 1 || 22. Jr 50, 26 ; Ec 3, 5.

21. Question sans lien apparent avec ce qui précède (cf. 26, 7). Peut-être Pierre songe-t-il à la mort toute récente de Sanctulus (§ 1). Au début de l'entretien, il « ne doutait pas de l'existence

parfum des fruits, mais nous ne les mangeons pas ; lui, il savait cueillir les fruits des vertus sans se soucier de les sentir en discourant.

21. Pierre. Une question, je vous prie. Votre pensée sur le fait que ceux qui sont bons disparaissent, et que ceux qui pouvaient édifier des foules par leur vie ou bien sont introuvables absolument, ou bien se raréfient de toute manière.

Grégoire. La méchanceté de ceux qui demeurent mérite que ceux qui pouvaient rendre service disparaissent rapidement, et comme la fin du monde approche, les élus sont enlevés pour qu'ils ne voient pas les dégradations. Là-dessus le prophète dit : « Le juste périt, et personne n'y pense dans son cœur. Les hommes de miséricorde sont enlevés, car il n'y a personne qui se rende compte. »

22. Il est encore écrit : « Ouvrez, pour que sortent ceux qui la piétineront. Ramassez de la route les pierres. » Et Salomon dit : « Il y a un temps pour jeter des pierres et un temps pour les ramasser ». Comme la fin du monde est imminente, il est nécessaire que les pierres vives soient recueillies en vue de l'édifice céleste et que notre Jérusalem grandisse à la mesure prévue par son plan. Nous ne pensons pas cependant que tous les élus soient retirés en sorte que seuls les pervers restent dans le monde, car jamais les pécheurs ne reviendraient aux plaintes de la pénitence s'il n'y avait pas les exemples des bons pour attirer leur esprit.

23. Pierre. A quoi bon me plaindre que les bons soient retirés, puisque je vois aussi les méchants périr en foule !

d'hommes bons en Italie », mais ceux-ci se font à présent presque aussi rares que les thaumaturges (I, *Prol.* 7). — Proximité de la fin du monde : on aborde le thème du chapitre suivant, qui sera la conclusion du Livre. — Même citation de Is 57, 1 dans *Mor.* 5, 71 (en *Mor.* 5, 34, elle s'arrête à *recogitet*).

22. Ces deux citations paraissent être uniques dans l'œuvre de Grégoire. « Notre Jérusalem » : voir 35, 6 et note. « Pierres vivantes » : 1 P 2, 5.

XXXVIII. Gregorivs. Hac de re nil, Petre, mireris. Nam Redemptum, Ferentinae episcopum, uitae uenerabilis uirum, qui ante hos fere annos septem ex hoc mundo migrauit, tua dilectio cognitum habuit. Hic, sicut mihi 5 adhuc in monasterio posito ualde familiariter iungebatur, hoc quod Iohannis iunioris prodecessoris mei tempore de mundi fine cognouerat, sicut longe lateque claruerat, a me requisitus mihi ipse narrabat.

2. Aiebat namque quia quodam die, cum parrochias 10 suas ex more circuiret, peruenit ad ecclesiam beati martyris Iutici. Aduesperescente autem die stratum sibi fieri iuxta sepulcrum martyris uoluit, atque ibi post laborem quieuit. Cum nocte media, ut adserebat, nec dormiebat, nec perfecte uigilare poterat, sed depressus, ut solet, 15 grauabatur quodam pondere uigilans animus, atque ante eum isdem beatus martyr Iuticus adstitit, dicens : « Redempte, uigilas ? » Cui respondit : « Vigilo ». Qui ait : « *Finis uenit uniuersae carni. Finis uenit uniuersae carni. Finis uenit uniuersae carni.* » Post quam trinam uocem 20 uisio martyris, quae eius mentis oculis apparebat, eua-

XXXVIII bmw (*inde a* Redemptum) **z GH** 2 Ferentinae $m^v w z$ $G^{pc} H$: -tini $m w^v$ -ti m^v -tinum m^v ciuitatis *add.* $b m^v$ *uerbum quoddam add.* G^{ac} ‖ 4 tua dilectio $b m^v m^o w$ *GH* : dilectio tua *m* ‖ 6 prodecessoris $m w^v$ *GH* : praed- $b m^v w$ ‖ 9 Aiebat *bmz GH* : agebat m^v *H* ‖ quodam *mw GH* : quadam $b w^v$ ‖ cum *mw* : dum $b m^v$ *GH* ‖ 10 martyris *mwz GH* : *post* Iutici *transp.* *b* ‖ 11 Iutici $m w z^v G H$: Iot- $m^v w^v$ Iuth- $b^v m^v$ Iud- $b^v m^v$ Eiut- $m^v w^v$ Euthicii m^v Eutychii *bz* ‖ Aduesperescente *mw* : -riscente *H* -rascente $b m^v$ *G* ‖ sibi fieri *mw G* : fi. sibi *b* ‖ 14 solet *mw G* : somno *add.* $b m^v w^v$ *H* ‖ 16 isdem *mw GH* : idem $b m^v$ ‖ Iuticus $m w z^v$ *GH* : Iot- $m^v w^v$ Iud- m^v Iuth- m^v Eut- m^v Euthicius m^v Eutychius *bz* ‖ 18 carni^{1-2} *mwz H* : -nis *b G* ‖ 19 carni *mwz GH* : -nis *b* ‖ 20 eius mentis [-tes *H*] *mw GH* : men. ei. *b*

XXXVIII, 2. Gn 6, 13.

XXXVIII, 1. L'évêque Redemptus, connu de Pierre (cf. II, 18) et mort vers 586-587, peut être celui que, en 585-586, Pélage II, *Ep.* 3, dit avoir envoyé aux évêques d'Istrie pour les ramener à

XXXVIII. Grégoire. Ne vous étonnez pas de cela, Pierre. Votre charité a connu Redemptus, évêque de Ferentis, homme de vie vénérable qui mourut il y a quelque sept ans. Quand j'étais encore au monastère, nous étions unis très intimement. Sur ma demande, il me conta lui-même ce qu'il avait connu de la fin du monde, au temps de mon prédécesseur, le pape Jean le jeune. Cela avait fait grand bruit.

2. Il me disait qu'un jour, comme il faisait la tournée de ses paroisses selon la coutume, il parvint à l'église du Bienheureux Martyr Eutychius. Au soir, il se fit mettre un lit près du tombeau du martyr et là, après son travail, il prit son repos. A minuit, assurait-il, il ne dormait pas, ni ne parvenait à rester vraiment éveillé. Son esprit était éveillé, mais écrasé, comme il arrive, d'une torpeur accablante. Devant lui se dressa le bienheureux martyr Eutychius, disant : « Redemptus, es-tu éveillé ? » Il répondit : « Oui. » Le martyr prononça : « La fin de toute chair est proche. La fin de toute chair est proche. La fin de toute chair est proche. » Après cette sentence trois fois répétée, la vision du martyr qui apparaissait aux yeux de l'âme

l'unité (*PL* 72, 710 c ; *MGH*, *Ep.* II, p. 445). Son siège épiscopal est certainement Ferentis près de Viterbe, déjà cité en I, 9, 1, comme va le montrer la mention du tombeau de Saint Euticius (§ 2). C'est donc par erreur que L. Duchesne, « Les évêchés d'Italie », p. 394, n° 149, le place à Ferentinum au S.-E. de Rome (dans « Le sedi episcopali », p. 489-490, il l'avait identifié correctement). — *Iohannis iunioris* : Jean III (561-574). L'épithète manque en 8, 1. — Fait connu de Grégoire d'abord par la voix publique, puis par le récit de l'intéressé : cf. 37, 1.

2. *Parochia* signifie « paroisse » comme dans *Reg.* 9, 166 = *Ep.* 3, 64, non « diocèse » (*Reg.* 2, 16 ; 6, 21 ; 14, 7 = *Ep.* 2, 13 ; 6, 21 ; 14, 7). Il s'agit de Soriano, à une quinzaine de kilomètres au S.-E. de Ferentis, où se trouve le tombeau du martyr Euticius (cf. F. Lanzoni, *op. cit.*, p. 168). — Redemptus se couche dans l'église : cf. *V. Patr. Iurensium* 64 (Lupicin dort à l'oratoire). Par l'état de demi-sommeil où elle se produit, sa vision rappelle celles de Varaca (IV, 59, 5) et de Sulpice Sév., *Ep.* 2, 2-3, tandis que la proximité du tombeau fait penser à Grég. de Tours, *Glor. mart.* 100 (apparition du martyr Domitius à un malade couché au seuil de sa basilique) ; *V. Patr.* 19,4 (Monegunde apparaît à un aveugle endormi près de sa tombe).

nuit. Tunc uir Domini surrexit, seque in orationis lamentum dedit.

3. Mox enim illa terribilia in caelo signa secuta sunt, ut hastae atque acies igneae ab aquilonis parte uiderentur. Mox effera Langobardorum gens, de uagina suae habitationis educta, in nostra ceruice grassata est, atque hominum genus, quod in hac terra prae multitudine nimia quasi spissae segetis more surrexerat, succisum aruit. Nam depopulatae urbes, euersa castra, concrematae ecclesiae, destructa sunt monasteria uirorum atque feminarum. Desolata ab hominibus praedia atque ab omni cultore destituta in solitudine uacat terra. Nullus hanc possessor inhabitat. Occupauerunt bestiae loca, quae prius multitudo hominum tenebat. Et quid in aliis mundi partibus agatur ignoro, nam hac in terra, in qua uiuimus, finem suum mundus non iam nuntiat, sed ostendit.

4. Tanto ergo nos necesse est instantius aeterna quaerere, quanto a nobis cognoscimus ueolciter temporalia fugisse. Despiciendus a nobis hic mundus fuerat, etiam si blandiretur, si rebus prosperis demulceret animum. At postquam tot flagellis premitur, tanta aduersitate fatigatur, tot nobis cotidie dolores ingeminat, quid nobis aliud quam ne diligatur clamat ?

21 Domini *mw GH* : Dei *bz* ‖ 23 caelo $bm^{v}w^{v}z$: -lum *mw GH* ‖ 26 nostra ceruice mw^{v} *GH* : nostram ceruicem bm^{v} nos ceruice $m^{v}w$ ‖ grassata $bm^{v}w$ *H* : cras- mw^{v} *G* ‖ hominum *mwz* : humanum $bm^{v}w^{v}$ *GH* ‖ 27 multitudine nimia *mw GH* : nim. mult. *b* ‖ 28 spissae *bmw GH* : spicarum b^{v} ‖ 30 atque *mw H* : ac bm^{v} *G* ‖ 31 Desolata *bmw G* : dissoluta $b^{v}m^{v}$ *H* deserta b^{v} destituta m^{v} depopulata m^{v} ‖ cultore *bmw* : culture m^{v} *G* culturae $m^{v}w^{v}$ *H* cultura $b^{v}m^{v}w^{v}(z)$ ‖ 41 premitur... fatigatur *bmwz GH* : premimur... fatigamur $m^{v}w^{v}$

---

3. Signes célestes annonçant l'invasion : voir *Hom. Eu.* 1, 1, qui parle seulement d'*acies igneas*. Cf. Orose, *Hist.* 4, 15 = Tite Live, *Hist.* 22, 1 : *parmae in caelo uisae* (avant Trasimène). Selon Jordanes, *Get.* 4, la Scandinavie, d'où sont sortis les Goths, est *uelut uagina nationum* (cf. Paul Diacre, *Hist. Lang.* 1, 2 : c'est

de Redemptus s'évanouit. Alors l'homme du Seigneur se leva pour prier avec des lamentations.

3. Aussitôt suivirent de terribles signes dans le ciel : des lances et des armées de feu se montrèrent du côté de l'aquilon. Aussitôt la nation farouche des Lombards, dégainée du fourreau de son pays, fit rage sur notre dos, et le genre humain, qui par sa densité extrême se levait dans ce pays comme une moisson épaisse, fut coupé et se dessécha. Les villes sont dépeuplées, les bourgs renversés, les églises incendiées, les monastères d'hommes et de femmes détruits, les propriétés vidées de leurs occupants, et la terre abandonnée, sans personne pour la cultiver, n'est plus qu'une solitude et demeure vide. Aucun possesseur ne l'habite. Des animaux tiennent ces espaces que naguère couvrait une multitude d'hommes. Ce qui se passe ailleurs dans le monde, je l'ignore ; mais dans cette terre où nous vivons, le monde n'en est plus à annoncer sa fin, il la montre ostensiblement.

4. Il faut donc que nous recherchions ce qui est éternel d'autant plus instamment que nous connaissons avec quelle rapidité le temporel nous échappe. Il nous faudrait mépriser ce monde, même s'il nous flattait en caressant notre esprit par des prospérités ; mais maintenant qu'il est opprimé par tant de fléaux, épuisé par tant d'adversités, qu'il redouble chaque jour pour nous les douleurs, il nous crie assurément qu'il ne faut pas l'aimer.

aussi de Scandinavie que viennent les Lombards). — L'invasion lombarde, qui a commencé en 568, est décrite en termes presque identiques dans *Hom. Eu.* 17, 16 ; *Reg.* 3, 29 et 5, 37 = *Ep.* 3, 29 et 5, 20 ; *Hom. Ez.* I, 9, 9 et II, 6, 22. — « Autres parties du monde » : d'après *Hom. Eu.* 1, 1, il en vient aussi des annonces de tremblements de terre. La fin du monde est commencée : *Mor.* 21, 35 ; *Hom. Eu.* 1, 1. *

4. Mépris du monde : cf. II, *Prol.* 1. Il s'impose d'autant plus que le monde touche à sa fin et nous abreuve de maux : *Hom. Eu.* 1, 5 (cf. 1 Jn 2, 15 : *Nolite diligere mundum*) ; 4, 2 (*iam... mundus clamat... ipsae eius ruinae praedicant quod amandus non est*) ; 28, 3. Argument semblable, à partir des persécutions, dans *Mor.* 26, 21. Cf. Paulin, *V. Ambr.* 41 : la fin du monde ne suffit pas à nous détourner de l'avarice. *

5. Multa autem fuerant, quae adhuc de electorum fac-
45 tis narrari debuissent. Sed haec silentio supprimo, quia
ad alia festino.

Petrvs. Quam multos intra sanctae ecclesiae gremium
constitutos de uita animae post mortem carnis perpendo
dubitare. Quaeso ut debeas, uel quae ex ratione suppe-
50 tunt, uel si qua animarum exempla animo occurrunt, pro
multorum aedificatione dicere, ut hii qui suspicantur discant cum carne animam non finiri.

Gregorivs. Laboriosum ualde hoc opus est, et maxime
occupato animo atque ad alia tendenti. Sed si sunt quibus
55 prodesse ualeat, uoluntatem meam procul dubio postpono
utilitati proximorum, et in quantum Deo largiente ualu-
ero, quod anima post carnem uiuat, subsequenti hoc quarto
uolumine demonstrabo.

Explicit Liber Tertivs

5 bmz GH 45 narrari *bm* : -re m^v(*z*) *GH* ‖ debuissent *bm G ut uid. H* : -set m^v -sem m^v ‖ 47 Quam *m H* : quia *b* eciam *G* ‖ 51 hii *m G* : hi bm^v *H* ‖ 52 finiri *bm G* : -re b^v *H* ‖ 55 ualeat *bmz H* : ualeant *G* ualeam b^v ‖ Explicit — Tertius *m H* : *om. bz* de aliquorum *add. G*

5. Il y aurait bien d'autres choses à raconter encore sur ce qu'ont fait les élus ; mais je les passe sous silence, car j'ai hâte d'arriver à d'autres sujets.

PIERRE. J'estime qu'il y a beaucoup de gens, au sein même de l'Église, pour mettre en doute la vie de l'âme après la mort de la chair. Je vous prie de dire les considérations théoriques ou bien les histoires d'âmes qui vous reviendront à la mémoire, pour édifier tous ces gens. Ceux qui ont des doutes apprendront que l'âme ne meurt pas avec la chair.

GRÉGOIRE. Elle est bien dure, cette tâche, surtout pour un esprit préoccupé, tendu vers d'autres affaires. Mais s'il en est à qui cela puisse être utile, je fais passer ma volonté propre après l'utilité du prochain, et selon mes forces, avec l'appui de Dieu, je montrerai que l'âme survit à la chair dans le Quatrième Livre qui va suivre.

FIN DU LIVRE III

5. *Haec... supprimo quia ad alia festino* : cf. I, 3, 1 ; II, 36. — Certains chrétiens doutent de la vie de l'âme dans l'au-delà : voir *Hom. Eu.* 19, 7 ; 32, 6 ; cf. GRÉG. DE TOURS, *Hist. Franc.* 10, 13 : avant de prouver la résurrection , il établit « que les âmes vivent au sortir du corps ». La demande de Pierre indique l'ordre qui va être suivi : d'abord les arguments de raison (IV, 3-6), puis les *exempla* (IV, 7-24). — Les « autres choses » auxquelles « tend » l'esprit de Grégoire sont sans doute moins d'autres récits (cf. ci-dessus : *ad alia festino*) que d'autres occupations (*occupato animo*). Le sujet *quod anima post carnem uiuat* sera traité au début du Livre IV, puis débordé, sans qu'on sorte toutefois des fins dernières. *Quarto uolumine* : la fiction du dialogue semble oubliée (cf. I, *Prol.* 10 ; III, 7, 1). *

NOTES COMPLÉMENTAIRES

On trouvera ici les compléments annoncés, dans l'annotation du texte, par des astérisques placés à la fin de certaines notes.

LIVRE I

Prol. 1. Ce « lieu secret » où l'évêque se retire et demeure « en silence » fait penser à *In I Reg.* 4, 106 : *nobis pastorum nostrorum loca, in quibus orare aut secreti esse consueuerunt, ueneranda, non adeunda sunt* (2062-2063) ; *uiri sancti in secreto sui silentii uenerandi sunt, inquietandi non sunt* (2079-2080). Cf. *In I Reg.* 4, 101, et notre article « Les vues de Grégoire le Grand sur la vie religieuse dans son Commentaire des Rois », dans *SM* 20 (1978), p. 52.

Prol. 2. L'identification du diacre Pierre (*Reg.* 3, 54 = *Ep.* 3, 56) avec le sous-diacre du même nom qui administrait le patrimoine campanien en juin 593 (*Reg.* 3, 39 = *Ep.* 3, 40) est confirmée par *Reg.* 4, 31 = *Ep.* 4, 33 (juillet 594), où l'on voit que le sous-diacre Anthemius est de nouveau à ce poste de recteur en Campanie qu'il avait occupé avant l'arrivée de Pierre (*Reg.* 1, 66 = *Ep.* 1, 68). Celui-ci a donc bien quitté la Campanie entre juin 593 et juillet 594, et il peut se trouver à Rome auprès de Grégoire comme diacre. Ce recoupement s'ajoute aux indices réunis dans l'Introduction, ch. I, n. 74-82.

Prol. 4. En David (1 Sm 16, 12) comme en Rachel, Grégoire rapporte la « belle apparence » à la contemplation : *pulcher aspectu in fulgore contemplationis* (*In I Reg.* 6, 91 ; cf. 92-93). Mais quand il écrit ici *post tam pulchram quietis suae speciem terreni actus puluere foedatur*, on songe surtout à *Mor.* 4, 68 : *caro ... turpi strepitu in corde speciem pulchrae quietis foedat.*

Prol. 4-5. La « perte » et la « tempête » essuyées par Grégoire du fait de son accession au pontificat sont évoquées de même dans *Reg.* 1, 41 = *Ep.* 1, 43 (497 ab) : *Huius mundi fluctibus quatior... tempestas insequitur... Flens reminiscor quod perdidi meae placidum litus quietis et suspirando terram conspicio...* Dans ce passage, cependant, le « navire » n'est pas l'âme de Grégoire, mais l'Église qu'il doit gouverner.

Prol. 6. *In secretiori uita* désigne certainement la vie monastique, comme le montre en particulier *In I Reg.* 2, 133 ; 3, 119.122.124 ; dans ces deux derniers chapitres, *uita secretior* a pour équivalent *contemplatiua uita* (cf. 3, 121).

2, 2-3. On trouve aussi des chevaux qui refusent d'avancer chez VENANCE FORTUNAT, *V. Amantii* 5 et 9.

2, 6. Même conflit de l'humilité et de la pitié dans la *V. Caesarii* I, 28, *PL* 67, 1015 : Césaire veut exaucer la supplication d'une veuve pour son fils défunt et faire un miracle en sa faveur, mais en évitant toute vanité. Voir aussi la conduite du moine du Monte Argentaro (*Dial.* III, 17, 5) : après avoir opéré une résurrection, il « fuit l'honneur temporel » et disparaît.

2, 8. L'action de cet abbé ressemble à celle d'Alboin d'après Paul Diacre, *Hist. Lang.* 2, 28 : attaqué dans son lit et n'ayant pas son épée, le roi lombard s'empare d'un *scabellum suppedaneum* pour se défendre. Le fait est antérieur d'une vingtaine d'années à la rédaction des Dialogues, mais sa narration par Paul Diacre, qui connaît bien les Dialogues, se place quelque deux siècles plus tard.

2, 8-10. Assaut d'humilité analogue chez Jean Moschus, *Pré sp.* 210 : l'un des deux évêques ayant désarmé par son humilité la colère de l'autre, ils se jettent aux pieds l'un de l'autre.

3, 2-4. Venance Fortunat, *V. Amantii* 6, raconte aussi l'histoire d'un voleur miraculeusement retenu dans le jardin de l'évêque pendant toute une nuit et renvoyé indemne au matin, avec prière de demander les légumes au lieu de les voler (cf. *V. Medardi* 4).

4, 1. Une étymologie plus probable du nom d'Equitius est proposée par G. Marinangeli, « Equizio amiternino e il suo movimento monastico », dans *Bullettino della Deputazione abruzzese di storia patria* 64 (1974), p. 281-343 (voir p. 308 et n. 63) : il s'agirait du dérivé de *equus* déjà signalé, avec d'autres noms propres d'origine animale, par Varron, *De re rustica* 2, 10. Le même auteur relève la fréquence du nom à l'époque, comme nous le faisons nous-même ci-dessous (10, 15).

4, 3-6. Comme Equitius, Hypatios décèle un magicien venu à son monastère sous un habit de moine, et il donne ordre de le renvoyer. Voir Callinicus, *V. Hypatii* 28.

4, 11-16. D'après Jean Moschus, *Pré sp.* 150, le pape Agapit (535-536) se rendit coupable de la faute reprochée ici à un pontife romain anonyme (serait-ce lui ?) : il fit comparaître un évêque du voisinage, accusé faussement. Un triple songe l'avertit de son erreur et l'amena à reconnaître le mérite caché de cet homme de Dieu. « Il reconnut que l'évêque était de grande vertu, qu'il avait été calomnié, et que lui-même lui avait fait tort. Il en eut du chagrin et résolut de ne jamais rien décider avec hâte, mais d'y apporter grande réflexion et grande longanimité ». (trad. M.-J. Rouët de Journel, dans *SC* 12, p. 203).

4, 19. Le raisonnement a fortiori à partir de l'exemple des prophètes se retrouve, à propos de Samuel et de ses fils, dans *In I Reg.* 4, 2 : *Quid ergo mirum, si falli in disponendis ordinationibus possunt, qui prophetiae gratiam non acceperunt, si hi, qui prophetiae spiritum habent, eundem spiritum ad disponenda cuncta non habent* ? On le rencontre déjà, à propos de cette même histoire de David, chez Théodoret, *Hist. eccl.* 1, 33, reproduit par Cassiodore, *Hist. trip.* 3, 8, *PL* 69, 953 c, qui excuse ainsi la condamnation d'Athanase par Constantin, trompé par certains évêques.

5, 2. Ce miracle a un précédent. Voir EUSÈBE-RUFIN, *Hist. eccl.* 6, 9, 2-3 : l'évêque Narcisse de Jérusalem, au cours de la vigile pascale, remédie à la pénurie d'huile en faisant verser dans les lampes de l'eau qu'il a bénite. Changeant de « nature », l'eau brûle et jette un éclat encore plus vif que celui de l'huile.

5, 3. Même passage du « mérite » manifesté par le miracle à la « vertu de l'âme » chez EUSÈBE-RUFIN, *Hist. eccl.* 6, 9, 4 (Narcisse est même loué de sa « constance »). Il paraît certain que Grégoire se souvient ici du texte de Rufin. — Sources d'honneurs à l'extérieur, les miracles comportent un danger de chute (par vaine gloire) au dedans : *Reg.* 11, 36 = *Ep.* 11, 28.

6, 2. Ce miracle classique de l'incendie arrêté par un évêque se rencontre notamment chez VENANCE FORTUNAT, *V. Remigii* 5 ; CASSIODORE, *Hist. trip.* 12, 10 = SOCR., *Hist. eccl.* 7, 38 ; cf. JEAN MOSCHUS, *Pré sp.* 183 (moine).

7, 5. Encore au VIe siècle, les moines de Scété ont coutume de se louer pour la moisson. Voir JEAN MOSCHUS, *Pré sp.* 183.

9, 7. Les saints savent cacher par humilité les dons reçus et les faire voir pour le bien des âmes : *In I Reg.* 4, 126.

9, 9. Habitation de Dieu dans ses saints, attestée par leurs miracles : voir *Hom. Eu.* 30, 10.

9, 10. Quant au prix du cheval, comparer ADAMNAN, *De locis sanctis* III, 4, 21 : cheval racheté pour 20 *solidos auri*. Or le *solidus auri* n'est pas autre chose que l'*aureus*, comme le montre ici même l'alternance d'*aurei* (§ 10 et 12) et de *solidi* (§ 11 et 13). On notera d'ailleurs que le marché dont parle Adamnan n'est pas une transaction commerciale du type courant, mais un rachat proposé à Dieu pour s'acquitter d'un vœu. La somme offerte dépasse sans doute la valeur réelle du cheval, encore que le Seigneur oblige ensuite l'homme à la tripler.

9, 16-17. Comme le jeune Boniface, Médard enfant se montre très charitable. Écolier, il donne sa *casula* à un aveugle. Petit berger, il donne son repas aux pauvres (VENANCE FORTUNAT, *V. Medardi* 2).

10, 4. Cet « amour charnel » rappelle AUGUSTIN, *Ciu.* 21, 26, 4 : *carnaliter diligendo* ; *qui... amat carnaliter.*

10, 6. Enfant jeté au feu par le démon : Mc 9, 22.

10, 10. Au nom de Mt 10, 8, Hypatios refuse aussi de l'or qu'on lui offre en reconnaissance d'une guérison (CALLINICUS, *V. Hyp.* 22).

10, 13-14. L'épisode fait penser à PAULIN de NOLE, *Carm.* 20, 62-300 : un pèlerin qui a frustré les pauvres en est puni par une chute de cheval qu'il fait au retour, à un mille du sanctuaire. Perclus des deux pieds, il obtient la guérison par son repentir et par la prière des pauvres, après avoir rendu à ceux-ci ce qui leur revenait.

10, 15. Ce diacre envoyé par l'évêque pour faire une aspersion d'eau bénite rappelle CASSIODORE, *Hist. trip.* 8, 34 = THÉODORET, *Hist. eccl.* 5, 21, où le diacre s'appelle d'ailleurs Equitius. La scène se passant à Apamée en Syrie, il semble que ce nom d'Equitius (cf. I, 4, 1) était assez répandu.

10, 17. *Caecos inluminas* peut faire allusion au miracle raconté plus haut, mais *leprosos mundas*, qui ne correspond à aucun trait du récit, vient sans doute de Mt 10, 8, où le pouvoir de guérir les lépreux est donné aux douze. Selon le même texte, Jésus donne aux Apôtres le pouvoir de « ressusciter les morts », ce à quoi Grégoire fait aussi allusion ici.

12, 1. Outre Mc 5, 35 et Lc 8, 49, l'épisode rappelle Constance, *V. Germani* 38 : *Euntibusque* (*ad aegrotum*) *cursor obuius adulescentem iam mortuum nuntiauit nec esse causam qua se uir uenerabilis fatigaret.*

Livre II

Prol. 1. Ce désir de Benoît est aussi attribué à Anne dans *In I Reg.* 1, 36 : *soli Deo placere desiderauit* (cf. 1 Sm 1, 15 : *effudi animam meam in conspectu Domini*).

1, 3. Ces sentiments de Benoît sont ceux d'Honorat d'Arles et de son frère Venance, tous deux au début de leur vie ascétique et désireux de cacher au désert leur vertu trop estimée des hommes. Voir Hilaire, *V. Honorati* 10.

1, 5. Dans *In I Reg.* 6, 71, Grégoire légitime la *pia fraus* par laquelle on se joue des « tyrans ». Quant à la clochette cassée, cf. *V. Patrum* 5, 15, 89 : le démon renverse une lampe pour séparer deux frères (suggestion due à P. A. Cusack, « Number games... », qui cite d'autres versions du même apophtegme).

1, 6. Outre le texte de Rosweyde (*BHL* 3189) reproduit dans *PL* 73, la *Vita Frontonii* existe dans une autre recension (*BHL* 3190), éditée d'abord partiellement par M. Faillon, *Monuments inédits sur l'apostolat de sainte Marie-Madeleine en Provence*, t. II, Paris 1848, col. 428-432, que nous citons, puis par M. Coens, « Vie ancienne de S. Front de Périgueux », dans *AB* 48 (1930), p. 349-360. Plus brève, cette recension serait aussi plus ancienne d'après A. Vaccari, « La leggenda di S. Frontonio », dans *AB* 67 (1949), p. 309-326. Selon ce texte primitif, ce n'est pas un ange mais le Seigneur en personne qui enjoint au riche de ravitailler les serviteurs de Dieu, et il est dit de ceux-ci non qu'ils « manquent de pain », mais qu'ils « meurent de faim » (*fame pereunt*). Ces deux détails se retrouvent dans le récit grégorien, qui s'avère ainsi plus proche du texte ancien. Celui-ci pourrait s'inspirer des Dialogues, s'il est vrai, comme le pense A. Vaccari, qu'il a vu le jour en Occident un peu après Jean Moschus, vers 630-640 au plus tard. Mais cette datation basse ne nous paraît pas s'imposer. Plutôt qu'à la charité des Alexandrins au temps de Jean l'Aumônier, le ravitaillement miraculeux de Fronton fait penser à celui d'Apollonius (*Hist. mon.* 7, 416 ac). Comme la *Vita Posthumii* (ou mieux *Pachomii*) qui la précède dans les *Vitae Patrum*, la *Vita Frontonii* est sans doute assez ancienne pour avoir pu influencer Grégoire ici.

2, 1. Ce merle joue le même rôle que les deux corbeaux chez

JEAN MOSCHUS, *Pré sp.* 105 : « volant impudemment » devant un moine de Jérusalem et « lui frôlant les yeux », ils représentent les démons qui le détournent de la prière par des pensées mondaines.

2, 4. L'intervention de Pierre est calquée sur celle de Germain chez CASSIEN, *Conl.* 4, 8 : *Licet nobis quidam intellectus in ea* (*apostoli sententia*) *praelucere uideatur, tamen... uolumus haec nobis apertius explanari.*

3, 7. Formule analogue dans *In I Reg.* 2, 70 : *se semper in conspectu redemptoris aspicere* (paraphrase de 1 S 2, 35 : *ambulabit coram Christo meo cunctis diebus*).

3, 13. L'un de ces douze monastères serait celui de S. Silvestre, situé à quelques dizaines de mètres au-dessus du lac, qui subsistera seul sous le nom de S. Benoît et Ste Scholastique (aujourd'hui Ste Scholastique). On y a retrouvé en 1962, sous le bas-côté gauche de l'église abbatiale, une pièce de 15 mètres sur 3,80, avec des restes de carrelage en émail et de fresques, qui pourrait être un oratoire monastique et dater du VIe siècle. Voir P. CAROSI, « Le chiese successive nel monastero di Subiaco », dans *Il Sacro Speco* 66 (1963), p. 34-41. Cf. A. CARRUCCI, « L'oratorio di S. Silvestro », *Ibid.* 72 (1969), p. 17-20 et 51-53 ; R. PERROTTI, « Restauri e scoperte », *Ibid.* 72 (1969), p. 145-155. — Quant aux douze supérieurs entourant Benoît, ils rappellent, outre le collège des Apôtres, les douze prêtres ordonnés par Pierre à Césarée pour assister l'évêque Zachée au dire du PSEUDO-CLÉMENT, *Recogn.* 3, 66 (cf. 68-69). Pierre aurait aussi ordonné douze prêtres à Tripoli (*Ibid.* 6, 15). Source supposée de ces renseignements, saint Clément fut, d'après la Chronique de Subiaco, pris par Benoît pour patron du monastère central, peut-être parce que le site de celui-ci au bord du lac évoquait le martyre du saint (cf. P. CAROSI, *Il primo monastero benedettino*, Rome 1956, p. 64-65).

3, 14. Du futur roi Théodoric, JORDANES, *Get.* 52 (1289 d), écrit : *bonae... spei puerulus natus erat.*

7, 3. Voir THÉODORET, *Hist. rel.* 2, 17 : un enfant sauvé des eaux « courut aussitôt se jeter aux pieds du Vieillard (Julien) en disant qu'il l'avait vu le porter sur l'eau pour l'empêcher de s'enfoncer » (trad. P. CANIVET, dans *SC* 234, p. 237). De même, un habitant d'Antioche nommé Théodore se voit saisi et tiré de l'eau par Syméon Stylite le Jeune, au moment où il allait se noyer dans une rivière en crue. Voir *La Vie ancienne de S. Syméon Stylite le Jeune*, éd. P. VAN DEN VEN, Bruxelles 1962, t. I, p. 157 ; t. II, p. 183 (§ 177).

8, 1-6. Florent ressemble au prêtre jaloux, qui, pour avoir anathématisé Syméon Stylite le Jeune, fut puni d'aphasie, puis mourut après avoir obtenu le pardon du saint (*V. Sym. Styl. J.* 116).

8, 3. Ce corbeau nourri par Benoît fait aussi penser au lion que nourrit un moine palestinien d'après JEAN MOSCHUS, *Pré sp.* 163. Cf. VENANCE FORTUNAT, *V. Remigii* 3 (moineaux).

8, 7. Ce n'est pas seulement en « pleurant la mort de son ennemi » que Benoît imite David (8, 8). C'est aussi en infligeant une pénitence à son informateur trop satisfait, tout comme David fit périr le jeune Amalécite qui lui annonçait comme une bonne nouvelle la mort de Saul (le fait que ce messager avait lui-même, selon 2 S 1, 10, donné la mort au roi, reste évidemment sans parallèle).

8, 9. La grâce, que le Christ seul possède en plénitude, se répand de lui sur ses serviteurs, qui n'en ont chacun qu'une partie : voir *In I Reg.* 4, 61, qui cite aussi Jn 1, 16. Cette citation johannique revient six autres fois dans le même ouvrage (*In I Reg.* 1, 90 ; 3, 33 ; 4, 123. 174 ; 5, 182 ; 6, 109), et non ailleurs chez Grégoire, semble-t-il.

8, 10. Dans *Reg.* 9, 147 = *Ep.* 9, 52 (984 a), Grégoire appliquera aux solitaires ce qu'il dit ici de Benoît : *Vos autem... tanto maiora certamina pati necesse est, quanto ad uos ipse tentationum magister accedit.* — Sur les pratiques païennes encore courantes au VIe siècle, même parmi les chrétiens et leur clergé, voir *V. Sym. Styl. J.* 160-161, 164, 221, 223, etc.

8, 11. Destruction de sanctuaires païens par des hommes de Dieu : outre les exemples cités, voir CALLINICUS, *V. Hyp.* 30 ; VENANCE FORTUNAT, *V. Maurilii* 6 (cf. 19). — Transformation du temple en oratoire : comparer III, 7, 8 : *in... templo Apollinis beati Andreae apostoli repente oratorium fecit.* Cf. CASSIODORE, *Hist. trip.* 8, 7 = SOCRATE, *Hist. eccl.* 4, 19.

9. En Géorgie, de même, d'après RUFIN, *Hist. eccl.* 10, 11 (482 a), une colonne qu'on ne pouvait soulever fut levée par la seule prière d'une sainte.

10, 1. L'expression initiale (*Tunc in conspectu uiri Dei placuit ut...*) se retrouve à peu près chez PAUL DIACRE, *Hist. Lang.* 4, 42 : *Si placet uestro conspectui...* (requête présentée par des ambassadeurs persans à l'empereur).

13, 3. Pèlerins qui ont mangé en chemin et sont repris pour cela par l'homme de Dieu, auquel la faute n'a pas échappé : voir *V. Sym. Styl. J.* 215 -216.

17, 1. Cf. *VP* 6, 1, 5 : aux frères qui lui demandent pourquoi il s'attriste contrairement à son habitude, un vieillard de Scété annonce la dévastation future du lieu, dont il vient d'avoir la révélation (rapprochement suggéré par J. M. Petersen).

21, 3-4. Un écrit pachômien présente déjà la même thèse (« Quand le Seigneur révèle à ses serviteurs, ils voient ; quand il ne révèle pas, ils connaissent en eux-mêmes la mesure commune des hommes »), illustrée d'abord par l'épisode de Samuel et des fils de Jessé (1 S 9, 19-20), puis, comme ici, par celui d'Élisée et de la pieuse femme affligée (2 R 4, 27) : voir *Epistula Ammonis* 16, dans *S. Pachomii Vitae Graecae*, éd. F. HALKIN, Bruxelles 1932, p. 105, 10-26. De même la *Vita Prima* 48 (*ibid.*, p. 31, 11-13) : « Quand le Seigneur qui scrute tout, présent dans les saints, leur donne révélation, ils sont clairvoyants, si Dieu ne donne pas révélation, ils sont comme les autres hommes » (trad. A.-J. FESTUGIÈRE, *Les Moines d'Orient*, IX/2, Paris 1965, p. 184).

22, 2. D'après VENANCE FORTUNAT, *V. Germ. Paris.* 67, Germain de Paris s'est montré en songe simultanément à deux prisonniers, qui se communiquent leurs visions au réveil.

23, 2. Ces propos sur la noblesse rappellent JUVÉNAL, *Sat.* 8, 20 :

Nobilitas sola est atque unica uirtus, etc., comme le relève P. Courcelle, « Grégoire le Grand à l'école de Juvénal », dans *Studi e materiali di storia delle religioni* 38 (1967), p. 174, n. 11. Cf. Césaire, *Serm.* 202, 1 : *Mala nobilitas quae per superbiam apud Deum reddit ignobilem.*

23, 3. Comparer l'excommunication privée lancée par un moine contre l'empereur Théodose II, et prise fort au sérieux par celui-ci, malgré les propos rassurants de l'évêque : Cassiodore, *Hist. trip.* 10, 27 = Théodoret, *Hist. eccl.* 5, 36. Benoît légifère d'ailleurs au sujet de ces excommunications fulminées par des moines avec ou sans mandat (*RB* 70, 1). C'est donc qu'elles se pratiquaient.

25, 2. L'épisode ressemble fort à celui que Grégoire racontera dans *Reg.* 11, 26 (288, 21-32) = *Ep.* 11, 44 (1155 a) : un moine de Saint-André, qui songeait à s'enfuir, voit au cours de la sieste, dans un état d'hallucination, un chien noir que l'Apôtre lâche sur lui en disant : « Pourquoi as-tu voulu t'enfuir de ce monastère ? » La prière des frères le délivre de ce cauchemar.

27, 1-2. C'est aussi une somme de douze pièces d'or que perd un ouvrier dans *V. Sym. Styl. J.* 180, et il retrouve miraculeusement l'argent volé, selon la prédiction de Syméon.

28-29. Après Sulpice Sévère, le thème reparaît en Gaule chez Constance de Lyon, *V. Germ.* 33 (Germain d'Auxerre, le pauvre et le diacre), sous une forme assez particulière qui inspirera successivement Grégoire de Tours, *loc. cit.*, et *V. Patr. Emerit.* 13 (l'évêque Masona, la veuve et le serviteur infidèle). Voir aussi Cassiodore, *Hist. trip.* 9, 48 = Sozomène, *Hist. eccl.* 7, 26 (Épiphane, les pauvres et l'économe).

28, 2. Miracle analogue chez Venance Fortunat, *V. Amantii* 10 : un chargement de vin, qui a roulé dans un précipice, demeure intact.

32, 1-3. Chez Énée de Gaza, *Theophrastus*, *PG* 85, 995, un ascète syrien ressuscite de même l'enfant apporté par un paysan.

32, 2. Les résurrections, miracles du Christ, des Apôtres, des Églises d'antan, ne se produisent plus aujourd'hui : voir Irénée, *Adu. Haer.* 2, 31, 2, cité par Eusèbe-Rufin, *Hist. eccl.* 5, 7, 2.

34, 2. D'après Grégoire de Nysse, *V. Macr.*, éd. P. Maraval, Paris 1971 (*SC* 178), p. 13, 19-18, la mère de Macrine, en mourant, recommande à ses enfants de placer son corps dans le sarcophage où repose déjà son mari. A son tour, Macrine sera déposée auprès de sa mère, comme elles l'ont demandé l'une et l'autre, afin que « leurs corps soient réunis après leur mort et que leur union vitale en cette vie ne soit pas même brisée par la mort » (p. 35, 14-10). La sépulture de Scholastique fait penser à celle des sœurs pachômiennes d'après Denys, *V. Pach.* 28 (150, 64-66) : le corps de la défunte était remis aux moines, qui l'emportaient en psalmodiant « et le déposaient dans leurs propres sépulcres » (*eam... in sepulcris suis... condebant* ; la *Vita Secunda* 29 ne donne pas ce dernier détail). — Superposés dans le même *monumentum* d'après la tradition de Fleury, les corps de Benoît et de Scholastique étaient placés dans des tombes séparées et contiguës selon la tradition du Mont-Cassin, c'est-à-dire selon les découvertes faites par l'abbé Didier en 1068, telles qu'elles apparaissent à travers les faux de Pierre Diacre. Voir P. Meyvaert, « Peter the Deacon and the Tomb of Saint Benedict. A Re-examination of the Cassinese Tradition », dans *Rev. Bén.* 65 (1955), p. 3-70, spécialement p. 24-46.

35, 2. D'après Venance Fortunat, *V. Germ. Paris.* 77, Germain de Paris psalmodie et prie avant le réveil.

36. *Luculentus* et ses dérivés reviennent dans plus d'un éloge d'orateur ou d'écrivain. Voir Hilaire, *V. Honorati* 26 : *consentanea puritati pectoris sermonis luculentia*, où l'expression finale, proche de celle de Grégoire, désigne la pureté du langage, ainsi que Rufin, *Hist. eccl.* 4, 26, 1 : *libros... luculentissime conscriptos* (l'adverbe manque dans le grec d'Eusèbe) ; 5, 21, 4 : *defensionem pro fide quam... luculenter et splendide habuerat* (« brillamment » ; cf. grec *liparôs*) ; 11, 9 : *opuscula luculenta* (de Grégoire de Nysse). D'après ces derniers parallèles, le sens de « brillant » paraît ici préférable à celui de « clair », ce « brillant » pouvant d'ailleurs consister avant tout dans la « pureté » de la langue. Le même sens apparaît chez Augustin, *Ep.* 137, 1 (*eloquium tuum tam excellens tamque luculentum*) et 138, 14 (*luculentissime*) ; Salvien, *Gub.*, *Praef.* : *luculenta oratione* (« une prose brillante » ; Isidore, *De uiris ill.* 27 (24) : *luculente quidem compositeque scripsit* (Dracontius), cf. Cicéron, *Brut.* XIX, 76. Voir aussi Évagre, *Sent.*, *PL* 21, 1186 c : *prouerbia luculenta* (?).

37, 1-4. Sur ce chapitre, voir à présent l'excellent commentaire de K. Gross, « Der Tod des hl. Benedictus. Ein Beitrag zu Gregor d. Gr., Dial. 2, 37 », dans *Rev. Bén.* 85 (1975), p. 164-176.

Livre III

1, 1. Entré à Carthage le 19 octobre 439, Genséric a fait une première expédition outre-mer au printemps de 440, quand Paulin II de Nole vivait encore. Mais cette campagne eut pour théâtre principal la Sicile, et si l'Italie du Sud fut aussi envahie, les Vandales ne semblent pas avoir dépassé cette fois le Bruttium (Cassiodore, *Var.* 1, 4, 14). — Quant à Paulin Ier, il eut affaire non aux Vandales, mais aux Goths, quand ils dévastèrent Nole après la prise de Rome (410). On sait par Augustin, *Ciu.* 1, 10, quelle fut sa prière, tandis que ces barbares le tenaient prisonnier.

1, 5-7. L'histoire de Paulin n'est pas sans ressemblance avec celle que raconte Jean Moschus, *Pré sp.* 37 : un évêque, qui s'est fait ouvrier à Antioche, prédit l'avenir au comte Ephrem. Celui-ci a soupçonné son identité à la suite d'un songe et lui en a arraché l'aveu malgré ses dénégations. Voir aussi Venance Fortunat, *V. Maurilii* 15 : l'évêque d'Angers, expatrié au-delà des mers, se met au service d'un grand comme jardinier et se fait aimer de tous.

1, 9. Le récit de la mort de Paulin est également cité par Grégoire de Tours, *Glor. conf.* 110, *PL* 71, 909 a, qui n'en rapporte qu'un trait, omis ici : la vision qu'eut le mourant des saints Martin et Janvier (cf. *Dial.* IV, 13, 3-4).

2, 1. Selon C. DAGENS, « L'Église universelle et le monde oriental chez saint Grégoire le Grand », dans *Istina* 20 (1975), p. 457-475 (voir p. 462-463), ce chapitre et les deux suivants pourraient contenir une leçon politique à l'adresse des Lombards : comme les Goths, ceux-ci auraient intérêt à s'entendre avec Rome pour faire la paix avec Constantinople.

2, 2. Le cheval du pape ne peut plus servir à une femme, de même que le poulain monté par Syméon Stylite le Jeune ne sert plus de monture à personne, mais meurt trois jours plus tard (*V. Sym. Styl. J.* 66).

4, 1-3. Un intéressant parallèle — peut-être une source — nous est signalé par Miss J. M. Petersen : l'histoire de maison hantée recueillie par PLINE, *Ep.* 7, 27, 4-11. Comme l'évêque Datius, le philosophe Athénodore, une fois informé des phénomènes terrifiants qui rendent inhabitable cette vaste demeure athénienne (*spatiosa et capax domus*), ne se montre que plus décidé à la louer et à l'occuper (*nihilominus, immo tanto magis conducit,* à quoi fait écho, chez Grégoire, *immo ideo hospitari in eadem domo debemus*). Le reste de l'histoire (apparition d'un fantôme qui fait signe à Athénodore de le suivre et disparaît en un lieu où l'on découvrira ensuite des ossements à ensevelir) est assez différent du récit grégorien, mais de part et d'autre la maison cesse d'être hantée grâce au courage avisé du héros. — Cette histoire de Pline se retrouve chez LUCIEN, *Philopseudès* 30-31, avec deux traits particulièrement proches de notre récit : d'abord ce n'est pas à Athènes mais à Corinthe que le philosophe Arignotus trouve la maison hantée ; ensuite le fantôme, voulant faire peur au philosophe, se change successivement en chien, en taureau et en lion. Cependant les points de contact de Grégoire avec Pline (vaste demeure ; *immo...*) font défaut chez Lucien.

4, 2. On peut être tenté de remplacer la souris (*sorex*) par la chouette (*sorix, saurix*), mais ce dernier mot, très mal attesté, reste problématique, tandis que le cri « strident » des souris, réputé de mauvais augure, est mentionné par PLINE, *Hist. nat.* 8, 223, ainsi que par d'autres que cite A. ERNOUT, dans PLINE, *Histoire naturelle, Livre VIII*, Paris 1952, p. 176. Voir aussi A. ERNOUT — A. MEILLET, *Dictionnaire étymologique de la langue latine*[4], Paris 1959, p. 637.

4, 3. Un seul vrai fidèle fait fuir le diable. Cf. RUFIN, *Hist. eccl.* 7, 15, 17 : « la prière d'un seul chrétien » dissipe les prestiges démoniaques d'un culte séculaire.

5, 3-4. D'après Papias, cité par EUSÈBE-RUFIN, *Hist. eccl.* 3, 39, 9, Justus Barsabas but aussi du poison sans dommage. De même, selon JEAN MOSCHUS, *Pré sp.* 94, l'évêque Julien de Bostra, qui s'était signé auparavant. Dans ce dernier cas, les auteurs du crime avaient corrompu le sommelier de l'évêque avec de l'argent.

7, 1. Le canon 3 du concile de Nicée, cité par RUFIN, *Hist. eccl.*

10, 6, interdit aux évêques et clercs d'habiter avec des « femmes étrangères », c'est-à-dire autres que mère, sœur ou proche parente. Selon Possidius, *V. Aug.* 26, Augustin excluait même ces dernières pour plus de sûreté.

7, 2. La vision du juif dans le temple de Fondi peut avoir inspiré l'auteur des *Acta Petri et Pauli* 16-19 (R. A. Lipsius, *Acta Apostolorum Apocrypha*, t. I, Leipzig 1891, p. 186-187 ; partiellement traduit par A.-J. Festugière, *Vie de Théodore de Sykéôn*, t. II Bruxelles 1970, p. 181), dont le récit, rempli d'anachronismes et d'erreurs géographiques, ne paraît pas antérieur au ixe siècle (Lipsius, *op. cit.*, p. lx-lxi) : allant de Pouzzoles à Rome, Paul s'arrête au Forum Apii (cf. Ac 28, 15), et là il voit en songe une assemblée de démons qui rendent compte de leurs méfaits à leur chef ; l'un d'eux déclare qu'il a amené l'évêque Juvénal à coucher avec une *hègoumenè* nommée Julienne ; Paul envoie aussitôt un messager à l'évêque, qui semble se trouver à Rome, et celui-ci va se jeter aux pieds de saint Pierre en pleurant sa faute.

Les deux déclarations de démons qui précèdent celle-là font penser à l'apophtegme Nau 191, mais plusieurs traits des *Acta* rappellent clairement le récit de Grégoire : comme chez celui-ci, la vision se produit au cours d'un voyage vers Rome par l'Appia ; le personnage failli n'est pas moine, mais évêque ; informé de la vision, il reconnaît et regrette sa faute. Bien que Fondi ne figure pas dans l'itinéraire de Paul, il semble que l'auteur des *Acta* mêle l'histoire du juif de *Dial.* III, 7 à celle de l'Apôtre — juif, lui aussi — dans Ac 28, 11-16. Si cet auteur est bien, comme le pense Lipsius, un moine grec d'Italie méridionale ou de Sicile vivant au ixe siècle au plus tôt, il peut connaître les Dialogues par la version de Zacharie et les combiner avec l'apophtegme anonyme Nau 191 ou quelque récit analogue.

7, 3-9. On songe à l'histoire de Grégoire le Thaumaturge contée par Rufin, *Hist. eccl.* 7, 28, 2 (éd. Th. Mommsen, *GCS* 9, 2, p. 954-955) : un soir de voyage, ne trouvant pas d'autre gîte, le saint s'abrite dans un temple d'Apollon ; son passage provoque l'arrêt des oracles qu'y prononçait un démon et dont vivait le prêtre païen du lieu ; ayant constaté le pouvoir de ce chrétien sur les démons, le prêtre se convertit au christianisme, renonce au monde et reçoit le baptême.

Bien que les Dialogues racontent une histoire différente et s'inspirent d'autres sources, le début du récit de Rufin (arrêt nocturne, au cours d'un voyage, dans un temple d'Apollon) et sa conclusion (baptême du personnage non chrétien qui a eu rapport avec le démon) ont pu influencer Grégoire, qui ne les a pas trouvés chez Cassien ni dans l'apophtegme. De même, la retraite du démon à cause de la présence du Thaumaturge est un trait auquel correspond, dans le récit des Dialogues (§ 6), la fuite des esprits mauvais à cause de la croix dont s'est signé le juif (voir cependant la note suivante).

7, 3-6. D'après Théodoret, *Hist. eccl.* 3, 3, cité par Cassiodore,

Hist. trip. 6, 1 (1030 ab), Julien l'Apostat, effrayé par une apparition de démons dans un temple païen, aurait tracé sur son front le signe de la croix, qui aurait fait « disparaître » aussitôt les démons.

7, 6. La parole des esprits fait penser au mot de l'ange à Pierre d'Alexandrie rapporté, d'après Athanase, par JEAN MOSCHUS, *Pré sp.* 198 : « Jusqu'à quand enverrez-vous ici ces bourses, sans doute marquées d'un sceau, mais bien vides et ne contenant rien à l'intérieur ? » Il s'agit là du caractère baptismal reçu sans la foi, non du signe de la croix, mais le thème est analogue.

7, 7-8. L'apophtegme de *VP* 5, 5, 39 ne dit pas que le visionnaire rende visite à la victime du démon et lui parle de sa faute. Cet épisode, qui se trouve dans le récit de Cassien, figure aussi dans l'apophtegme *VP* 5, 5, 24, où un moine endormi (cf. Cassien) dans un temple païen (cf. *VP* 5, 5, 39) entend les démons annoncer qu'ils viennent de précipiter tel autre moine dans la luxure cette nuit-là. Cet apophtegme a même deux traits qui le rapprochent particulièrement des Dialogues : d'abord la femme qui fait tomber le moine a été imprudemment hébergée par celui-ci dans sa propre maison ; ensuite le visionnaire obtient du pécheur qu'il se convertisse. Ce qui manque à ce récit de *VP* 5, 5, 24 pour ressembler complètement à celui de Grégoire, c'est la scène où le prince des démons examine ses sujets.

7, 8. Avant de prescrire aux missionnaires en Angleterre de transformer les temples païens en églises (*Reg.* 11, 56 = *Ep.* 11, 76 ; cf. BÈDE, *Hist. eccl.* 1, 30), Grégoire avait recommandé au roi Ethelbert de les détruire purement et simplement (*Reg.* 11, 37 = *Ep.* 11, 66 ; cf. BÈDE, *Hist. eccl.* 1, 32). Sur cette volte-face, voir R. A. MARKUS, « Gregory the Great and a Papal Missionary Strategy », dans *The Mission of the Church and the Propagation of the Faith*, Cambridge 1970 (Studies in Church History 6), p. 29-38. Le présent récit des Dialogues et celui de II, 8, 11 soulignent toutefois que l'idée de convertir les sanctuaires idolâtriques en églises chrétiennes n'est pas venue brusquement à l'esprit de Grégoire en 601, mais avait des racines dans sa mémoire d'Italien.

11, 1. Sur Cerbonius, voir à présent P. CONTE, « Osservazioni sulla leggenda di S. Cerbonio vescovo di Populonia (+ 575) », dans *Aevum* 52 (1978), p. 235-260, que nous n'avons pu consulter.

11, 2-3. Bêtes refusant d'attaquer les martyrs chrétiens : voir EUSÈBE-RUFIN, *Hist. eccl.* 3, 36, 8 (cite IGNACE, *Ep. Rom.* 5, 2) ; 5, 1, 42 (Blandine) et 51 (Alexandre et Attale ; le trait manque dans le grec) ; 8, 7, 2-6 (martyrs de Tyr), où la réaction des spectateurs est notée (*tum uero stupor ingens et pauor omnes qui in spectaculis considebant inuaserat*) et hommes et bêtes sont opposés comme ici : *bestiarum feritas Dei uirtute mansuescit, humana uero rabies nec ferarum mitescit exemplis*, etc.

11, 5. Pluie qui s'écarte pour contourner ceux que Dieu protège : voir *V. Sym. Styl. J.* 172. Chez JEAN MOSCHUS, *Prép sp.* 174, le miracle a lieu en mer comme ici, mais il est inverse : la pluie tombe seulement sur le bateau, en vue de désaltérer les passagers.

13, 2. L'ordre d'écorcher vif le prélat avant de le décapiter fait penser au supplice légendaire de l'Apôtre Barthélemy. Cependant le texte latin primitif de sa Passion ne semble avoir parlé que de décapitation. Voir *Passio Bartholomaei* 9, éd. M. Bonnet, dans R. A. Lipsius - M. Bonnet, *Acta Apostolorum Apocrypha*, t. II/1, Leipzig 1898, p. 149, 4. C'est seulement dans deux témoins tardifs et dans la version grecque que l'Apôtre est écorché auparavant. Grégoire a-t-il pu connaître cette forme de l'histoire ?

14, 2-3. Le moine syrien Daniel, futur stylite, arrivant dans la région de Constantinople, passe sept jours dans un oratoire (*V. Dan. Styl.* 13). Il sera aussi traité d'imposteur par le clergé (*ibid.* 19). Le même qualificatif (*epithetèn*) est attribué par un laïc à Syméon Stylite le Jeune (*V. Sym. Styl. J.* 234).

14, 3. Bien que « rustique » d'après Grégoire, le mot *inpostor* fut employé sans circonlocution, selon *V. Patrum Iurens.* 93, 2, par un dignitaire de la cour du roi burgonde qui plaidait contre l'abbé Lupicin.

14, 10. Dom Antin me fait remarquer que cette gaieté d'Isaac n'est peut-être pas sans rapport avec l'étymologie du nom, que Gn 21, 6 (cf. Gn 17, 17 ; 18, 12-15 ; 21, 9) rattache au verbe « rire », De fait, voir Jérôme, *Lib. interpr. hebr. nom.*, *CC* 72, p. 67, 15-16 : *Isaac risus uel gaudium.*

14, 13. Idée et citation semblent venir de Cassien, *Conl.* 4, 6, 4-5, où cependant l'accent est moins sur l'auto-accusation et l'humilité que sur la prière pour obtenir la grâce et sur l'effort.

15, 2-5. Aux paires de moines que nous avons énumérées, on peut ajouter celle de *VP* 5, 17, 18 (= Nau 355) : deux frères, dont l'un demeure en cellule et jeûne pendant six jours, tandis que l'autre sert les malades. Mais notre récit rappelle surtout l'apophtegme *N* 461 (= *PE* IV, 5, 36-38), traduit dans *Les Sentences des Pères du Désert. Nouveau recueil*, Solesmes 1970, p. 72 : de deux amis qui se sont faits moines ensemble, l'un devient cénobiarque, l'autre anachorète et thaumaturge. Le premier « demanda à Dieu de lui révéler pourquoi l'autre opérait des merveilles et devenait célèbre auprès de tous, tandis que lui ne recevait rien de pareil ». La réponse du Seigneur n'est pas sans rapport avec ce que Grégoire dit plus loin (§ 13-17) : l'anachorète se tient plus près de Dieu.

15, 7. Comparer le châtiment d'un des calomniateurs de l'évêque Narcisse chez Eusèbe-Rufin, *Hist. eccl.* 6, 9, 7 : *repente.... morbo regio... repletur atque consumitur.*

16, 3-4. On songe à deux épisodes de la Vie de Syméon Stylite le Jeune : un jour Satan entre chez lui sous forme de serpent (*V. Sym. Styl. J.* 38) ; une autre fois il fond sur lui sous forme d'aigle et ne le quitte qu'après avoir brûlé une partie de sa barbe (*ibid.* 125).

16, 5. Comme le note J. M. Petersen dans une étude inédite, Martin ressemble à Syméon Stylite, qu'aucune femme n'était admise à voir, pas même sa mère. Ayant vainement sollicité une entrevue, celle-ci demanda et obtint de mourir sur place (*V. Sym.*

9, *PL* 73, 329-330). Après la mort du saint, selon GRÉG. DE TOURS, *Glor. conf.* 26, une femme qui s'était déguisée en homme pour entrer dans la basilique mourut aussitôt.

17, 1. Comme ce moine, Médard, jeune clerc, se montre *pariter et animo conuersus et habitu* (VENANCE FORTUNAT, *V. Med.* 3).

17, 5. Selon ÉNÉE DE GAZA, *Theophrastus*, *PG* 85, 995, le moine syrien qui a ressuscité un enfant s'enfuit pareillement pour éviter l'admiration.

17, 7. Argument voisin chez CASSIEN, *Conl.* 15, 8 : la supériorité de l'âme sur la chair fonde celle des guérisons morales qu'on produit en soi-même sur les exorcismes et autres guérisons corporelles qu'on opère miraculeusement chez autrui. D'autre part les deux résurrections, celle du corps et celle de l'âme, sont pareillement contrastées par FAUSTE DE RIEZ dans son panégyrique d'Honorat (EUS. GALL., *Hom.* 72, 8).

17, 9-12. Les premières antithèses (9-10) rappellent CASSIEN, *Conl.* 12, 12, 5, où la transformation de Paul, persécuteur féroce, en prêcheur très patient de l'Évangile est présentée comme le plus grand des prodiges.

17, 11. De nouveau, les avis que Paul adresse aux époux sont présentés comme des marques de sa condescendance, en contraste avec la sublimité de sa doctrine, dans *In I Reg.* 4, 100. Grégoire cite là 1 Co 7, 2 (*propter fornicationem uir suam uxorem habeat et uxor suum uirum habeat*), c'est-à-dire les mots qui précèdent immédiatement la phrase citée ici (1 Co 7, 3). Dans *Past.* 2, 5 et *Reg.* 1, 14 = *Ep.* 1, 25, Grégoire cite l'une et l'autre phrase.

18, 2. Outre Daniel et ses compagnons, Benoît a eu pour prédécesseur Polycarpe, que la flamme épargna (EUSÈBE-RUFIN, *Hist. eccl.* 4, 15, 37). Mais voir surtout *VP* 5, 14, 18 (= NAU 295) : sur l'ordre de l'abbé, à qui il vient présenter son jeune fils, un moine jette l'enfant au four à pain, « et aussitôt le four embrasé se changea en rosée ».

24, 1. C'est sans doute en référence à cette apparition que la *Notitia ecclesiarum urbis Romae* (VIIIe s.) signale dans la basilique vaticane *locum ubi beatissimus apostolus apparuit cuidam mansionario suo* (§ 39, *CC* 175, p. 311, 198-199). Cette localisation, apparemment marquée par quelque monument, vient-elle d'une tradition antérieure aux Dialogues, dont ceux-ci seraient un écho, ou bien est-elle due à quelque lecteur de Grégoire ? En tout cas, le lieu de l'apparition ne paraît pas se situer près de la porte de la basilique, comme le veut notre récit, mais entre l'autel majeur (§ 38) et la région du baptistère (§ 40), c'est-à-dire dans le transept droit.

26, 1. Une tradition, attestée à partir du xe siècle, place la tombe de Menas dans un petit oratoire près du sommet du mont Taburno, non loin de Bénévent. Voir B. DE GAIFFIER, « Translations et Miracles de S. Mennas par Léon d'Ostie et Pierre du Mont-Cassin », dans *AB* 62 (1944), p. 5-32.

26, 3. Ce pouvoir de Menas sur les ours rappelle celui de Colomban, d'après Jonas, *V. Col.* 15 et 27, comme nous le rappelle J. M. Petersen.

26, 8. Comme nombre de ses semblables, la mention de la basilique et de la fête de saint Menas au début de *Hom. Eu.* 35 demanderait à être vérifiée dans la tradition manuscrite.

29, 2. D'après Cassiodore, *Hist. trip.* 10, 6 = Théodoret, *Hist. eccl.* 5, 32, Jean Chrysostome refusa de céder aux Ariens une église de Constantinople, comme le voulait l'empereur.

30, 6. On songe aussi à Grégoire de Nazianze, *Carm.* II, I, 11, v. 1360-1370 : le soleil brille soudain, comme par miracle, dans l'église de Constantinople enlevée aux Ariens et restituée au culte catholique.

33, 9. Grégoire se demande ce qu'il est, ce qu'il était : cf. *In I Reg.* 4, 180 : *miratur tunc esse quod non erat, miratur se tunc non fuisse quod est* (l'âme visitée par la grâce).

34, 3. A en juger d'après la Vulgate, Grégoire mêle les particularités textuelles de Jos 15, 18-19 (*suspirauit... cui... australem... iunge*) et celles de Jg 1, 14-15 (*sedens... dixit.... inriguum*[2]).

34, 4. On donne ses biens aux pauvres et l'on a une foi ardente, mais sans avoir encore la grâce des larmes : Grégoire semble se souvenir de 1 Co 13, 2-3, en substituant les larmes à la charité.

35, 2. Amant rappelle Daniel le Stylite, qui commande à un serpent de rentrer dans son trou, où l'animal crève (*V. Dan. Styl.* 81). Cf. Cassiodore, *Hist. trip.* 9, 46 = Sozomène, *Hist. eccl.* 7, 25.

35, 3. Le propre du « frénétique » est de crier : voir Salvien, *Gub.* 5, 1, 4.

36, 1. Si la traversée de Maximien eut lieu à l'automne, saison où la navigation était en principe arrêtée à cause du mauvais temps (cf. Ac 27, 9), on s'explique qu'il ait essuyé cette tempête. Végèce, *Epit. rei milit.* 4, 39, précise que l'arrêt de la navigation allait du 11 novembre au 10 mars.

36, 3. Dans un naufrage, Satyrus, encore catéchumène, obtint de compagnons chrétiens du pain consacré qu'ils portaient avec eux. Il le suspendit à son cou avant de se jeter à l'eau (Ambroise, *De exc. Sat.* 1, 43 et 46). C'est aussi au cours d'une tempête en mer que Porphyre de Gaza et Jean de Césarée, ayant converti le pilote arien, « le font communier aux saints mystères » (Marc, *V. Porph.* 57, 16).

36, 4. De fait, la mer Adriatique (36, 2) commence au détroit de Messine, d'après Jordanes, *Get.* 60 (1295 c).

37, 2. « Priez ainsi pour moi » peut se rapporter à ce qui suit, comme le suggère notre ponctuation, mais on peut aussi, avec A.-J. Festugière, rapprocher cette phrase de ce qui précède et comprendre : « Mettez autant d'ardeur à prier pour moi (qu'à m'injurier). » En tout cas, « Prie(z) pour nous » est une formule de congé chez Grégoire de Nazianze, *Ep.* 43, 5 (fin d'une lettre), et chez Pallade, *Hist. Laus.* 18, 16 = *HP* 6, 273 d (fin d'un entretien ; Pachôme renvoie Macaire chez lui).

37, 19. Dans *Reg.* 5, 51 = *Ep.* 5, 48, Grégoire écarte de l'épiscopat un prêtre qui ne sait pas les psaumes. De son côté, A.-J. Festugière cite *Reg.* 10, 13 = *Ep.* 10, 34 (un diacre, élu à l'épiscopat, sait-il les psaumes ?) ; *Reg.* 2, 28 = *Ep.* 2, 35 (Grégoire a ordonné évêque de Rimini un homme qu'il jugeait inapte *pro sua simplicitate*). La situation n'est pas meilleure en Gaule. Voir *Conc. Narbonne* (589), can. 11 (*CC* 148 A, p. 256) : défense d'ordonner diacre ou prêtre un analphabète ; ceux qui ont été ordonnés seront obligés d'apprendre à lire, etc.

37, 20. Ce parallèle des deux sciences, « la nôtre » et celle de Sanctulus, rappelle Cassien, *Conl.* 14, 16, 6-7 : la « vraie science spirituelle », celle des saints, n'a rien à voir avec « l'érudition séculière ». Celle-ci n'est qu'un arbre au vain feuillage, tandis que l'autre est lourde de « fruits ». C'est aussi aux feuilles et aux fruits que l'apophtegme *VP* 5, 10, 84 (= Nau 252) compare paroles et œuvres. Même image dans *Reg.* 5, 53ª = *Mor.*, *Praef.* 5. Ici l'image est différente (respirer seulement l'odeur des fruits, ou les cueillir et les manger).

38, 3-4. La fin du monde approche, annoncée par des signes de toute sorte, et ces calamités nous pressent d'abandonner un monde croulant : ainsi déjà Eucher, *Ad Valer.*, PL 50, 722 b - 723 b. — Sur ce thème grégorien, voir R. Manselli, « L'escatologismo di Gregorio Magno », dans *Atti del primo congresso internazionale di studi longobardi*, Spolète 1952, p. 383-387 ; R. Wasselynck, « L'orientation eschatologique de la vie chrétienne d'après saint Grégoire le Grand », dans *Assemblées du Seigneur*, nº 2, Bruges 1962, p. 66-80 ; C. Dagens, « La fin des temps et l'Église selon saint Grégoire le Grand », dans *RSR* 58 (1970), p. 273-288.

38, 5. Cette question de la survie de l'âme a été mainte fois agitée dans l'Église ancienne, qui professait la résurrection de la chair, mais ne trouvait pas dans l'Écriture des données aussi claires en ce qui concerne le sort des âmes avant la résurrection. Le P. Festugière cite Arnobe, *Adu. nat.* 2, 53, pour qui l'âme humaine n'est pas immortelle par nature, mais par grâce. Voici quelques autres jalons : selon Eusèbe-Rufin, l'immortalité de l'âme fut niée non seulement par Simon le Magicien et son disciple Ménandre (*Hist. eccl.* 3, 26, 4), mais aussi, bien plus tard et dans un autre contexte, par des chrétiens d'Arabie qui furent corrigés par Origène (*Hist. eccl.* 6, 37). Vers 245, celui-ci combat la même erreur chez des évêques, peut être arabes eux aussi : voir *Entretien d'Origène avec Héraclide*, éd. J. Scherer, Le Caire 1949, p. 167-175. Près de deux siècles plus tard, des dénégations ou des doutes sont encore relevés par Augustin, *Ep.* 159, 3-4 (vision du médecin Gennade) et par Cassien, *Conl.* 1, 14, 4-10.

ADDENDA ET CORRIGENDA

(TOME I)

Page 10. L'ouvrage du Père A.-J. Festugière est paru à présent. Voir GRÉGOIRE LE GRAND, *Dialogues*, Paris, Téqui, 1978. Absent de la page de titre, le nom du traducteur est mentionné dans l'Avant-Propos de L. Regnault, p. 8.

Page 24. Notre article « Un cinquantenaire : l'édition des Dialogues de saint Grégoire par Umberto Moricca » paraîtra dans *BISI* 86 (1976-1977), p. 183-216, ainsi que dans notre recueil *Saint Benoît. Sa Vie et sa Règle. Études choisies*, Bellefontaine 1980 (collection *Vie monastique*).

Page 89. Quatre lignes avant la fin, remplacer *Argentario* par *Argentaro*.

Page 141. A la note 1, dernière ligne, remplacer *415-420* par *615-620*.

Pages 141-142. Peu après la Vie des Pères de Mérida, la *Vita Fructuosi* (*BHL* 3194) atteste à son tour l'influence des Dialogues en Espagne. Voir *V. Fruct.* 10, *ASOSB* II, 585 (= *PL* 87, 464). Comme le Florent de Grégoire (*Dial.* III, 15), Fructueux apprivoise un animal sauvage, qu'un envieux fait égorger par ses chiens. Émoi du saint, châtiment de l'envieux, qui tombe gravement malade mais guérit par les prières du saint. Le modèle grégorien se reconnaît avec certitude à la phrase d'introduction (*Sed quia antiquus hostis... rapit ad poenam*), qui reproduit mot pour mot *Dial.* III, 15, 5, lignes 40-42.

TABLE SYNOPTIQUE DU SECOND VOLUME

LIVRE III

ACHEVÉ D'IMPRIMER
LE 4 OCTOBRE 1979
SUR LES PRESSES
DE PROTAT FRÈRES
A MACON

N° IMPRIMEUR : 6382. N° ÉDITEUR : 7093. DÉPÔT LÉGAL : 4e TRIMESTRE 1979.